74.—

SÖREN KIERKEGAARD

WEGE DER FORSCHUNG

BAND CLXXIX

1971

WISSENSCHAFTLICHE BUCHGESELLSCHAFT

DARMSTADT

SÖREN KIERKEGAARD

Herausgegeben von
HEINZ-HORST SCHREY

1971
WISSENSCHAFTLICHE BUCHGESELLSCHAFT
DARMSTADT

wb Bestellnummer: 4854
Schrift: Linotype Garamond, 9/11

© 1971 by Wissenschaftliche Buchgesellschaft, Darmstadt
Satz: W. Zander, Weinheim (Bergstr.)
Druck und Einband: Wissenschaftliche Buchgesellschaft, Darmstadt
Printed in Germany

ISBN 3-534-04854-7

INHALT

VORWORT

Daß die Kierkegaard-Rezeption der vergangenen Generationen mit Mißverständnissen belastet war und somit schon als ein Unglück bezeichnet werden konnte, tut der großen Bedeutung, die dieser dänische Denker für das deutsche Geistesleben hatte und noch immer hat, keinen Eintrag. Kierkegaard teilt damit im Grunde das Schicksal jedes großen Denkers. Aus dem Metaphysiker Kant, der eine Synthese zwischen Rationalismus und Empirismus suchte, wird im Neukantianismus der reine Antimetaphysiker und Wissenschaftstheoretiker; aus der Gedankenmasse Hegels zieht sowohl der preußische Konservativismus wie die atheistische Hegelsche Linke ihre Kraft; Nietzsche regt mit seinem Begriff des Willens zur Macht sowohl die Ideologen des SS-Staats wie die Meditation der Ontologen über die Mächtigkeit des Seins an. Wie konnte es dem dänischen Denker anders ergehen!

Der vorliegende Band spiegelt einige der möglichen Formen des Kierkegaardverständnisses wider. Die Vieldeutigkeit beginnt schon bei der Frage nach seiner eigentlichen Intention: war diese philosophischer oder theologischer Art? Oder bleibt beides noch im Systemdenken stecken, das zu überwinden gerade sein eigentliches Anliegen war? Und waren die von ihm angewandten Denkmittel geeignet, das von ihm selbst formulierte Ziel zu erreichen, nämlich den Menschen seiner Zeit zum Christsein zu verhelfen? Um dieses sehr Einfache – und doch so Schwere – ging es ihm ja schließlich: das Christsein in einer Zeit zu erneuern, da dieses zu einer geographisch bedingten Selbstverständlichkeit geworden war. Der Skandal, den Kierkegaard aufdeckt, besteht darin, daß in der nominellen Christenheit die Wahrheit des Christentums gleichsam unbemerkt abgeschafft ist. Man hat einige Wendungen des späten Kierkegaard so verstehen wollen, als wende er sich vom dänischen Luthertum seiner Zeit ab und dem Katholizismus zu, vor allem weil er von der Bedeutung der Werke, der Autorität der Verkündiger und der Wichtigkeit der klösterlichen Existenz redet. W. Rest wird recht haben, wenn er diese Deutung ablehnt. Seine kontroverstheologische Bedeutung lag wohl darin, daß er jegliches Kirchentum von seiner vermeintlichen Entdeckung des Urchristentums her in Frage stellt. Ist diese Entdeckung aber derart, daß man in ihr eine genuine Gestalt des Christlichen erkennen kann, die der Nachfolge wert wäre? Oder kommt er nicht in gefährliche Nähe des weltverachtenden Manichäismus, wie ihm das sein Landsmann Hansen nachsagt? Wirkt sein Bild des Christen nicht „asketisch, unmenschlich und unmöglich, ja dezidiert antichristlich", wie sein großer Zeitgenosse Grundtvig meint? Dann hätte auch er nicht die echte Fülle des Christlichen wiederentdeckt, sondern höchstens eine in seiner Zeit vergessene und übersehene Seite desselben, gleichsam den Kontrapunkt setzend zur Rührseligkeit seiner zeitgenössischen Zuhörer. Wie Kierkegaard es selber verstanden hat, ging es ihm vor allem um eines: wegzukommen von dem „Spekulations- oder Aufklärungsplattdeutsch", also der üblichen Verfremdung des Christlichen in reine Vernünftigkeit, und die „Gottessprache des Paradox" neu zu lernen. Damit bekommt die von Kierkegaard, dem „Reflexionsgenie", so virtuos geübte Existenzdialektik ihren richtigen Stellenwert: hier wird nicht mehr im Raum des cartesianisch-hegelschen Bewußtseins im „reinen Denken" verharrt, sondern „pathetisch", d. h. in persönlicher Leidenschaft der Übergang zur Existenz vollzogen. Kierkegaard hat im Grunde nur *ein* Interesse – zu existieren. Das bedeutet Aufhebung des Denkens als des Verweilens in der reinen Möglichkeit, Selbstidentifikation mit dem Gedachten, um darin zu existieren. Das dem Menschen aufgegebene Seinkönnen existierend zu vollziehen, ist für Kierkegaard Existenz (vgl. den Beitrag von G. Rohrmoser).

Daß der Idealismus behauptet, der Mensch könne von sich aus, kraft der ihm innewohnenden Freiheit, diesen Schritt tun, ruft den Protest Kierkegaards hervor und macht ihn zum enragierten Apologeten des Christentums, denn nur in ihm gewinnt der Mensch sich selbst. Die transzendentale Überhöhung des Menschen zum kollektiven Gattungswesen, Menschheit genannt, und die damit verbundene Relativierung aller Lebensgehalte sieht Kierkegaard als den geheimen Kern des neuzeitlichen Nihilismus an (vgl. meinen Beitrag). Hegel, der diese Position vertritt, wird darum notwendig sein Gegenspieler, von dem sich geistig zu lösen sein unablässiges Bemühen ist. Das geschieht bei ihm einerseits in einer sehr differenzierten Auseinandersetzung mit den Grundlagen des hegelschen Denkens, vor allem seiner Logik (vgl. dazu die Beiträge von Joest, Ritschl und Schäfer), andererseits in einer dichterisch-existentiellen Transposition der hegelschen Sphären des Geistes (subjektiver, objektiver und absoluter Geist) in die Existenzstadien des Ästhetischen, Ethischen und Religiösen samt den dazugehörigen Konfinien oder Grenzbereichen der Ironie und des Humors, wobei es der Forschung bisher entgangen ist, daß sich Kierkegaard mit diesem triadischen Aufbau von Existenz noch durchaus innerhalb der Struktur des hegelschen Systems hält. Der Durchbruch geschieht nicht in einem völligen Verlassen der hegelschen Struktur, sondern in deren Transposition ins Existentielle. Diese *metabasis eis allo genos* macht aus dem Denker Kierkegaard den Dichter, der sich selber und sein Werk aber nicht als Selbstzweck versteht, sondern dienstbar dem Anliegen der Mitteilung des Christlichen. So stehen bei Kierkegaard Existenzdialektik und Dichtung im Dienst seiner eigentlichen Lebensproblematik, der Existenzmitteilung. Es ist ihm klar, daß diese in seiner geistigen Situation nicht direkte Mitteilung, also Predigt und Verkündigung, sein kann, sondern nur indirekte Mitteilung, also ironische Hinterfragung der von seinen Zeitgenossen eingenommenen Positionen. Wenn Hegel sich als der legitime Vollender des Christentums versteht, indem er Gott als den absoluten Geist bestimmt und den Menschen in diesen Geist hinein „aufhebt", also die Bewegung des Transzendierens vom Endlichen zum Göttlich-Unendlichen hin vollzieht, dann ist Kierkegaard sein entschiedener Antipode: das Jenseits Gottes ist in Jesus Christus diesseitig geworden, und nun gilt es für den Menschen in der Zwiespältigkeit seiner Existenz sich glaubend dazu zu verhalten, nicht die Bewegung des Aufstiegs in Transzendenz zu vollziehen. Sich mit Christus, dem menschgewordenen Gott, identifizieren heißt ihm nachfolgen. Glaube allein könnte den Menschen in der hinnehmenden Zuschauerhaltung belassen, im dogmatischen Konsensus, der Herz und Leben letztlich kalt läßt; hier sind auch die Vorbehalte begründet, die Kierkegaard Luther gegenüber hat, dem alles auf die Rechtfertigung allein aus dem Glauben ankam. Weil aber Glaube ohne Werke, d. h. ohne existentielles Engagement, tot ist, wird für

Kierkegaard das Problem der Nachfolge wichtig (vgl. dazu den Beitrag von H. Diem).

Ist Kierkegaard nun der Inaugurator der modernen Existenzphilosophie oder nicht? (Vgl. dazu den Beitrag von Fr. Buri.) Die
Frage – und mit ihr die Antwort – liegt ähnlich wie bei Luther mit
Hinsicht auf den neuzeitlichen Gewissensbegriff: sicher hat Luther
das Gewissen als den Ort entdeckt, an dem sich innerste Existenz-
prozesse ereignen, doch ereignen sich diese bei ihm auf dem Hintergrund der christlichen Heilsdramatik der vom Gesetz veranlaßten
Sündenqual und des vom Evangelium herrührenden Trostes. Ebenso
entdeckt Kierkegaard, daß das Existieren nur von der Existenz selbst
zu leisten sei (so W. Schulz in seinem Beitrag). Hier haben Kategorien wie Geworfenheit, Situation, Verzweiflung, Sprung und Entscheidung ihren Ursprung, ohne daß sich darum sein Existenzbegriff
mit dem Heideggers oder Jaspers' decken müßte; er ist weder das
bloße sich zu sich selbst Verhalten noch die sich selbst erhellende
Vernunft. Dennoch bleiben viele Formen auch der säkularisierten
Existenzphilosophie noch im Bannkreis des christlichen Existenzverständnisses. Erst extrem solipsistisch-atheistische Formen des Existentialismus, etwa Sartres Fliegen, oder der sozio-psychologische
Entwurf des Freud-Marxismus Marcuses bringen eine radikale Abkehr von traditionellen abendländischen Daseinsdeutungen.

Als Grundproblem der Kierkegaard-Deutung ist Kierkegaards
Stellung zur christlichen Tradition anzusehen. Hat sich Kierkegaard
die ihm von seiner christlichen Herkunft her vorgegebene Situation
verinnerlichend angeeignet, oder sie in dieser Verinnerlichung aufgelöst? Das erscheint nach M. Theunissen als die Entscheidungsfrage
der literarisch vorliegenden Interpretationsversuche. Als Antipoden
stehen hier H. Diem, der in Kierkegaard den „Spion im Dienste
Gottes" sieht, und W. Anz, der einen durch Existentialisierung nicht
überbrückbaren Gegensatz zwischen Christlichkeit und Modernität
statuiert.

Mit dem eben Gesagten kommen wir zur Rechtfertigung der hier
dargebotenen Auswahl aus der großen Fülle der Veröffentlichungen
über Kierkegaard, über die sich der Leser aus dem verdienstvollen
Literaturbericht von M. Theunissen einen Überblick verschaffen
kann. Verzichtet werden mußte auf Vollständigkeit der in der lite-

rarischen Kontroverse angeschlagenen Themen, so vor allem auf die Arbeiten zum literarischen Stil, den biographischen Details und der geistigen Vorgeschichte (Luther, Pascal, Hamann) sowie zur Auseinandersetzung mit geistigen Größen seiner Zeit (Goethe, Schelling, Möller, Heiberg, Trendelenburg). Hegel muß hier eine Ausnahme bilden, weil er für Kierkegaard die kräftigste Herausforderung war und dieser ohne jenen nicht zu verstehen wäre. Wir glaubten dem Leser einige wichtige Arbeiten aus der Zeit der Kierkegaard-Rezeption nach dem 1. Weltkrieg nicht vorenthalten zu dürfen, weil sie gleichsam das Feld der späteren Wirkung Kierkegaards in Deutschland eröffnen. Die gewählten Beiträge betreffen die zentrale Problematik Kierkegaards, seine Christentumsauffassung, seinen Begriff der Existenz, der Existenzdialektik und der Methode der Mitteilung und schließlich seine Bedeutung für Theologie und Philosophie. Die Auswahl mußte sich dabei leider aus Raumgründen auf die dänische und deutsche Kierkegaard-Forschung beschränken, obwohl ursprünglich eine Ausweitung auch auf die französische, italienische und amerikanische Forschung geplant war. Diese Beschränkung hat insofern ihr sachliches Recht, als Deutschland und die Theologie in Deutschland es waren, auf die Kierkegaard am tiefsten gewirkt hat. Er hat unsere deutsche theologische Sprache geprägt, ist so gleichsam „unser Mann" geworden, als „Läuterungsfeuer der kritischen Selbstreflexion und Kirchenkritik, als ätzendes Korrektiv und Ansporn zur unbestechlichen theologischen Leidenschaft, zur theologischen Existenz im Geist und in der Wahrheit, als ein Durchgang, der uns für immer zeichnet" (G. Harbsmeier).

Es bleibt uns nur übrig, all denen zu danken, die ihre Zustimmung zum Abdruck ihrer Beiträge gegeben haben, den Autoren wie den Verlagen, und die um Verständnis zu bitten, deren Arbeiten hier nicht berücksichtigt werden konnten. Wenn zur Stunde auch die Probleme einer „Theologie der Revolution" das Feld beherrschen, so ist doch zu hoffen, daß darüber das Korrektiv, das „Quentchen Zimt", als das sich Kierkegaard immer verstanden hat, die Leidenschaft der Innerlichkeit und das Verständnis des Menschen als Dasein vor Gott, nicht vergessen werde. Mit einer bloßen Abwendung von Kierkegaard ist es nicht getan, auch wenn Marx und sein Denken ergiebiger scheint für eine Hermeneutik der gegenwärtigen Gesellschaft. Der

Einzelne wird nicht nur für Kierkegaard und seine Zeit, sondern immer die zentrale Kategorie bleiben müssen, durch die einer hindurch muß, wenn er in die Wahrheit kommen will.

Heidelberg, Neujahr 1971   Heinz-Horst Schrey

Zwischen den Zeiten. 3 (1924), S. 31–46.

DAS GRUNDPROBLEM DER PHILOSOPHIE
BEI KANT UND KIERKEGAARD

Von Emil Brunner

Es wäre ein durch nichts zu rechtfertigender Mißbrauch Ihrer für mich so erfreulichen und ehrenvollen Einladung, wenn ich heut Abend Ihnen in einer akademischen Vorlesung ein Stück aus der Philosophiegeschichte vortragen wollte. Wenn ich Sie recht verstehe, so ist Ihr Interesse, gerade wie das meine, kein gelehrtes, kein der Vergangenheit zugewendetes, sondern ein aktuelles, der Gegenwart oder vielmehr dem zugekehrt, was jederzeit aktueller ist, als das, was man gewöhnlich so nennt. *Quid est veritas?* – das ist jederzeit die einzige ganz dringliche Frage, die wir um keinen Preis aufschieben dürfen. Denn von ihr hängt ja alles andere ab, vor ihr werden alle geschichtlichen Tatsachen bedeutungslos. Denn entweder ist Wahrheit etwas über dem geschichtlichen Werden und Vergehen, oder aber es gibt keine Wahrheit. Entweder ist Wahrheit das Allumfassende, Allbegründende, der einzige Gehalt und Sinn jedes Momentes, auch des gegenwärtigen, oder dann ist Wahrheit nicht unser Herr, sondern unser Diener, wie seichter Pragmatismus will, d. h. nicht Wahrheit, sondern Willkür. Vom Zeitlosesten und darum Aktuellsten, vom Unpersönlichsten und darum persönlich Wichtigsten, vom Ungeschichtlichsten und darum von dem, was alle Geschichte eigentlich meint, wollen wir uns also unterhalten.

Wenn ich trotzdem unser Thema mit zwei geschichtlichen Namen belegt habe, Kant und Kierkegaard, so brauche ich das wohl Ihnen gegenüber nicht lange zu rechtfertigen. Wer etwa an Hand von Überwegs Geschichte der Philosophie der Gegenwart sich einen Eindruck davon verschafft, was für ein üppig wucherndes Kraut die zeitgenössische Philosophie ist, in welch unabsehbarer Mannigfaltigkeit von

Vortrag vor der Kantgesellschaft in Utrecht. Dezember 1923.

Spezies und Varietäten sie sich uns darbietet, der fühlt sich, wenn er
selber etwas Rechtes zu sagen zu haben meint, lebhaft an jene Situation erinnert, die Paulus in Athen antraf, wo er vor lauter Zeichen
der Deisidaimonia mit ihren Hunderten von Kulten seine Botschaft
nicht anders anbringen konnte, als indem er an eine schon bekannte
Tempelinschrift anknüpfte. So scheint mir auch heute eine neue Philosophie einführen zu wollen eine ebenso gewagte als auch überflüssige
Sache. Diese heutige Vielgestaltigkeit, wo jeder Privatdozent meint,
es sich und der Welt schuldig zu sein, mit einer neuen Philosophie die
Menschheit zu beglücken, ist viel mehr ein Zeichen der Impotenz als
der Kraft. Es fehlt an Mut, Ernst und Tiefe, um die philosophische
Frage in der Umfassendheit und wuchtigen Einfachheit zu stellen, die
nicht viele hundert, sondern allerhöchstens ein paar wenige, ja im
Grunde nur zwei Lösungen übrigläßt, wo also all die vielen Beson-
derheiten hinter den entscheidenden Grundzügen zurücktreten. Es ist
vielleicht heute unsere vornehmste Aufgabe, und die, die auch am
meisten Mut braucht, die Parole auszugeben: Zurück zu den Großen,
die nicht etwa hinter uns liegen, sondern immer noch vor uns stehen.
Nicht daß wir über sie hinausgekommen, ist der Grund dafür, daß
jeder meint, seinen eigenen Weizen bauen zu müssen, sondern daß
wir zu kleinlich, zu sehr im Detail befangen sind und darüber die
großen Linien nicht erkennen.

Um bei uns selber anzufangen: Macht nicht der Neukantianismus,
in all seinen verschiedenen Schattierungen, einen etwas rabbinisch-
scholastischen Eindruck, trotzdem er sicher unter allen philosophischen
Bewegungen der Gegenwart die am meisten ernstzunehmende ist? Es
versteht sich von selbst, daß unter uns diese Frage einen besonderen
Sinn hat. Es steht hinter ihr als unausgesprochene Voraussetzung immer das freimütige, uneingeschränkt dankbare Bekenntnis zu dieser
philosophischen Bewegung. Die Männer, die sie ins Leben gerufen
haben, sind es, von denen wir gelernt haben, was philosophisch fragen
und denken heiße. Ihnen verdanken wir die erste Befreiung aus dem
Bann eines geistlosen Naturalismus und einer scheingeistigen und
darum gefährlicheren Romantik. Sie sind es, die uns in den Stand
setzten, auch über sie hinaus, „gegen" sie weiter zu fragen. Und das
ist unvermeidlich. Denn vergleichen wir die Spannweite unserer Problematik mit derjenigen Kants oder Platos, so merken wir erst, was

für ein philosophisches Pygmäengeschlecht wir geworden sind. „Zurück zu Kant!", diese Losung, die Otto Liebmann vor 60 Jahren ausgab, und mit der er die neukantische Bewegung ins Leben rief, ist auch heute noch kein veraltetes Programm, sondern im Gegenteil von allen das aktuellste. „Zurück zu Kant!" wird aber für uns, die wir meinten, schon lange bei Kant zu stehen, vor allem heißen: Zurück zu jener Unerschrockenheit absoluter Fragestellungen, die unserem spezialistischen, kulturpositivistischen Zeitalter ganz fremd geworden ist.

Denn bei aller Treue im einzelnen, mit der die Neukantianer die Gedanken des Meisters wiedergegeben haben – ist nicht doch, aufs Ganze gesehen, diese neukantische Philosophie mehr nur eine gewisse Kantische Nuance des allgemeinen Wissenschafts- und Kulturpositivismus des letzten Jahrhunderts, als eine wirkliche Wiederbelebung des Kantschen Ernstes? Unsere modernen Kantianer haben uns mit der Zeit zum Glauben gebracht, das Hauptinteresse der Kantischen Philosophie sei die Begründung oder Fundierung der Wissenschaft oder Kultur gewesen. In Wahrheit aber macht auch Kant von der allgemeinen Regel keine Ausnahme, daß allen großen Philosophen letzten Endes nur ein Problem wichtig war: der Mensch in seinem Verhältnis zum Absoluten; oder, was dasselbe heißt, daß das tiefste Interesse aller letztlich das theologische war. Ihre Philosophie ist ein Kreisen um jenen Punkt in der Mitte alles Seins und Denkens, um jenes Problem aller Probleme, die Frage nach dem Woher und Wohin aller Dinge und alles Lebens, die Ewigkeitsfrage, die Gottesfrage. Man mußte schon schwer mit Vorurteilen belastet an Kant herangegangen sein, wenn man an diesem Grundsinn all seines Denkens vorbeisehen konnte, und man mußte sich schon unerhörte Freiheiten herausnehmen, um die deutlichen Spuren eben dieses Sachzusammenhangs aus seinen Schriften zu tilgen. Wenn man jene Richtung aufs Absolute, Letzte, Metaphysik nennen will, so war Kant so entschieden und ausschließlich Metaphysiker, wie Plato, Augustin und Leibnitz vor ihm, und Fichte und Hegel nach ihm es waren.

Freilich zeigt gerade diese Nebeneinanderreihung, daß wir mit diesem vieldeutigen Wort „Metaphysiker" nicht auskommen. Es ist Kant etwas eigen, was seinen großen Nachfolgern nicht oder doch nicht in diesem Maße eigen war: Die Qualität: Ernst, oder wie Sie mir jetzt schon zu sagen erlauben mögen: Die Gottesfurcht, der

unbestechliche Sinn für das, was Kierkegaard die qualitative Differenz zwischen Gott und Mensch nennt. Diese Grenze zu sehen, an dieser Grenze zu wachen, das ist der eigentümliche Gehalt seiner, der kritischen Philosophie.

Neukantianismus, um nochmals auf unsere eigene Situation zurückzukommen, hat weder jenen Kantischen Ernst noch jene Besonnenheit. Entweder ist er einfach Kantisch begründeter Positivismus (denken Sie etwa an die ersten Werke aus der neukantischen Schule), der sein Desinteressement an der Gottesfrage offenkundig zur Schau trägt und das Lebenswerk des großen Meisters bloß als Versuch einer wissenschaftlichen Rechtfertigung der Wissenschaft und autonomen Kultur auffaßt. Oder aber er biegt, wie das in einigen neuesten Entwicklungen zutage tritt, zum absoluten Idealismus und damit zur Mystik und zur ontologischen Metaphysik ab[1]. Das ist nur scheinbar ein Widerspruch. In Wahrheit steht die Mystik und der spekulative Idealismus dem Positivismus viel näher als dem Dualismus des Glaubens.

Das meiste, was heute unter dem Namen Kantianismus geht, müßte als Monismus bezeichnet werden. Lassen Sie mich zur Verdeutlichung alle Philosophie in drei Gruppen teilen. Die eine ist die übermütig-spekulative, die zweite die kleinmütig-positivistische und die dritte, die sehr selten gefunden wird: die demütig-kritische. Ist auch der Kritizismus dem Namen nach das Gemeinsame aller neukantischen Richtungen, so ist es doch gerade dieses kritische Denken, was den meisten unter ihnen, auf die Gesamtlebensanschauung gesehen, fehlt. Der Positivismus z. B., wie er etwa als Grenzfall des Kantianismus bei Vaihinger vorliegt, ist nichts anderes als ein Verzicht auf Philosophie. Er hat sicher den eigentlichen Sinn der Kantschen Philosophie verfehlt.

Aber auch der Kritizismus, wie er heute zumeist vorgetragen wird, glaubt im Sinn des Meisters zu verfahren, wenn er alles Denken und Wollen auf das Gebiet *innerhalb* der Grenzen der Humanität bannt. Er merkt nicht, wie er damit gerade sein Grundprinzip, den Kritizismus, am entscheidenden Punkt außer Kraft setzt. Er stellt, wie Ihnen

[1] Vgl. z. B. die neueste neukantische Religionsphilosophie von Albert Görland.

bekannt ist, die moderne Kultur und Wissenschaft als unbestrittene
höchste Richtpunkte unseres Denkens und Wollens hin und verwendet die Philosophie nur zu ihrer Fundamentierung. Echter Kritizismus dagegen, wie Kant ihn lehrte, wäre nichts anderes als derjenige
Radikalismus, derjenige Mut des Fragens, der auch diese letzten
menschlichen Sicherheiten in Frage zu stellen wagt. Er besteht in
jener unbestechlichen, ernsten Wächtertreue, die ihr Amt auch den
höchsten menschlich-immanenten Werten gegenüber geltend macht.
Auch Wissenschaft und Kultur sind ihm nicht Richtpunkte, sondern
Gerichtetes; nicht das grenzsetzende Absolute, sondern das in seine
Schranken gewiesene Relative. Echte kritische Philosophie bedeutet
also das Ende alles Wissenschaftsdünkels, die Erkenntnis des proble-
matischen Charakters gerade dessen, was wir Wissenschaft nennen.
Sie hat – wie die Frömmigkeit des Alten Testamentes – das absolute
Pathos der Distanz. Ja sie ist – eben als *kritische* – nichts anderes als
die Geltendmachung dieser Scheidung, dieser Krisis, dieses Dualismus,
in der Form begrifflicher Reflexion. Es ist schon nicht mehr kritisch
gedacht, wenn man, wie einige „Marburger" es tun, durch die Idee
der unendlichen Denkentwicklung oder -aufgabe den Dualismus zwischen Gegebenheit und Nichtgegebenheit monistisch auflösen will. Es
ist kein Zufall, daß Kant, trotz der offenkundigen Bedenklichkeit des
Begriffs, am Ding-an-sich festgehalten hat. Dieser Begriff bezeichnet
ihm die unübersteigliche Schranke zwischen uns und der Wahrheit
selbst. Wird dieser Dualismus durch eine Denkentwicklung beseitigt,
so stehen wir unvermerkt bei Hegels Monismus. Wer es nicht aushält
in der scharfen Höhenluft des Kantschen Dualismus – und das ist
heutigen Menschen in der Tat keine Kleinigkeit–, der berufe sich nicht
auf den Namen Kant. Mit allem, was nach einer immanenten Aufhebung jener Grenze zwischen Subjekt und Objekt aussieht, mit aller
Identitätsphilosophie, will Kant ein für allemal unverworren gelassen werden. Dort ist das Absolute, und hier das Relative! Zum großen Ärger aller Romantiker und spekulativen Titanen hat der nüchterne Kant beharrlich daran festgehalten, daß es einen Identitäts-
punkt in unserem Denken nicht gebe, daß alles Gerede von Intuition
Schwärmerei sei, in der der Mensch Rechte sich anmaße, die nicht
seine, sondern Gottes seien. Es ist gerade dieser nüchterne, bornierte,
spröde Widerstand gegen alle mystischen Verlockungen, der Kant in

der heutigen Zeit so unpopulär macht. Es ist diese echt protestantische
Mannhaftigkeit, hinter der der Geist der Propheten des Alten Testaments steht, für die wir ihm nicht dankbar genug sein können.

Doch seien wir uns auch klar darüber, wofür wir ihm danken. Das
Prinzip des Kritizismus ist allem Enthusiasmus gefährlich. Kritizismus ist nicht nur absolut nüchtern, er ist auch absolut streng. Den
Alleszermalmer haben die Zeitgenossen Kant genannt, das kleine,
dürre, gepuderte Männchen von Königsberg. Er brauchte keine prometheische Geste. Seine erschütternde, aufrüttelnde Kraft ging aus
von der strengen Sachlichkeit seines Denkens. Mit der Erkenntnis der
Vernunftgesetzlichkeit war die Idee des Ursprungs und der Grenze
da. Indem dem Menschen seine Bezogenheit auf die absolute Wahrheit deutlich wird, wird ihm auch klar, daß er immerfort diesseits des
Absoluten steht mit allem, was je innerhalb der geschichtlichen Existenz Inhalt seines Denkens, Wollens und Schaffens sein wird. Der
unüberwindliche Zwiespalt des Daseins wird sichtbar. Je deutlicher
uns das Absolute wird als das alles Begründende und alles Richtende,
in seiner absoluten, unantastbaren Überlegenheit, desto sichtbarer
wird auch die Kluft, die uns von diesem Absoluten trennt und die
keine Entwicklung zu überbrücken, über die kein Entwicklungsoptimismus hinwegzutrösten vermag. Die Gesamtheit der Kultur, die
Gesamtheit des jemals zu realisierenden menschlichen Wissens ist mit
der jenseitigen Wahrheit inkommensurabel. Freilich sind *wir* es, die
um diese Grenze wissen und die gerade in der Geltendmachung dieser
Grenze ihren Anteil an der jenseitigen Idee verraten. Aber Kant ließ
sich durch diese Erkenntnis nicht berauschen und zu der Behauptung
verführen – in der der nachkantische Idealismus seine Wurzel hat –,
daß wir also in jener Grenzerkenntnis die Erkenntnis des Absoluten
haben, daß darin der Unterschied von Subjekt und Objekt aufgehoben sei. Es liegt mir daran, diesen Punkt so hell wie möglich zu beleuchten, und ich möchte darum hier auf einige Hauptbegriffe der
Kantschen Philosophie hinweisen.

1. Das Ding an sich. Es ist sicherlich unserer monistischen Zeit ein
Ärgernis, aber es läßt sich nur mit tausend Künstlichkeiten aus der
Philosophie Kants herauseskamotieren. Der Begriff: Ding an sich soll
bei Kant gar nichts anderes, als die Ernsthaftigkeit seiner *Grenz*setzung unterstreichen. Daß unserem Erkennen die Wahrheit nicht

immanent, sondern transzendent sei; daß unser Denken, auch wenn es von allem Dinghaften, Gegenständlichen losgelöst, rein als Funktion betrachtet wird, nicht das absolute Denken selbst ist; daß es, sosehr es auch vom Absoluten aus bewegt wird, zugleich auch immer von ihm abgestoßen, in Distanz gehalten wird, indem das Absolute ebensosehr die Krisis ist, die die Antworten auflöst, als die Begründung, die sie hervorruft; und daß diese unsere Begrenztheit mit den unauflösbaren Voraussetzungen unserer jetzigen Existenz, Raum und Zeit, gegeben sei, das sollte der freilich nicht eben geschickte Begriff des Dings-an-sich zum Ausdruck bringen.

2. Dasselbe, von einer anderen Seite gesehen, heißt Antinomie. Die letzten notwendigen Abstraktionen unseres Denkens enden in denknotwendigen Widersprüchen. Trotzdem wir sie als Widersprüche erkennen, können wir sie nicht in einer höheren Synthese auflösen. Wir bleiben beim Widerspruch, wenn wir nicht der Schwärmerei verfallen. Denn alle Versuche, die Antinomien gedanklich zu überwinden, laufen auf jene Identitätsphilosophie hinaus, die Kant als unbefugte Grenzüberschreitung, als falsche Metaphysik ein für allemal erledigt hat.

3. Damit kommen wir auf ein drittes: den Unterschied zwischen dem regulativen und konstitutiven Gebrauch der höchsten Vernunftideen. Begriffe ohne Anschauung sind leer. Sie schaffen nicht mehr Erkenntnis im eigentlichen Sinn. Kant verbietet ihren Gebrauch nicht. Aber mit ärgerlicher Nüchternheit und Unerbittlichkeit macht er darauf aufmerksam, daß eine *Grenze* sehen nicht das gleiche ist, wie ein anderes *Land* sehen; daß zwar Grenze immer auf ein Jenseits hinweist, daß aber mit der Erkenntnis der Grenze noch nicht die Erkenntnis des Grenzsetzenden selbst gegeben sei.

So ist also die transzendentale Dialektik, in der die K. d. r. V. nicht nur endet, sondern gipfelt, nichts anderes als die denktechnisch einwandfrei ausgebaute Sicherung der Grenze nach zwei Seiten. Erstens gegen alle Überschwenglichkeiten der Metaphysiker und Mystiker. Zweitens, ebensosehr, gegen die Wissenschafts- und Kulturpositivisten. Das Ding an sich, die Antinomien und die – wenn auch bloß limitativen – höchsten Vernunftideen sollten als die großen Fragezeichen hinter allen menschlichen Lösungen stehen. Sie sollten die beunruhigende Erinnerung wachhalten, daß all *unser* Erkennen relativ

sei, in dem zweideutigen Sinn: daß wir auf ein Absolutes, Jenseitiges
beständig bezogen seien, und in dieser Beziehung der ganze Sinn des
Denkens liege; und daß doch dieses Andere nie selbst Gegenstand der
Erkenntnis werden könne, sondern der Erkenntnis immer transzendent bleiben müsse. Sofern heutige Kantianer von diesen Rissen in
unserem Denksystem die Aufmerksamkeit ablenken und diesen erra-
tischen Blöcken, die auf eine andere Welt hindeuten, ausweichen, verraten sie damit, daß sie im Grund doch dem modernen Positivismus
näher stehen als den tiefsten Intentionen ihres Meisters.

Wie ernst es Kant gerade mit dieser „transzendentalen Dialektik"
war, zeigt uns vor allem der Gebrauch, den er davon in der „Kritik
der praktischen Vernunft" macht. Ganz mit Unrecht steht in den neukantischen Diskussionen die K. d. r.V. im Vordergrund. Für Kant
selbst war sie nur Vorarbeit für die K. d. p.V. Hier erst kam er in
sein Eigenes. Denn die Idee, um die es ihm letztlich allein zu tun war,
war die Idee der Freiheit, d. h. die Idee des Menschen.

Hier erst zeigt es sich, daß seine Philosophie nicht in erster Linie
der Wissenschaft die Fundamente liefern, sondern daß sie auf das
Problem der menschlichen Existenz Licht werfen wollte. Darum, weil
hier alle Fäden seines Denkens zusammenlaufen, weil von hier aus
die anziehende Kraft für alle die weitverzweigten philosophischen
Probleme ausgeht, darum ist Kants Denken so ernst. Die Wissenschaft
selbst ist nicht ernst, kann und soll nicht ernst sein. Der Wissenschaf-
ter darf keinen anderen Ernst haben als jeder andere Mensch ihn auch
haben soll, d. h., der Ernst soll nicht aus dem theoretischen Erkennen,
sondern aus dem Menschsein kommen. Anders gesagt: Nicht aus der
Wissenschaft kommt der Ernst in die Wissenschaft, sondern aus der
Ethik.

Gerade um die Wissenschaft als solche zu begründen, ist die Ethik
notwendig, die Frage nach dem Sinn der Existenz. Dieser Gesichtspunkt kommt, soviel ich sehe, in der neukantischen Literatur nirgends
recht zur Geltung. Die einen wollen theoretische und praktische Philosophie als ganz voneinander gesonderte Gebiete behandelt wissen,
wobei unvermerkt die theoretische Philosophie die Führung gewinnt.
Die anderen erlauben sich, durch ein zweideutiges Spiel mit dem Begriff „Wert", den klaren Zusammenhang der beiden Gebiete zu ver-
dunkeln. Es ist nicht richtig, daß, wie z. B. die Schule Windelbands

behauptet, die theoretische Vernunft ihren Wert, ihr Sollen, in sich selbst habe. Denn die Denknormen sind allerdings von absoluter Gültigkeit, aber das Denkgeschäft als Ganzes steht, vom theoretischen Standpunkt aus, ganz in meinem Belieben. *Ob* ich denken soll, *ob* ich die theoretische Evidenz als für mich bindende Wahrheit anerkennen soll, *ob* es Wert habe und geboten sei, zu erkennen, ist keine Frage der theoretischen, sondern der praktischen Vernunft. Die ganze theoretische Vernunft hängt so am sittlichen Imperativ, der nicht, wie der theoretische, ein hypothetischer, sondern ein kategorischer ist. *Das* bedeutet Kants Lehre vom Primat der praktischen Vernunft. Die praktische Vernunft ist nicht, wie man schon gesagt hat, ein irrationales Moment in seinem Denken, sondern die Konsequenz seines unbestechlichen „Rationalismus"; denn Ratio heißt: Grund und Rechtfertigung. Des Philosophen Frage kann keine andere sein als die nach der Ratio von allem, nach der Rechtfertigung. Wodurch das gerechtfertigte Denken sich unterscheide vom Nichtgerechtfertigten, die ἐπιστήμη von der δόξα, das war der Ausgangspunkt der platonischen Philosophie. Mit der Frage nach der Rechtfertigung war die Frage nach der Begründung gegeben, und mit ihr die Erkenntnis des Logos oder Sinnzusammenhanges. Gerechtfertigt ist nur, was in sinnvollem Zusammenhang steht. Das ist das kritische Prinzip des λόγον διδόναι, des Gesetzes, des Apriori. Die Frage nach dem sinnvollen Zusammenhang, nach der gesetzmäßigen Notwendigkeit, das ist das kritische, das scheidende Prinzip. Gerade darum hängt die theoretische Vernunft an der praktischen. Denn auf die Frage, ob Wissenschaft zu betreiben sinnvoll sei, hat die Wissenschaft selbst keine Antwort. Diese Frage kann nur im Zusammenhang der Frage nach dem Sinn der Existenz überhaupt gelöst werden. Die Wissenschaft ist nur eine Seite des praktischen Lebens. Sie untersteht als Ganzes – nicht in ihren Einzelerkenntnissen – jenem Kriterium, das über das praktisch Sinnvolle oder Seinsollende entscheidet.

So führt schon die einfache Frage nach dem Sinn unseres wissenschaftlichen Tuns auf das Problem der Sittlichkeit, auf das Problem des richtigen Menschenlebens. Hier erst entsteht der Ernst. Die Wissenschaft für sich genommen ist rein betrachtend, Theoria, Theatron, ästhetische Existenzform, Spiel. Erst wo der hypothetische Imperativ der Denknorm zum kategorischen Imperativ der Lebensnorm wird,

wird es ernst. Denn hier erst handelt es sich nicht mehr um Dinge, sondern um mich selbst. Die theoretische Vernunft weiß nichts von einem Ich, sondern nur von einem allgemeinen Subjekt. Der kategorische Imperativ aber spricht mich, diesen einzelnen Menschen, in seiner absoluten Konkretheit an. Von *mir* ist jetzt Rechtfertigung gefordert.

Durch diesen kategorischen Imperativ weiß ich erst, daß ich ein Ich, ein verantwortliches Subjekt bin. *Ver-antwortlich* bin ich dadurch, daß *Antwort* von mir verlangt wird; dadurch, daß ich zur Rechenschaft gezogen werde. Durch das „Du sollst!" wird meine Persönlichkeit ins Dasein gerufen. Dieser Anruf ist der Realgrund und der Erkenntnisgrund meiner Freiheit. Auch hierin wieder beweist sich Kants überragende Größe, daß er, im Unterschied zu Fichte, der Versuchung widerstand, Freiheit anschauen zu wollen. Die Freiheit, sagt er, wird auf keine andere Weise erkannt, als durch das Sollen. Sie ist keine Erfahrung – sonst gehörte sie ja der Psychologie an –, sondern wurzelt einzig und allein in jenem Anspruch, und wird auch nur aus ihm erkannt. Es ist das Wissen um den göttlichen Anspruch, um die göttliche Berufung, um mein Angesprochensein von Gott, das mich zum Bewußtsein meiner Menschenwürde bringt. Freiheit und Verantwortlichkeit ist ein und dasselbe.

Wie Sie wissen, haben gewisse Verfechter der Kantischen Philosophie in diesem Punkt von ihm abrücken zu sollen geglaubt. Diese Begründung des Sittlichen sei rein formal. Es sei notwendig, sie durch eine materiale Wertethik zu ergänzen. Kant hat diesen Einwand schon selbst genügend zurückgewiesen. Es handelt sich um nichts anderes als darum, daß für das Sittliche nicht das Was, das Materiale, sondern einzig das Warum, der Gesichtspunkt, die Gesinnung maßgebend sei. Es gibt keine selbständigen „Werte". Sie alle gründen in einem Gesetz, das sie erst als Werte qualifiziert. Die Zustimmung zu diesem Wertgesetz, nicht der Inhalt dessen, was auf Grund dieses Gesetzes zu tun ist, macht den sittlichen Willen aus. Theologisch ausgedrückt: Nicht *was* Gott fordert ist wichtig, sondern ob man gewillt ist, die Forderung Gottes – was immer sie sei – zur Richtschnur zu nehmen, das Bewußtsein der Verantwortlichkeit gegen ihn, das „erste Gebot" ist das Entscheidende. Es verhält sich mit dem Formalismus der sittlichen Idee genau wie mit der Negativität der theoretischen Vernunftideen. In ihnen enthüllt sich gerade der kritische Sinn der Philosophie.

Sie beide bedeuten dies: daß die Richtung auf das Absolute das entscheidende ist, der zähe Ernst, mit dem das Absolute gegen alle relativen Zwischenglieder festgehalten wird. Nicht ob sich auf diese Weise eine Kultur aufbauen lasse, fragt sich der Sittliche. Der absolute Anspruch des Gesetzes ist höher als alle Kulturforderungen. Darin gerade besteht der unheimliche Ernst des ethischen Imperativs.

Die Idee der Grenze taucht wieder auf, aber diesmal unendlich verschärft. Weil im Theoretischen kein Imperativ da ist, bin *ich* Meister. Ich kann oder kann auch nicht erkennen, wie ich will. Ich spiele. Aber im Sittlichen schreitet das Absolute selbst auf mich zu und faßt mich an. Hier kommt es zu einer persönlichen Anrede: Du sollst. Ich bin verantwortlich. Darin liegt meine Würde begründet, darin aber – daß ich bloß soll und nicht von selbst dort stehe, wo ich sollte – offenbart sich auch die Kluft zwischen mir und dem Absoluten. Daß das Göttliche als Imperativ statt als Indikativ mir zum Bewußtsein kommt, zeigt an, daß ich von ihm getrennt bin. Das Gesetz richtet Zorn an. Das Ende der sittlichen Erkenntnis ist dies: daß ich mich nicht rechtfertigen könne, die Erkenntnis der Schuld. Wie im Theoretischen das Ende der Erkenntnis Antinomie, Widerspruch heißt, so auch im praktischen: Anti-Nomia, Widergesetzlichkeit, Widerspruch gegen den Anspruch als Grundform meiner Existenz. Es handelt sich um die abgründige, schauerliche Erkenntnis des radikalen Bösen.

Damit ist der Höhepunkt der Kantschen Philosophie erreicht. Sie ist, als Ganzes genommen, keine Fläche, sondern ein Sicheinbohren in die Tiefe. Sie ist das Vordringen oder Durchdringen vom Gegebenen zu den nichtgegebenen Voraussetzungen. Sie sucht zu den oberflächlichen Vordergründen den Hintergrund, hinter den Erscheinungen das Gesetz. Schon die erkenntnistheoretische Reflexion bedeutet einen schmerzlichen Bruch mit der Unmittelbarkeit, eine Wendung vom Außen zum Innen. Eine *reflexio,* eine „Zurückbiegung" des Subjekts auf sich selbst, eine Infragestellung des gesamten Erkenntnisbesitzes. Aber diese Wendung, geleitet durch die Frage nach der Rechtfertigung, führt aus der Theoria und ihrem Theatron heraus in die Sphäre des Ernstes. Es findet hier eine Wendung zweiter Ordnung statt. Der ethische Idealist ist in tieferem Sinn Idealist als der bloße Erkenntnistheoretiker. Er nimmt die Frage nach der Rechtfertigung, die Besinnung, die Reflexion ernster. Darum wird auch hier die Kluft zwischen dem Gegebenen und dem Nichtgegebenen vertieft. Sie heißt nicht mehr bloß Denkwiderspruch (Antinomie), sondern Existenzwiderspruch, Schuld.

Diese Wendung, mit ihrem ganz und gar persönlichen Charakter, ist nicht mehr bloß idealistisch zu verstehen. Das Gesetz wird hier zum personschaffenden und darum selbst persönlichen Willen. Die idealistische Betrachtung wird zur religiösen. Daß wir Glieder seien in einer intelligiblen Welt, die von einem „Oberhaupt" regiert sei (diese echt Kantsche Idee in der K. d. p. V.), ist nicht mehr bloßer Idealismus; das ist Gottesglaube. Zu einem Imperativ gehört notwendig ein Wille. Denn Imperativ ist uns gar nicht anders verständlich als als Willenskundgebung.

Je mehr die Reflexion vordringt zu ihrem letzten Grund, desto weiter rücken Gegebenes und Nichtgegebenes auseinander, desto tiefer, ernster und unerträglicher wird die Kluft. In der Erkenntnis der Schuld oder des radikalen Bösen erreicht das kritische Prinzip seine Vollendung. Hier erst wird es ganz ernst mit dem *kritischen* Idealismus, hier, wo wir „Krisis" nicht mehr anders übersetzen können als durch das Wort: Gericht. Die Punkte Gegebenheit und Gesetz, die in der Unmittelbarkeit noch zusammenfallen, dann immer weiter auseinandertreten, werden hier zu entgegengesetzten Polen, die sich abstoßen: Der göttliche Wille, dem der menschliche Wille widerspricht. Das ist die Paradoxie, die das letzte Resultat der Besinnung über unseren Sinn ist: Je tiefer die menschliche Persönlichkeit gefaßt, je größer ihr Abstand von der Naturgegebenheit, je höher ihre Würde, je betonter ihre naturüberlegene Freiheit ist, desto mehr wächst auch die Spannung zwischen uns und dem Absoluten, bis zu dem Maximum, wo das Bewußtsein des Absoluten durch seine Klarheit gerade den Zusammenhang mit ihm zu zerreißen droht: In der Erkenntnis, daß unsere Existenz als Ganzes schuldhaft, von Gott getrennt, sündig ist, in der Erkenntnis des göttlichen Gerichts.

Die Frage ist nun, ob mit dem letzten Wort des kritischen Idealismus, das Krisis heißt, überhaupt das letzte Wort gesprochen sei. Hier ist der Punkt, wo nun *Kierkegaards* Denken einsetzt. Zwar ist dies *cum grano salis* zu verstehen. K.'s Denken setzt natürlich viel weiter unten ein. Er geht, ohne sich auf Kant zu beziehen, ein gutes Stück Wegs auf eigenen Wegen neben ihm her. Er mußte einen eigenen Weg einschlagen, weil er eine andere Front vor sich hatte; nicht wie Kant den naturalistischen Empirismus, sondern den spekulativen absoluten Idealismus Hegels. Er ist unter den Denkern des letzten Jahrhunderts derjenige, der uns, von idealistischen Voraussetzungen aus, am deutlichsten die Illusionen des absoluten Idealismus enthüllt. Hatte Kant mehr Anlaß, den Nachdruck auf das Wort *Idealismus* zu legen, so könnte man das ganze Werk K.'s auffassen als einen scharfen Akzent über dem Wort: Kritisch. Er braucht seine ganze gewaltige analytische Genialität zur Aufdeckung der spekulativen Sophismen. Er wird nicht müde, in immer neuen Wendungen auf die Bedeutung des Wortes „Existenz" hinzuweisen. Hegel vergißt in einer Art komischer Zerstreutheit die Grundtatsache: daß er, dieser einzelne Mensch, existiert. Er verwechselt sich selbst mit dem reinen Ich der Spekulation. Wird diese Illusion durchschaut, so rückt unbedingt – allerdings nicht bloß aus diesem Grunde – das ethische Problem in den Vordergrund. Denn der Theorie – auch der Erkenntnistheorie, wie wir sahen – ist es eigen, von der Tatsache zu abstrahieren. Sie ist eben Theoria, d. h. vom ethischen Standpunkt aus: Ästhetik. Die eigentliche Wendung zur Existenz, das „existentielle Denken", erfolgt mit jener zweiten *reflexio*, mit der Wendung vom Hypothetischen zum Kategorischen, mit der Wendung zum ethischen Denken. Prinzipiell Neues hat uns darüber Kierkegaard nicht zu lehren. Aber gerade der ethisch orientierte Denker wird sich hier mit dem abstrakten Prinzip nicht zufriedengeben. Es wird sich ihm darum handeln, den Sinn des Ethischen gegen alle Verwechslungen, besonders gegen Ästhetizismus einer bloßen Spekulation zu schützen. Nicht etwa um angewandte Ethik handelt es sich. Kierkegaard hat so gut wie Kant – ja wohl noch schärfer als Kant – die Unfruchtbarkeit solcher Morallehren durchschaut. Sondern darum geht es ihm, den Sinn des ethischen Prinzips selbst, das was es heiße, praktisch aufs Absolute bezogen zu sein, den Unterschied dieser Existenzweise von anderen scheinbar idealistischen Existenzweisen (z. B. von der spekulativen) klarzulegen. Dem Hegelschen weltgeschichtlichen Denken gegenüber – wir würden vielleicht heute sagen: dem geschichtsphilosophischen und soziologischen Denken gegenüber – gilt es die unvergleichliche entscheidende Bedeutung des Einzelnen, den unvergleichbaren Wert des persönlichen Gesichtspunktes wieder ans Licht zu stellen. Denn der

Mensch unter dem Gesichtspunkt des Sollens ist immer ein Einzelner, keine Kollektivität und kein Abstraktum wie bei Hegel. Das ist gerade der Unterschied zwischen Mensch und Tier, daß er als Einzelner mehr ist als die Gattung. Alle soziologische Betrachtung macht das Geistesleben zum Naturphänomen. Der soziale Sinn des Ethos ist dagegen kein Einwand. Denn das Soziale, als Sittliches, wurzelt im Gewissen des Einzelnen. Nur der Einzelne, nur wer in absoluter Einsamkeit dem absoluten Gesetz gegenübersteht, kann ein *socius* sein.

Es gilt weiter allem Evolutionismus – wie er in der nachkantischen Philosophie herrschend wurde – entgegenzuhalten, daß das Gewicht der absoluten Forderung nicht auf viele Schultern verteilt werden könne, daß die absolute Forderung nicht auf die lange Bank der Geschichte geschoben und dadurch ihrer Dringlichkeit, ihres furchtbaren Ernstes entkleidet werden dürfe. Der Entwicklungsgedanke darf nicht als Mittel der Abschwächung und Entschuldigung gebraucht werden. Vielmehr: zum Einzelnen gehört der Augenblick. Der Augenblick ist die Stelle, wo der Blitz aus dem Jenseits ins Diesseits einschlägt. Beides versteht sich dort allein, wo der Sinn des Idealismus in jener Bewegung der *reflexio,* der Verinnerlichung, der Wendung in die Tiefe gesehen wird, die darauf hinauskommt, daß der Mensch sich in seiner irdischen Konkretheit dem absolut Jenseitigen gegenübergestellt sieht. Die wirkliche Existenz und das ungebrochene, nicht verflüchtigte Absolute. An beidem hat der spekulative Idealismus gefrevelt. Er hat die absolute Forderung zur bloßen Kulturethik abgeschwächt und er hat den wirklichen Menschen phantastisch-ästhetisch mit einer abstrakten Idee verwechselt. Statt den Menschen im Augenblick und in seiner Konkretheit, sieht er eine verklärte Mensch*heit,* in ihrer Entwicklung als Ganzes gefaßt und als am Ende angekommen betrachtet. Wird aber keines von beiden abgeschwächt, wird der Mensch genommen, wie er ist und dem gegenübergestellt, was er sein soll; wird geglaubt, daß dieser konkrete, wirkliche Mensch jenes ganz Andere sein sollte, bei Verlust seiner Würde und seines Existenzrechtes, so kommen wir wieder zu jenem Punkt, der in Kants Denken der letzte war: Zur Idee der Schuld und des radikalen Bösen. Sie erst ernüchtert den spekulativ Berauschten völlig, sie erst reißt ihn aus seinem Traum der Vergottung heraus und stellt ihn auf den Boden der Wirklichkeit, einer zwar zu Gott bestimmten, aber mit Gott im Widerspruch befindlichen Menschenwirklichkeit. Es wird niemand, der von Kant herkommend in Kierkegaard sich vertieft, finden, daß er nicht hier höchst wichtige Aufschlüsse über den Sinn dessen, was er von Kant her eigentlich hätte wissen sollen, erhalte. Ja, die Art, wie Kant selbst im weiteren Verlauf seines Denkens seinem eigenen sittlichen Absolutismus untreu geworden ist, zeigt, daß er selbst wohl die Tragweite seiner ethischen Grundgedanken nicht mit derselben leidenschaftlichen Kraft durchgedacht hat, wie Kierkegaard.

Darum ist es nicht zu verwundern, daß von diesem Punkt an die Führung von Kant an seinen großen nordischen Waffengenossen übergeht. Es ist wohl auch kein Zufall, sondern in Kants eigener Haltung begründet, daß seine Schüler älterer und neuester Zeit jene Lehre vom radikalen Bösen meinten als eine unbedeutende Abirrung des Philosophen auf das Gebiet der Theologie übersehen zu dürfen. Offenbar war Kant doch zu sehr durch das bloß wissenschaftliche Interesse geleitet, als daß er dieser Idee, die in der Tat auch innerhalb der Wissenschaft vom Sittlichen Grenzidee ist, weitere Beachtung hätte schenken mögen, nachdem er sie in der „Religion innerhalb..." mit so erschütternder Wahrhaftigkeit dargestellt hatte. Nachdem er dort in die schauerliche Tiefe jenes Paradoxes einer „angebornen Schuld" geschaut hatte, wandte er sich ab. Er war zu sehr Kind der Aufklärung, um diesem Blick von der höchsten Höhe in die tiefste Tiefe lange zu ertragen. Er stieg wieder hinunter in die wohnlicheren Gefilde der menschlichen Kultur und gab so, nolens volens, Anlaß zu jener optimistisch-evolutionistischen Menschheitsbetrachtung, die im nachkantischen Zeitalter zur Blüte kam.

Kierkegaard aber verharrte, weil er sah, daß das letzte Wort noch nicht gesprochen, daß jene Bewegung, die der Sinn des kritischen Idealismus ist, noch nicht zu Ende gekommen sei. Zunächst gilt es nun, mit jener Erkenntnis ernst zu machen: daß das wesentliche Merkmal der menschlichen Existenz die Schuld sei. Ist es so, so muß das nun auch *existentiell* zum Ausdruck kommen. Dann darf man die Lehre vom radikalen Bösen nicht zu einem Appendix der Ethik machen, um sich desto ungestörter wieder den „fruchtbareren" Aufgaben der Kulturethik zuwenden zu können. Denn der Sinn des Idealismus ist ja doch gerade die Einsicht, daß nichts von Bedeutung sei außer: unsere Beziehung zum Absoluten. Der unverrückte Blick

auf das Absolute ist es ja, der die ganze Bewegung des kritischen
Idealismus veranlaßt und im Gang erhält. Es gilt also mit aller Kraft
auch jetzt diesen Blick innezuhalten, auch wenn er noch so unerträg-
lich ist. Es gilt also in jener Erkenntnis des radikalen Bösen das ganze
Dasein durchzumachen, in ihr zu existieren. Soll es ein Vorwärts
geben, so kann es nur ein Vorwärts in dieser Richtung sein.

Was aber heißt das? Offenbar das, daß jetzt der Mensch in jene
Situation gerät, die für uns durch die Namen Paulus und Luther geschichtlich fixiert ist. In die Situation der Verzweiflung im Angesicht
der göttlichen Forderung. Es ist nicht einzusehen, wie es angesichts der
Wahrheit, daß die göttliche Bestimmung unsere Bestimmung ist, und
daß diese Bestimmung unbedingt ernst gilt, eine andere Möglichkeit
geben soll als die, die eben das Gegenteil von Lebensmöglichkeit ist:
„Ich elender Mensch, wer wird mich erlösen?" „Wie kriege ich", der
ich den Zorn Gottes erkennen muß, „einen gnädigen Gott?"

Philosophisch ausgedrückt: Mit der Erkenntnis der Jenseitigkeit
der Idee – wie sie erst im Schuldbewußtsein erreicht ist – ist die
Grenze der immanenten, menschlichen Möglichkeiten erreicht. Die
Bewegung der Verinnerlichung, jene Bewegung, die hinter dem Gegebenen den Sinn, den Logos, die Rechtfertigung sucht, ist zu Ende
gekommen, indem man sieht, daß die menschliche Existenz, wie sie
ist, nicht zu rechtfertigen sei. Jene Reflexion der Immanenz, die vom
Gegebenen aus das Nichtgegebene sucht, hat ihr Maximum erreicht;
die beiden Pole sind so weit auseinandergerissen, daß jede weitere
Steigerung, wenn sie denkbar wäre, den Sinn in Unsinn auflösen und
die menschliche Persönlichkeit zerreißen müßte. Die Grenze der Reflexion, des kritischen Denkens ist erreicht, über die hinaus es für sie
nichts mehr gibt. Und wie bei jeder Grenzidee kann man sich fragen,
ob sie überhaupt noch, von diesem Boden aus, erlaubt sei oder nicht,
trotzdem sie notwendig ist. Sie ist die Grenze des Verstehens. Hier
gibt es nur noch zwei Möglichkeiten, die aber beide keine menschlichen Möglichkeiten sind: Das Unmögliche als Untergang, **oder das**
Unmögliche als Rettung.

Soll es das letztere sein, d. h., soll auch letztlich der Sinn über den
Unsinn siegen, so wissen wir nur dies eine: Es müßte von jenseits der
Reflexion, von jenseits der *uns* zugänglichen *Besinnung,* von jenseits
alles menschlichen Denkens und Erkennens herkommen, es müßte

sich ereignen als Bruch mit der Immanenz, mit dem *Denk*möglichen, das absolute Paradox. Und anderseits: Es würde sich als Wahrheit gegenüber dem Wahnsinn und der Illusion nur dadurch erweisen können, daß es die Form aller Wahrheit hätte, d. h., daß es Wort, Logos wäre. Es müßte als das schlechthin Nichtgegebene oder Jenseitige, als der Widerspruch zum Widerspruch unserer Existenz, als die Geltendmachung des Ewigen in der zeitlich irdischen Realität, sich uns darstellen – oder eben nicht sich darstellen, denn dann wäre es ja ein Ding, sondern uns *ansprechen* –, so daß es unsere Freiheit zugleich „angehen", respektieren und aufheben würde. Der subjektive Ausdruck dieses Paradoxes könnte also nur der sein, daß dieses Wort, das im Widerspruch mit unserer Erkenntnis stünde und doch zugleich unser Wahrheitssuchen erfüllte, sich *in* uns ausspräche, als *unsere* Wahrheit, trotzdem es gerade das Gegenteil wäre von dem, was *in* uns ist oder sein kann, nämlich das Jenseitige; d. h., es könnte nur *geglaubt* werden. Das Wort, der Logos als Paradox, die „praktische" Erkenntnis als Glaube. Der Inhalt des Wortes: der Widerspruch gegen den existentiellen Widerspruch, gegen die Schuld, d. h. die Aufhebung der Schuld. Und die Form des Wortes: die schlechthin autoritative Selbstbezeugung, die von unserer Beglaubigung unabhängig wäre; der göttliche Logos nicht als Idee – denn was Idee ist, liegt innerhalb der Reflexion –, sondern als wirklich gesprochenes Wort in der Zeit.

Sie verstehen, daß hier noch philosophisch reden zu wollen, der reinste Galimatias wäre. Entweder ist dieses autoritative Gotteswort in der Zeit, als geschichtliches Faktum barer Unsinn; oder aber es ist wirklich, in schlechthin autoritativer Weise durch eine geschichtliche Persönlichkeit gesprochen worden als höchster, obschon paradoxer Sinn; dann hat die Philosophie zu schweigen und wird gerade dann schweigen, wenn sie versteht, was ihr Sinn ist.

Der Sinn der Philosophie ist, wie wir sahen, die Krisis; diese Krisis ist die wahre Begründung der Humanität gerade darin, daß sie über sie hinausweist auf ein Jenseits aller Humanität. Als kritische Philosophie ist sie verpflichtet an jener Grenze Wache zu halten und auseinanderzuhalten, was des Menschen ist, und was nicht. Ob es aber ein Jenseits ihrer Grenze gebe, das zwar nicht von uns erkannt, aber uns *offenbart* werde, jene paradoxe Aufhebung des Gegensatzes des

Menschlichen und Göttlichen, jenes Hineintreten des Ewigen in die Zeit, das kann die Philosophie weder wissen noch wissen wollen. Denn um es zu wissen – aber auch um es abzulehnen –, müßte sie die Grenze überschreiten, die ihr gesetzt ist. Der Glaube ist entweder das Ende der Philosophie, oder aber er ist kein Glaube. Der Philosoph muß es, als solcher, unentschieden lassen, ob die Behauptung des Glaubens der höchste Sinn oder der vollendete Unsinn sei.

Der Glaube selbst aber, der christliche Glaube, bejaht jene Frage. In dieser Bejahung, mit der er ganz allein auf sich selbst steht, in diesem Wagnis besteht er. Der Glaube erkennt (das ist sein Zeugnis, nicht Philosophie), daß er, daß das göttliche Verheißungswort, das ihn schafft, die Erfüllung des Gesetzes, die Erfüllung des kritischen Denkens sei. Idealismus heißt: daß der Sinn des Gegebenen jenseits des Gegebenen liege. Der Sinn der Zeit ist die Ewigkeit, der Sinn des Menschen ist Gottes Logos. Der Sinn des Menschen, kann man auch sagen, ist die Freiheit, *die* Freiheit, die er als Idee kennt, der aber seine Wirklichkeit widerspricht. Die wahre Freiheit des Menschen kann also nur die göttliche Freiheit sein. Daß diese göttliche Existenz, diese Freiheit in der Ewigkeit, in der völlig gerechtfertigten Existenz, trotzdem sie unserer Tatsächlichkeit widerspricht, doch *unsere* Wirklichkeit *sei*, das einzige, was wir letztlich als Wahrheit anzuerkennen haben; dieses göttliche Als-Ob festhalten als den wahren Sinn unseres Lebens, das ist der Glaube, wie er allein im Evangelium von Jesus Christus begründet ist.

Theodor Haecker, Essays. München: Kösel-Verlag 1958, S. 171–211. Mit freundlicher Ge-
nehmigung des Kösel-Verlags. (Erstmals veröffentlicht in: Hochland, 22, 1925, Band 2.)

SÖREN KIERKEGAARD

Von Theodor Haecker

Wie ein Damm hat sich jahrzehntelang gelegt und legt sich großenteils auch heute noch das besondere Schicksal um das Werk Kierkegaards, das Schicksal, daß er in einem kleinen Lande zur Welt gekommen ist, gelebt und gewirkt hat, in einer Sprache geschrieben hat, die
von kaum drei Millionen Menschen gesprochen wird und die keine
Aussicht hat, je große Eroberungen zu machen. Wenn es auch zuweilen vorgekommen ist, daß ein solcher Damm mit einem einzigen Ruck
eingerissen und durchbrochen worden ist, und dieses gerade bei skandinavischen Schriftstellern mehrere Male vorgekommen ist, wie etwa
bei Björnson, bei Ibsen, bei Strindberg, so war und ist es nicht so bei
Kierkegaard. Denn meines Wissens ist weder in England und Amerika noch in Frankreich auch nur ein Satz, geschweige denn ein Werk
Kierkegaards übersetzt. Sein Name ist mir in der englisch-amerika-
nischen philosophischen Literatur überhaupt nie begegnet[1], in der
französischen nur einmal in einer Anmerkung der großen Pascal-
Ausgabe der ›Grands Ecrivains de la France‹. Nur eine der europäischen Hauptsprachen, die deutsche, hat sich heute fast alle Hauptwerke Kierkegaards – wenn auch noch viele der Reden fehlen – durch
Übersetzung angeeignet, und sie wird direkt und indirekt zweifellos
die Kenntnis und die Wirkung Kierkegaards weitervermitteln. Den
anderen Ausweg, den Damm bei Lebzeiten zu durchbrechen dadurch,
daß er einfach selber in einer der Hauptsprachen schriebe, ein Ausweg, den mit großer Geschicklichkeit und noch größerem Erfolg nach-

---

[1] Als einzige Ausnahme, die mir neuerdings begegnet ist, kann ich das
Werk des kürzlich verstorbenen Friedrich von Hügel: The Mystical Element of Religion as studied in Saint Catherine of Genoa and her friends
anführen. Dort wird Kierkegaard öfter zitiert, aber freilich auch nicht aus
erster Hand, sondern nach einem Buche Höffdings.

mals Georg Brandes eingeschlagen hat, diesen Ausweg hat Kierkegaard in mancher Stunde des Mißmutes über die Verständnislosigkeit
seiner Mitbürger sich vorgehalten, aber nur sich vorgehalten, um ihn
nicht zu gehen und zum tieferen Verständnis seiner providentiellen
Stellung vorzudringen. Nicht nur, daß religiöser Gehorsam ihn hieß,
auf der Stelle auszuharren, auf die ihn Gott gestellt hatte, nein, er
mußte nach näherer Prüfung sich auch sagen, daß er überhaupt in
keiner anderen Sprache schreiben könnte als in Dänisch, eben weil er
ein wahrer und großer Schriftsteller war. Nicht, daß er nicht auch
schlecht und recht Deutsch oder Französisch hätte schreiben können,
wie Georg Brandes, der jedoch mehr schlecht als recht schrieb, aber er
hätte nicht produzieren gekonnt, was nämlich etwas anderes ist, als
einige glatte und platte Allerweltsgedanken zu schreiben. Die echte
Sprachschöpfung braucht die Nacht des Unbewußten, den Schoß der
Muttersprache; sie wächst nicht in dem künstlichen Lichte und der
angestrengten Bewußtheit einer noch so virtuos angelernten Sprache.
Darum mußte Kierkegaard schließlich sich bescheiden, einfach unter
dem Zwange: „Ich habe nur *eine* Sprache, wie Adam nur Eva hatte.“
Doch nicht nur diese ja doch äußere, und wie wir im Falle Björnsons,
Ibsens, Strindbergs und anderer gesehen haben, leicht niederzurei-
ßende Landes-, Volks- und Sprachschranke hat das große Werk und
die große Person Kierkegaards von einem Einmünden in den breiten
europäischen Kulturstrom zurückgehalten, sondern die viel stärkeren
Schranken innerer Art, nämlich die sich steigernde, nach innen sich
potenzierende Komplexheit des Phänomens. Die erste ist in der Sache
selbst, daß es um Dichtung und Philosophie, um Psychologie und um
Theologie in einem sich handelt, die zweite ist in der Person, die als
Genie all dies in leidenschaftlich-dialektischer Einheit verbindet und
doch als Christ so vielem wieder fremd ist, weil ihr das Wichtigste das
Ringen um das Heil ihrer Seele ist; die dritte, schwierigste Komplexheit liegt in der in den meisten Fällen unlöslichen Verschlingung der
Sache mit der Person, der Teile mit dem Ganzen auf den vielfältigen
Stufen der Reflektiertheit, der Lehre mit dem Leben, des Denkens
mit dem Existieren. Dennoch muß man auch hier sagen, daß diese
inneren Schwierigkeiten leichter überwunden worden wären, hätte
Kierkegaard in einer der europäischen Hauptsprachen seine Werke
geschrieben. Das ist keine müßige Betrachtung, wie man wohl meinen

könnte, weil sie auf Irreales geht, da sie ja nicht um des Irrealen willen angestellt wird, sondern ganz wesentlich um des Realen willen, dessen Grenzen nämlich durch das Irreale genauer bestimmt werden. Hätte also Kierkegaard etwa als Deutscher seine Werke geschrieben, sein Werk und mehr noch sein Wirken wären total anders geworden, nicht bloß aber sie nur natürlich, sondern auch die deutsche Philosophie, die deutsche Dichtung, die deutsche protestantische Theologie, und wiederum nicht diese allein, sondern das deutsche Lebensethos. Und zwar ganz einfach deshalb, weil er Replik erhalten hätte, und weil er, denn das allein wäre ja noch nicht genug gewesen, auch die Duplik nicht schuldig geblieben wäre. Er war anders als Schopenhauer; er konnte Widerspruch ertragen, wollte ihn sogar und verlangte nach ihm als Stärkungsmittel in der Gewißheit, daß der endliche Geist in dieser Welt am Widerspruche wächst. Er wäre mit seiner Polemik gegen Hegel deshalb vor allem sofort gehört worden, weil sie aus dem Boden der Hegelschen Philosophie selber erwuchs, wenn sie auch freilich ihre Kraft anderswoher nahm; weil sie die Dialektik als Erkennungsmittel durchaus anerkannte, weil sie dialektisch geführt wurde, kurz, weil Kierkegaard selber Hegelianer war oder gewesen war, während Schopenhauer das niemals war noch gewesen war, ja als ein in seltenem Maße undialektischer Denker Hegel überhaupt in dessen zweifelloser Genialität niemals verstanden hatte. Darum hinwiederum wurde Schopenhauer und seine Polemik erst in dem Augenblick verstanden, als der Zeitgeist bereits der Dialektik müde geworden war und seinerseits Hegel nicht mehr verstand. Doch nicht nur diese Polemik Kierkegaards wäre in Deutschland sofort erfaßt worden, sondern auch seine so tiefen religiösen und theologischen Gedanken, für die er in seinem eigenen Lande auch nicht eine Spur von Verstehen fand; all das war eigentlich wie nicht geschrieben, zum Überfluß, wie er sich ausdrückte – oder, was das gleiche ist, zur Ehre Gottes! –, diese tiefen Gedanken wären in Deutschland gewürdigt worden, wenn nicht von anderen, so doch von in allen menschlichen und göttlichen Wissenschaften so hoch gebildeten Theologen wie Möhler oder so gewaltigen Schriftstellern wie Görres. Doch genug von dieser Betrachtung eines Irrealen, die aber doch nur angestellt wurde um des Realen willen und um den Blick haften zu lassen an der Singularität und Paradoxie dieses Schicksals, das einen Sinn haben muß, den wir auch heute noch nicht völlig verstehen.

Ich sprach von den inneren Gründen, die der Wirksamkeit des Kierkegaardschen Werkes sich entgegenstellen, und nannte als einen der wichtigsten seine doppelte und dreifache Komplexheit, seine Verschmelzung in jedem Stadium mit der Person, die, das will ich hinzufügen, eine außerordentliche, ja schlechthin eine Ausnahme war. Daraus folgt die Schwierigkeit, das Werk anzufassen. Es ist gerundet wie eine vollkommene Kugel, und es ist schwer und entrollt der Hand, die es ganz fassen will. Darum muß es zerstückt werden. Das ist nicht zu umgehen; aber man kann die Forderung aufstellen, die er selber auch aufgestellt hat, daß eine dialektisch erfahrene Hand die Glieder in deren Gelenken löse, wie der geübte Koch im Platonischen Dialog, und nicht barbarisch sie abhacke, und unerkennbar mache, wie alles ineinandergefügt ist. Die Komplexheit ist so groß, daß von Anfang an drei Typen geistig Schaffender in die Arbeit sich geteilt haben, die unabhängig voneinander und einander oft unverständlich gearbeitet haben und heute noch arbeiten, nämlich: der Theolog, der Philosoph und der künstlerische Essayist und Literat. Daß neben diesen dreien noch ein vierter existiert, nämlich der rechte Leser der Reden: „Jener einzelne, den ich *meinen* Leser nenne." „Jener Vogel, der im großen Walde versteckt die einsame Blume entdeckt, sich herabläßt auf seinen Schwingen, sie pflückt, sie mit sich nimmt." „Jener Bekümmerte und Leidende", der die Rede liest, ohne an den Redner zu denken, weil er an Gott denkt – daß es auch diesen Typus gibt, der Kierkegaard der liebste ist, um dessentwillen er sein Leben der Selbstverleugnung geführt hat, das glaube ich. Aber um ihn handelt es hier sich nicht, denn er wird uns nichts sagen über das Werk Kierkegaards. Von den drei Typen aber, die das Werk sich vorgenommen haben, hat uns bis jetzt sehr wenig gerade der gesagt, der eigentlich sehr viel zu sagen gehabt hätte und hat: nämlich der Theolog. Daran ist Kierkegaard nicht unschuldig. Er hat durch sein letztes Werk, den ›Augenblick‹, das, was die Methode anlangt, einen radikalen Bruch mit dem ganzen vorhergehenden Werke bedeutet – er hat durch diesen harten, entsetzlich einseitigen und, hier ist der Bruch!, undialektischen Angriff auf die dänische Staatskirche seinerseits den kirchlichen Theologen die Unbefangenheit geraubt, vollends im Anfang, als Rauch und Dampf ungereinigter Leidenschaften den Blick trübten, und hat andererseits den antikirchlichen Theologen und den Freigeistern Vorschub geleistet und die Möglichkeit gegeben, hinter dem Angriff auf Kirche und offizielle Christenheit aus Liebe und Eifer, wenn auch aus irrender und unerleuchteter Liebe und irrendem Eifer zu Christus, wie er von Kierkegaard verstanden und geführt wurde, ihre ganz andere Gesinnung und ihre ganz anderen Ziele zu verstecken: nämlich ihren dogmatischen Unglauben, ihren Liberalismus und ihren Haß auf das Christentum. Und daß diese Elemente gar keinen Grund hatten und haben, die großen und wertvollen Erkenntnisse Kierkegaards, die durchaus den Glauben an ein dogmatisches Christentum voraussetzen und durchaus ein dogmatisches Christentum fordern und fördern, ans Licht zu ziehen, das ist ja selbstverständlich. Um so mehr freilich müßte den protestantischen Theologen, für die feststeht, daß Christentum ohne Autorität und ohne Dogma eine Chimäre ist, daran liegen, jene Schätze zu heben, die hier vergraben liegen, und was nicht Gold ist, unerschrocken für Schlacke, was nicht wahr und bewährt ist, für falsch und unnütz zu erklären. Wir können gar nicht anders verfahren, wollen wir über das allgemeine Gerede hinauskommen, als auf die Dinge und Schwierigkeiten und Probleme sachlich einzugehen, die Kierkegaard beschäftigt haben, denn die Möglichkeit, die übrigbleibt, selber Kierkegaard zu sein oder kleine Kierkegaards zu spielen – ich meine dieses im Sinne der Begabung, der Genialität, der schöpferischen Kraft, des Ästhetisch-Philosophischen, nicht natürlich im Sinne des Ethischen und Religiösen, wo jeder den Mut haben könnte oder sollte, Kierkegaard zu erreichen oder noch über ihn hinauszukommen – selbst etwa, im Besitz einer Hundehütte, den Grandseigneur, der einen Palast zur Verfügung hat, zu spielen – diese Möglichkeit braucht nur genannt zu werden, um gerichtet zu sein. Es hat nur *einen* Platon gegeben, dessen Werke niemals wiederholt wurden und auch nicht wiederholt werden können; aber wie aus wesentlichen Bestandteilen dieser Werke das große Lebenswerk des Aristoteles erwachsen ist, wie aus metaphysischer Verwandtschaft der Geister und Personen die christliche Philosophie des Augustinus in platonischem Geiste zustande gekommen ist, so ist eben diese doppelte Möglichkeit für Kierkegaard und sein Werk vorhanden, nämlich die objektive

Übernahme und Behandlung in Kierkegaards Denken verborgener Probleme durch einen oder mehrere ernste, wissenschaftliche Geister, und ferner das Weiterleben und Wiederaufleben des spezifischen Kierkegaardschen Geistes in neuen Forschern und Genies, die ganz andere Aufgaben haben, eine Möglichkeit, die er selber vorausgesagt hat.

Wenn Kierkegaard nach seinem ersten Durchbruch, den ›Entweder-Oder‹ für ihn bedeutet hat, schrieb: „Da war ein junger Mensch, glücklich begabt wie ein Alkibiades. Er ging irre in der Welt. In seiner Not sah er sich um nach einem Sokrates, aber unter seinen Zeitgenossen fand er keinen. So bat er die Götter, ihn selber in einen zu verwandeln" – so ist hier also gesagt, daß Kierkegaard ein Alkibiades war und dann sein eigener Sokrates wurde. Und das wird so sein; bis zum letzten Augenblick hat Kierkegaard mit Sokrates in einer, man kann nicht anders sagen, metaphysischen Art sich verwandt gefühlt. Aber das ist ja nicht alles, die Sache liegt noch viel komplizierter, und noch viel mehr auch deshalb, weil Kierkegaard darüber eigentlich gar nicht reflektiert hat. Denn er war ja auch sein eigener Platon. Wohl hatte er wie Sokrates die Gabe, mit jedermann auf der Straße und dem Markte zu sprechen und in seinem Partner jene Idealität hervorlocken zu können, welche Distanz und Unmittelbarkeit zugleich gibt gerade im Alltäglichen. Wohl müssen wir uns vorstellen, daß in beiden Fällen eine Form erreicht wurde von höchster lebendiger Kunst, eine Form aber, die unwiederbringlich ist und nicht reproduzierbar, da zu ihr die Umgebung, die konkrete, einmalige Situation gehört, das Ereignis und die Stunde des Tages, Gestalt und Mimik der Teilnehmer. Wohl ist das so; aber man hat doch nicht gehört, daß Sokrates Schriftsteller gewesen sei und große Werke geschrieben habe. Im Gegenteil! Kierkegaard aber ist Schriftsteller gewesen in so eminentem Maße, daß man auf den ersten Blick meinen und sagen könnte, er sei sonst überhaupt nichts anderes gewesen, wüßte man nicht, daß er doch auch anderes gewesen ist. Und können denn seine ersten ästhetisch-philosophischen Schriften, wenn sie überhaupt mit etwas verglichen werden können, mit anderem verglichen werden als mit den ersten und mittleren Schriften Platons? Und sind solche Werke wie ›Furcht und Zittern‹, das den Untertitel ›Dialektische Lyrik‹ trägt – dialektische Lyrik! Über 2000 Jahre hat es gedauert, bis dieser Untertitel für das Symposion oder den Phaidon gefunden wurde – sind solche Werke wie ›Furcht und Zittern‹ und ›Philosophische Brocken‹ nicht philosophische Mythen von einem Dichter, der ein Denker ist, von einem Denker, der ein Dichter ist, Mythen, wie als einzelner, sonst sind sie ja anonym, nur Platon sie hat? Es ist aber aus mehr als einem Grunde wichtig, so vor allem aus einem religiösen und christlichen, damit in jungen Köpfen keine Verwirrung angerichtet werde, zu betonen, daß ›Furcht und Zittern‹ und ›Philosophische Brocken‹ Mythen sind; natürlich mit einem bedeutenden Gehalt von Wahrheit, aber nicht schlichte Wahrheit, sondern schwärmerisch-übersteigerte, dialektisch zugespitzte. Der Abraham in ›Furcht und Zittern‹ ist nicht der Abraham des Alten Bundes und unser aller Vater im rechten Glauben und ein Vorbild des Neuen Bundes, sondern er ist ein philosophischer Mythos und eine dichterische Konstruktion. Es ist religiös und christlich nicht gut und nicht löblich, daß Kierkegaard den Abraham aus seiner historischen Konkretion herausgerissen und zum Beispiel nicht gesagt hat, daß damals ein Vater das Recht und die Gewalt hatte über Leben und Tod seines Sohnes, so daß, selbst wenn Gott das Opfer Isaaks wirklich verlangt hatte, Abraham doch nicht das „Allgemeine" in Form eines Ethos oder gar eines Strafgesetzes verletzt hätte. Kierkegaard hat diese Umbiegung und Abstraktion gedichtet, um die Dialektik des Glaubens und des Gehorsams und des Opfers auf die Spitze zu treiben. Aber in diesen Sphären soll man das Konstruieren und Dichten lassen, man soll die Dinge stehen lassen, wie sie sind; alles, was man dazutut, gibt doch nicht ein Plus, sondern immer ein Minus. Das ist gesagt vom christlichen Standpunkt aus. Dichterisch und philosophisch ist das Werk ein Mythos im Sinne Platons. Weiter ist der Gott als Lehrer, der in den ›Philosophischen Brocken‹ auftritt, nicht der historische Jesus Christus aus dem Stamme Davids, der vorausgesagt war und auftrat mit Zeichen und Wundern, die Seine Würde beglaubigten, sondern er ist eine Abstraktion sowohl wie eine Konstruktion zu dem philosophisch-dialektischen Zwecke, das Paradox, daß ein Mensch Gott ist, durch Übersteigerung herauszustellen. Selbstverständlich gelten hier die Einwände vom christlichen Standpunkt aus gegen ein solches Verfahren noch in ungleich höherem Maße als im Falle Abrahams, weil junge, noch ungefestigte religiöse Gemüter, vollends, wenn sie eine äußere Lehrautorität der Kirche nicht kennen, leicht in Unglauben oder in Verzweiflung gestürzt werden, wenn sie solche dialektische Bewegungen einfach nicht mitmachen oder nachmachen können. Und wer kann sie denn *in Wirklichkeit* mitmachen oder nachmachen? Aber wiederum: dichterisch und philosophisch ist dieses Werk ein Mythos im Sinne Platons. Doch soll mit diesen Bildern und Vergleichen, daß Kierkegaard sein eigener Sokrates und sein eigener Platon war, auch nicht zuviel gesagt sein; sie sollen uns nur dienen, zum originalen Gegenstand vorzudringen und ihn uns sich offenbaren zu lassen. Wir sind nur allzu geneigt, es uns mit solchen Bezeichnungen wie platonisch oder aristotelisch, augustinisch oder thomistisch bequem zu machen und sehr oft ein doppeltes Unrecht zu begehen, indem wir ein X durch ein anderes X, *ignotum per ignotum, obscurum per obscurius* erklären, da wir ja, wenn wir uns recht prüfen, nicht nur mit dem zu erklärenden Gegenstand, sondern auch mit den erklärenden Bestimmungen recht vage und vieldeutige Vorstellungen verbinden. Dieser Sören Kierkegaard, geboren in Kopenhagen im Jahre 1813, „in jenem tollen Jahre, wo noch manch anderer toller Zettel zu laufen begann", wie er sich einmal ausdrückt, ist weder ein kleiner Kopenhagener Sokrates noch eine Provinz-Dublette Platons, sondern er selber, ein großer unvergleichlicher Genius, mit ganz anderen Aufgaben und unvorhersehbaren Möglichkeiten, deren Fruchtbarmachung nicht in unseren Erklärungsversuchen liegt, sondern im Wollen und Lenken der Vorsehung.

Ich sprach davon, daß der christliche Theologe Veranlassung hätte, tiefe, theologische Einsichten und Spekulationen aus den Werken Kierkegaards aufzunehmen und sich wissenschaftlich mit ihnen zu beschäftigen. Durch die Anmerkungen, die ich zu Werken wie ›Furcht und Zittern‹ und ›Philosophische Brocken‹ machte, aber auch auf die ›Unwissenschaftliche Nachschrift‹ ausdehnen könnte, habe ich indirekt zu verstehen gegeben, daß nicht in ihnen die Gedanken zu finden sind, auf welche ich die Aufmerksamkeit der Theologen, die ich meine, hinlenken möchte. Nicht in diesen Werken, die eher dem Dichter, dem Psychologen, dem Dialektiker, dem Philosophen Anlaß und Stoff zur Versenkung und Forschung geben, die außerdem auch nicht unter dem eigenen Namen Kierkegaards, sondern unter verschiedenen Pseudonymen erschienen sind – was ein sehr wichtiges Kriterium ist –, nicht in *diesen* Werken, nicht in den übersteigerten, neben tief wahren, Definitionen des Glaubens und des Paradoxes sind die eigentlich wertvollen theologischen Gedanken zu suchen. Sondern vielmehr in den Reden, die von Anfang an den vollen Namen Kierkegaards als Verfasser tragen, und zum Teil auch in den Tagebüchern, und immer dort, wo er nicht über den Glauben, sondern über die Liebe redet, über Wesen und Geheimnis der göttlichen Liebe. Dort ist Höhe und Tiefe seines Geistes und seiner Theologie. Ich denke also, um nicht vage zu reden, sondern gleich ein konkretes Beispiel zu nennen, an Sätze wie diese:

„Die ganze Frage über das Verhältnis von Gottes Güte und Allmacht zu dem Bösen kann vielleicht (an Stelle der Distinktion, daß Gott das Gute bewirkt und das Böse bloß zuläßt) ganz simpel so gelöst werden: Das Höchste, das überhaupt für ein Wesen getan werden kann, höher als alles, wozu einer es machen kann, ist: es frei zu machen. Eben dazu gehört Allmacht, um das tun zu können. Das scheint sonderbar, da gerade die Allmacht abhängig machen sollte. Aber wenn man die Allmacht denken will, wird man sehen, daß gerade in ihr die Bestimmung liegen muß, sich selber so wieder zurücknehmen zu können in der Äußerung der Allmacht, daß just deshalb das durch die Allmacht Gewordene unabhängig sein kann. Darum geschieht es, daß ein Mensch den andern nicht ganz frei machen kann, weil der, welcher die Macht hat, selbst gefangen ist darin, daß er sie hat, und darum doch beständig ein verkehrtes Verhältnis bekommt zu dem, den er frei machen will. Dazu kommt, daß da in aller endlichen Macht (Begabung usw.) eine endliche Eigenliebe ist. Nur die Allmacht kann sich selber zurücknehmen, während sie hingibt, und dieses Verhältnis ist just die Unabhängigkeit des Empfängers. Gottes Allmacht ist darum seine Güte. Denn Güte ist, ganz hinzugeben, aber so, daß man dadurch, daß man allmählich sich selbst zurücknimmt, den Empfänger unabhängig macht. Alle endliche Macht macht abhängig, nur die Allmacht kann unabhängig machen, aus Nichts hervorbringen, was Bestand hat in sich dadurch, daß die Allmacht beständig sich selber zurücknimmt. Die Allmacht bleibt nicht hängen in einem Verhältnis zum andern, denn da ist nichts anderes, zu dem sie sich verhält, nein, sie kann geben, ohne doch das mindeste ihrer Macht aufzugeben, nämlich: sie kann unabhängig machen. Dieses ist das Unbegreifliche, daß die Allmacht nicht bloß das Imposanteste von allem hervorbringen kann: der Welt sichtbare Totalität, sondern das Gebrechlichste von allem hervorzubringen vermag: ein gegenüber der Allmacht unabhängiges Wesen. Daß also die Allmacht, die mit ihrer gewaltigen Hand so schwer auf der Welt liegen kann, zugleich so leicht sich machen kann, daß das Gewordene Unabhängigkeit erhält. – Das ist nur eine erbärmliche und weltliche Vorstellung von der Dialektik der Macht, daß sie größer und größer sei im Verhältnis, wie sie zwingen und unabhängig machen kann. Nein, da verstand Sokrates es besser, daß die Kunst der Macht gerade ist: frei zu machen. Aber im Verhältnis zwischen Mensch und Mensch läßt sich das niemals machen, wenn es auch immer und immer wieder vonnöten sein kann, daß eingeschärft werde, daß dieses das Höchste ist; nur die Allmacht vermag es in der Wahrheit. Wenn darum der Mensch das geringste selbständige Bestehen gegenüber Gott voraus hätte (in Richtung auf *materia*), so könnte Gott ihn nicht frei machen. Die Erschaffung aus Nichts ist wieder der Ausdruck, der Ausdruck der Allmacht dafür: unabhängig machen zu können. Der, dem ich absolut alles schulde, während er doch ebenso absolut alles behalten hat, er gerade hat mich unabhängig gemacht. Wenn Gott, um den Menschen zu schaffen, selbst etwas von seiner Macht verloren hätte, dann könnte er gerade nicht den Menschen unabhängig machen.« – An solche Sätze also denke ich und meine, daß sie Herz und Geist eines Theologen bewegen können. An solche und tiefere noch über das Leiden und das Opfer Christi, über die Freiwilligkeit dieses Opfers und das unergründliche Mysterium dieser Freiwilligkeit, eine Unergründlichkeit, die aber nicht die Versenkung des Geistes in sie verhindert oder ihm das Denken raubt, sondern im Gegenteil ihm zu Gedanken verhilft, die an Tiefe um eine Welt die tiefsten zurücklassen, die der größte Denker vor den Wundern nur dieser Welt haben kann, die aber freilich auch ohne gewisse Voraussetzungen auf seiten des Empfängers nicht so leicht mitteilbar sind. Ich denke hier vor allem an die Ausführungen Kierkegaards in seiner Rede über das geistige Leiden Christi am Kreuz, über den tiefsten Abgrund dieses Leidens, als Er, und wieder in voller Freiwilligkeit, worauf der Nachdruck liegt, das Leiden der Gottverlassenheit auf sich nahm. Dieses Leiden in seiner Unendlichkeit kann nach

Kierkegaard ein Mensch nicht nur nicht tragen, er kann es auch nicht *haben*, und zwar, weil er – schuldig ist. Die Schuld rettet ihn sozusagen vor der Möglichkeit und Wirklichkeit dieses absoluten Leidens; seine Schuld hindert ihn, absolut an der Liebe Gottes zu zweifeln. Dieses absolute Verlassensein von Gott kann nur der vollkommen Unschuldige, *und freiwillig*, erleiden. In solchen Gedanken liegt nach meiner Ansicht die theologische Größe Kierkegaards und seine Wirkung in die Zukunft. Aber neben solchen Einsichten, die mehr den wissenschaftlichen Theologen beschäftigen werden, liegen in den Reden noch Kleinodien der Spruchweisheit für den einfachen religiösen Menschen und Christen. Ein guter Spruch ist wie goldene Äpfel auf silbernen Schalen. Nicht umsonst hat Kierkegaard das Buch der Sprüche geliebt, und er sprach von sich selber, meinte sich selber, als er am Schlusse von ›Salomos Traum‹ in den ›Stadien‹ schrieb: „Und wenn die Königin von Saba zu ihm kam, da ward seine Seele reich, und die weisen Antworten flossen von seinen Lippen wie die köstliche Myrrhe, die herabfließt von den Bäumen Arabiens." Die wahren und echten Früchte seines Glaubenslebens sind nicht eigentlich seine Spekulationen über den Glauben, wo eine falsche Philosophie eine trügerische Grundlage abgibt, sondern jene Gedanken, von denen ich sprach, die aus seinem realen, persönlichen, unreflektierten, mit leidenschaftlicher Liebe zu Gott erfüllten Glauben spontan hervorsprangen, oder ihn wie Blitze erleuchteten.

Ich habe unter den Typen, die ich im Wunsche mehr als in der Wirklichkeit mit Kierkegaard und dessen Problemen und Gedanken aus Autopsie und nicht bloß vom Hörensagen her beschäftigt sehe, den Theologen vorangestellt. Nicht zufällig. Kierkegaard war ja Theologe, und sicherlich auch wieder nicht zufällig, nicht in dem äußerlichen Sinne, daß er auf Wunsch seines Vaters Theologie studiert hat. Nein, er hat in sich die glorreiche Hierarchie der geistigen Konstitution des abendländischen Menschen ganz von selbst, ganz unproblematisch, ganz natürlich verkörpert: daß die Theologie die Königin der Wissenschaft ist, und nichts im Denken ohne Beziehung, sei sie direkt und offenbar oder indirekt und versteckt, zu ihr ist, so wie der Mittelpunkt alles praktischen Lebens die Religion und das Verhältnis zum Göttlichen ist. Ehe ich nun zu dem zweiten Typus, dem

Philosophen, übergehe und ein paar Dinge aus Kierkegaard heraus-
greife, die vorzüglich ihn zur Mitarbeit und Weiterarbeit aufrufen
können, will ich einen der Hauptsätze des Kierkegaardschen Denkens
anführen, der vielleicht am bekanntesten ist und der durch seine
Paradoxie und durch seine infolge geschichtlicher Bedingtheit, nämlich infolge der Polemik gegen Hegel, oft übertriebene Formulierung
sofort auffällt, einen Satz, der an der Grenzscheide zwischen Theologie und Philosophie steht, den Satz: „Die Subjektivität ist die
Wahrheit", oder auch: „Die Wahrheit liegt in der Subjektivität."
Was heißt das? Ist es das, was man allgemein als Subjektivismus und
Individualismus versteht und als die geistige Wurzel der anarchi-
schen Zustände unseres Planeten? Heißt es in dem alten griechischen,
klassisch formulierten Sinne, daß der Mensch das Maß der Dinge sei;
heißt es, daß es so viele Wahrheiten gebe, wie es Subjekte gibt, also
daß es eine *Wahrheit, eine* Wahrheit überhaupt nicht gibt; ist es
Solipsismus, ist es Pragmatismus, oder ist es, um höher zu gehen, nach
einer Kantischen Analogie zu verstehen, daß nämlich nicht eine empirische Subjektivität, sondern ein transzendentales Verstandessubjekt,
das insofern überindividuell ist, die Wahrheit ist, indem es der
Natur die Gesetze vorschreibt? – Nichts von alledem! All das ist weit
entfernt, den Sinn der Kierkegaardschen These zu treffen, ja liegt
sogar auf der entgegengesetzten Seite seiner Meinung. Der Satz ist
nur von seiner Theologie her zu verstehen. Denn über dem Satze: die
Subjektivität ist die Wahrheit, steht der Obersatz: Gott ist unendliche Subjektivität. Ein simpler Syllogismus also, es folgt als Konklusion der alte christliche Satz: Gott ist die Wahrheit. Daß dieser Satz
Kierkegaards, so, wie ich jetzt eben ausgeführt habe, nämlich theologisch zu verstehen ist, darüber glaube ich mich nicht zu täuschen.
Wie kommt aber Kierkegaard zu seinem Satz? In dieser uns paradox
anmutenden und, wie ich gleich hinzufügen will, gefährlichen, weil
den gröbsten Mißverständnissen ausgesetzten Formulierung? Nun,
wir befinden uns hier in der Tiefe des Kierkegaardschen Denkens
überhaupt, in der Kluft, die ihn scheidet von der Hauptentwicklung
und Linie der abendländischen Philosophie, an dem entscheidenden
Punkt, wo er das Schwergewicht, auch für das Denken, verschiebt,
nämlich vom Objekt auf das Subjekt, von der Welt der Ideen auf die
Person, welche diese Ideen hat als die ihren. Man trifft nicht die Sache

Kierkegaards, wenn man sagt, daß dies alles ja begonnen habe mit Descartes und weitergegangen sei mit Kant. Wenn hier eine Analogie ist, so ist sie doch nur äußerst schwach und formal, ja täuschend, denn bei Descartes wie bei Kant ist das Ich, das Subjekt, doch immer nur ein dynamischer zentraler Punkt, abstrakt und entleert, und die Peripherie der objektiven Systematik ist die Hauptsache. Bei Kierkegaard handelt es sich aber um die konkretisierte, um die absolut erfüllte Person. – Die christliche Theologie kennt gleich zu Beginn ihrer Spekulationen über Gott zwei Bestimmungen, die kardinale Bestimmungen sind. Gott ist das *ens realissimum* und dann: das Bewußtsein Gottes ist *actus purus*. Von diesen beiden gleich wahren und gleich wichtigen Bestimmungen hätte Kierkegaard die erste sozusagen als Neutrum und bloße Sache schockiert, nicht als wäre die Realität Gottes ihm auch nur im geringsten ein Problem oder zweifelhaft gewesen, ja man kann noch eher sagen, daß ihm Zweifel oder Problematik an und in dieser Realität überhaupt eine Unmöglichkeit waren, nein, sondern weil ihm hier sozusagen Gott zu sehr zum Objekt, zum „Gegenstand" gemacht wurde, während er für ihn reine Subjektivität, reine Person ist: *actus purus* – diese zweite Kardinalbestimmung ist es, die das Denken Kierkegaards faszinierte und mit Beschlag belegte. Und dieser zweiten Bestimmung als der reinen unendlichen Subjektivität legt er die Wahrheit bei. Sie *ist* die Wahrheit, was um eine Dimension mehr ist als: sie hat die Wahrheit. In einem absoluten transzendenten Sinne gilt das von Gott, in einem relativen, potentiellen und theologischen, indem es nämlich sein Ziel ist, von dem Menschen. Der Mensch hat Wahrheit, und was mehr ist, wird Wahrheit im selben Maße, wie er im Pakt mit Gott, nach dem Bilde Gottes, reine Subjektivität, geistige Person wird. Der Einzelne, „jener Einzelne", den Kierkegaard meint und zum Leser sich wünscht, ist geistige Person unter Hintansetzung, unter Mißachtung fast des leiblich-seelischen Ich, das auch zum Menschen gehört. Und Gott ist deshalb die Wahrheit, weil er als unendliche Subjektivität, als *actus purus* – ich gebe hier den Sinn einer Tagebuchnotiz Kierkegaards wieder – *sich vollkommen objektiv zu seiner eigenen Subjektivität verhält und subjektiv vollkommen vollführt, was er in objektiver Überlegenheit verstanden hat, sich selber betreffend, weil er unbedingt, vollkommen objektiv, sich selbst sehen und unbedingt, subjektiv, diesen Anblick*

von sich selber wiedergeben kann. Womit aber freilich, das hat
Kierkegaard übersehen, doch gesagt ist, daß in Gott das absolut
objektive Sein und die absolute „Subjektivität", *ens realissimum* und
actus purus eine unsagbare Identität bilden. Immerhin aber sehen Sie
ohne weiteres, daß mit diesem Kierkegaardschen Subjektivitäts- und
Wahrheitsbegriff der europäischen Philosophie eine total andere Aufgabe gestellt wird, als mit dem zu Skepsis und Agnostizismus führenden Subjektivismus und Individualismus, mit dem sie leicht fertig
wird, ja heute schon fertig geworden ist. Kaum eine andere Definition
ist in der europäischen Philosophie seit Aristoteles im großen und allgemeinen so fixiert, wie die Definition des Begriffes der Wahrheit.
Welches Lehrbuch der Philosophie oder Logik immer Sie aufschlagen
mögen, Sie werden – im großen und ganzen – über die Wahrheit
gesagt finden, daß sie im Urteil liegt und ein Relationsbegriff ist, und
Kierkegaard wird der letzte sein, der dem widerspricht, so wie die
Frage nun einmal gestellt ist, so wie die Dinge nun einmal geschieden
sind. Die Antwort ist unter diesen Umständen so einleuchtend wie
daß zweimal zwei gleich vier ist. Daher auch die relative Einheit und
Übereinstimmung der verschiedensten Richtungen. Aber die Frage ist,
ob die betonte Scheidung zwischen Intellekt und allem anderen im
Menschen nicht eine spezifische Eigentümlichkeit eben der europäischen Philosophie ist, ob sie nicht schon etwa den slawischen Völkern
gar nicht so natürlich gegeben ist wie uns, und ziemlich gewiß scheint
es, daß sie es nicht ist den orientalischen Völkern. Was die heiligen
Schriften von Anfang bis Ende unter Wahrheit verstehen, kommt
näher der Kierkegaardschen Auffassung vom ganzen Sein als der un-
persönlich reduzierten der europäischen Philosophie, wonach Wahrheit eine Relation ist zwischen Begriff und Sache oder zwischen Gedachtem und Wirklichem; nicht daß diese letzte Definition von ihnen
desavouiert würde, für falsch erklärt würde – es wäre lächerlich,
wollte man Kierkegaard so mißverstehen, als ob er leugnen wollte,
daß zweimal zwei gleich vier ist –, nein, aber in dem Sinne, daß sie
wohl auch selbstverständlich in den heiligen Schriften enthalten ist,
aber – heraus- und für sich gestellt – eine Abstraktion, ein Absehen
vom Ganzen, von der Totalität ist. Und warum das? Vielleicht, weil
die heiligen Schriften eine andere Ordnung, ein anderes Weltbild, eine
andere Richtung haben und zeigen als die europäische reine Philo-

sophie. „Im Anfang schuf Gott Himmel und Erde", fängt der Alte Bund an, „Im Anfang war das Wort", fängt der Neue Bund bei Johannes an, und die ganze Ordnung und Richtung geht aus von der Person über die Welt der Wirklichkeiten und Möglichkeiten, des Realen und der Ideen zur Person, nicht nur für Gott, sondern auch für das Ebenbild Gottes, den Menschen – ihre Darstellung ist darum unsystematisch –, während in der Hauptsache Ordnung und Richtung für die europäische Philosophie genau umgekehrt steht und verläuft: von der Welt über die Person, die nur ein leerer Beziehungspunkt ist, zur Welt, von den Objekten, den Gegenständen, den Dingen, den Empfindungen, wohl zu beachten, auch den Empfindungen, die eben objektiviert werden, über das Subjekt, das Ich, das Individuum, so rasch wie möglich wieder zurück zu den Objekten, den Gegenständen, den Dingen, den Empfindungen. Sehen Sie sich nun die europäische Philosophie an; was ist ihre Haupttendenz – die Ausnahmen bestätigen hier wahrscheinlich die Regel –, was ist auch der Ehrgeiz jedes einzelnen Denkers, was anderes als das möglichst umfassende, geschlossene System, das in vollkommener Objektivität, fast eine Karikatur, in Spinoza erreicht wird, wo Gott schließlich: Objekt der Objekte ist. Die schroffsten Gegensätzlichkeiten, etwa zwischen Realismus und Idealismus, sind immer noch eine Immanenz innerhalb der Gewalt dieser Tendenz und dieses Ehrgeizes. Diese jahrtausendealte Entwicklung macht Kierkegaard nicht mit, denn er will Höheres. Er will Ordnung und Richtung umkehren, auch für das Denken und Philosophieren. Er will von der Person über die Dinge zur Person, nicht von den Dingen über die Person zu den Dingen. Ich gebe hier kein Urteil ab, ob ihm der Versuch gelungen ist. Ich lenke nur Ihre und meine Aufmerksamkeit auf einen nicht mehr so leicht zu überbrückenden Einschnitt in die europäische Geistesgeschichte, auf ein großes Unternehmen, das auf alle Fälle unvertilgbare Spuren hinterlassen hat und das Ihnen und mir eine Vorstellung geben kann von den gigantischen Kräften, die dahinterstehen und die einer einzelnen Person geschenkt waren. Zwar kann Kierkegaard von der alten Tradition natürlich nicht lassen; es ist in ihm viel von einem Systematiker reinsten Wassers, man braucht, um das zu sehen, nur die Anlage solcher Werke wie ›Begriff der Angst‹ und ›Krankheit zum Tode‹ sich anzusehen; zwar muß auch er, wie er fast bedauernd konstatiert,

immer auch noch „dozieren", aber im ganzen genommen ist sein
philosophisches Werk das genaue subjektive Gegenbild zu einem
großen objektiven System, das es eigentlich *voraussetzt*. Und damit
ist Kierkegaard wieder mitten in der europäischen Tradition. Die
Nikomachische Ethik ist eines seiner Lieblingsbücher. Er ist mit *seiner*
Subjektivitätsphilosophie notwendig ein Realist, nicht ein Idealist.
Er bleibt beim gesunden Menschenverstand. Daß die Welt nur Vorstellung sei – darauf konnte er niemals verfallen. Was für das System
die kardinalen Distinktionen sind, also etwa zwischen Natur- und
Geisteswissenschaften, zwischen Ästhetik, Ethik, Religion, Sinnlichkeit, Verstand, Vernunft, Glaube, das sind für Kierkegaards Werk
die verschieden gerichteten Personen. Zuerst und zuletzt, *principium
et finis*, ist die Person, dargestellt wird nicht die Ästhetik, sondern der
Ästhetiker, nicht die Ethik, sondern die ethisch denkende und handelnde Person, nicht der Humor, sondern der Humorist, nicht der
Glaube, sondern der Glaubende, nicht die Liebe, sondern der Liebende, und sie werden nicht bloß dargestellt, sondern sie stellen sich
selber dar als Existierende. Und wenn doch auch ganz unumgänglich
wieder Ästhetik, Ethik, Humor, Glaube, Liebe als Objektivitäten
behandelt und dargelegt werden mußten, da ja Kierkegaard ein viel
zu bedeutender und ursprünglicher Dialektiker war, um nicht immer
wieder sich zu sagen, daß gerade die volle Subjektivität auch die volle
Objektivität zur Bedingung habe, ja daß historisch die ungeheure
Arbeit der europäischen Philosophie am objektiven Wissen – sie allein
hat ja den strengen Begriff der Wissenschaft – eine gewaltige Möglichkeit der Bereicherung der Subjektivität ist, wenn diese nämlich das
Wissen übernehmen will oder kann: ich sage, wenn doch auch wieder
von Kierkegaard und seinen Pseudonymen sachlich und objektiv
philosophiert und doziert wurde, dann eben doch nur zu dem einzigen Zweck, daß dieses objektive, gewonnene Wissen von der Subjektivität übernommen und dialektisch angeeignet oder abgestoßen
werde, daß der Subjektivität der Primat, die Souveränität, ja in
gewissem Sinne das Prius zukomme und bleibe, daß zu der Relation
zwischen Begriff und Sache, welche Wahrheit genannt wird, noch
hinzutrete eine lebendige Relation der Person zu diesen objektiven
Wahrheiten, welche dann die *ganze* Wahrheit ist. Sein, Leben und
Wesen der Person haben den jungen Kierkegaard zum leidenschaft-

lichen Gegner Hegels und dessen Systems gemacht. Nichts anderes! Man darf nicht vergessen, daß Kierkegaard die Hegelsche Philosophie gelernt und geübt hat, wie das Kind seine Muttersprache; es gab keine andere Philosophie zu jener Zeit in Kopenhagen. Mit der Leidenschaft und Unersättlichkeit, die das Jünglingsstadium eines jeden genuinen Denkers sind, trank er diesen Wein, der allein zur Verfügung stand, bis zur Berauschung. Aber er erwachte sehr rasch, und das erste, was er vorfand, war: sich selbst als Person, und was hier sehr wichtig ist: als verschlossene Person. Und was war nun der geistigen Person und gar der verschlossenen Person gegenüber ein System, das als die letzte und höchste Erkenntnis des Menschengeistes sich ausgab, und nicht nur das, sondern in freventlicher Hybris als das Wissen und die Selbsterkenntnis Gottes selber? Ein Gelächter war die Antwort; aber ein produktives, nämlich die gewaltigen Werke der Pseudonyme. Wie, wenn das System machtlos schon der endlichen geistigen Person gegenübersteht und vollends der verschlossenen, und in Äonen deren Geheimnis nicht wissen kann, wenn sie es nicht sagen will, dann will es gar noch die Geheimnisse des unendlichen, unerforschlichen Gottes wissen, der von Menschen ausdrücklich nicht Wissen, sondern Glauben verlangt! Ein Gelächter war die Antwort. Sein und Wesen der Person sind der Einsatz, den Kierkegaard, man kann schon sagen: mit Einsatz seiner Person, der Philosophie gegeben hat. Hier ist der Herzschlag des Kierkegaardschen Denkens. Das wird neuerdings auch eingesehen. So hat zum Beispiel der Heidelberger Professor Jaspers ein gut Teil seiner ›Psychologie der Weltanschauungen‹ mit Kierkegaard bestritten, aber nach der Seite der Systematik hin, nämlich der einfachen Deskription gewisser charakterologischer Typen, wie zum Beispiel des dämonischen Menschen. Er hat aus der dialektischen Philosophie Kierkegaards das Objektiv-Psychologische herausgenommen, und dessen ist ja sehr viel. Ich tadle solches Vorgehen nicht; ich habe ja im Laufe dieses Vortrags ausdrücklich betont, daß eine Besitzergreifung der Erkenntniswerte der Werke Kierkegaards anders als durch solche Teilung der Arbeit gar nicht möglich ist. Doch darf und soll im einzelnen Fall ja immer untersucht werden, ob eine solche Besitzergreifung im Geiste Kierkegaards geschieht oder nicht. Bei dem Jaspersschen Versuche ist das Bedenkliche, daß die letzten Realitäten religiöser, christlicher Natur, die für

Kierkegaard die Voraussetzungen der rechten Erkenntnis und Beschreibung etwa des dämonischen Menschen sind, in einem hypothetischen Dunkel, ja in voller Unentschiedenheit gelassen werden. Nun kann man ja freilich eine Zeitlang und bis zu einem gewissen Grade Erscheinungen und Tatbestände, nachdem sie ins Leben gerufen wurden und einmal da sind, beschreiben unter Ignorierung der Realitäten oder unsichtbaren Mächte, welche sie ins Leben gerufen haben, denen sie ihr Dasein und Sosein verdanken, aber früher oder später wird die Unzulänglichkeit an den Tag treten und, was wie wissenschaftliche Bescheidenheit aussieht, seine etwas andere Erklärung in bestimmten Abschnitten der ›Krankheit zum Tode‹ finden. – Ich gebrauchte schon einige Male das Wort dialektisch, von dem jeder Leser Kierkegaards weiß, daß es eines der am häufigsten bei ihm vorkommenden ist. Das ist kein Wunder. Wer die Philosophie der Person, der Subjektivität einführen will, der ist von selbst auch Dialektiker. So ist also Begriff und Wesen der Dialektik die andere große Aufgabe, die Kierkegaard der modernen Philosophie stellt. Alle Dialektik entspringt aus einem Widerspruch; sie geht etymologisch zurück auf den Dialog, also Rede und Gegenrede, Spruch und Widerspruch. Dialektik fängt an in der Sprache; nachdem diese durch lange Arbeit von den nur in ihr liegenden Widersprüchen gereinigt ist, findet sich die Dialektik im Denken selber als dem Instrument der Erkenntnis; nachdem das Denken sich selber durchsichtig gemacht worden ist, soweit das möglich ist, findet sich die Dialektik in den Dingen selber, in der hierarchischen Stufenordnung der Dinge, aber doch immer für das Denken und durch das Denken. Die letzte Quelle aber der Dialektik ist ja die Person, insofern sie gedacht werden soll, das heißt also Gegenstand werden soll, denn alles, das gedacht werden soll, muß, wenn auch in einem weitesten Sinne, Gegenstand, muß objektiviert werden. Die Person aber, die Subjektivität, kann nicht Gegenstand werden und muß es doch werden, wenn sie erkannt werden soll; es wird ihr also dadurch, daß man sie denkt, etwas genommen, das ihr wesentlich ist, das Subjektive, und etwas hinzugefügt, das sie wesentlich nicht ist, das Gegenstandsein. Wie sollte bei einem solchen Sachverhalt Kierkegaard nicht Dialektiker sein?! – Die Dialektik ist die große antreibende Unruhe im menschlichen und zeitlichen Erkennen, das nach dem Ewigen und Unendlichen strebt; dächte man sie sich personifiziert, so wäre sie nichts anderes als Leidenschaft und der Eros Platons, der den kein Genügen findenden Geist von Stufe zu Stufe treibt. Sie ist die Unruhe, die den denkenden Geist des Menschen antreibt, ruhelos über alles Erkannte hinauszugehen und nach der letzten Ruhe zu suchen, die er zweifellos begehrt. Denn Dialektik um der Dialektik willen ist eine Entartung, die Kierkegaard in der Hegelschen sah, die er auch in derjenigen Simmels zum Beispiel, die ja kleineren Formates ist, gesehen hätte, und die ihm in tiefster Seele verhaßt war. „Um nähen zu können, muß man einen Knopf in den Faden machen", ist ein Gleichnis Kierkegaards; um fruchtbarer Dialektiker zu sein und nicht ein Sophist zu werden, muß es Dinge geben, die absolut feststehen. Das ist im Grunde immer der richtige Instinkt des menschlichen Geistes gewesen. Er suchte und sucht dem Zuchtmeister, der die Dialektik ist, zu entrinnen, oft, ja vielleicht solange wir hier auf Erden sind, kann man sagen, fast immer etwas zu früh. – Ein erster Ausweg aus der Dialektik ist die Wahrnehmung im weitesten Sinne – die Sinne sind ja undialektisch –, also das praktische Leben, dann die empirischen Wissenschaften, die Einzelwissenschaften, die Welt und das möglichst geschlossene System der sichergestellten Dinge und Gegenstände. Das war zum Teil schon der Ausweg gewesen des Aristoteles, als er der Altersdialektik des Platon müde geworden war. Das war großenteils, freilich in einem viel ungeistigeren Sinne, der Ausweg des deutschen Geistes gewesen nach der glänzenden Periode der dialektischen Philosophien von Kant bis Hegel. – Ein zweiter Ausweg ist die Kunst, die strenge, Ruhe der Ewigkeit wollende und versinnbildende Form und die Ideenschau im Sinne Platons, gehend bis zur Mystik und zur Ertötung des Ich. Es war ja ästhetisch der Ausweg Schopenhauers gewesen. Wir haben gerade heute in der Phänomenologie ein anderes Beispiel dafür. Sie ist bislang in ihrer Tendenz undialektisch, ja sogar in Aussagen einzelner ihrer Vertreter einfach feindlich gesinnt gegen die Dialektik. Freilich, sie wird ihr nicht entgehen, denn sie behauptet, gar zu viele Dinge unmittelbar, also undialektisch zu schauen, die weder von ihnen noch von irgend jemand anderem in dieser Welt unmittelbar geschaut werden können; so werden sie auf die Dialektik des Unmittelbaren, das doch vermittelt ist, stoßen, und es mag sich zeigen, daß des Kardinals Newman Theorie vom *illative sense*, dem ›Folge-

rungssinn‹[2], der Wirklichkeit und Wahrheit gerechter wird und die
Genese mancher Erkenntnisse, die den Anschein erwecken, als seien
sie ohne Hilfe des diskursiven Denkens zustande gekommen, durch
die individuell verschiedene Tätigkeit eben dieses in sich dialektischen
Folgerungssinnes leichter und besser erklärt und auch humaner und
unverdächtiger, als die hie und da gar zu simple Berufung auf die
undialektische, Sterblichen so kärglich zugemessene Anschauung –
hier, und dann dort, wo sie so oft, nicht mit dem echten Pathos der
Sachlichkeit, sondern mit dem falschen Pathos der Versicherung nur,
sagen, versichern: dies hat auch nicht das geringste mit jenem zu tun,
während es, außer in ihren Schriften, sehr wohl miteinander zu tun
hat – hier und dort also wartet ihrer die Dialektik und der Dialektiker. – Ein dritter Ausweg, aus der Dialektik zur Ruhe zu kommen,
ist die Offenbarungsreligion, für das Denken und den Denker also
das Dogma als Begriffsverkörperung des Wesens, Willens und Wortes
Gottes. Nicht als ob innerhalb ihrer die Dialektik keinen Raum
hätte; im Gegenteil, sie ist erst recht ein unermeßlich fruchtbares Feld
der Dialektik, indem Offenbarungswahrheiten nebeneinanderstehen,
die für das menschliche Denken unlösliche Widersprüche und Schwierigkeiten enthalten. Hier ist die Quelle eines Kierkegaardschen Haupt-
begriffes, des Paradoxes. Aber als Offenbarungswahrheiten, also als
Glaubenswahrheiten, stehen sie ebenso unverrückbar fest für den
dialektischen Menschen wie für den undialektischen. Wenn ich zwischen diesen beiden Typen hier unterscheide, so ist natürlich damit
nicht gesagt, daß es einen denkenden Menschen gebe, in dessen Denken gar keine Dialektik wäre – das ist unmöglich; noch auch, daß es
einen Dialektiker gebe, in dessen Denken nicht auch etwas Undialek-
tisches wäre, sei es auch nur im niedersten Grade eine Sinneswahrnehmung, sei es im Gipfelpunkt: das Wissen vom Nichtwissen, das selber
nicht wieder dialektisch ist, sondern es handelt sich hier um Grade
und Stufen, die aber nicht bloß eine Quantität bestimmen, sondern
eine Qualität und klar umrissene Typen. Für den Apostel Petrus wie
für den Apostel Paulus waren die jüdischen und christlichen Offenbarungswahrheiten im strengsten, absoluten Sinne dieselben – objek-

---

[2] Vgl. J. H. Kardinal Newman, Philosophie des Glaubens (Grammar of
Assent), S. 295 ff.

tiv gegeben von Gott, vom Menschen zu erfassen und festzuhalten durch den Glauben und die Liebe. Aber in der denkenden Behandlung dieser Offenbarungswahrheiten ist zwischen beiden ein großer Unterschied. Während der eine sie schlicht und autoritativ nebeneinanderstellt, füllt der andere, ein durch Begabung und durch Schulung – die pharisäische Dialektik übertrifft, weil sie es mit göttlichen Dingen, mit Offenbarungen und Dogmen zu tun hat, um eine volle Dimension alle anderen welthistorischen Dialektiken, wie die sokratisch-platonische und nachmals die Hegelsche –, ich sage, ein durch Begabung und Schulung gewaltiger Dialektiker füllt sozusagen die leeren Räume zwischen den einzelnen Dogmen mit seinem Denken an, erfüllt sie mit Bewegung und beweist auch dadurch in dieser Sphäre den Satz, daß Dialektik ein mächtiges Mittel der Erkenntnis ist, da durch die Dialektik des Paulus im Laufe der Jahrhunderte Glaubenswahrheiten lichtvoller entfaltet wurden. Es ist für Petrus eine neue spezielle Offenbarung nötig gewesen, um ihn zu überzeugen, daß die Heiden zum Neuen Bunde zugelassen sind ohne das mosaische Gesetz, während Paulus durch seine Dialektik allein zu dieser Erkenntnis gekommen zu sein scheint. Aber alle diese Dialektik ist *innerhalb* des Dogmas, und auch für diesen größten christlichen Dialektiker gilt unbedingt der Satz des Ambrosius, der zum Typus des Petrus gehört: *non in dialectica complacuit Deo salvum facere populum suum.* Nur diesen Satz noch klarer zu machen, nicht ihn umzustoßen oder aufzulösen, diente die Dialektik des Apostels. Kierkegaard hat an Luther – man lese die Tagebücher – immer wieder getadelt, daß er gar kein Dialektiker gewesen sei. Und in der Tat, betrachtet man gewisse Seiten Luthers, so ist man versucht, zu sagen: Wäre er in höherem Grade Dialektiker gewesen in paulinischem Sinne, hätte er nicht bloß die Hälfte der Dialektik des Apostels übernommen, sondern die ganze, so wäre vielleicht das furchtbarste Unheil, das Europa betroffen hat, vermieden worden: die Glaubensspaltung. Die großen feierlichen Dogmen des Christentums von der Trinität, von der Gottheit und Menschheit Christi, von der Freiheit des Willens und der Gnade haben immer neuen Anlaß zu den gewaltigsten dialektischen Anstrengungen gegeben, so, um nur einen Großen zu nennen, bei Augustinus. Zu diesem Typus des Dialektikers nun gehört Kierkegaard, zweifellos der größte Dialektiker der neueren Zeit. Er ist dogmatischer Dialektiker oder dialektischer Dogmatiker. Die Grenze seiner Dialektik ist objektiv das Wort Gottes, geglaubt auf die Autorität Gottes, der nicht täuschen kann noch getäuscht werden, subjektiv aber die schweigende Anbetung oder der ihr gleichkommende jubelnde Ausruf des dialektischen Völkerapostels: O welch eine Tiefe des Reichtums, beide der Weisheit und der Erkenntnis Gottes! Wie gar unbegreiflich sind deine Gerichte, wie gar unerforschlich deine Wege! Diese Dialektik verhält sich auch zu ihren Gegenständen und Wahrheiten anders als die Hegelsche. Sie ist konservierend, sie ist nicht auflösend. Ist für Hegel ein Ding, ein Sachverhalt erkannt, so sind sie eben damit eigentlich erledigt, sie sind sozusagen nicht mehr, sie sind in dem dialektischen Prozeß aufgegangen. Nicht so die Dialektik Kierkegaards. Sie läßt die Dinge und Sachverhalte, und versenkt sich in sie, nicht mystisch schauend, sondern in dialektischer Bewegung denkend. Sie ist Organ und Bestätigung jener biblischen Weisheit, daß kein Ding, so wie es von Gott erschaffen und gegeben ist, je ganz zu ergründen und auszudenken ist. Es bleibt ein Rest. Was der Mensch restlos ausdenken und ergründen kann, ist immer nur eine Abstraktion oder eine Konstruktion, also ein willkürliches Gebilde, wenn auch auf Wirkliches gegründet. So ist in Kierkegaards Reden eine immer wiederkehrende Wendung die, daß die göttlichen Wahrheiten die Eigenschaft haben, auch von dem Einfältigsten verstanden zu werden, dem Weisen aber Stoff zum Denken zu geben Tag und Nacht, sein ganzes Leben lang, ohne daß er fertig würde.

Mit beiden Problemen: der Person und der Dialektik, hängt eng und notwendig zusammen das der Reflexion. Noch zu Lebzeiten wurde Kierkegaard von einem Zeitgenossen ein Reflexionsgenie genannt. Er hat als Dialektiker, der er war, sofort den Widersinn dieser Bezeichnung festgenagelt. Denn Genie ist eben das, was nicht Reflexion, sondern Unmittelbarkeit ist. Andererseits hat er sich mit aller Macht der trivialen Ansicht eines ganzen Zeitalters entgegengestellt, als könne oder dürfe das Genie, und im Gebiete des Christlichen der Glaubende, nicht reflektieren, oder als wäre es das Wesen der Reflexion, das Genie oder den Glauben aufzulösen; im Gegenteil, er wollte die Reflexion verstehen nur als reinigende, klärende, aber in höchstem Maße konservierende und bereichernde Kraft sowohl der

Genialität wie des Glaubens. Damit ist er innerhalb der Tradition der ganz großen Dichter wie auch des unverfälschten, seiner selbst sicheren christlichen Glaubens. Der Dichter des christlichen Mittelalters, Dante, ist, wenn irgendeiner, genial und inspiriert, jedoch ohne jede Scheu, sein Schaffen und sein Werk zu reflektieren, wie zum Beispiel in der ›Vita nuova‹, und nie hat der gebildete Christ sich geweigert, von seinem Glauben sich und anderen Rechenschaft abzulegen, eben als Glaubender, aber ohne einen Augenblick aufzuhören zu glauben, sich durchsichtig zu werden, also von der Reflexion Gebrauch zu machen.

Was nun den dritten Typus anlangt, der, wie ich sagte, Kierkegaards sich bemächtigte und immer wieder bemächtigen wird, aus ihm sein Teil und Anteil oder was er dafür hält, herausschneidet und es für das Ganze ausgibt, der Essayist, der Ästhetiker, der Literat – ich fasse diese drei hier um des Sachlichen willen zusammen, daß es ihnen mehr um die Kunst als um Philosophie und Wissenschaft zu tun ist –, so hat er auf den ersten Blick das leichteste Spiel. Die so primitiv reinen, aber pathetischen Linien seines äußeren Schicksals, die eine innere Bewegtheit ohnegleichen umrahmen, die großartige Lauterkeit seines Werkes – „Meine Produktion ist wie frisch gefallener Schnee", sagt Kierkegaard einmal – bilden scheinbar eine so leichte Zugänglichkeit. Es ist hier außerdem so vieles, das unter die Kategorie des Interessanten fällt, daß man etwa nur zu erzählen braucht, wie er eine Zeitlang gleich einem Dandy gekleidet war, jeden Tag in die Konditorei, jeden Abend ins Theater ging und um Mitternacht eine große Flucht von Zimmern erleuchtet hielt, in welchen allen Papier und Tinte auf den Tischen bereit waren, damit er beim Durchwandern sofort seine Einfälle niederschreiben könnte – daß man also nur solche Sachen, natürlich nicht zu vergessen ›Das Tagebuch des Verführers‹, zu erzählen braucht, um auf eine bestimmte empfängliche Jugendlichkeit sofort zu wirken, auf die nämlich vor allem, die selber interessanter Schriftsteller werden will. Aber es ist das Los des Interessanten und gehört zu seiner Definition, daß es nur das erstemal interessant ist, wiederholt aber, eher als alles andere, langweilig wird. Indessen gerade hier wäre so sehr viel mehr zu tun. Fragen des Stiles, der Form, der Sprache, des Verhältnisses von Lyrik und Prosa, Musik und Geist, Klassik und Romantik,

Pathos und Komik drängen in Überfülle zur Weiterführung sich auf,
doppelter Art: Nicht nur aus dem, was er selber darüber sagt, sondern aus dem, wie er es sagt, wie er selber Denker, Dichter und
Schriftsteller ist. Ich nannte als letztes Beispiel Pathos und Komik.
Dabei will ich einen Augenblick verweilen. Eine Kluft zwischen zwei
Formideen wird hier offenbar. Es ist nahezu ein Kanon des klassisch-
romanischen Formideals, daß, um einen Gegenstand zu erhöhen, er
verglichen werden darf nur mit gleich hohen oder noch höheren Dingen, daß Pathos nur aus Pathos sich nährt. Das *parvis componere
magna* wird im Vergilschen Verse abgelehnt. Demgegenüber steht der
durch Beispiele leicht belegbare Sachverhalt, daß für das germanische
Denken und den germanischen Sprachgeist, für Englisch und für
Deutsch, die höchste erschütterndste pathetische Wirkung oft erreicht
wird durch den unmittelbaren Vergleich des hohen und höchsten
Dinges mit einem niedrigen, oft komischen, subalternen, ja sogar
skurrilen Dinge. „Der wesentliche existentielle Denker hat ebensoviel
Komik wie Pathos", schreibt Kierkegaard, daß heißt aber nicht
nebeneinander oder nacheinander, daß er zwei Stunden oder Akte
komisch sei und die nächsten zwei Stunden oder Akte pathetisch, sondern ineinander, in einem Blitze, der aus den Höhen herabzuckt in
eine Lache, oder in einem Augenaufschlag hinauf von der Winkel-
gasse zu der Milchstraße, von dem vergänglichsten Augenblick zeit-
licher Beschäftigung zu den Äonen und Ewigkeiten, da Gott war, ehe
noch die Welt war und alle geschaffenen Geister, in der Seligkeit Seiner Dreieinigkeit. Ineinander, – darum kann Kierkegaard schreiben:
„Wie in einer Heringsendung einige Exemplare, die oben aufliegen,
zerdrückt werden, so gehen in jeder Generation einige Menschen
verloren", und siehe: es ist der Märtyrer, der stellvertretend Leidende, das höchste menschliche Pathos, sich erhebend aus einer Skur-
rilität. So kann in seinem genialsten Augenblick Ibsen den Knopf-
gießer dichten, und siehe: es ist der Weltenrichter. So kann der größte
neuere Odendichter Englands, Francis Thompson, unter dem Bilde
des Jagdhunds des Himmels den liebenden Gott meinen, der die einzelne Seele immer wieder aufscheucht und hetzt zum wahren Heile –
ein Bild, das übrigens fast genauso auch Kierkegaard hat. Wie ver-
blaßt nach solcher Kost trotz aller Schönheit das klassisch-romanische
Formideal, wie wird es, außer in seiner vollsten Erhabenheit, süßlich

schmeckend und banal. Und wo findet diese Form, diese Spannung von Abgrund zu Abgrund sich noch? Wo ist der kleine Feigenbaum, der von einem Winde geschüttelt wird, und es fallen die Feigen herunter? Doch nein, siehe: es sind Sonne, Mond und alle Sterne des Himmels, die herunterfallen. Ein Blatt verwelkt am Weinstock, ein dürres Blatt am Feigenbaum; doch nein, siehe, es ist der Himmel und alles Heer des Himmels, das verfault, sich zusammenrollt und verwelkt. Aber diese Form des Vergleichens des Hohen mit dem Niedrigen und Kleinen ist ja vielleicht nur ein trüber Spiegel, ein schwächliches sprachliches Abbild, eine dunkle Analogie zu jenen Realitäten des göttlichen Dramas: Er war der allerverachtetste, so verachtet, daß man das Angesicht vor ihm verbarg; geplagt und gemartert, wie ein Schaf verstummt vor seinem Scherer, sein Leben in den Tod gegeben, und den Übeltätern gleich gerechnet – aber siehe: es ist der Sohn Gottes; aus Schmutz, Blut und Wunden, aus Verachtung und Hohn zur Glorie und Allmacht: welch ein Ineinander des Denkens und welch ein Weg! Charles Maurras, der *spiritus rector* der ›Action Française‹ hat einmal geschrieben, daß die deutsche und die englische Sprache und Dichtung im Gegensatz zur französischen infiziert seien mit entehrenden Hebraismen. Wird darunter das verstanden, was ich eben auseinandergesetzt habe, so nehme ich die als Tadel und Hohn gemeinte Äußerung als höchste Ehrung und Auszeichnung des Deutschen und Englischen an. Sie befinden sich damit in bester Gesellschaft. Es wäre manches dagegen zu sagen, wie etwa, daß diese Heruntersetzung nichts an der Tatsache ändert, daß, wie schon Kardinal Newman vor sechzig Jahren feierlich aussprechen konnte, die künftigen Geschicke des Christentums durch die vollständige Ausbreitung über die Welt gebunden sind an die englische Sprache, an deren allein durch providentielle Fügung erklärbarer Herrschaft weder Fiktionen noch Träume und Wünsche, noch gar Lüge und Gewalttaten rütteln können. Es wäre nebenbei zu sagen, daß dann neuerdings auch die französische Sprache „entehrt" worden ist, nämlich durch Léon Bloy. Zwar hat bei diesem Manne jeder deutsche Katholik zunächst die Ehre seines Volkes zu wahren gegen die wüsten und stupiden Beleidigungen, von denen dessen Werke wimmeln, aber dann die Größe dieses Schriftstellers zu betonen, der ein so anderes Französisch schreibt als alle anderen, weil er

es auf Schritt und Tritt „hebraisiert". Noch ist vor allem dieses zu
sagen: Ebenso hoch wie die englische und die deutsche Bibelübersetzung sprachlich über den Übersetzungen irgendeiner neueren romanischen Sprache steht, ebenso hoch steht über jenen, der englischen
und der deutschen, die Übersetzung der Vulgata, welche in der
Hauptsache das Werk ist eines Heiligen und eines Genies. Aber welchen Preis mußte dieses Latein bezahlen, das gleich weit entfernt ist
von dem Latein des Cicero und dem Latein des Mittelalters? Keinen
anderen als den der Hebraisierung. Es mußte, wenn es treu sein
wollte, hebraisieren, denn das Heil kam von den Juden.

Nachdem ich nun versucht habe, aus den Werken Kierkegaards
einige Gedanken und Probleme herauszunehmen, die rein für sich
den Theologen, den Philosophen, den Künstler beschäftigen können
und die zu neuen Erkenntnissen weitergeführt werden mögen, will
ich noch einige Worte sagen über die Person Kierkegaards, über ihre
geistige Konstitution, in der Hoffnung, daß dadurch auch sein Werk
und manches, das ich ausgeführt habe, klarer und verständlicher
werde. Ich streife nur kurz das Äußere: daß er richtig stolz darauf
war, ein echter Däne zu sein mit blauen Augen und blonden Haaren;
daß er es immer nur kurze Zeit aushielt, außerhalb seiner Vaterstadt
zu sein; daß er durchaus kein Reisender oder Reisephilosoph war,
sondern Weisheit in der Stille lernte und lehrte; daß er seine Heimat
liebte, ihre Wälder und ihre Heide und vor allem das Meer; daß er
als Knabe und als Jüngling gebildet wurde gemäß der alten Tradition, die dem europäischen Geistesleben Charakter, Größe und Kontinuität gegeben hat, ich meine: humanistisch, griechisch und lateinisch. Ich trete nun seiner Person näher. Ihre erste, strahlendste
Sphäre ist seine Genialität. Das Genie ist nach seiner eigenen Auffassung eine Art Naturbestimmung, eine Bestimmung des natürlichen
Geistes, naturhaft übernommen wie der Leib und die Seele. Genialität markiert aber und sondert aus das Individuum, sie ist der höchste
natürliche Wert des Individuums, selbstherrlich gegen Gemeinschaft
und Gesellschaft, ein Wert an sich, ganz unabhängig von dem Ethischen und erst recht von dem Soziologischen, ob sie Gutes oder Böses
bringt, ob Wahres oder Falsches, ob Nutzen oder Schaden, was erst
wieder ein höherer Gesichtspunkt scheidet und entscheidet. Fast alle
Hauptsätze der Philosophie Schopenhauers sind so unhaltbar, oft so

absurd falsch, daß ein Student der Philosophie im ersten Semester sie widerlegen kann, was aber weder diesem die Qualität der Genialität gibt, noch sie jenem nimmt. In diesem Sinne, noch abgesehen von allem anderen, war Kierkegaard genial in jedem Wort und in jedem Satz; das wurde auch immer so empfunden. Weiter: Kierkegaard ist als Genie wesentlich Schriftsteller; ich weiß nicht, ob es einen anderen Menschen gegeben hat, der so ausschließlich Schriftsteller gewesen ist wie Kierkegaard von seinem dreißigsten Lebensjahr an bis zu seinem Tode. Er war Schriftsteller, nicht Redner, aus einer Leidenschaft zur Form; er war Meister in zwei Sprachformen: im sokratischen Gespräch, dessen Los ist, als Kunstform nicht überlieferbar zu sein, und im geschriebenen Wort. Er mußte es sich versagen, *ex tempore* Reden oder Predigten zu halten, weil er die Formlosigkeit nicht ertrug. So sind seine Reden durchgearbeitet bis zum Komma, zum oratorischen Komma, denn die Reden sind bestimmt, laut gelesen oder vorgelesen zu werden. Weiter: Kierkegaard ist in eminentem Maße Ethiker, religiöser und christlicher Ethiker, gewiß, aber ein Nachdruck liegt darauf: er war Ethiker von Beginn an, allein schon im Titel seines ersten Buches ›Entweder-Oder‹; er hat mit Kant gemein die Strenge und Unerbittlichkeit des Ethischen und steht doch wieder im äußersten Gegensatz zu ihm dadurch, daß es sich nicht um eine allgemeine Vernunft handelt, um ein unpersönliches formales Gesetz – für ihn ein Unding –, sondern um den souveränen Willen einer Person, Gottes, des Richters. Das hängt zusammen mit seinem Begriff des Einzelnen und des Gewissens. Aus dieser ethischen Leidenschaft heraus ist zu verstehen die Auswahl, die er aus den heiligen Schriften getroffen hat, wie überhaupt dieses immer ein Licht auf das tiefste Wesen eines Menschen wirft, was er hier auswählt. Denn nur die Kirche hat die *ganze* Heilige Schrift, der ›Einzelne‹ und auch der Heilige wählt immer aus. Es sind hauptsächlich Stellen, die Ethisches angehen. Gebote, göttliches Recht, Gesetz und Sünde und Gericht, Strafe und Vergebung, die Bergpredigt als das neue Gesetz. In dem ganzen großen Werke Kierkegaards wird dagegen auch nicht ein einziger Satz der Apokalypse zitiert; sein Lieblingsbrief ist eigentlich der des Jakobus, der schrieb: Seid Täter des Wortes – sehr im Gegensatz zu Luther, der diesen Brief eine stroherne Epistel zu nennen wagte. Alles Spekulative tritt zurück; es ist da, aber dienend, verhüllt

im Ethischen oder in einem Spruche der Weisheit. – Seine ethische
Leidenschaft machte ihn zum Richter seiner Zeit und der Christenheit, wie seit Savonarola keiner mehr es war; und seine Tagebücher,
meinte er, könnten einmal erscheinen unter dem Titel ›Das Buch des
Richters‹. Aus seiner ethischen Leidenschaft erwuchs seine Größe, aber
auch mancher seiner großen Irrtümer. Sie beschränkte ihn im „Augenblick" auf das, was er „menschliche Redlichkeit" nannte, und ließ ihn
verkennen das Geheimnis und die Geduld Gottes; sie machte ihn teilweise zum Rationalisten und ließ ihn nicht mehr verstehen das Wesen
der Sakramente, in welchen die Kraft Gottes ist. Er glaubte also etwa
schließlich so gut wie nicht mehr an das Sakrament der Kindertaufe
und mußte deshalb die Ehe nahezu verwerfen. Denn das weiß ich
allerdings auch nicht, wie dann, nach Verwerfung der Kindertaufe,
noch einer als Christ, der an Erbsünde und Letztes Gericht glaubt,
die Ehe wagen kann; darin hat Kierkegaard vollkommen recht.
Diese ausschließliche ethische Leidenschaft ließ am Schlusse den großen geübten Dialektiker auch die Dialektik der Kirche vollständig
verkennen, daß sie nämlich ist wie ein Netz, das ins Meer geworfen
wird, womit man allerlei Gattung fängt, und wie ein Acker, auf dem
Weizen neben Unkraut wächst, und erst am Ende der Welt werden
die Engel ausgehen und die Bösen von den Gerechten scheiden – daß
sie also trotz der faulen Fische und trotz des Unkrauts das heilige
Netz und der heilige Acker ist –, er wollte aber schon mitten in der
Zeit die absolute Scheidung. – Alles, was ich bis jetzt ausgeführt habe,
mag manches erklären, aber nichts davon erklärt den ersten unmittelbaren Eindruck, den Person und Werk Kierkegaards wohl so ziemlich
auf alle machen: den einer Fremdheit, einer Erden-, Natur- und
Lebensferne. Manche sind wohl auch versucht zu sagen: einer Un-
natur, worunter sie einfach eine Negation des Normalen, ein Anderssein meinen, ohne das Positive angeben zu können, das sie doch ist.
Ich meine, es ist nicht so schwer zu sagen, was der Grund dieses Ein-
drucks ist, und zwar deshalb nicht, weil er es selber oft genug, wenn
auch nicht direkt sagt, so doch andeutet und bezeugt dadurch, daß er
sagt, was ihm im Vergleich zum normalen Menschen mangelt. Als
Ausnahme hat er von Anfang an sich gefühlt. Betrachtet man ihn im
Lichte der drei Sphären, deren Einheit der Mensch ist, welcher nach
des Psalmisten Wort furchtbar und wunderbar geschaffen ist: der

leiblichen, seelischen und geistigen, so brauche ich das ja nur zu sagen, um jeden, der Kierkegaard auch nur ein wenig kennt, zu der bei näherem Nachdenken recht aufschlußreichen Konstatierung zu führen, daß er in abnormer Weise der Sphäre des Geistes angehörte, so daß er dort, wo die meisten Menschen ihr unmittelbares Leben haben, im Seelischen und im Leiblich-Seelischen, nur als *peregrinus*, sozusagen ohne die Landessitten zu kennen, lebte, in der Sphäre des Geistes aber, wo die meisten Menschen nur selten Zutritt haben oder auch nur suchen, mit fragloser Selbstverständlichkeit zu Hause war. Sowohl als Sehnsucht spricht er immer wieder diese Tatsache aus, als Sehnsucht, in die Heimat des Geistes zu kommen, ganz los vom Leibe und von dieser Welt, wie auch als Warnung, daß es nämlich gefährlich sei, als Mensch auf dieser Welt schon reiner Geist sein zu wollen. Daß einem Menschen die Seele oder das Seelische ganz fehlen könnte, wäre noch absurder zu sagen, als daß einem Denker das Dialektische ganz fehlen könnte. Es handelt sich auch hier um Stufen und Grade, um ein Mehr oder Weniger, das aber nicht bloß eine Quantität ausdrückt, sondern eine Qualität, und Ansatz und Kriterium einer Typologie ist. Welche Konsequenzen wird ein solcher Sachverhalt haben, daß einem Menschen in gewissem Grade die Seele, oder besser, der Zugang zum Seelischen fehlt, daß er also Verwandtschaft hat mit jenen reinen Geistern, die wir Engel nennen, oder möglicherweise auch mit jenen dämonischen Wesen wie Meermännern, Meerfrauen, Elfen, die nach der einheitlichen Aussage aller Sagen und Märchen ohne Seele sind – welche Konsequenzen wird ein solcher Sachverhalt haben, im besonderen wenn es um einen genialen Menschen sich handelt? Er wird als Dichter im Verhältnis zur Natur nicht deren seelisch-organisches Leben und Sichentwickeln spontan oder durch Einführung mitleben, wie etwa Goethe, sondern sich halten an den *Geist* der Natur. So sind alle Naturschilderungen Kierkegaards, so schön sie sind, nicht von einem Einheimischen, sondern von einem Fremden, der ganz woanders zu Hause ist – was ihn anspricht, ist entweder das Dämonisch-Berückende, Lockende oder auch Beruhigende, Sänftigende: die Einförmigkeit, die doch nicht ermüdet, das Glucksen des Wassers am Boote, das Flüstern der Blätter, das Rieseln der Quelle, das Säuseln des Windes und das Brausen des Sturmes, der Orgelton des Meeres, die hörbare Stille der Heide, der Schrei einer

Möwe oder einer Wildgans, aber auch das Komische, Parodistische
gewisser Tiere und Haustiere. Noch mehr aber spricht ihn an der
Geist, von dem all das zeugt, der Geist, auf den all das hinweist, der
über all dem schwebt: Es ist also die symbolische Bedeutung der
Natur, die in seinen religiösen Reden eine große Rolle spielt: daß die
Gewalt des Meeres zeugt von einer höheren Gewalt, die ihm eine
Grenze gesetzt hat, daß Lilien auf dem Feld und Vögel unter dem
Himmel dem Menschen als Gleichnis und Lehrmeister gesetzt sind,
was er mit einer eigenartigen, intellektuellen Mystik lang und breit
ausführt. Weiter wird ein solcher Mensch keinen rechten Zugang
haben zur Ehe, welche das eigentliche Reich des Seelischen ist. Und
da ist denn kein Zweifel, daß jeder Ehemann vieles, das Kierkegaard
über die Ehe schreibt, nur mit einem Staunen oder Lächeln lesen kann
und sich und das Eheleben nicht wiedererkennen wird in dessen
Eigenbedeutung und Eigenwesen; das wird natürlich sofort anders,
wo das Ethische hinzutritt, wie daß die Ehe keine Verschlossenheit
duldet und Offenbarung verlangt; und das Sakramentale hinzutritt,
daß sie unter den Augen der Ewigkeit geschlossen wird und unlöslich
ist. Aber diese Erkenntnisse kommen ja gerade nicht aus der leiblich-
seelischen Sphäre, sondern aus der geistigen. Ein solcher Mensch wird
unmittelbar verstehen die Glut der Sinne oder den Tod der Sinne, die
Ausschweifung des Verführers oder die Askese des Büßers, nicht aber
die Wärme des organischen Lebens, das gedämpfte und gesänftigte
Herdfeuer der Ehe. Eines der einschneidendsten Erlebnisse Kierkegaards war die Musik Mozarts, im besonderen Don Giovanni. Er
kennt gar keine andere Musik mehr; sie ist ihm *die* Musik, und Musik
ist sinnliche Genialität oder „Geist" der Sinnlichkeit. Für eine weniger sinnlich-intellektuelle Musik, etwa für die seelisch dunklere und
getrübtere Beethovens, wäre er nur taub gewesen. Was er an dem
›Faust‹ Goethes als Kunstwerk tadelt, läuft darauf hinaus, daß Faust
zuviel Seele hat, nicht reiner Geist ist, nicht absolut zweifelt und verzweifelt. – Was die Philosophie anlangt, so ist ja die Sphäre des Geistes vor allem die Heimat der Person, und Sie sehen, wie die geistige
Konstitution Kierkegaards eine Erklärung abgibt dafür, daß er mit
solcher Leidenschaftlichkeit die Souveränität der Person urgierte
und nicht wie andere in Gefahr war, dem System die Person zu
opfern, sondern der Person das System. Doch gehen wir weiter zum

Religiösen und Theologischen. Da ist an der Schwelle zu sagen, daß dieser Typus von Mensch, wenn er nicht zum Verführer wird und der Ausschweifung verfällt, eine natürliche Tendenz zum Mönchtum hat, das sich ja nicht nur im Christentum findet. Dieser Typus hat Angst vor der unübersehbaren Verwicklung und Verschlingung des organisch-natürlichen Lebens, vor dem Dunkel des Mutterschoßes. Dieser Typus stellt ein Kontingent zu dem christlich verstanden unechten Mönchtum, dessen Motiv Angst und sogar Ekel ist vor dem organischen Leben. Das christliche Motiv des Mönchtums, wirkend in seinen Gründen und seinen besten Vertretern zu jeder Zeit, also auch heute noch, ist die vollkommene Liebe zu Gott, ausgedrückt durch das Opfer des Wertvollsten. Denn der Wert des Opfers richtet sich auch nach dem Werte des Geopferten, das ist die göttliche Idee des Opfers. Ich bin weit davon entfernt, sagen zu wollen, daß Kierkegaard aus diesem unchristlichen Motiv seine Verlobung gelöst habe, da er ja im Gegenteil seine Braut geliebt hat, wie Abraham den Isaak: ich sage nur, daß diese Gefahr für ihn groß, ja sehr groß war. Weiter: was sind die Zweifel und Anfechtungen, die ein solcher Typus im besonderen zu bestehen haben wird? In keinem Falle der Zweifel an der Existenz Gottes. Für die geistige Person ist dieser Zweifel unmöglich, denn Gott ist Geist. Kein Engel und kein Teufel kann *diesen* Zweifel haben. So sehen wir denn bei Kierkegaard niemals auch nur den Anflug einer Spur von solchen Zweifeln. Die Existenz Gottes ist ihm in dem Maße gewiß, daß er nie zwar die Kraft der Gottesbeweise bestritt – im Gegenteil, die ganze Natur zeugte ihm von Gott –, wohl aber die *Notwendigkeit* der Gottesbeweise überhaupt nicht verstand, da es ihm absurd und beleidigend vorkam, die Existenz einer allgegenwärtigen Person erst noch beweisen zu sollen. Die Zweifel und Anfechtungen, denen dieser Typus ausgesetzt ist, sind anderer und tieferer Art. Es ist der furchtbare Zweifel, nicht ob Gott existiert, sondern ob Gott gut ist, ob er die Liebe ist, wie das Christentum lehrt, und damit zusammenhängend die Entscheidung, ob er, dieser Mensch als Person, ein guter Geist ist oder ein böser Geist, eine Entscheidung, die abhängt von einem inneren Kampfe, gegen den jeder andere Kampf leeres, bedeutungsloses Spiel ist, und von einer Wahl, die für die Ewigkeit bindet. Lesen Sie in diesem Lichte die sechs autobiographischen Einlagen in den ›Stadien‹, die allein für sich ohne Beispiel sind in der Weltliteratur: ›Eine Möglichkeit‹, ›Die stille Verzweiflung‹, ›Der Aussätzige‹, ›Salomos Traum‹, ›Nebukadnezar‹, ›Periander‹, eingeschoben immer unter dem Datum eines Fünften eines jeden Monats um Mitternacht – er selbst ist am fünften Tag des fünften Monats geboren –, so sind Sie mitten in seinem eigentlichen Kampf um das Heil, mitten in seiner tiefsten religiösen Erfahrung, wo er es nicht mit den Begriffen, sondern mit den Realitäten des Lichtes und der Finsternis zu tun hat. Und wo immer Sie in seinen Reden Stellen über die Art dieses Kampfes und dieser Entscheidung finden, und Sie werden viele finden, müssen Sie sie in emphatischem Sinne als persönliche Erfahrung Kierkegaards verstehen. Er nennt sich einen Grenzsoldaten, der Tag und Nacht auf der Hut zu sein hat, und hier ist der Grenzposten der Menschheit, auf dem Hiob stand. Die Niederlage in diesem Streite ist: sich selber recht zu geben und Gott unrecht; der Sieg aber ist: sich selbst unrecht zu geben und Gott recht. Sie erinnern sich, daß dies das Thema seiner ersten Predigt war, und es wird nun auch ganz klar, daß in der ›Krankheit zum Tode‹ die letzte Sünde und Verzweiflung, die Sünde wider den Heiligen Geist ist: *modo ponendo* das Christentum zu leugnen, indem man entweder rationalistisch behauptet, Christus sei nicht wahrer Gott gewesen, oder doketisch-gnostisch behauptet, er sei nicht wahrer Mensch gewesen, also: die Erlösung und damit die Güte Gottes zu leugnen.

Diesen Streit hat Kierkegaard für seine Person zum Siege durchgekämpft. Er war ein guter Geist, und die Liebe war in ihm. Dieser Sieg macht seine großen Irrtümer und Fehler vergessen; sie waren ja auch nicht absoluter Art, sondern Folgen seiner Konstitution und Herkunft und Irrtümer und Fehler seiner großen Wahrheiten und Tugenden, und weil er als einzigen Führer sein Gewissen, dem er aber immer treu gehorcht hat, und nicht die höhere Lehrautorität der Kirche hatte. Auf dem Sterbebette, wenige Tage vor seinem Tode, sprach er von seinem Kampf in seinem eigenen Stil, jener Einheit von Humor und Pathos: daß all sein Arbeiten, sein ganzes Werk nur den Zweck und das Ziel hatte, schließlich rittlings auf einer Wolke zu sitzen, um zu singen Halleluja, Halleluja, Halleluja zur Ehre Gottes. Der dänische Philosoph Höffding meint, die Lehre, die Kierkegaard uns hinterlasse, sei, in keiner noch so schwierigen Lage den Mut zu verlieren. Das ist nicht nur eine arge Banalisierung und Plattheit, das trifft überhaupt nicht und ist nur ein Unverstand, um was es sich handelt. Es liefe hinaus auf das Carlylesche: „Arbeiten und nicht verzweifeln!" Mit diesem Spruche wäre Kierkegaard glatt und erst recht verzweifelt. Sein Spruch war das benediktinische *ora et labora,* so sehr, daß er sagen konnte: meine Genialität ist mein Beten. Und nicht darum handelt es sich, daß ein Mensch schlecht und recht aushalten soll, weil alles doch einmal aufhört, sondern darum, daß es eben nicht aufhört, daß eine Ewigkeit ist: ewige Seligkeit oder ewige Verzweiflung. Er behielt als kostbarste Errungenschaft seiner gewaltigen Kämpfe den Glauben, daß Gott die Liebe ist. Kein Wunder also, daß der Text, den wir, auch wenn er es nicht ausdrücklich sagte, was er aber tut, ohne Frage für seinen Lieblingstext erklären müßten, weil er über ihn die meisten Reden geschrieben, ihn immer wieder paraphrasiert hat, kein anderer ist als der Vers des Jakobus-Briefes: Alle gute Gabe und alle vollkommene Gabe kommt von oben herab, von dem Vater des Lichts, bei welchem ist keine Veränderung noch Wechsel des Lichts und der Finsternis.

Sollte ich am Ende meiner Ausführungen einen Rat geben denen, die mit Kierkegaard und seinem Werke sich beschäftigen wollen, und vor allem einer Jugend, deren Herz, ich weiß es, leicht von der Leidenschaft jenes großen Schriftstellers versucht und entflammt wird, so wäre es in Übereinstimmung mit allem, das ich gesagt habe, der: nicht so sehr an das Zeitliche und Zufällige in ihm sich zu halten, an das, was er selber ein „Korrektiv" nennt, das nur für den Augenblick paßt, nicht so sehr an das Interessante, das eben nur wieder für den Augenblick interessant ist, also nicht so sehr an den ›Augenblick‹, nicht Bilder- und Kirchenstürmer zu werden, sondern sich zu halten an das Ewige in ihm, an die ernste Weise seines Denkens darüber, mit seinen eigenen Worten: an „der individuellen, humanen Existenzformen Urschrift, das Alte, Bekannte und von den Vätern Überlieferte", das er „wiederum und noch einmal, wenn möglich auf eine innerliche Weise, durchlesen" gewollt hat.

Romano Guardini, Unterscheidung des Christlichen. Gesammelte Studien 1923–1963. Hrsg.
v. Hans Waltmann. Mainz: Matthias-Grünewald-Verlag ²1963, S. 473–501. (Erstmals veröffentlicht in: Hochland, 24, 1927, Band 2.)

DER AUSGANGSPUNKT DER DENKBEWEGUNG
SÖREN KIERKEGAARDS

Von Romano Guardini

I

Sören Kierkegaard hat von 1813 bis 1855 gelebt. Sein Werk, eine
lange Reihe von Schriften sehr verschiedener Art, staunenswürdig
durch die Fülle der Gedanken, durch die Tiefe der Problemstellung
und durch die Gewalt der tragenden geistigen Leidenschaft, hat er in
der kurzen Spanne Zeit von 1843 bis zu seinem Tode geschaffen.

Die Einfallsstelle seiner Wirksamkeit liegt im Religiösen. Und
zwar handelt es sich dabei nicht nur um theologische und philosophische Gedanken, sondern vor allem um eine lebendige Haltung.

Wer zu seinen Schriften greift, um diesen großen Impuls an der
Quelle zu fassen, findet keine leichte Aufgabe. Wohl selten ist eine
Persönlichkeit komplizierter gewesen als die seine. Die seelischen Situationen sind verwickelt, die Motive vielfach hinterbaut, zahlreiche
und schroffe Gegensätze zusammengespannt, und das Ganze steht
unter einem ungeheuren inneren Druck. Die Probleme sind in ihrem
Ansatz oft so ineinandergewoben, das eigentlich Gemeinte so tief hinter Deckformen verkleidet, eine Schrift derart auf die andere berech-
net und alles so auf wachste dialektische Gesamtauffassung hin angelegt, daß der Lesende sich zu verlieren droht. Dazu die besondere
Arbeitsweise Kierkegaards. Tiefes philosophisches und theologisches
Denken, Kritik, und Spekulation, dichterische Darstellung, psychologische Analyse, lebendige religiöse Anrede, Satire und Angriff und
stets erneute Selbstwiedergabe – alles das in eins gewoben. Das Verständnis aber seines Denkens macht er davon abhängig, daß der Leser
nicht nur „lese", sondern in bestimmter Weise lebe. So ist es wohl
gerechtfertigt, nach einem Punkt zu suchen, von dem aus dieses viel-
verschlungene Ganze erfaßt werden könne.

Nahe läge es, ihn in der Deutung zu erblicken, die Kierkegaard selbst seinem Denken gegeben hat in der 1859 erschienenen Schrift: ›Der Gesichtspunkt für meine Wirksamkeit als Schriftsteller‹. Da nimmt der große „Schriftsteller" sein Werk, genauer seine „Wirksamkeit", und macht sie zum Stoff für eine neue Schöpfung, für eine Deutung seines Lebens aus dem Gesichtspunkt: „Wie wird man ein Christ?" Und wenn auch die realhistorische Betrachtung einwenden wird, diese oder jene Schrift sei ursprünglich anders gemeint gewesen, als die zurückblickende Deutung es bestimmt – über der Ebene des historisch so und so Gewordenen steht doch nach dieser zweiten Schöpfung die Gesamtheit des aus Kierkegaards definitivem Wollen neu zu Verstehenden und fordert den Leser auf, diese Wiederschöpfung nachzuvollziehen. Allein uns hilft sie hier nicht, denn sie stellt ein noch komplizierteres Ganzes hin, als es die einfache Reihenfolge der Schriften sein würde.

Ein anderer Weg scheint weiter zu führen, die Frage: Wo liegt die innerste menschliche Spannung, aus der die Gesamtbewegung des Kierkegaardschen Denkens hervorgeht? Danach zu fragen, ist nun allerdings gewagt. Ein derart vielfältiges Dasein wie das Kierkegaards hat wahrscheinlich nicht nur einen einzigen Ausgangspunkt. Wird der tiefste oder maßgebendste getroffen werden? Noch gewichtiger wäre der Einwand, es sei von vornherein verfehlt, einen psychologisch-gedanklichen Ausgangspunkt bei einem Manne zu suchen, für den das überpsychologische, ja übernatürliche Faktum des Christlichen, der Offenbarung bestimmend ist. Hat er doch immer wieder und mit allem Nachdruck betont, er habe nur ein Problem, nämlich die Frage: „Wie wird man ein Christ?" – Aber schon in der Weise, wie diese Frage angesetzt ist, liegt der lebendige Mensch Kierkegaard.

Auch auf die Gefahr subjektiver Deutung hin wird also die Frage gestellt werden dürfen.

Was hier folgt, ist demnach keine systematische Analyse der Gestalt oder der Gedankenwelt Kierkegaards, sondern ein Versuch, den Ursprungspunkt jenes geistigen Vorganges aufzufinden, der sein Werk trägt.

II

1849, in der Zeit vor dem letzten Kampf seines Lebens um die Person des Bischofs Mynster, hat Kierkegaard eine eigentümliche Schrift herausgegeben: *Die Krankheit zum Tode. Eine christlich-psychologische Entwicklung, zur Erbauung und Erweckung*, von Antiklimakus; herausgegeben von Sören Kierkegaard. Der Titel ist kompliziert genug. ›Die Krankheit zum Tode‹; ein Wort, in dem sich Jesu Trostspruch über des Lazarus Krankheit (Jo 11, 4) mit dem johanneischen Begriff der Sünde zum Tode (1 Jo 5, 16 ff.) verbindet. Die Erörterung soll eine „christlich-psychologische Entwicklung" sein. Diese Psychologie meint etwas anderes als die übliche. Keine Analyse des christlichen Erlebnisses im gewöhnlichen Sinne, sondern die Darlegung eines realen, geistigen, genauer geistlichen Geschehens, das möglich wird, sobald der Mensch Christ wird. Und zwar will die Schrift nicht theoretisch darlegen, sondern „erwecken und erbauen". Es handelt sich um Erkenntnis, die aus Vollzug kommt und in Vollzug geht. Verfaßt ist sie von Antiklimakus, einem der vielen Pseudonyme Kierkegaards, wobei darauf hingewiesen werden mag, daß der Name „Johannes Klimakus" – von einem Abt des Sinaiklosters genommen, der die asketisch-mystische Schrift *Klimax*, ›Himmelsleiter‹, verfaßte – daß dieser Name „Klimakus" also wiederum ein Kierkegaardsches Pseudonym ist, unter dem im Jahre 1844 seine Hauptschrift ›Philosophische Brocken‹ samt deren Kommentar, der ›Abschließenden unwissenschaftlichen Nachschrift‹, erschien. So daß also die Schrift ›Die Krankheit zum Tode‹ zu jener anderen in ein dialektisches Verhältnis gestellt, und zur wechselseitigen Interpretation aufgefordert würde. Doch lassen wir diesen Gesichtspunkt außer acht.

Die Schrift scheint mir der eigentliche Schlüssel zu Kierkegaards Schaffen zu sein. Ich gebe ihren Inhalt wieder, jedoch auf unsere Absicht hin.

Es handelt sich um „die Krankheit zum Tode". Um Krankheit also; und zwar um eine, die den Lebenskern angreift. Dieses Innerste, an dem die eigentliche menschlich-geistige Existenz hängt, ist das Selbst, die Person. Jene Krankheit ist eine Erkrankung des Selbst. Sie stellt sich dar als Verzweiflung. Diese Verzweiflung ist die Sünde. Die Sünde wirkt den Tod. Das ist der Aufriß des Buches.

Es beginnt mit der Bestimmung der Person: Der Mensch ist Geist. Was ist Geist? Geist ist das Selbst. Was ist das Selbst? „Das Selbst ist ein Verhältnis, das sich zu sich selbst verhält. Also nicht das Verhältnis selbst, sondern daß das Verhältnis sich zu sich selbst verhält."

Eine mühsame Sprache. Es ist die Zeit der Hochblüte Hegelschen Denkens, und Kierkegaard, Hegels großer Gegner, ist gleichwohl durch dessen Schule und die Schule der Zeit gegangen.

In den Sätzen bemerken wir zunächst eines: „Geist" wird gleichgesetzt mit „Selbst", mit Person. Geist ist Person, oder ist überhaupt nicht.

Weiter: Person selbst ist nicht ein stehendes „Wesen", ein geschlossen Seiendes, sondern ein Verhältnis, eine Relation, und zwar eine Relation zu sich selber. Wir könnten aus logischer Kritik heraus einwenden, es müsse doch ein letztes Etwas geben, das sich verhält, ein Seiendes, einen Träger des Aktes; das erst sei die Person. Doch wir dürfen die Kritik nicht zu billig machen. Wir haben zuerst, auch über einen „logischen" Widerspruch der Worte hinaus, zu verstehen, was Kierkegaard meint. Person liegt darin, daß ein Verhalten sich zu sich selbst verhält, ein relationsverwirklichender Akt sich selber zum Relationsziel nimmt. Person ist also nicht etwas, dessen Existenz gesichert dastünde, sondern etwas, was ohne weiteres sein und nicht sein kann. Person besteht in einem Verhalten, in einer Stellungnahme, in einem Akt. Person ist, soweit dieser Akt ist. Im Vollzug dieses Aktes leuchtet Person auf. Sie ist also etwas Dynamisches, genauer ein Aktinhalt, der Relationssinn eines Aktes. Sie steht nicht da, sondern wird getan. Sie erlischt, wenn die Stellungnahme erlischt. Sie hat Grade der Intensität und Reinheit, je nach der Intensität und Reinheit dieser Stellungnahme.

Endlich: In dieser Bestimmung liegt ein Moment des Maßes, des Wertes, ein Normativum. Ein akthaft zu verwirklichendes Verhältnis kann getroffen und kann verfehlt werden, eine aufgegebene Sinnrichtung kann recht oder falsch erfaßt werden. So ist die Existenz des Selbst nicht nur daran gebunden, daß ein Akt der Stellungnahme zu sich selbst überhaupt, sondern daß er richtig realisiert, daß der richtige Akt, die richtige Stellungnahme vollzogen werde.

Nehmen wir noch hinzu, daß Geist identisch gesetzt wurde mit Person, so haben wir als erstes Ergebnis festzuhalten: Dieser Begriff

des Geistigen und des Personalen hat etwas ungeheuer Angestreng-
tes, etwas tief Gefährdetes. Geistige Personalität steht gleichsam auf
der Schneide eines Aktes, und zwar eines, wie wir sehen werden,
äußerst anspruchsvollen.

Dieser Eindruck des Erschwerten, Gefährdeten wird noch durch
folgendes unterstrichen: Selbst, Person ist nichts Einfaches, sondern
besteht in der recht vollzogenen Beziehung zwischen zwei „Momen-
ten": dem Stellungnehmenden und jenem, zu dem Stellung genommen wird. Es ist also etwas, was von zwei Punkten her existiert. Es
trägt dialektischen Charakter. Darüber später mehr.

Kierkegaard fährt nun fort: Dieses ganze Verhältnis „muß sich
entweder selbst gesetzt haben oder durch ein Anderes gesetzt sein".
Die erste Möglichkeit, nach der die menschliche Person aus und durch
sich selbst bestünde, die ontische Autonomie also des Menschen, wird
überhaupt nicht erörtert. Eigenseiend ist nur Gott. So bleibt nur das
Zweite: Das menschliche Selbst ist durch ein Anderes gesetzt. Damit
steht es – das ein „Verhältnis zu sich selbst" ist – außerdem noch in
einem Verhältnis zu einem Dritten, welches das ganze Verhältnis
gesetzt hat.

Hier kommt ein neues Moment herein. Es wird in der Schrift erst
später entwickelt; ich nehme es voraus: Der Mensch „ist durch ein
Anderes gesetzt"; konkret gesprochen: er ist durch Gott geschaffen.
Die Beziehung zu Gott ist ihm wesentlich. Diese Beziehung faßt
Kierkegaard nicht deistisch, so, daß wohl eine letzte Ursache angenommen, diese aber dann aus dem lebendigen Gesichtsfeld herausgerückt, damit ausgeschaltet und der konkrete Mensch aus sich allein
heraus verstanden würde. Er nimmt vielmehr die Beziehung des Ge-
schaffenseins in die Wesensbestimmung der menschlichen Person auf.
Personsein – wie wir sahen, in einem recht vollzogenen Verhältnis
zu sich selbst bestehend – besteht zugleich und wesenhaft „in einem
Verhältnis zu einem Dritten", eben Gott. Die Tatsache: „Gott hat
mich geschaffen", bleibt für mein lebendiges Sein und Bewußtsein
nicht im Hintergrund. Die Sache liegt nicht so, daß ich mich mit meinem Personsein in einer geschlossenen endlichen Wirklichkeitssphäre
bewegte, die bestimmt werden könnte, auch ohne auf die hinter ihr
liegende schöpferische Ursache Bezug zu nehmen. Personsein kann

vielmehr nur durch diese Beziehung auf Gott bestimmt werden. So ist eine Relation, von deren echtem Vollzug es abhängt, ob ich ein Selbst bin, wesenhaft zugleich Relation zu Gott.

Damit wird jener Charakter des Dialektischen, von dem die Rede war, noch verstärkt. Person stellt keinen geschlossenen Wirklichkeitsblock dar, sondern eine Beziehung, ein von verschiedenen Beziehungspunkten her akthaft Realisiertes und beständig zu Realisierendes. Diese bezogene Verschiedenheit erweist sich nun als dreifach. Das erhöht wiederum jenes Angestrengte, jene innere Gefährdung des Personseins.

Das neue dritte „Moment" ist aber Gott. Das bedeutet: Person ist von vornherein und wesentlich als auf Gott hin bestehend, als religiöses Faktum gefaßt. Nicht als etwas, was für sich bestünde und außerdem noch religiös sein könnte, sondern Person ist auf Gott hin, ist religiös oder ist überhaupt nicht. Und daß es sich um ein eigentlich Religiöses, in eigentlichem religiösem Akt zu Vollziehendes handelt, nicht etwa nur um etwas Metaphysisches, zeigt das Wort, mit dem Kierkegaard diese Beziehung auf Gott ausdrückt: Jenes geforderte Verhältnis besteht darin, daß ich mich zu mir selbst verhalte „vor Gott". Dieses „vor Gott" steht im Herzpunkt des Kierkegaardschen Personbegriffes. Person ist nur als etwas, was „vor Gott" ist. In diesem „vor Gott" liegt etwas Normatives, und zwar von höchstem Anspruch. Es bedeutet, daß die Selbstbeziehung im Lichte Gottes stehe, vor dem Maßstab Gottes, durch Gottes Unbestechlichkeit und Untrügbarkeit geprüft. Der Begriff drückt also eine letzte religiöse Unbedingtheit und Offenheit aus. Er sagt, daß kein Hinterhalt mehr möglich ist, keine Verdeckung. Das Selbst steht mit seinem ganzen Bestande unter der Prüfung der absoluten Erkenntnis und Wertung: unter dem „Gericht Gottes".

Es wird sich aber noch zeigen, was für Kierkegaard ein „Verhältnis zu Gott" bedeutet: etwas, vom Menschen her gesehen, Unmögliches, etwas Paradoxes. Von dieser Unmöglichkeit wird gefordert, daß sie „vor Gott", das heißt am absoluten Maßstab bewährt, vollzogen werde.

Davon hängt Sein und Nichtsein von Geist und Personalität ab. So heißt es denn gleich: „Das Mißverhältnis zu sich selbst" – worin also Person untergeht – „ist ein Mißverhältnis in einem Verhältnis, das sich zu sich selbst verhält und von etwas anderem gesetzt ist". Das „vor Gott" ist also der Maßstab für das „zu sich selbst".

Gott aber ist „unendlich". Dieser Begriff meint bei Kierkegaard – wie in der idealistischen Spekulation überhaupt – endgültige Bedeutung. „Unendlich" ist der Charakter von dem, woran Heil und Unheil hängen. So wird der folgende Satz verständlich: Jenes Verhältnis „reflektiert sich zugleich unendlich in dem Verhältnis zu jener Macht, die es setzt". Es erhält seine Bedeutung durch die Beziehung auf Gott. Es ist selbst so, und zwar in schicksalschaffender Tragweite, wie sein Verhältnis zu Gott ist. Von diesem her gewinnt der Nichtvollzug des rechten Verhältnisses seine definitive, Heil oder Unheil begründende Bedeutung.

Die ganze Ausführung war mühsam. Bei Kierkegaard ist sie es noch viel mehr; ich habe sie bereits sehr vereinfacht.

Der kleine Abschnitt schließt mit einem Satz, der den Zustand des vollendeten Selbst beschreibt. Dieses wird dann erfüllt, wenn es, „zu sich selbst sich verhaltend, es selbst sein will und sich so, sich selbst durchsichtig, gründet in der Macht, die es setzte". Analysieren wir den beschriebenen Vollendungszustand.

Das Verhältnis ist richtig vollzogen, wenn das Selbst „es selbst sein will". Einfach es selber, ohne Verfälschung, ohne Verkleidung, ohne Hinterhalt: sich selbst „durchsichtig". Das Wort hat für Kierkegaard letzte Bedeutung. Es meint truglose, von aller Unklarheit freie, offenbare Echtheit.

Ferner: Das Selbst ist vollendet, wenn es „sich gründet". Wir spüren den Akt, die Intensität, die – logisch gewiß anfechtbare, aber für Sicht und Gefühl deutliche – Angestrengtheit dieses ganz dynamisch gefaßten Seins, Wirklichseins, das stets von der Gefahr bedroht ist, zu ermatten und ins Nichts abzusinken; die grimmige Entschlossenheit dieses ins Metaphysische reichenden Willens, seinen buchstäblichen Kampf ums Dasein gegen das aus jedem Geschaffenen aufdrohende Nichts.

Endlich: Sich gründet „in der Macht, die es setzte", ohne alle Unklarheit, „durchsichtig". Das Selbst wird vollendet, wenn es sich durchsichtig wird in dieser Gottbegründung; frei von allem Wahn und Gelüst, zu sein, was es nicht ist, nämlich eigenseiend, ontisch autonom; frei von allem Wahn und Gelüst, nicht sein zu wollen, was es ist, nämlich Mensch, Geschöpf, gottgesetzt.

Dort, wo Kierkegaard auf sein Schaffen zurückblickt, im ›Gesichtspunkt für meine Wirksamkeit als Schriftsteller‹, nennt er als letzten Wert menschlicher Vollendung die „Einfalt" – siehe Christi Wort: „Wenn ihr nicht werdet wie die Kinder, könnt ihr nicht in das Himmelreich eingehen" (Mt 18, 3). Einfalt und Durchsichtigkeit gehören zusammen. Damit diese Worte aber über alle religiöse Idylle hinaus ihr volles Gewicht erhalten, müssen wir daran denken, daß Kierkegaard vielleicht der komplizierteste Mensch war, der je über religiöse Dinge geschrieben hat. Ein Mann der tausend Möglichkeiten und tausend Masken. Unerhört wach; allezeit neben sich stehend; Beobachter von einer Schärfe, die fragen macht, wie unter ihr noch Leben möglich gewesen sei – er hat eine förmliche Theorie des echten Beobachters aufgestellt; immerfort sich im Auge haltend; wiederum auf jenen spähend, der da beobachtet; diesen beiden als Dritter zur Seite, den Blick auf sie geheftet, und so fort in die grelle Reflexreihe der gegeneinandergestellten schlaflosen Spiegel des Ich und Wider-Ich; wahrhaft Dialektiker vom Sein her, in Leidenschaft und Qual und in Bewußtsein von Überlegenheit und Sendung zugleich. Dieser Mensch setzt das Ziel in die Einfalt des Selbst. Es ist erreicht, sobald der Mensch truglos sich selber durchsichtig wird. Maßstab dieser Durchsichtigkeit ist das „vor Gott"; Inhalt der Durchsichtigkeit, daß die Person nur – aber auch ganz – sei, was sie ist.

So das Ziel. Den Weg dahin beschreibt das Buch.

Vollzieht sich dieses Person-Werden von selbst? Nein. Ist es selbstverständlich, daß ich mich richtig zu mir selbst verhalte, so Ich-Selbst, und damit überhaupt Geist werde? Durchaus nicht. Ist es ohne weiteres gegeben, daß ich, der ich Dieser bin, auch Dieser sein will? Daß ich mich auf mich nehme und vollziehe? Noch dazu „vor Gott", das heißt in unbedingter, völlig durchsichtiger Wahrhaftigkeit? Auch nicht. Ja, das Gegenteil ist der Fall.

Der Mensch neigt durchaus nicht dazu, er selbst sein zu wollen. Das Wesen der „Selbstsucht" scheint darin zu bestehen, daß ich mich ohne weiteres bejahe. Das scheint aber nur so. Zutiefst besteht Selbstsucht darin, daß ich vor mir fliehe, daß ich mich vor mir fürchte, mit

mir nicht zufrieden bin, über mich selbst hinaus will. Das alles aber
nicht im guten Sinne, so etwa, daß ich meine Unzulänglichkeit sähe,
über mich richtete, die Unzulänglichkeit zu überwinden suchte. Nein,
ich will mich nicht auf mich nehmen, ich will nicht zu mir stehen, ich
will mich nicht vollziehen. Ich, der ich Dieser bin, will nicht Dieser
sein.

Wie ist das möglich? „Gott, der den Menschen zum Verhältnis
machte, läßt ihn aus der Hand; und so wird der Mensch ein Verhalten, das sich [frei handelnd] zu sich selbst verhält. Darin aber, daß
das Verhältnis Geist [das heißt hier: frei handelnd; sich selbst in die
Hand gegeben] ist, das Selbst ist, darin liegt die Verantwortung."
Der Mensch kann zu sich selbst ja sagen und nein. Die Neigung aber
geht dahin, sich nicht anzunehmen. Und zwar nicht etwa bloß in
einer ungenügsamen Stimmung, oder in Sehnsucht nach höherem
Sein, in Selbstvorwurf und Selbstgericht. Das wäre eine Selbstable-
nung um tieferer Selbstverwirklichung willen. Sondern der Mensch
neigt dazu, sich wirklich auszuweichen. Nun handelt es sich hier aber
um etwas, was dem Geschehenen ein furchtbares Gewicht gibt, Heils-
Gewicht: um Person und Gott. Person wird ja gerade darin, daß ich
mich – vor Gott – richtig zu mir selbst verhalte. Nehme ich mich nicht
auf mich, wie ich bin, weiche ich vor mir aus, suche ich zu sein, wie
ich nicht bin – so verhalte ich mich eben falsch zu mir. Dann aber zerstöre ich mein Selbst. Im Gefühl kann ich mich umnebeln; ich kann
Unendlichkeits- und Absolutheitsempfindungen haben; ich kann
mich als Eigenherr erleben; ich kann mich in irgendeine Autonomie
hineinspekulieren. Das alles aber zerfällt, sobald ich „vor Gott"
komme. Dann enthüllt sich, daß ich in Wahrheit mein Selbst-Werden
verspielt habe.

Die ungeheure Tragweite dessen, daß ich nicht recht zu mir stehe,
kommt nach Kierkegaard in einem besonderen geistigen Zug zum
Ausdruck, in der „Verzweiflung". Das Wort meint das Gewicht dessen, was hier vorgeht. So spricht Kierkegaard denn von der Möglichkeit, „in Verzweiflung" falsch zu sich zu stehen.

III

Die entwickelten Begriffe scheinen abstrakt und leer. Und doch enthalten sie ein schmerzliches Leben. In ihnen drückt sich die innere Not der romantischen Selbsterfahrung aus. Jeder erfährt wenigstens zuweilen etwas von dieser Not; der Romantiker ist von ihr erfüllt. Er steht innerlich in einem konstitutiven Chaos. Daraus kommt die Frage: Bin ich überhaupt Einer? Überhaupt ein Selbst? Und es ist eine wirkliche Frage, eine erlebte, kein geistreiches Spiel. Nicht umsonst haben Märchenmotive, wie das vom verlorenen Schatten, oder das Problem des Doppelgängers, einen solchen Eindruck auf die Romantiker gemacht. Da handelt es sich eben darum, ob ich überhaupt Einer bin. Wenn ich keinen Schatten mehr werfe, dann geht das Licht durch mich hindurch; ich bin nicht mehr „dicht", nur ein Durchlaß. Wenn mir mein Doppelgänger begegnet, dann stehe ich in der Vielzahl und bin keine Person mehr. Der Romantiker erlebt das wirklich. Er erlebt die Frage: Habe ich überhaupt inneres Antlitz? Eindeutige Kontur? Bin ich in sich stehende Selbigkeit, die sich – und nur sich – gehört, mit nichts anderem zu verwechseln? Oder bin ich nur Welle, Windstoß? Nicht umsonst hat der Vorgang der Verwandlung, des zauberhaften Übergangs von Gestalt in Gestalt für den Romantiker solche Bedeutung. Ist er doch innerlich stets bereit, zu glauben, daß Märchen Wirklichkeit wird und die Dinge sich geheimnisvoll ineinander weben. Und in Parallele dazu die Haltung des Schauspielers, der aus Gestalt in Gestalt schlüpft und immer neu irgendwie das ist, was er darstellt. Das alles sind nicht nur psychologisch oder literarisch interessierende Dinge, sondern Existenzfragen, tief empfunden im Gefühl innerer Undeutlichkeit, in der Angst vor dem Zerrinnen.

Dazu dann das fürs erste verblüffende Gegenerlebnis: die Scheu vor der Eindeutigkeit; das angstvolle Suchen nach dem eigenen Antlitz, zur Originalitätssucht, zum Bedürfnis nach Ausnahmeexistenz, nach genialischer Einmaligkeit sich steigernd – jenes tiefe Verlangen, Einer zu sein, schlägt um in den Druck, Dieser sein zu müssen, in die Auflehnung gegenüber allem beschränkten Dasein. Denn „Dieser" sein, heißt zugleich, bloß Dieser. Der Romantiker erlebt das Grauen des Chaos, und verzehrt sich im Heimweh nach der Anständigkeit,

Sauberkeit, Geborgenheit deutlich charakterisierten Daseins; der
selbe erfährt aber auch das Grauen vor der umschriebenen Existenz.
In ihm lebt die Formscheu, die jede geprägte Gestalt sofort als Fessel
empfindet – ebendarum, weil sie ihm nicht ursprünglich sicher ist und
er sie daher irgendwie extrem, fanatisch nimmt. Verherrlicher der
Form sind Menschen, die im Chaos stehen; sie überschätzen, was sie
nicht haben. Sobald aber eine Form ihnen fest und fordernd ent-
gegentritt, sind sie es wiederum, die sie um der Bewegungsweite willen sprengen. Romantisch ist die Sehnsucht ins Geborgene, Heimat-
liche, deutlich Durchgestaltete, aber auch deren Gegenpol, die Sehnsucht ins Grenzenlose, das Schweifen, das alles will, alles sehen, alles
erfahren, alles sein, und jede Begrenzung als Philisterei empfindet.
Umriß haben, ist ebendamit Grenze. Umriß ist charakterisierende
Grenze. So wird die Flucht vor der Grenze zur Flucht vor dem
charakterisierten Sein.

In besonderer Weise trägt der Romantiker die Möglichkeit des
Chaos und die der Enge in sich. Und jedes „mit schlechtem Gewissen", weil die Gegenmöglichkeit immer Wand an Wand lauert. So
ist er, was er ist, in Gefährdung. Diese Gefährdung aber und jenes
schlechte Gewissen sucht er zu überwinden, indem er sie niederdrückt,
indem er überbetont, was jeweils sucht. Der Romantiker ist Extre-
mist. Und von oft äußerlichsten Zufällen; vom letzten noch eingetre-
tenen Umschlag kann es abhängen, ob die Linie in Bohème und
Anarchie endet oder in der Reaktion, im Fanatismus der Form und
Autorität.

So erfährt der Romantiker sein Selbst in einer doppelten Not: ob
er ein Selbst sei, mit der Sehnsucht, es zu werden, und ob er in eines
eingesperrt bleiben müsse, mit der Sehnsucht, sich aufzulösen ins
Allumfassende.

Diese Not verschärft sich gerade durch jene Fähigkeit, die seine
Kraft ist, durch die Phantasie. Die Phantasie überfliegt beständig
das Sein; sie arbeitet ohne Fühlung mit den Gesetzen der Wirklichkeit. Sie wandelt Gestalt in Gestalt; sie schafft Bild und Tat aus
nichts und löst wirkliche Verhältnisse, Hemmungen, Schwierigkeiten, Schicksale auf in nichts. Das Zielbild, das sich der Romantiker
vom eigenen Selbst baut, ist ohne Kontakt mit dem hingestellt, was
er wirklich ist und kann. Es ist phantastisch, gezaubert, nicht aus

Wirklichem und auf Wirkliches gearbeitet. Oft von subtilster Psychologie und schärfster Beobachtung und genau durchdacht – typisch dafür die stets erneuten Lebenspläne, Tagesordnungen, die sorgsam ersonnenen Methoden, die pädagogischen, sozialpolitischen, reformerischen Pläne; dennoch bleibt alles leicht phantastisch, auch wenn darin Dinge wie „Zucht", „Maß" und ähnliches die größte Rolle spielen. Nur zu leicht fehlt ein letzter Kontakt mit dem Wirklichen. Eine eigentümliche Irrealität liegt dann in allem. Vorsätze, Ordnungen, Pläne, die wirklich ausgeführt werden, sehen irgendwie anders aus. Das Ganze bleibt im letzten eine ästhetische Angelegenheit. Der Entwurf hat seinen Sinn in sich. Mit seiner Ausarbeitung ist die Sache eigentlich fertig. Die innere Linie des Gesamttaktes geht leicht nicht darüber hinaus in die Verwirklichung. Er enthält die Illusion, das Gewollte – Gewünschte, hieße es richtiger – könne ohne weiteres wirklich gemacht werden, eine Illusion deshalb, weil es nicht von der Wirklichkeit her gedacht ist. Versuchen dann die wirklich vorhandenen Kräfte, es zu realisieren, so gleiten sie ab. Dann setzt das Gegenspiel ein: die romantische Selbstkritik. Erbarmungslos klar, hellsichtig bis in die feinsten Falten, aber so extrem in der Abwertung, so fanatisch in der Darstellung des Falschen, so selbstverachtend und selbstquälerisch, daß sie wieder irreal wird. Aus dieser Selbstkritik führt kein Weg in reales Besserwerden. Sie ist ebenfalls phantastisch. Sie sieht und faßt nicht wirkliche, sondern phantastische Unwertigkeit. Und sie ist ästhetisch; alle sittliche Kraft wird in die illusionäre Selbstverurteilung gewendet. Bis dann, nach einiger Zeit, ein gesunder Schlaf kommt, und – alles wieder ausgelöscht hat. Der Kreislauf beginnt von neuem, überfliegende Phantastik und irreale Zuversicht auf der einen Seite, entmutigte Ohnmacht auf der anderen folgen sich beständig. Freilich, solange das lebendige Eigengefühl es aushält. Allmählich erhält das innere Ringen des Romantikers um sein Selbst einen eigentümlichen Charakter; eine Haltung ohnmächtiger Gewaltsamkeit bildet sich aus, Selbstüberhebung und Selbstpreisgabe zugleich. Ein Gefühl des *va banque* erwacht und unterspült alles; ein Gefühl – ja, hier bietet sich der Begriff an, in dem für Kierkegaard die Krankheit zum Tode besteht: der Verzweiflung. Verzweifeltsein, in dieser besonderen Bedeutung, ist eine Grundmöglichkeit romantischer Seelenverfassung. Verzweiflung

daran, ein Selbst werden zu können; Verzweiflung daran, dieses
Selbst sein zu müssen; Verzweiflung am eigenen Können und über
das eigene Sollen.

Dies ganze Erleben verbindet sich dann mit jener Haltung, von
der Kierkegaard Letztes gesagt hat, Einsichten der Psychoanalyse
vorausnehmend und weit überholend, nämlich der Schwermut. Dem
Psychoanalytiker bedeutet sie jenen Drang zur Selbstzerstörung, der
sich einstellt, sobald wesentliche Lebenstriebe nicht zur rechten Erfüllung gelangen. Für Kierkegaard wäre damit nur erst der Anfang
bezeichnet. Die eigentliche Schwermut tritt für ihn dann ein, wenn
ein tieferer Durchbruch von Geist, von Person, von Selbst geschehen
müßte, der Mensch aber dazu nicht die Kraft findet. Dann wird er
schwermütig: das Erlebnis des Romantikers, der mit sich nicht fertig
wird.

IV

Und nun entwickelt Kierkegaard die Möglichkeit dieser Verzweiflung – die im übrigen nach außen hin in Feuer und Farben sprühen
und eine ganze Herrlichkeit von Dichtung und genialischer Lebens-
gestalt hervorbringen kann.

Zunächst zeigt er: Sie kann in einem Menschen da sein, auch
wenn er sie nicht vermutet. Man kann etwas sein, und Gescheh-
nisse können sich vollziehen, ohne daß man darum weiß. Dann
analysiert er ihr Wesen und ihre Dialektik, das heißt das Inein-
anderspielen der verschiedenen, sie konstituierenden Elemente mit
einer wahrhaft meisterlichen Fülle von Erfahrung und benennen-
der Kraft. Es ist unheimlich, wie schneidend scharf er das Eigentliche
trifft.

Zuerst legt er das Verhältnis des Endlichkeits- und Unendlich-
keitsmomentes zugrunde. Da ist es die Verzweiflung aus Mangel an
Endlichkeit; ihr fehlt die Eindeutigkeit des Seins, der Umriß, der
Standpunkt, die charakterisierende Grenze, das tatermöglichende
Maß. Und die Verzweiflung aus Mangel an Unendlichkeit: Enge in
all ihren Formen.

Darauf legt er das Verhältnis des Möglichkeits- und Notwendig-
keitsmomentes zugrunde. Es gibt eine Verzweiflung aus Mangel an

Notwendigkeit, somit aus Mangel an alledem, was Charakter heißt, Definition, Endgültigkeit. Und eine aus Mangel an Möglichkeiten; an alledem, was Weite bedeutet, Fülle und Freiheit.

Das Verzweifeltsein steigt mit der Bewußtheit; denn mit ihr wächst das Gewicht der Verantwortung. Wird der Ernst der Lage größer, schwindet die Möglichkeit, sich Illusionen zu machen. Kierkegaard beginnt mit der verzweifelten Unwissenheit, ein Selbst zu sein, also mit der Haltung, die sich im Nichtwissen um die Würde und ewige Tragweite des eigenen Selbst behauptet, die ihre Augen zuhält: die stumme, blinde Form gleichsam dieser Verzweiflung. Darauf schreitet er fort zu dem Wissen um das eigene Selbst. Dies ist aber dann so, daß Einer mit dem Gefühl verlorener Ohnmacht nicht Er-Selber sein will. Ein solcher will sich nicht auf sich nehmen. Er läuft weg von sich, er suggeriert sich in einen Anderen hinüber, er spielt einen Anderen: die Verzweiflung der Schwäche. Zuletzt aber wird es so, daß Einer wissend verzweifelt er selbst sein will, gleichsam mit einem Grauen zu sich steht, ein Desperado seines Selberseins. Er forciert sich, übersteigert sich; ist er selber in Galgenhumor, in Ironie, schließlich in Auflehnung und Trotz: die Verzweiflung der Kraft – freilich einer innerlich angefressenen.

Das sind furchtbare Dinge, und wir spüren beim Lesen, wie Kierkegaard aus persönlicher Beteiligung darüber spricht. Hier liegt ein tieferer Zugang zum Wesen des Romantikers als da, wo er literarischerweise oft gesucht wird.

Diese Verzweiflung ist für Kierkegaard die eigentliche Sünde. Sünde bedeutet, daß der Mensch nicht recht stehe zu sich selbst, das Selbst nicht zum Werden kommen lasse, sich nicht auf sich nehme, anders sein wolle, als er ist. Das Eigentliche der Sünde aber liegt in jener Sättigung mit Gefahr, Schicksal und Entscheidung, die das Wort „Verzweiflung" ausspricht. Es handelt sich eben um abrinnendes, nicht wieder einzuholendes Leben, in dem sich persönliches, „unendliches" Heil entscheidet. Was da geschieht, geschieht „vor Gott", in der wesenhaften Beziehung zum absoluten Maßstab: „Es gehört zur Sünde, daß das Selbst durch die Vorstellung von Gott unendlich potenziert und damit die Sünde zur restlos bewußten freien Tat wird." „Restlos bewußt" – auch dieses Wort vielleicht nur verständlich aus der Überwachheit des Seelenzustandes – ist das negative Gegenspiel zu jener Endgültigkeit letzter Konsequenz, wie sie im Begriff der Durchsichtigkeit und Einfalt ausgedrückt war.

Diesen Begriff der Sünde als der Zerstörung des Selbst führt Kierkegaard in Stufen hinauf, bis zum Äußersten. Die Steigerung aber liegt in der zunehmenden Entschiedenheit. Er spricht von der Sünde, die in der Verzweiflung am eigenen Selbst besteht: also Feigheit, Schwäche, Ohnmacht. Dann von jener, die darin besteht, über die eigene Sünde zu verzweifeln, sie nicht als das zu nehmen, was sie ist; nicht zu ihr zu stehen; sie auszulöschen, oder aber trotzig zu betonen: der Zustand der Sünde wird unterstrichen. Die Betonung der Sünde schreitet voran zur weiteren Stufe des Dämonischen, sobald das sündige Ich sich in seinem Unrecht zusammenschließt, verhärtet: das Ärgernis. Dessen Wesen besteht darin, das Geschehene definitiv zu setzen, die Vergebungsgesinnung und Vergebungsmacht Gottes anzutasten. Die letzte Stufe der Sünde endlich greift den sich offenbarenden Gott selbst in seinem inneren Sinn an, erklärt ihn für Unwahrheit und zerstört damit die letzte und eigentliche Basis aller Personwerdung: das ist ihm die Sünde wider den Heiligen Geist. So entwickelt sich die Krankheit zum Tode, die in die Zerstörung der Person ausläuft. Ihre Heilung aber besteht darin, die verschiedenen Stadien der Verzweiflung zu überwinden und so den Weg zum Selbst in Gott zurückzufinden.

V

›Die Krankheit zum Tode‹ ist ein ungeheuerliches Buch. An innerer Intensität, an Schärfe des Griffes nach der letzten Wurzel unserer Existenz wird es nur noch überholt von Kierkegaards anderer Schrift: ›Der Begriff der Angst.‹

Man fühlt sich fortwährend zum Widerspruch, ja zu leidenschaftlicher Abwehr gefordert; denn Kierkegaard ist kein „sachlicher" Denker, er denkt in Liebe und Haß, in Angriff und Verteidigung; aber es öffnet den Zugang zur zentralen Position des Mannes. Das Buch enthält die Auseinandersetzung mit dem ihm von der Natur aufgegebenen Problem: mit der inneren Gefährdung des romantischen Selbst. Diese Gefährdung hatte für ihn, den wirklich Großen, das größte Maß. Nicht leicht wird uns vor einem Menschen so deutlich werden, daß er unmittelbar von allen Gewalten der Geistesmächte und Daseinsprobleme erschüttert und für jeden feinsten Hauch empfindlich ist, stark und sensibel zugleich, wie vor Kierkegaard. Bei Nietzsche fühlt man Ähnliches, der ja, um dies hier einzuschalten, ihm tief verwandt ist. Romantiker auch er, und sein ganzes Denken Mittel und Ergebnis der Auseinandersetzung mit den romantischen Existenzproblemen. Bei ihm wie bei Kierkegaard wird der Kampf am Christlichen ausgetragen. Wenn ich recht sehe, finden sich für alle wichtigen Begriffe Kierkegaards parallele bei Nietzsche, nur daß sie einander antivalent sind. Die beiden stehen wie in unterirdischer Kommunikation. Unterirdisch, denn soviel ich weiß, hat Nietzsche Kierkegaard nicht gekannt, und hätte jedenfalls wider ihn gestanden, heftiger als gegen Pascal. Wo der eine Ja spricht, spricht der andere Nein. Aber es sind nicht absolute, sondern polare Stellungnahmen. Beide waren Menschen, die mit ihrer Existenz dachten, und von Anlage her stand Kierkegaard am Rande des gleichen Abgrundes, der Nietzsche am Ende verschlungen hat. Zeugnis dafür ist die furchtbare Schwermut, unter der er gelebt; Zeugnis jenes Wissens um letzte Dinge des Daseins, das nur der so tief Gefährdete hat. Zeugnis endlich ein Zug, den er einmal selbstverräterisch ausdrückt mit dem Wort vom „katastrophischen Gebrauch der Kategorien".

Wie Nietzsche, lebt und denkt Kierkegaard im Bereich der Grenzwerte[1]. Die Begriffe, die er braucht, sind Grenzbegriffe. So furchtbar war der Druck der Schwermut, die auf ihm lastete, so ungeheuer die Gefährdung von innen her, daß er nur existieren konnte, wenn er dieser Gewalt von innen eine größere von außen entgegensetzte. Darum hat er sich unter Forderungen und Maßstäbe gestellt, die in sich unmöglich waren. So hat er eine Gefährdung vom Objektiven her erzeugt, die ihm möglich machte, die innere zu überwinden, wenigstens zu ertragen. Ebendiese Technik wendet er in den Fragen an, die uns hier beschäftigt haben.

Er erkennt: Mein Ich ist gefährdet; in die Verzweiflung hinein; in Schwäche und Hybris zugleich. Dieser Gefahr muß standgehalten werden. Dazu muß sie so ernst genommen werden wie nur immer möglich. Die aus dem eigenen Sein aufsteigende Gefährdung wird

---

[1] Siehe dazu R. Guardini, Der Gegensatz, a. a. O. S. 103 ff.

in den Mittelpunkt gerückt und zum Inhalt von Sünde und Nicht-Sünde gemacht. Die Gefährdung ist aber Gefährdung durch alles das, was Ausweichen, Verschwimmen heißt; Lässigkeit, Gehenlassen, Trägheit und deren Antivalenz: Vermessenheit. Die Forderung muß hoch gespannt werden, denkbar hoch, bis zur Unmöglichkeit. Also baut er einen Selbst-Begriff auf, der seiner ganzen Natur nach nur Forderung ist, Anstrengung, ohne alles Ruhende, Tragende, Versöhnende. Reiner Akt, nach allen Richtungen des Begriffes hin. Und zwar Akt der Präzision, der Unterscheidung und Entscheidung; ein Maximum an Leistung.

Da ihm aber Denken Tun ist, und nur jenes Denken ernst, in dem sich Existenz realisiert, so wird ihm seine Philosophie zu einer Philosophie des Selbstwerdens.

Selbst werde ich nur, wenn ich zu mir stehe; zu dem, was ich bin. Das romantische Selbst ist chaotisch. Schaffendes Chaos, gewiß. Die übliche Verachtung des Romantischen verachtet die Ursprünge dessen, was heute lebt. Der romantische Charakter ist bis zu einer gewissen Grenze mit dem schöpferischen identisch; mit der Geistesverfassung des Anfangs, des Durchbruchs, der Umlagerung, der Wendezeit. Aber eben doch Chaos. So beginnt der Kampf um das eigene Selbst für den Romantiker mit der Forderung, diesem Chaos standzuhalten. Er muß sich zwingen, Antlitz zu zeigen, und muß dieses Antlitz sehen wollen in all seiner entmutigenden Undeutlichkeit. Er muß sich auf sich nehmen, wie er ist; weder sich abwerfen, noch überhöhen. Und zwar ganz aufrichtig, vor dem unbestechlichen Maßstab, „vor Gott". Nun erst wird das Ringen um das Selbstwerden aus dem Bereich titanischer Selbstübersteigerung, überheblicher Zeit- und Weltkritik, kosmischer Selbstverflüchtigung, ästhetischen Selbstgenusses und pessimistischer Selbstelegie herausgerückt in jene Haltung des Ernstes, in der allein Wesenheit wird. Ich, der ich dieser bin, soll werden, der ich vor Gott sein soll. Vom Standpunkt eines naiven Individualismus, der Individualität und Person, Entwicklung und Aufgabe gleichsetzt, mag das als unnötiges Bereden selbstverständlicher Dinge erscheinen. Der Romantiker weiß, daß sie nicht selbstverständlich sind, und daß keine Not der gleichkommt, und keine Angst ist wie jene, ob ich ein Selbst sei, und daß ich nur dieses bin.

Das Chaos des romantischen Ich will Kierkegaard dadurch überwinden, daß er alles auf die eine Forderung setzt, zum wirklichen
Selbst zu stehen: das zu sehen, was ist; das auf sich zu nehmen, was
ist; zur vollen Wahrhaftigkeit, Deutlichkeit, Durchsichtigkeit durch-
zudringen vor dem absoluten Maßstab. Diese Forderung ist nun an
sich eine konkrete. In ihrer lebendigen Ganzheit genommen, steht
sie zwischen den Polen des Seins und Werdens; der quellenden Fülle
und fassenden Form; des schöpferischen Hervorbringens und der
definierenden Entscheidung; des Gesamtzusammenhangs und der
einmaligen Besonderung, und wie man sonst noch die Antithetik der
konkreten Lebendigkeit ausdrücken kann. Wesensgerecht müßte sie
als derart umfassende Aufgabe genommen werden. Kierkegaard aber
treibt die Forderung einseitig auf einen Pol; denn sie soll schwer sein,
derart schwer, daß sie katastrophisch wird in dem oben dargelegten
Sinne; daß sie zur funktionell sinnvollen Unmöglichkeit wird. So
sagt er: „Geist" ist mit „Selbst" identisch – eine These, deren zerstö-
rende Konsequenzen hier nicht dargelegt werden können; Geist und
Person, Geist und Selbst decken sich nicht –, also Geist ist Person.
Damit bin ich geistig nur, soweit ich Person bin. Person selbst aber
ist nichts Seiendes, Gesichertes, sondern ein Aufgegebenes, Geforder-
tes. Sie ist nicht, sondern muß getan werden. Ob sie ist, hängt davon
ab, ob sie getan wird. Dieses Tun kann auch verfehlt werden. Die
Person ist nicht nur etwas Dynamisches, sondern sogar etwas Axio-
logisches. Sie wird nicht schon im Akt überhaupt, sondern im recht
getanen Akt. Person wird getan in der Verwirklichung einer Relation, gespannt zwischen mir und mir; und wiederum zwischen mir
und Gott. Der Charakter dieses Aktes ist Wahrhaftigkeit gegenüber
dem, was wirklich ist; und zwar Wahrhaftigkeit unter dem absoluten
Maßstab Gottes. Das alles aber heißt: Person ist ein Grenzwert, in
sich unmöglich. Dessen Vollzug ist ein Grenzfall, in sich unmöglich.
Person steht als unmögliche, aber sinnvoll unmögliche Forderung vor
mir.

So ist ein heroisches, ja von vornherein tragisches Ethos geschaffen: ein Ethos absoluter Helligkeit, restlos verantwortlicher Selbst-
entscheidung; ein Ethos des reinen, die eigene Existenz begründenden
und tragenden Aktes.

Hieraus entspringt eine Denkgesinnung, die allem Trieb- und Dranghaften, allem naturhaften Gehenlassen und weichen Getragenwerden, allem Unbestimmten, allen Verschleifungen, allen Überführungen von Gebiet in Gebiet, allen Vermittlungen zwischen Verschiedenem, allem genießenden Betrachten, uninteressierten Denken, unbeteiligten Schauen absagt. Eine Gesinnung, die in äußerste Schärfe der Unterscheidung, Entscheidung, Verantwortung, Anstrengung, Selbsteinsetzung, Selbstaktualisierung treibt. Nur das gilt, worin sich Selbst realisiert. Nur jene Denkhaltungen und -akte, in die wirklich konkretes Sein eingeht.

VI

Diese Denkgesinnung drückt sich vor allem in vier Begriffen aus: der qualitativen Entscheidung, des Augenblicks, des isolierten Einzelnen und des existentiellen Denkens. Ohne ihre Problematik aufzurollen, sollen sie in ihren Zusammenhang mit dem Grundgedanken gezeichnet werden.

Das Seiende ist qualitativ bestimmt, nicht nur quantitativ. Quantitäten lassen sich ineinander überführen, voneinander ableiten, lassen sich kontinuierlich vermitteln. Qualitäten nicht. Qualität steht unableitbar in sich[2]. Sie kann nicht beweisen, sondern muß entgegengenommen werden. Eine Qualität kann nicht in eine andere übergeführt werden. Man kann auch nicht durch allmähliche Steigerung, Verfeinerung, Minderung, Verdichtung aus der einen in die andere gelangen. Von einer Qualität in die andere führt keine Vermittlung (Mediation); zwischen ihnen liegt eine qualitative Kluft. Die wird nicht durch eine Kontinuitätsverwirklichung überschritten, sondern durch einen Vorgang, der etwas auch logisch nicht Vermittelbares enthält; durch einen Akt, vermöge dessen das Subjekt aus dem einen Qualitätsbereich ohne „Übergang" in den zweiten tritt. Er besteht aus Unterscheidung, Entscheidung und Sprung.

---

[2] Die Herabführung des Gedankens bis auf den Begriff der einzelnen Qualität stammt von mir: Kirkegaard setzt eigentlich erst mit dem qualitativ bestimmten Gesamtbereich ein. Doch glaube ich damit seinen Standpunkt schärfer herauszuholen.

Was von den einzelnen Qualitäten gilt, gilt auch von den Qualitätsbereichen, gilt vor allem von jenen großen Ordnungen, durch welche die Person gleichsam hindurchgebaut ist, genauer, sich selbst realisierend hinaufschreitet ("Stadien"): die Ordnung eines unmittelbar gegebenen naturhaften Seins, von Kierkegaard das Ästhetische genannt, welchen Begriff er auch mit dem des Romantischen gleichsetzt; dann jene Ordnung, die auf der Selbstübernahme des Ich und seiner Verantwortung ruht, indem das Selbst sich unter das Sollen stellt: die Ordnung des Ethischen; endlich jene, in der das Selbst Christus und seiner Forderung gegenübersteht, dem Anruf des gänzlich andersartigen, unbekannten, aus Offenbarung in der Form des Paradoxes heraussprechenden Gottes: die Ordnung des Religiösen beziehungsweise Christlichen – beides setzt Kierkegaard fast gleich.

Zwischen den Gebieten steht scharfe Unterscheidung, verantwortende Entscheidung und der durch nichts Statisches gestützte, rein akthafte "Sprung". Sprung im Unterschied zu "Übergang". Im Übergang würde der erkennende oder wertende oder handelnde Akt durch die kontinuierlich einander folgenden Stufungen quantitativer Momente aus einem Bereich in den anderen geführt. Jede Stufe wäre dabei in den anliegenden schon oder noch enthalten, und so würde immer eine die Gewähr für die andere übernehmen. So ist es aber nicht. Wenn ich mich entschließe, hinüberzugehen, dann liegt im qualitativen Ausgangsbereich keine Gewähr für den Zielbereich. Ja, wie ich, noch im ersten stehend, den zweiten auch nur erkennen könne, ist logisch nicht aufzuschließen. Jener ist, von diesem aus gesehen, schon in etwa paradox[3]. Diesen Begriff der qualitativen Unterscheidung samt den sich daraus ergebenden Forderungen der Entscheidung und des Sprungs stellt Kierkegaard dem romantischen Zerfließen, der romantischen Eins-Fühlung, der allvermittelnden Mediationsdialektik des romantischen Philosophierens gegenüber. Er ist die erste Folgerung aus jenem Ursprungspunkt der Selbstverwirk-

---

[3] Hierher gehört der tiefe Begriff der Grenze, die das Nein des Aufhörens eines Bereiches bedeutet, aber ebendamit indirekt in ihn hinein ausdrückt, was jenseits ihrer vorgeht. Vergleiche dazu den Aufsatz ›Gedanken über das Verhältnis von Christentum und Kultur‹, S. 145 ff. dieses Bandes.

lichung. Die Verbundenheit eines scheinbaren naturhaften Zusammenhanges ist damit aufgesprengt. Überall steht nun Qualität neben Qualität; qualitativ charakterisiertes Ding neben Ding; dieser Akt neben diesem Akt; dieses Individuum neben diesem Individuum; dieser Wertbereich neben diesem; diese Seinssphäre neben dieser. Die Übergänge sind ausgelöscht. Jedes Seiende zeigt scharf umrissene Kontur. Das Leben ist kein geruhsames Strömen von Einem zum Andern mehr. Immer wieder muß unterschieden, entschieden, muß der Akt des Übergehens vom einen zum anderen realisiert werden. Der Übergang wird dadurch ermöglicht, daß aus dem Innern des Handelnden gleichsam ein neuer schöpferischer Vorstoß geschieht, der sich hinüberschwingt. Darin nimmt der Handelnde das Hinübergehen, dessen Anstrengung und Verantwortung ganz auf sich. Niemals trägt ihn der eine Bereich in den anderen hinüber, oder zieht jener ihn heran.

Dem Begriff der qualitativen Unterscheidung parallel geht der des Augenblicks. Dessen Funktion ist eine entsprechende: auch er löst den verführenden Schein eines Zusammenhanges auf. „System" bedeutete den Versuch, durch die quantitative Auffassung des Seienden, durch eine darauf aufbauende Technik der gradweisen Vermittlung Qualität in Qualität, den erkennenden und handelnden Akt aus einem Qualitätsbereich in den anderen überzuführen. Alles Seiende erschien hier als nur relativ verschiedene Abwandlung oder Differenzierung des Gleichen. Die äußerste Leistung des Systems bestand darin, so etwas wie „das Gute" und „das Böse" auf eine Einheit zu bringen; vielleicht gar das Absolute durch die verschleiernden Wirkungen des Endlosigkeitsmomentes (der „schlechten" Unendlichkeit) kontinuierlich mit dem Endlichen zusammenzubauen, und so den schlechthinnigen, eben absoluten Qualitätsunterschied zu verwischen. Hier griff das Moment der qualitativen Unterscheidung ein und sprengte den angeblichen Systemzusammenhang. Was in der Gleichzeitigkeit das System war, ist im Nacheinander der weltgeschichtliche Prozeß. Auch hier die Vorstellung eines homogenen Grundmaterials: Gattung, Menschheit. Dieses Grund-Etwas differenziert sich im Geschehen. Das vermittelnde Moment, welches Ereignis in Ereignis, Gebilde in Gebilde überführt, ist die Entwicklung. Der Entwicklungsbegriff ist ein biologischer und legt die Vorstellung zugrunde, daß aus Erst-Gegebenem kontinuierlich eins um das andere heraustrete. Mit ihm verschmolzen der Transformationsbegriff, der mit der Technik der unendlich kleinen, aber unendlich zahlreichen Änderungen arbeitet. Beide schaffen das Entscheidende hinaus, nämlich die qualitative Bestimmtheit des Eigentlich-Geschichtlichen, der Tat, die aus der Ursprünglichkeit der Entscheidung kommt, und aus Übergängen nicht abgeleitet werden kann. Tritt noch ein Drittes hinzu, die Vorstellung der immer fortwährenden Dauer des Prozesses, so wird unmerklich eine weitere Verschleifung vollzogen, und der Begriff des wirklich der Zeit gegenüber Unendlichen, nämlich des Ewigen, mit dem Zeitlichen kontinuierlich gemacht.

Demgegenüber wieder die Trennung: Sowenig durch systematische Kontinuität Qualität in Qualität übergeführt werden konnte, sowenig durch zeitliche Umformung, durch Entwicklung, Tat in Tat. Das Historisch-Eigentliche vollzieht sich nicht im „Moment", der kontinuierlich aus dem Voraufliegenden hervorgeht und in das Kommende übergleitet, sondern im „Augenblick". Der Augenblick ist das Zeithaft-Qualitative. Darin geschieht die Tat, im Jetzt, in der für sich sinnerfüllten, Entscheidung bringenden, in sich stehenden Gegenwart. Die nächste Tat wieder, und so jede. Jede Tat ist Einmaligkeit; jede entscheidet. Wie wir aus der einen in die andere kommen, ist rational nicht zu sagen. Der Entwicklungsbegriff betrügt um das Eigentliche und das Rätsel. Was weiterführt, ist das stets erneute Geheimnis der aus dem Ursprung hervorgehenden, sich selbst tragenden Tat.

Der Moment entgleitet. Er gehört der naturhaften Unmittelbarkeit an. Der Augenblick hingegen hat Beziehung zum Zeithaft-Absoluten, zum Ewigen. Nicht die Endlosigkeit des Prozesses, die „schlechte Unendlichkeit" der nicht aufhörenden Dauer, sondern nur der Augenblick hat Beziehung zur Ewigkeit. Durch den Augenblick, in dem die Person verantwortlich handelt, nicht vom Zusammenhang des Geschehens getragen, sondern als Anfang frei aus sich, tritt die Ewigkeit in die Zeit. Im Augenblick wird die Tat getan; die Tat aber schafft Geschichte. So wird der Trug des historischen Prozesses, der eine Biologisierung der Geschichte bedeutet, aufgehoben und echte Geschichte konstituiert, die auf Tat ruht. Wie freilich Tat mit Tat einen Zusammenhang herstellen könne, den des geschichtlichen Gesamtgeschehens – ebenso, wie die frühere Frage, wie Qualität mit Qualität eine Dingeinheit, Ding mit Ding eine Ordnungseinheit, Ordnungsbereich mit Ordnungsbereich die Gesamtordnung des Seins darstellen könne – darauf werden wir bei Kierkegaard vergeblich eine Antwort suchen. Er hat alles auf eine Karte gesetzt, auf die Selbstkonstituierung durch Unterscheidung und Entscheidung. Das Moment der Kontinuität fällt in der Absichtsrichtung seines Denkens aus. Es wächst ihm nur gleichsam unbewußt, aus der Fülle seines konkreten Seins, in die Begriffe hinein. Der Absicht nach ruht Kierkegaards Denken auf dem „katastrophischen Gebrauch" der Unterscheidungskategorie.

So ist der Schein-Zusammenhang der kontinuierlich in sich fortgehenden Natur aufgespalten. Ebenso der des pseudohistorischen Prozesses. Es gibt einen weiteren Schein-Zusammenhang, in dem der Romantiker lebt, der ihn trägt und verführt und ihm sein Selbst abnimmt: die Gemeinschaft. Hier setzt Kierkegaard den Begriff des Einzelnen an.

Nur in Unterscheidung und Entscheidung, nur im Verantwortung übernehmenden Sprung und in der Tat des Augenblicks wird Selbst; so dort. Hier: nicht als Gattungswesen, nicht als Exemplar der Gattung Mensch, nicht als einer aus der Menge, nur als Einzelner ist der Mensch Selbst. Wieder der grenzwerthafte Gebrauch der Kategorie: Familie, Staat, Kirche, sind ihm nur organisch-naturhafte Einheiten. In ›Entweder – Oder II‹ macht er zwar den Versuch, die Ehe als sittliche, den Einzelnen entfaltende Ganzheit zu fassen, und davor ihre „ästhetischen" Gehalte zu rechtfertigen. Allein der Versuch fällt ab, und im übrigen setzt sich die Konsequenz durch. Alle in Geschichte und Umwelt stehenden Gemeinschaftsformen werden für ihn zu unterpersönlich-naturhaften. Es ist wiederum die Front gegen die romantische Haltung. Dem Romantiker fließt Individuum in Individuum über. Der Einzelne geht auf in der Freundschaft, im Kreis, in der Nation, in der Menschheit. Ein organisches Stufengebilde baut sich über dem Einzelnen und seinen Verbindungsformen in die Höhe. Der Romantiker ist Virtuose in allen Formen der Gemeinschaft, der Mitteilung, der Hingabe und des Empfangens. Da lebt der Eine unmittelbar mit dem Anderen; lebt unmittelbar dessen Leben mit; trägt ihn und wird getragen; gibt Anteil und empfängt; wird Funktion des Anderen und des Ganzen. Kierkegaard sagt: Alles das ist naturhaft-unmittelbares Dasein, in dem von Geist und Person noch keine Rede sein kann; romantische Existenz. Geist, Selbst beginnt erst in dem Augenblick, wo der Mensch sich einsam in sich und vor sich stellt.

Und zwar ist hiermit nicht der Romantisch-Einzelne gemeint, also der Bevorzugte, das Genie, der Aristokrat, der schöne, erlesene Mensch. Das alles bleibt ebenfalls noch innerhalb der Sphäre der Natur. Alle Unterschiede dieser Art bedeuten nur Gradunterschiede gegenüber geringer bewerteten Individuen. Hier aber ist ein qualitativer Unterschied gemeint. Der wird konstituiert, sobald ich mich selbst mir stelle, vor Gott. Sobald ich aus Freiheit, aus dem Ursprung des sich selbst tragenden Aktes heraus die Verantwortung für mich übernehme. Das kann kein Anderer für mich tun. Nicht deswegen, weil ein Anderer zu schwach wäre oder zu unbegabt, sondern weil Selbst wesenhaft nur für sich selbst einstehen kann. Ja, weil nach Kierkegaard Selbst überhaupt nur in dem Akt existiert, in dem es sich auf sich nimmt. Dazu aber ist jeder gehalten und jeder ist dazu fähig; auch der Unwertigste, Unbegabteste, Niedrigste. Hier liegt die einzige Gleichheit, die es gibt.

So ist für die Person jeder eigentliche soziologische Zusammenhang aufgesprengt. Die soziologischen Kontinuitäten bestehen nur bis zu einer gewissen Tiefenschicht. Im Eigentlichen hören sie auf. Da steht der Einzelne in sich selbst isoliert, nur Gott gegenübergestellt. Das Leben des Menschen aber ist ein Leben der Einsamkeit und unter Einsamen, mit der unabnehmbaren Last der Selbst-Werdung und Selbst-Verantwortung beladen.

Der Zusammenhang in der Natur ist aufgesprengt; jener der Geschichte und der Gesellschaft desgleichen. Es gibt noch einen weiteren: den des geistig-kulturellen Schaffens. Auch hier die Front gegen eine beherrschende romantische Vorstellung: die All-Harmonie menschlichen Geisteslebens. Ein Kulturbereich geht über in den anderen: Wissenschaft in Dichtung, Naturakt in Philosophie, Kunst in Religion, Phantasie in Leben. Das Erbe der Vergangenheit wächst in die Gegenwart und fließt in die Nachwelt über. Das Werk des Einen ist ohne weiteres dem Anderen offen. Alles ist unmittelbar Allen zugänglich. Schauend, genießend, schwelgend steht der Romantiker vor

allem, was es gibt, und nimmt es zu eigen. Alles versteht er, alles wür-
digt er, alles genießt er, erschütterbar vom Gewaltigen und empfänglich für das Kleine, offenstehend dem strömenden Zusammenhang
und spürig für die feinste Tönung des Individuellen. Geschmeidig
paßt er sich allem ein und vermag jedes zu verstehen. Er verfügt über
eine unbegrenzte Fähigkeit des Mit- und Nachempfindens. So steht
ihm alles unmittelbar zu Gebote, was der andere schafft und erlebt.
Und was er in subtilen Analysen und in Systemen aufzubauen weiß,
dafür bietet ihm eine meisterliche Technik des Denkens, der Phantasie, des Wortes, der Gebärde das allzeit gehorsame Mittel des Ausdrucks. Das ist die Haltung, die auf alles eingeht und sich nie riskiert,
die alles versteht und sich nie festlegt, die alles begreift und es in
objektiven Denkgebilden, in geformten Phantasie- und Kunstgestal-
ten hinstellt, sich aber für nichts entscheidet. Es ist die wesenhaft
unverbindliche Haltung.

Kierkegaard faßt sie an einem bestimmten Punkt: dem Begriff des
objektiven Denkens, das, ohne sich selbst einzusetzen, alles versteht,
alles formuliert, sei es in der Form des Systems, sei es in der Form der
Psychologie oder in der Form der Historie. Der Nächste empfängt
das System, die Analyse, die historische Darstellung, und ist ohne
weiteres im Besitz der Wahrheit, in nichts dadurch verpflichtet.

Demgegenüber prägt Kierkegaard den Begriff des existentiellen
Denkens – der repräsentativ zu nehmen ist, und vielleicht umfassend
zu formulieren wäre als existentielles Schaffen.

Wahrheit – und mit dem Wort „Wahrheit" wird nur die „geistige"
Wahrheit bezeichnet, das heißt Dinge, von denen für den Denkenden etwas abhängt, also ethische und religiöse; der Begriff der Wissenschaft wird überhaupt nicht einbezogen – ist nicht etwas, was
Einer „hat" und dem Anderen weitergeben könnte. Wahrheit bedeutet nicht, daß ich etwas Dastehendes in irgendeinem Sinne richtig
fasse, sondern daß ich in der Begegnung mit Etwas mich richtig einsetze und darin mich realisiere, Selbst werde. Der Wahrheitsbegriff
ist also überhaupt nicht vom Gegenstand her zu definieren, sondern
vom Subjekt. Doch nicht subjektivistisch, so, daß er etwas Willkürliches, Fließendes bedeutete, wonach Wahrheit wäre, was mir be-
liebt, oder was ich gerade „erlebe". Auch nicht im Sinne des apriorischen Idealismus, wonach Wahrheit ein dem Wahrnehmungsinhalt

gegenüber Unabhängiges, Transzendental-Subjektives wäre. Sondern Wahrheit ist ein lebendiger Zustand des konkreten Selbst, der dann eintritt, wenn sich dieses konkrete Selbst in der erkennenden Begegnung mit einem Ding einsetzt. Diese Selbsteinsetzung drückt Kierkegaard mit dem Begriff der „Leidenschaft" aus. Wenn ich mit Wahrheitsleidenschaft mich in die Erkenntnisbegegnung einsetze, mich selbst daraufhin wage, daß etwas so ist, dann wird Wahrheit realisiert. Aber nicht im Urteil, in der Form der Gegenstandserfassung, sondern in meinem lebendigen Sein. Darin, daß ich nicht nur objektiv betrachte, feststelle, formuliere, hinstelle, sondern mich einsetze; darin, daß ich die Verantwortung für diese Wahrheit übernehme, und zwar existentiell, indem ich mich daraufhin wage; darin, daß ich mich auf diese Überzeugung hin definiere, wird Wahrheit. Es gibt also so wenig ein unbeteiligt schauendes Erkennen, daß Wahrheit überhaupt nicht eine Sache der Gegenstandserfassung, sondern der Selbstexistenz ist. Wahrheit erkennt man nicht, sondern man „ist" sie: existentielles Denken.

Daraus entspringt eine eigene Denkhaltung, ebenjene, die wir in Kierkegaards Schriften Seite für Seite spüren.

Aus ihr folgt aber sofort etwas weiteres: Wenn Wahrheit das ist, kann sie dann mitgeteilt werden? Jedenfalls gibt es keine „direkte" Mitteilung vom Einen zum Anderen. Direkt mitteilen kann man Sachgehalte, Begriffs- und Urteilsinhalte. Diese Wahrheit aber ist Haltungsinhalt, ist der Echtheitswert lebendig seienden, selbst-haltigen Aktes. Die kann nicht mitgeteilt werden, weil der Andere sie nicht versteht, weil sie, je „wahrer", desto tiefer gebunden ist an die ausschließliche Einmaligkeit des Einzelnen. Wahrheit in diesem Sinne kann man nicht sagen, nur sein. Ja, könnte man es, so dürfte man nicht. Denn gelänge es, so würde sie dem Anderen zur Verführung. Bedeutet doch Wahrheit auch für ihn, daß er erkennend sich realisiere. Je voller also Wahrheit, desto ausschließlicher ist sie des Einzelnen Eigenstes.

Etwas anderes aber gibt es: die indirekte Mitteilung. Sie besteht darin, den Anderen in seiner naturhaften Sicherheit aufzustören, ihn zu veranlassen, daß er auf Wahrheit aufmerke, sich besinne, inne werde, was Wahrheit heißt, und sie, das heißt sich selbst, finde.

Hier entspringt die Kierkegaardsche Theorie der Mitteilung, der direkten und indirekten, die eine ganze Philosophie des Ausdrucksproblems enthält. An dieser Stelle steht die gewaltige Gestalt eines Sokrates, den Kierkegaard so tief erlebt hat wie wohl nur noch ein einziger, nämlich sein großer Antipode Friedrich Nietzsche. Für diesen war Sokrates der Zerstörer der alten griechischen Sicherheit, Triebgeborgenheit und Unmittelbarkeit – schon in der Einleitung zu den Vorlesungen über Sophokles Rex vom Sommer 1870 bricht die tiefe Abneigung gegen Sokrates durch[4]. Für Kierkegaard war er der Mann, der den Geist zum Durchbruch gebracht und den naturhaften Griechen zum Finden seines Selbst aufgestöbert hat. Da es sich aber um ein Finden der existentiellen Wahrheit handelte, mußte er die „sokratische Methode" anwenden, die Kunst der indirekten Mitteilung, die Ironie[5], die Dialektik. Dialektik ist die Kunst, Gedanken so zu stellen, daß immer der eine verhindert, den anderen im unmittelbaren Sinne zu nehmen; das Ganze so, daß es den Hörenden zwingt, das eigentlich Gemeinte nicht aus den einzelnen Sätzen selbst, sondern aus dem ursprünglichen Mittelpunkt, der Begegnung des eigenen Ich mit dem Gegenstand herauszustellen.

Hier wird die Technik des Kierkegaardschen Denkens deutlich. Er hat sich gegenüber seiner Zeit in der Stellung des Sokrates gewußt, wobei es aber nicht mehr galt, die „alte Graezität" zu erschüttern, damit sie den Geist spüre, sondern die neue Unmittelbarkeit und Naturbefangenheit, die Romantik und den Hegelschen Idealismus, damit sie den Anruf des Christlichen vernehme. Und darüber hinaus das sicher gewordene Christentum, daß es inne werde, was wirkliches Christentum ist.

---

[4] Werke, Musarion-Ausgabe, II 247.

[5] Sokratische Ironie – im Unterschied zur romantischen, die aus einem letzten Nichternstnehmen aller Dinge kommt – bedeutet, daß im berufenen Menschen der Geist durchgebrochen ist, daß er jenseits des Naturhaften in Gott, im Selbst Fuß gefaßt hat, und von dort her den Hörenden seine unmittelbar-naturhafte Sicherheit erschüttert, indem er die Dinge in ihrer Zweideutigkeit spüren läßt, so daß der Hörende aufgestört wird, aufmerksam, unruhig, suchend und hörend für das, was ihn eigentlich angeht.

In alledem aber ist der Begriff des Paradoxes angelegt. Paradox ist im Grunde schon eine Qualität gegenüber der anderen, da jene aus dieser nicht verständlich wird. So ist das Wagnis gefordert, im Sprung die eine zu verlassen und in die andere überzusetzen. Denn wie eine in die andere hinüberspricht und in deren Bereich verstanden wird, ist schlechterdings nicht zu erklären. Ebensowenig gibt es für den in der ersten Stehenden eine Gewähr, daß die andere sinnerfüllend und tragfähig sei. Paradox ist das Stehen eines Individuums neben dem anderen in seiner Einsamkeit. Es kann nicht verstanden werden, wie das Innere sich ausdrücken und vom anderen im Äußeren verstanden werden könne, wie der Ursprung in den Vollzug eingehen könne, das Motiv in die Tat. (Hier liegen die Wurzeln einer tragischen Auffassung alles Geschehens.) Paradox ist die Weise, wie existentiell Gedachtes zum Anderen hinübersprechen könne, ohne ihn vom Eigenen, wiederum existentiell zu Denkenden, und damit von der Wahrheit wegzuführen. Der Begriff des Paradoxen stellt sich sofort und überall ein, wo durch die Aufsprengung der unmittelbaren Zusammenhänge die getrennten Bereiche gesondert nebeneinanderliegen und das Rätsel auftaucht, wie Einer zum Anderen stehe. Kierkegaard hat die Kontinuität zerstört und damit die Paradoxie konstituiert. Die Welt des Kulturellen hat ihre selbständige Sicherheit verloren, ist überall fragwürdig, beunruhigend geworden, vom sicheren Bauen, Schauen, Spekulieren, Genießen weggescheucht in wachsames, bereites, stets neu erschüttertes, stets neue Unbegreiflichkeiten überwindendes Dasein.

Da aber liegen überall die Hinweise und Appelle an das Religiöse, von dem hier nicht mehr die Rede sein kann. Die eigentliche Paradoxie tritt hervor im Verhältnis Gottes, des Ganz-Anderen, zum Endlichen, Bekannten; da, wo er, sich offenbarend, als Gottmensch in der Geschichte steht.

In der Frage, wie das Christliche zum Natürlichen stehe, sammeln sich alle dargelegten Voraussetzungen zu ihrer eigentlichen Konsequenz[6]: Christus, Offenbarung, Gnade, Wiedergeburt, Glaube,

---

[6] Siehe dazu: R. Guardini, Unterscheidung des Christlichen. Ges. Studien 1923–1963, [2]1963, S. 145 ff.

Wunder, christliches Leben – das alles wird von hier her aufgebaut. Es ist das Christentum des Grenzbegriffs, das Christentum der Unmöglichkeit.

Kierkegaards ganzes Denken ist das Denken der Unmöglichkeit. geboren aus dem Kampf um sein Selbst. Darin hat es seinen Sinn, aber darin auch seine Grenze.

Theologische Literaturzeitung. Monatsschrift für das gesamte Gebiet der Theologie und Religionswissenschaft. 75 (1950), Sp. 533–538.

HEGEL UND KIERKEGAARD

Bemerkungen zu einer prinzipiellen Untersuchung[1]

Von Wilfried Joest

Die nur 80 Seiten starke Schrift breitet in der gelockerten Form des Essay eine Fülle von Beobachtungen und Erwägungen aus, die zu würdigen zumal für den der philosophischen Fachsprache im engern Sinn ungewohnten Leser nicht leicht ist. (Leider wird das Verständnis noch durch eine ungewöhnlich große Anzahl sinnentstellender Druckfehler erschwert.) Dennoch ist die Lektüre des kleinen Werkes gerade auch für den Theologen lohnend und wichtig, weil die geistreichen philosophiegeschichtlichen Erwägungen, mit denen Bense das Phänomen Kierkegaard in eine umfassende Perspektive einzuordnen sucht, mannigfachen Anlaß geben, dem Verhältnis von Theologie und Philosophie grundsätzlich nachzudenken.

B. versteht den Gegensatz Hegel–Kierkegaard als Gegensatz zweier möglicher Grundhaltungen des Philosophierens, die es in ihrer Eigenart zu erfassen gelte. Er beginnt mit der Feststellung, daß in K.s Schrifttum in eigenartiger Weise ein Kommentar zu dem System H.s gegeben ist. Denn an der Auseinandersetzung mit Hegel sind K.s Gedanken erwachsen, und sie bleiben beständig in polemischem Kontakt mit dem Hegelschen System. Beider Werk ist, auf einen summarischen Nenner gebracht, Religionsphilosophie; aber Hegel treibt Religionsphilosophie theoretisch als Theodizee, Kierkegaard existentiell als Theologie. Innerhalb dieses Grundgegensatzes sind die Gedankengänge beider Denker isomorph, d. h., sie stehen in einem strengen Entsprechungsverhältnis. B. formuliert diesen Tatbestand in dem Satz: „Die Theologie K.s ist das existentielle Korrektiv

---

[1] Bense, Max: Hegel und Kierkegaard, Eine prinzipielle Untersuchung, Köln und Krefeld: Staufen-Verlag Paul Bercker o. J., 84 S.

zur Theodizee Hegels, ausgedrückt in der komplementären Sprache" (8).

Soweit die einleitenden Feststellungen. Schon jetzt sei eine Frage
angemeldet: Meint B., wenn er von Kierkegaard als dem existentiellen Korrektiv Hegels spricht, dies in dem Sinne, daß K. zu H. ein
existentielles Moment ergänzend *hinzufügt,* oder in dem Sinne, daß
K. das System H.s von der existentiellen Betrachtung her *widerlegt?*
Ist also die der Hegelschen „isomorphe" Gedankenfolge K.s zu verstehen als ihre existentielle Verdoppelung bzw. Überhöhung, oder
als ihre Umstürzung und Vernichtung? B. würde vielleicht antworten: Beides. Selbstverständlich weiß er, daß K. die Hegelschen Sätze
nicht etwa geradlinig ergänzt und vertieft, sondern polemisch an-
ficht und umstürzt. Aber es scheint doch, als sei diese Polemik für ihn
nur ein Moment des Durchgangs, das über sich selbst hinaus auf eine
höhere Synthese weist. Jedenfalls deutet die Wahl der Begriffe „Korrektiv" und „komplementär" darauf hin, daß nach der Ansicht des
Verf.s beide Betrachtungsweisen in polarer Ergänzung zusammengehören und irgendwie erst zusammen den Kosmos der philosophischen Möglichkeiten ausmachen. Wir werden auf diese Frage noch
zurückkommen.

Nun zunächst ein Überblick über die Kontrapunktik der zwischen
H. und K. waltenden Gegensatzentsprechungen, wie sie B. entwickelt
– eben das, was er als die Isomorphie der beiden Denker bezeichnet.
Ich ziehe dabei Dinge, die bei ihm zerstreut und zum Teil wiederholt
gesagt sind, in eine verkürzte Übersicht zusammen.

B. geht aus von formalen Beobachtungen. Hegels Schrifttum bildet schon unter formal-literarischem Gesichtspunkt ein homogenes
System, eine systematische Disziplinenfolge. Kierkegaards Schriftstellerei breitet sich aus in einer Vielfalt literarischer Gattungen:
pseudonyme Bekenntnisse und Versuche, Repliken und Predigten,
Traktate und Tagebuchblätter, Aufsätze und Gebete – alles „in geradezu barocker Breite und Fülle". Sie ist im Gegensatz zu dem Werk
Hegels nicht System, sondern Literatur. Das Hegelsche System –
damit kommt eine weitere Gegensätzlichkeit in Sicht – will ein theo-
retisches Bild der Wirklichkeit bieten; es doziert, deduziert, beweist.
Die Literatur Kierkegaards dagegen will praktische, konkrete Wirkungen hervorrufen; sie doziert und beweist nicht, sondern sie pro-

voziert Erlebnisse und Entschlüsse, verlockt zu einer Haltung, sie
„versucht". Dort lautet der Skopos: Repräsentanz der Wirklichkeit,
hier: Faktizität der Wirkung.

Vom Formalen zum Inhaltlichen führt der Vergleich der *Dialektik* beider Denker. H.s Dialektik ist „vereinbarend", auf die Zusam-
menschau des Gegensätzlichen ausgerichtet. K.s Dialektik dagegen
„auseinandersetzend", abgehackt, auf die Enthüllung des unvereinbar Antinomischen hinzielend, H. will integrieren, K. differenzieren
und isolieren. Dort die Synthese, hier das „Entweder-Oder". Dem
System der Identitäten, das die metaphysische Grundlage der Hegelschen Gedankenwelt bildet, stellt K. gegenüber ein System (kann
man es so nennen?) „qualitativer Differenzen"; die Grundkategorie
seines Denkens ist der „Sprung". Als ersten metaphysischen Elemen-
tarsatz bestimmt B. für Hegel die Behauptung der Identität von
Denken und Sein, für K. die Behauptung des Sprunges zwischen
Denken und Sein. Für jenen ist das Gedachte als solches wirklich. Für
diesen ist das Gedachte gerade noch nicht das Wirkliche: „Sein" ist
nicht etwas, was da ist und im Denken gehabt wird, sondern etwas,
das jeweilig entspringt, wird, und zwar nicht wird in der Denkbewegung selbst, sondern im Hinübergehen vom Denken in die Wirklichkeit. Sein kann nicht gedacht, sondern nur gelebt, nicht theoretisch, sondern nur existentiell ausgedrückt werden. Entsprechendes
gilt für das *Werden:* Bei H. ist Werden ein denkbarer Vorgang, weil
gleichsam nur eine ἀλλοίωσις innerhalb des umgreifend gegebenen und
dem Denken präsenten Seins. Bei K. ist alles Werden ein a-logisches
Ereignis, eine reale κίνησις vom Nichtsein zum Sein, wiederum ein
Sprung (also das, was in der Logik gerade nicht vorkommen kann).
Auch hier gilt: die κίνησις, das Werden kann nicht gedacht, sondern
nur erlebt und gelebt werden. Die Geschichte ist demgemäß bei Hegel
das Reich des Determinierten, bei Kierkegaard das Reich des Über-
raschenden und der Freiheit. Das führt hinüber zu anthropologischen
und ethischen Gedankengängen. Für H. wie für K. ist das eigentlich
Wirkliche und eigentlich Menschliche Geist. Aber Geist heißt bei H.
„absoluter Geist"; der Mensch als Geist geht auf und ein in die absolute Vernunft. Bei K. hingegen wird „Geist auf das individuierende
Selbst des Einzelnen reduziert"; Geist wird der Mensch, sofern er
ganz Einzelner wird „in seiner Relativität, Subjektivität und Fragili-

tät". Ethisches Prinzip ist demgemäß bei H. die Determination vom Allgemeinen her, bei K. das Wählen des Einzelnen, die Entscheidung, die in einsamer Freiheit gefällt wird. B. spricht bei Hegel von „idealem Monismus", bei Kierkegaard von „idealem Individualismus des Geistigen" – „jener prächtige Individualismus aus Humanität, aus Ernst und Verantwortung, aus Innerlichkeit und Vernunft", „der Individualismus des Geistes, der etwas vertritt" (68). Während nach B. in einer ersten Periode K.s dieser Gedankenkreis: Geist – Einzelner – Wahl in Freiheit, aus einer allgemein-existenzphilosophischen Haltung heraus vertreten wird, erscheint in der zweiten Epoche seines Lebens und seiner Produktion, etwa ab 1846, das alles als Philosophie *christlicher* Existenz. Nun geht es nicht mehr um die Vereinzelung schlechthin, sondern um das Einzelner-werden vor Gott. Von hier aus ergeben sich neue Aspekte auf die Kontrapunktik Hegel-Kierkegaard. Beide Denker enden mit der religiösen Frage, aber wiederum: bei H. geschieht das systematisch, indem Gott dargestellt wird als absolute Vernunft, bei K. existentiell, indem der Mensch zur religiösen Existenz „versucht" wird. Dort erscheint das religiöse Thema ganz im Rahmen der großen Bewegung der Synthese: der denkende und wissende Mensch, als solcher mit Gott dem absoluten Wissen geeint und nun von dieser Mitte her alles begreifend und mit allen und allem geeint. Hier dagegen der Mensch, der als Einzelner in unendlichem Abstand Gott gegenübersteht und ihn *nicht* begreift, sondern auf das Paradoxon, das Ärgernis stößt, der auch mit dem, was er als vor Gott Existierender tun muß, gerade nicht in den allgemein geltenden ethischen Normen und Gesetzen aufgehen und mit allen geeint sein kann, sondern ganz einsam wird. „Für Hegel ist Religiosität die Vollendung der Integration bzw. Kommunikation, wie Jaspers es ausdrücken würde. Für Kierkegaard ist religiöse Existenz die Vollendung der Differentiation bzw. der Individuation, nämlich der verborgenen Innerlichkeit, in der Abraham den Befehl Gottes, Isaak zu töten, selbst Elieser und Sarah verschweigt" (50/51).

So baut also Hegel ein abgerundetes Gott-Welt-System, eine Theodizee, wie B. sagt. Kierkegaard hingegen reduziert das Philosophieren auf Existenzphilosophie. H.s Theodizee ist grundsätzlich abgeschlossen; in ihr gibt es Probleme, aber diese Probleme sind grundsätzlich lösbar, denn alles ruht ja im umspannenden Sein, und das Denken ist unmittelbar zu diesem Sein. Die Existenzphilosophie K.s ist grundsätzlich unabgeschlossen. In ihr gibt es nicht Probleme, sondern Aporien, und diese können nicht gelöst werden, sie können von dem existentiell Erkennenden nur im „Sprung" überwunden werden – oder aber er scheitert an ihnen. Denn er steht nicht *über* den Aporien, wie der Systemdenker über den Problemen steht, sondern er steckt mitten in ihnen.

Auf das Verhältnis von Philosophie und Religion gesehen ergibt sich als letzter Kontrapunkt in der Reihe der von B. entwickelten isomorphen Gegensatzentsprechungen für Hegel die vollkommene Synthese, für Kierkegaard die radikale Trennung von Glauben und Wissen, Christentum und Philosophie.

In die Entwicklung des Verhältnisses beider Denker ist eine Anzahl von Exkursen eingeflochten „über Pascal", „über Leibnizsprache, Hegelsprache und Kierkegaardsprache", „über den klassischen und nachklassischen Erkenntnisbegriff", „über Schiller", nochmals „über Pascal", endlich ein „Nachwort über Dialektik". In diesen Exkursen werden entsprechend der Absicht des Verf.s, den Gegensatz Hegel/Kierkegaard als Gegensatz zweier möglicher Grundweisen des Philosophierens überhaupt zu erfassen, Linien nach vorwärts und rückwärts ausgezogen. Unter den geistigen Vorfahren Hegels erscheinen Platon und Leibniz, als Denker vom Kierkegaardschen Typus werden genannt Sokrates und Pascal. An gewissen Punkten ergibt sich eine Berührung K.s mit Kant. Karl Marx taucht am Rande auf. Die durch Heidegger und Sartre vertretene Variante der modernen Existenzphilosophie wird auf den rein philosophisch-existentialistischen K. der ersten Periode, die Richtung Haeckers, Guardinis, Jaspers' auf den K. der christlichen Periode zurückgeführt. Selbst die Unbestimmtheitsrelationen der modernen Atomphysik und in besonders eingehender Weise der moderne Logikkalkül werden zum Vergleich herangezogen. So wird das Thema in allergrößten geistesgeschichtlichen Rahmen gestellt; das kleine Werk wird gerade um dieser weiten Durchblicke willen außerordentlich interessant und anregend. Wesentlich erscheint vor allem die eingehende Analyse der Beziehung Kierkegaard-Pascal. Der Polemik K.s gegen Hegel entspricht nach Bense ein ähnliches Verhältnis Pascals zu Descartes. Wie

K., so durchläuft auch Pascal „Stadien". Der Betonung der konkreten Existenz bei K. entspricht bei Pascal die „Seinslage" (condition) des Menschen als Grundkategorie. Auch der „Sprung" kehrt bei Pascal an bedeutsamer Stelle wieder: Gottesgewißheit wird nicht durch ein kontinuierliches Verfahren der Vernunft, sondern nur durch eine wählende Entscheidung, gleichsam im Risiko, gewonnen. Ferner hat Pascal mit K. den Individualismus gemeinsam: auch er stellt den einsamen Bekenner der Wahrheit der Geborgenheit in der communis opinio gegenüber. Beide, K. und P., sehen in der Erfahrung des Leidens und der Nichtigkeit das echteste Kennzeichen der wirklichen, nämlich christlichen Existenz und sind gerade hierin von jeder Art von stolzem Humanismus am weitesten entfernt. Geeint sind K. und P. endlich in ihrer „furchtbaren christlichen Radikalität", die (so meint B.) darin zutiefst paradox wird, daß sie der christlichen Liebe widerstreitet, daß sie um der Behauptung der christlichen Existenz willen zum Menschenhaß wird. Diese Radikalität habe diesen Denkern „die Sympathien verdorben", es fehle ihnen das Versöhnliche, Verbindliche des Katholizismus, sie zeigten hier „die geistige Miene Luthers und Calvins" (71). B. findet den einzig möglichen Sinn jener abstoßenden Radikalität in der Existenzmitteilung: P. und K. wollen nicht zeitlose Wahrheiten aussprechen, sondern Anstoß geben, zur christlichen Existenz aufwecken. Darum müssen sie so polemisch reden. „Man muß in der Existenzmitteilung den Sinn jener Radikalität sehen, die P.s und K.s Philosophie in gewissen Augenblicken in eine Hysteresis des Geistes verwandelt – oder man wird sie weder verstehen noch anhören können" (71/72).

Wird hier das, was P. und K. vertreten, als ihr letztes Wort ernst genommen – oder wird ihre „Radikalität" abgeschwächt zu einem notwendig-übertreibenden Durchgangsmoment, derb gesprochen zu einem praktischen Kunstgriff, der vertiefend und bereichernd in ruhigere Bahnen zurücklenken soll? Das führt zurück zu der Frage, die wir schon zu der einleitenden These B.s angemerkt hatten: Wenn er K. als existentielles Korrektiv H.s in komplementärer Sprache bezeichnet – heißt das: Das System Hegels wird durch den „Kommentar", den K. dazu darstellt, ergänzt, vertieft, belebt – oder: es wird durch ihn verneint und umgestürzt? Daß K. selbst H. nicht korrigieren, sondern umstürzen wollte, geht aus B.s Darstellung deutlich

hervor. Aber ebensosehr wird deutlich, daß er, Bense, K. in rück-
blickender philosophiegeschichtlicher Schau nicht als radikales Nein
zum philosophischen System versteht – das dann entweder unter
Preisgabe des Systemdenkens bejaht oder aber abgelehnt, aus der
Geschichte der Philosophie jedenfalls ausgewiesen werden müßte –,
sondern als ein notwendig und sinnvoll ergänzendes Moment. Wiederholt werden H. und K. als Exponenten zweier perenner und einander polar zugeordneter geistiger Haltungen bezeichnet. Ihr Konflikt ist also nicht eine Katastrophe, die nur mit der Vernichtung
eines der Gegner enden kann, sondern ein fruchtbares Spannungsver-
hältnis. Es gibt eine Position, von der aus dies eingesehen wird und
wo damit insgeheim der Konflikt selbst überwunden ist. B. stellt in
seiner Schlußbetrachtung ausdrücklich die Aufgabe, diese Position
zu erreichen: die Vereinbarung beider Problemkomplexe, System
und Existenz, ist ihm das Entscheidende (72). Diese Vereinbarung
besteht in der Erkenntnis, daß ein System nur dann sinnvoll wird,
wenn ein konkreter einzelner Mensch es existierend vertritt. „Die
Kritik, die K. Hegel angedeihen läßt, ist die Kritik dessen, der vom
Systematiker die Existenz fordert, die Existenz in dem, was das
System repräsentiert. Denn das System ist abstrakt, sofern es bloß
gedacht, nicht unmittelbar existierend ist" (55). Der Beitrag des
„existentiellen Korrektivs" zu dem Kosmos der philosophischen
Möglichkeiten besteht also darin, daß es den Systemdenker daran
erinnert, daß er den Schritt über das bloße *Denken* des Systems hinaus in die praktische Bewährung tun muß, und daß erst darin auch
sein Denken Sinn empfängt. Damit entfernt sich B. m. E. von dem,
was K. selbst mit seiner Kritik an Hegel meint. Denn K. beabsichtigt
nicht, den Systemdenker lediglich zur existentiellen Vertretung seines
Systemes zu rufen, sondern er ist der Meinung, daß es notorisch unmöglich ist, das System existierend zu vertreten. Er ruft nicht den
Systemdenker als solchen, sondern er ruft ihn vom Systemdenken
weg zum Existieren. System und Existenz sind bei ihm nicht komple-
mentäre, sondern kontradiktorische Größen: entweder – oder. Es
kann natürlich niemand verwehrt sein, dieses Kierkegaardsche Entweder-Oder, K. von philosophiegeschichtlicher Warte aus gleichsam
besser verstehend als er sich selbst verstand, zum erwecklichen Durchgangsmoment für ein nachträglich zu gewinnendes vertieftes Sowohl-

als-auch zu machen – und mir scheint, daß B. dies tut. Das ist
dann eine Frage nicht der Kierkegaardinterpretation, sondern des
Gebrauches, den man von der „Wirkung" K.s machen will. Aber
damit ist dann zugleich in aller Form die Option gegen K. und
für Hegel vollzogen. Wenn B. die „Vereinbarung" von Kierkegaard-
schem zu Hegelschem Denken als das Entscheidende anstrebt, so ist
ja schon mit dieser Aufgabestellung der Pol Kierkegaard in Wirklichkeit eliminiert. Denn von K. her könnte – nach B.s eigenen Ausführungen – die Aufgabe nur lauten: Nicht Vereinbarung, sondern
Wahl, Entscheidung. Das, was mit Hegel vereinbart wird, ist also,
eben *weil* vereinbart wird, schon nicht mehr Kierkegaard selbst; d.h.,
die Vereinbarung ist mißlungen. Indem B. vereinbaren möchte, hat
er praktisch gewählt, und zwar hat er Hegel gewählt. Er hat sich für
das Problem entschieden, das Lösungen hat, und gegen die Aporie,
die nur im Sprung der Wahl überwunden wird.

So erweist sich eigentümlicherweise, daß K. den, der sich mit ihm
beschäftigt, zur Wahl *zwingt* – auch wo bewußt die Vereinbarung
erstrebt wird. Wer ihn nicht ganz wählt, der hat gegen ihn gewählt.
Dies ist die Wirkung der „christlichen Radikalität", von der B.
spricht, und sie ist wohl letztlich nicht mit philosophiegeschichtlichen,
sondern nur mit theologischen Kategorien ganz zu erfassen. Denn K.
kämpft gegen H. nicht für ein humanum, nicht für eine letzte Tiefe
menschlichen Seins, sondern für das Alleinrecht Gottes gegen den
Menschen, der seine Existenz aus sich selbst versteht. Nicht darum
ist das System zu verwerfen, weil die Existenz ihr Recht fordert, sondern darum, weil Gott allein die Schau des Ganzen, der Ort in der
Mitte und auf der Höhe gehört, den einzunehmen das System sich
anmaßt. Darum aber ist es absolut und radikal zu verwerfen. Und
nicht darum dürfen die Aporien keine Lösung finden, muß das Denken unabgeschlossen bleiben, weil diese aporetische Situation ein
fruchtbarer Lebensmotor wäre, sondern damit im Scheitern des
menschlichen Denkens Gott allein die Ehre gegeben wird. Auch bei
der für K. so entscheidenden Kategorie des „Einzelnen" scheint es
mir nicht um Individualismus als Möglichkeit menschlicher Lebens-
haltung, nicht um die Behauptung des Einzelnen als solchen zu gehen,
sondern darum daß Gott dem Menschen gegenübertritt und ihn persönlich anruft, und daß der Mensch dem Gegenüber dieser Begegnung

sich nicht durch Flucht in die allgemeine Sphäre einer erdichteten Gottunmittelbarkeit entzieht.

So bleibt es zum Schluß eine Frage, ob man K. wirklich gerecht werden kann, wenn man ihn auf rein philosophiegeschichtlicher Ebene als existentiellen Denker dem Systemdenker Hegel gegenüberstellt. Was würde er selbst dazu sagen, sich solchergestalt „eingeordnet" zu sehen – er, der sich so heftig dagegen verwahrte, „weltgeschichtlich" zu werden! Liegt sein Gegensatz zu H. nicht auf einer andern Linie – nämlich der Linie zwischen *allem,* wenn auch noch so existentiellen, Philosophieren, das mit sich selbst allein ist, und *der* Existenz, die Gott zum realen Gegenüber, zum Herrn hat? K. meint die Existenz des Menschen *unter Gott.* Nur von dieser Wirklichkeit her, die in dem Ereignis der Offenbarung Gottes erschlossen ist, kann m. E. sein Verhältnis zu Hegel gesehen werden – das dann nicht komplementär, sondern im letzten Ernst und unvereinbar kontradiktorisch ist. Doch ist damit das Gebiet einer Kategorie beschritten, die philosophiegeschichtlich nicht faßbar und über die wissenschaftlich nicht zu rechten ist.

Zeitschrift für systematische Theologie. 21 (1950), S. 50–68.

DIE ÜBERWINDUNG DES NIHILISMUS
BEI KIERKEGAARD UND NIETZSCHE

Von Heinz-Horst Schrey

I

Das Thema schließt eine doppelte Behauptung in sich: einmal, daß die Situation Kierkegaards und Nietzsches die des Nihilismus war, und dann, daß beide diesen Nihilismus überwunden oder zumindest zu überwinden versucht haben. Wenn sich im Verlauf der Darstellung erweist, daß sowohl die Sicht wie die Überwindung des Nihilismus in beiden Fällen völlig anders liegt, werden wir schließlich selbst zur Stellungnahme für oder wider den einen oder anderen Partner gezwungen.

Kierkegaard sowohl als Nietzsche nehmen ihren Ausgangspunkt in einem Gemeinsamen: in der christlich-bürgerlichen Atmosphäre ihres Elternhauses. Kierkegaard als Sohn eines pietistisch strengen Vaters erlebt das Christentum in seiner Kindheit und Jugend als die strenge Forderung, der der Mensch gar nie nachkommen kann; das Kreuz des Heilandes wirft seinen dunklen Schatten auf das Leben des Kindes Sören, verdüstert die naive Freude des Knaben und macht die Reflexion und die Gebrochenheit zu einem frühen unverlierbaren Element seines Daseins. Der Vater behandelt das Kind schon wie einen Greis, und es ist biographisch schwer auszumachen, ob die Wurzel der Kierkegaardschen Schwermut in einem biologischen Erbe liegt oder ob die Melancholie gleichsam als erworbene Eigenschaft durch den Eindruck des Vaters, als eine Art Vaterkomplex, und durch die allzufrühe Begegnung mit dem Christentum ausgelöst wurde. – Nietzsche nimmt seinen Ausgang ebenfalls in einem frommen Elternhaus, doch kann ihn die Tradition nicht fesseln; er wird seiner frühen Christlichkeit entfremdet gerade durch einen Zug des Christentums selbst: durch den Sinn für Redlichkeit, der ihn wach macht für die Spannung zwischen der idealen Auffassung des Christentums und seiner matten bürgerlichen Verwirklichung. Gerade die frühen Gedichte zeigen den Ernst und die Glut seiner Christlichkeit, die erschreckend abgekühlt wird durch das matte, grämliche Wesen seiner Bekenner, an denen keine Freude der Erlösung zu spüren ist. Schon im ersten Erlebnis dieser beiden Männer liegt also ein Gemeinsames: für sie gibt es kein bruchloses, unproblematisches Übernehmen einer geistigen Form, sondern im ersten geistigen Erleben widerfährt ihnen beiden das Leben als Spannung, drängt sich ihnen die Fragwürdigkeit im Verhältnis von Idee und Wirklichkeit auf, von Glauben und Leben, jener Bruch naiver Selbstverständlichkeit, der bezeichnend ist für die Moderne überhaupt und der Boden für den Nihilismus. Beide vollziehen die der Romantik eigene Bewegung: sie werden heimatlos, sie ziehen aus dem Vaterhaus aus und suchen nach neuen Ufern. Kierkegaard sagt von sich in seinen Tagebüchern: Ich bin wie einer, welcher kein glückliches Heim hat, draußen soviel wie möglich sich umtreibt und am liebsten sein Heim loswerden will (ed. Th. Häcker I, 319). Und wenn auch Nietzsche im zweiten Teil seines Gedichtes ›Mitleid hin und her‹ zynisch gegen das Mitleid mit dem Einsamen rebelliert, so ist diese Einsamkeit eben doch seine eigene Situation: Weh dem, der keine Heimat hat! Kierkegard und Nietzsche können sich darin einig finden, wenn sie sagen, daß Einsamkeit das Schicksal der freien Geister sei. „Wir sind die geborenen geschworenen eifersüchtigen Freunde der Einsamkeit, unserer eigenen tiefsten, mitternächtlichsten, mittäglichsten Einsamkeit", heißt es in ›Jenseits von Gut und Böse‹. Biographisch drückte sich diese gemeinsame Grundbefindlichkeit darin aus, daß beide Männer ehelos geblieben sind. Sie waren wahrlich beide keine geborenen Misogyne. Kierkegaards literarische Produktion beweist, daß er vom Erotischen allerhand verstanden hat, und in Nietzsches Leben haben verschiedene Frauen tiefen Eindruck gemacht. Aber es wäre eine zu enge psychologische Interpretation, wenn man beider Männer Ehelosigkeit auf einen seelischen Defekt, auf ein psychisches Unvermögen zurückführen wollte. In beiden Fällen steht die Ehelosigkeit vielmehr mit der wesenhaften Einsamkeit dieser Männer in Beziehung; beide erleiden das Schicksal des Propheten, der dem normalen Leben entnommen ist und ganz unter seinem Auftrag steht,

den er sich nicht selbst gegeben hat, sondern den ihm eine höhere
Macht aufzwingt. So wird die Lebenseinsamkeit beider Männer
Ausdruck für Zwang und Freiheit zugleich: sie ist Zwang, weil die
Fülle der Gesichte zu groß ist, als daß sie eingehen könnte in die
normale Bahn einer konventionellen Ehe. Kierkegaard kann seiner
Braut Regine Olsen nicht zumuten, mit ihm, dem Schwermütigen,
dem Religiösen und Ironiker zusammenzuleben; es ist bewußter
Verzicht, selbstergriffene Askese um der Sendung willen. Ebenso
ist in Nietzsche die Kraft des Ressentiments zu stark, als daß
er seine Ausnahmeexistenz zugunsten einer Ehe hätte aufgeben
können.

Diese Flucht vor der ruhigen bürgerlichen Mitte des Daseins ist
aber zugleich eine innere Fluchtbewegung vor der eigenen Zeit.
Damit gehören beide dem romantischen Seelentypus an, für den die
aus dem Ressentiment geborene Fluchtbewegung kennzeichnend ist.
Kierkegaard wie Nietzsche haben gegen das widerliche Gefühl des
Ekels zu kämpfen; längst vor Sartres ›nausée‹ war der Ekel ein Ausdruck für die Zerfallenheit des Daseins mit seiner Welt. Kierkegaard
sagt von sich: Ich bin von Natur so polemisch veranlagt, daß ich mich
eigentlich erst dann in meinem Element fühle, wenn ich von der
menschlichen Mittelmäßigkeit und Erbärmlichkeit umgeben bin.
Doch unter einer Bedingung: daß mir gestattet ist, in Stille zu ver-
achten, die Leidenschaft zu sättigen, die meine Seele erfüllt, die Verachtung, wozu mir mein Schriftstellerleben auch reichlich Gelegenheit
gegeben hat (Der Augenblick, Nr. 1). In ›Furcht und Zittern‹ lesen
wir den bedeutsamen Satz: Mein Leben ist zum Äußersten gebracht;
mich *ekelt* das Dasein, es ist ohne Geschmack, ohne Saft und Kraft,
ohne Sinn. . . . Man steckt den Finger in die Erde, um zu riechen, in
was für einem Lande man ist. Ich stecke den Finger ins Dasein: es
riecht nach *nichts* (a. a. O., übers. von Schrempf, S. 182 f.). Der Ekel
entsteht an der Nichtigkeit des Daseins, an der nihilistischen Situation. Er ist das Gefühl, das aufkommt, wenn der Mensch das Uneigentliche, Falsche und Heuchlerische im Leben entdeckt und sich
doch innerlich der Wahrheit, der Eigentlichkeit und dem Sinn verpflichtet weiß. Dieses falsche Pathos tritt Kierkegaard in der Kirche
seiner Zeit entgegen. Es ekelt ihn, wenn er den Pfarrer das Wort
„Wahrheit" in den Mund nehmen hört und dieser Mann durch seine

Existenz ein lebender Widerspruch zur Wahrheit ist. „In einer stillen Stunde tritt ein Mann dramatisch kostümiert auf und mit Schrecken im Gesicht, mit ersticktem Schluchzen verkündet er: es gebe ewige Verantwortung, eine ewige Rechenschaft, der wir entgegengehen. Stell dir vor, so sehr dir davor *ekelt,* wie in unserem Leben wir uns außerhalb der stillen Stunde über nichts (Rücksicht auf Beförderung, irdischer Vorteil, auf die Gunst der Vornehmen usw.) hinwegsetzen, weil so etwas niemandem, natürlich auch dem Deklamator nicht, einfallen kann, weil jeder, der sich das einfallen ließe, zur Strafe für einen Narren gehalten würde, stell dir dies Leben vor, denke ich, daß das christlicher Gottesdienst sein soll: nun wirkt das Brechmittel nicht?" (Augenblick 1, 4).

Nicht anders empfindet Nietzsche den Ekel als Grundgefühl. In ›Jenseits von Gut und Böse‹ heißt es:

In ein lärmendes und pöbelhaftes Zeitalter hineingeboren, mit dem er nicht aus einer Schüssel essen mag, kann einer leicht vor Hunger und Durst, oder, falls er endlich doch „zugreift" – vor plötzlichem Ekel zugrunde gehen.

Ekel und Vereinsamung entsprechen sich; der Ekel treibt den höheren Menschen in die Wüste der Einsamkeit.

Wer nicht im Verkehr mit Menschen gelegentlich in allen Farben der Not, grün und grau vor *Ekel,* Überdruß, Mitgefühl, Verdüsterung, Vereinsamung schillert, der ist gewiß kein Mensch höheren Geschmacks (Jenseits von Gut und Böse, Musarion, S. 40).

Ekel ist das Leiden an der eigenen Zeit, durchaus keine morbide Flucht in selbstgewählte Krankheit.

Der geistige Hochmut und *Ekel* jedes Menschen, der tief gelitten hat – es bestimmt beinahe die Rangordnung, wie tief Menschen leiden können –, seine schaudernde Gewißheit, vermöge seines Leidens mehr zu wissen, als die Klügsten und Weisesten wissen können, findet alle Formen der Verkleidung nötig (Jenseits . . ., S. 245).

Kierkegaard wie Nietzsche sehen im *Verlust der Ewigkeit* in der Moderne das Grundübel. Kierkegaard sagt im ›Tagebuch‹ (ed. Häcker II, 235 und 439):

Die Zeit ist zur bloßen Zeit geworden, die nichts mehr von der Ewigkeit hören will. Der Geist, stets nach der Ewigkeit trachtend und immer leidend an der Zeitlichkeit, wie unglücklich muß er sich fühlen in *dieser* Zeit, die so gar nicht mehr an die Ewigkeit glaubt!

Ähnlich Nietzsche: Die Überschätzung des Augenblicks ist das schlimmste Leiden – heißt es in der 3. Unzeitgemäßen. Das „Unzeitgemäße" ist darum dasjenige, was die Zeit braucht, um das wiederzugewinnen, was ihr verlorengegangen ist. Nietzsche fordert Leben, das im Gegensatz steht zu einem Sichwegwerfen in Selbstvergessenheit, Sichhinwerfen an den Augenblick. Zarathustra will „tiefe, tiefe Ewigkeit", wenn auch nur in der Gestalt der ewigen Wiederkunft, denn „ich liebe dich, o Ewigkeit".

Sowohl Nietzsche wie Kierkegaard beklagen den Verlust des Gefühls für echten Adel. Masse und Presse sind die beiden Signaturen der Zeit geworden. Kierkegaard sieht in jedem Menschen ursprünglich „eine Originalausgabe aus Gottes Hand" (Tgb. II, 178), jedoch haben sich die Menschen von diesem Ursprung wegentwickelt, sind abgeirrt bis zum vollendeten Abfall von Gott, der darin besteht, daß sie nur noch Publikum sein wollen, ein Abstraktum also. Der Staat, die Gesellschaft, das große Ganze – das sind die Faktoren, auf die es ankommt, so wie es Hegel in seiner Philosophie des Rechts in Vorwegnahme des modernen Kollektivismus ausgesprochen hat: ob das Individuum sei, gilt der objektiven Sittlichkeit gleich, welche allein das Bleibende und die Macht ist, durch welche das Leben der Individuen regiert wird. Gegen die objektive Macht, die sich im Kollektiv konkretisiert, bleibt das „eitle Treiben der Individuen nur ein anwogendes Spiel". Die Zentralisation von oben und die Vermassung von unten arbeiten Hand in Hand an der Entpersönlichung des Menschen, die sich nur noch wohlfühlen, wenn sie im Haufen leben und wenn sie dieselbe Meinung haben wie der Haufen (Der Augenblick, Nr. 5). Die Gegenwart ist verständig geworden, sie versteht alles, erkennt keine Gegensätze mehr an so wenig wie irgend etwas Auszeichnendes; sie ist indolent gegen letzte Unterscheidungen. Gesichtspunkte der Wirtschaftlichkeit und Utilität haben alle anderen ersetzt. Kierkegaards Kritik berührt sich an diesem Punkt mit der von Marx, der ja auch in der Vorherrschaft des ökonomischen Motivs das Wesentliche des kapitalistischen Zeitalters erblickt. Das Unheimliche an der Zeit ist, daß sie vom *Neid* gegen alles sich Auszeichnende zersetzt ist. Die moderne Demokratie bringt nicht nur das Ideal der Freiheit mit sich, sondern zugleich die allgemeine Nivellierung. Alle Individuen werden der Besonderheit entleert, werden Ziffern, die man beliebig zusammenzählen kann. – Das Organ, das sich die Masse geschaffen hat, ist die *Presse*. Welche Welt trennt auch hier wieder Kierkegaard von Hegel, der einmal das Zeitunglesen dem Lesen der Bibel an die Seite stellt. Rosenkranz berichtet in seinem Leben Hegels folgenden Ausspruch:

> Das Zeitunglesen des Morgens ist eine Art von realistischem Morgensegen. Man orientiert seine Haltung gegen die Welt an Gott oder an dem, was die Welt ist. Jenes gibt dieselbe Sicherheit wie hier, daß man wisse, wie man daran ist.

Kierkegaard dagegen sieht in der Presse das hündische Organ der anonymen Menge. – Nicht anders hören wir es bei Nietzsche. Auch er stellt fest, daß die neuere Zeit einen Widerwillen gegen den originellen Menschen hat und daß die sogenannte „gute Gesellschaft" nichts anderes als vergoldeter, falscher, überschminkter Pöbel ist. Die Menge sind die Vielzuvielen, die der Teufel und die Statistik holen sollen. Der Zeitgeist ist gekennzeichnet durch den Geist des Journalismus, der soziologisch der Großstadtzivilisation zugeordnet ist (3. Unzeitgemäße, Abschn. 8). Die Presse ist der permanente blinde Lärm, der die Ohren und Sinne nach einer falschen Richtung ablenkt (Menschliches, Allzumenschliches, S. 151). Sie ist das Mittel, die prachtvolle Spannung des Geistes, wie sie auf Erden noch nie da war (nämlich das Christentum) abzuspannen. Mit Hilfe der Preßfreiheit und des Zeitunglesens dürfte es in der Tat erreicht werden, daß der Geist sich selber nicht mehr so leicht als „Not" empfindet. Die Deutschen haben das Pulver erfunden, – alle Achtung! – aber sie haben es wieder quitt gemacht – sie erfanden die Presse (Jenseits . . ., S. 3). Leben und Existieren im Geist ist nicht möglich, wo die öffentliche Meinung durch die Tagespresse gemacht wird; sie gleicht einem öffentlichen Frauenzimmer gleich jenem, das in Paris in der Revolution die Göttin der Vernunft darstellte (Tgb., ed. Ulrich, 339 f.). Kierkegaard sieht hierin den schärfsten Gegner des Christentums:

Wenn das Christentum in dem Gedanken beruht, daß die Wahrheit der Einzelne ist, dann ist sein Widerpart die Tagespresse, niemals hat es eine Macht gegeben, die dem Christentum so diametral entgegen ist; sie und das ganze, ihr entsprechende moderne Leben ist es eigentlich, was das Christentum unmöglich macht.

Kierkegaard wäre schon damit zufrieden, wenn sein Leben keinen anderen Sinn gehabt hätte, als das absolut Demoralisierende des Daseins der Tagespresse recht entdeckt zu haben (Tgb., ed. Dollinger, 146 f.).

Das Leben, der Einzelne – das sind die Zeichen, die Kierkegaard und Nietzsche aufrichten gegenüber der Vorherrschaft der Vernünftigkeit, für die es kein Geheimnis gibt, keine Regellosigkeit, keine „unergreifliche Basis der Realität, keinen nie aufgehenden Rest, der sich mit keiner Anstrengung in Verstand auflösen läßt", wie Schelling in seinen Untersuchungen über das Wesen der Freiheit sagt. Die Zeit ist dabei, „im Verstandesschlamm zu versinken" (Tgb., ed. Häcker II, 281). Es ist das Bemühen sowohl Kierkegaards wie Nietzsches, ihrer Zeit ein Halt zuzurufen und ihr einen Ausweg aus diesem Nihilismus zu zeigen, in den sie zu stürzen droht. Es ist der Drang zur „zweiten Unschuld", wie Nietzsche es nennt, zur Unmittelbarkeit und Echtheit des Existierens aus den Quellen der Leidenschaft, des unmittelbaren Gefühls und der Hingabe an das Große, Gefährliche, wie es dem „letzten Menschen", dem bürgerlich sicheren Menschen, so fremd und unheimlich ist.

Damit entsteht aber für Kierkegaard wie für Nietzsche ein neues Problem: das der *Mitteilung*. Ihre Rede will ja mehr sein als Monolog des einsamen Denkers, sie will erwecklicher Anstoß zum Existieren werden. So muß sie den Hörer in seiner Situation treffen, an dem Ort, da er steht, muß ihn aber weiterführen zu einer Position, in der er sich nicht je schon vorfindet. Die Rede Kierkegaards wie Nietzsches will weder Gemeinplatz sein, noch will sie den Menschen in dem bestätigen, wo er ist und wie er sich versteht, sondern will pädagogisch-bildende Rede sein. Damit sie dies aber werde, ist ihre *Form* fast ebenso wichtig wie ihr Inhalt. Besonders Kierkegaard weiß um das Geheimnis der Mitteilung; er weiß, daß eine direkte Mitteilung, eine objektive Lehre gar nicht gehört wird, weil sie so bekannt scheint, daß keiner ernstlich sich die Mühe nimmt, darauf zu hören. Die Predigt verfängt nicht mehr, wo das Christentum zur Selbstverständlichkeit geworden ist, ein geographischer Begriff. Daher wählt er die Form der indirekten Mitteilung, die Ironie und das Pseudonym. Beides sind ihm Wege, seine Mitwelt gleichsam „ins Christentum hineinzubetrügen". Kierkegaard faßt den Begriff der Ironie im alten ursprünglichen Sinn, den er bei Sokrates hat, der dem Gesprächspartner dazu verhelfen will, daß er sich selbst versteht, daß er aus dem Nichtwissen ins Wissen kommt. Ironie ist somit eine Bewegung des menschenliebenden Eros, der sein Du erst entbindet, bildet. Kierkegaard übt wie Sokrates die Hebammenkunst, durch die der Mensch erst Person wird. Personsein ist ja nicht unmittelbar gleichzeitig mit dem Akt der natürlichen Zeugung gegeben, kommt vielmehr erst durch eine zweite geistige Zeugung, deren Mittel die Ironie ist, zustande. So hat Kierkegaard einen von Anfang seiner Schriftstellerei an feststehenden umfassenden literarischen Plan, dem das Mittel des *Pseudonyms* dient. Er ist sich bewußt, daß die alten Waffen der christlichen Apologetik verbraucht sind und nur dazu dienen können, das Spezifische am Christentum zu verraten. So geschah es bei Schleiermacher, daß er durch seine Reden über die Religion das Christentum in die Denkformen der Romantik goß und es somit gar nicht zuwege brachte, das spezifisch Christliche gegenüber dem allgemein Religiösen abzuheben. Es ist das Ironische an den Kierkegaardschen Pseudonymen, daß sie sich als Nichtchristen ausgeben, um so viel wirkungsvoller den sich als Christen bekennenden Menschen, der es aber in Wirklichkeit nicht ist, zur Besinnung auf die Selbsttäuschung zu bringen, in der er sich befindet. Kierkegaard will durch den Gebrauch des Pseudonyms von seiner Person ganz ablenken auf das sachliche Problem und seinen Leser im sokratischen Sinne zur Wahrheit erwecken, die dieser zu besitzen vermeint und in Wahrheit doch nicht hat.

Eine andere Art der existentiellen Redeform ist der *Aphorismus.* Diese wählt Nietzsche. Der Aphorismus ist dadurch der Ironie verwandt, daß er scheinbar allgemeine Wahrheit enthält, und in Wirklichkeit doch nur einen jeweiligen Teilaspekt der Wahrheit umgreift. Die scheinbare Verallgemeinerung aber hat den Sinn, dem Menschen, der sich mit dieser Wahrheit einläßt, das Innerste und Eigentlichste der Sache zu enthüllen. Dieses Innerste wird aber nur vom existierenden Subjekt ergriffen und hat nur darin seine Wirkung, daß es den Leser und Hörer zum eigenen Weiterdenken und Suchen auffordert. Der Aphorismus ist für Nietzsche die Maske, durch die er die Wahrheit ausspricht, indem er sie als Ganzes verschweigt, so wie die delphischen Orakelsprüche auch zugleich Offenbarung und Verhüllung der Wahrheit waren. Im Aphorismus ist eine beredte Leere, indem etwas gerade dadurch ausgesprochen wird, daß es nicht ausgesprochen wird. Die Verdichtung einer Erkenntnis im Aphorismus bedeutet, daß wir vom Schöpfer des Gedankensplitters in die eigene Besinnung entlassen werden. Im Aphorismus wird der Leser auf eine andere, geheime Ordnung angesprochen, die Pascal die *ordre du cœur* nennt, jene tiefere Schicht im Menschen, die nicht mehr im Verstand aufgeht. Sie ist es, an die appelliert werden muß, wenn das Bewußtsein der Nichtigkeit erweckt und überwunden werden soll.

II

Wenn nach der Überwindung des Nihilismus gefragt wird, so kann man diese Frage einfach auch so stellen:

Was ist denn überhaupt ernst zu nehmen?

Es ist ja der nihilistischen Situation eigen, daß in ihr alle Werte der Tradition bis auf einen unsichtbaren Rest im Feuer der Kritik zerschmolzen oder einfach durch die noch tödlichere Apathie eines Indifferentismus gestorben sind, der sich resigniert vor letzten Entscheidungen zurückzieht. Wenn wir Nietzsche und Kierkegaard folgen, so ist das eine klar: aus dem Indifferentismus, aus der tödlichen Umarmung der Gleichgültigkeit reißen sie uns heraus, wenngleich die Wege, die sie uns dann führen, alles andere als gleich sind. Es wäre trügerisch, sich von den bisher gezeigten Gemeinsamkeiten dazu verführen zu lassen, als wiesen Nietzsche und Kierkegaard in dieselbe Richtung. Gemeinsam ist ihnen der Ausgangspunkt im Ressentiment der Romantik, beide vollziehen sie die innere Fluchtbewegung vor ihrer Zeit, beide sind sie Menschen, die in der Musik eine Offenbarung des unendlichen, unaussprechlichen Gefühls sehen – und doch sind sie sich gar nicht einig in der Frage, was denn noch ernst zu nehmen sei. Beiden steht zwar wiederum fest, daß noch etwas da ist, das ernst zu nehmen ist, sonst könnten sie nicht den Weg aus dem Chaos des Nichts zeigen. Karl Löwith hat den Unterschied der beiden in folgender These fixiert:

Wie für Kierkegaard der Nihilismus der menschlichen Existenz darauf beruht, daß der auf sich gestellte Mensch trotzig-verzweifelt noch nicht den Sprung in den Glauben gewagt hat, also darauf, daß er gottlos ist, was er ist, so beruht für Nietzsche der Nihilismus gerade darauf, daß der moderne nachchristliche Mensch *Gott noch immer nicht losgeworden ist*, daß er noch nicht herausgesprungen ist aus dem verhängnisvollen Umkreis der christlich-moralischen Tradition. (Kierkegaard und Nietzsche oder das Problem einer theologischen und philosophischen Überwindung des Nihilismus. 1933.)

Es zeigt sich hier ein tiefgehender Gegensatz: das, was dem einen das Heilmittel gegen den Nihilismus zu sein scheint, ist für den anderen gerade dessen Wurzel, und worin der eine die Überwindung sieht, das ist für den anderen gerade die letzte Tiefe des Nichts. Es geht hier um nichts anderes als um die Frage, ob der Nihilismus darin beruht, daß der Mensch sich ganz und vollständig seiner eigenen Endlichkeit hingibt, reine Immanenz wird, und dementsprechend im Transzendenzbewußtsein des Gottesglaubens ein atavistisches Überbleibsel und die Quelle des modernen Nihilismus erblickt – oder ob der Mensch ein neues Transzendenzbewußtsein, einen neuen Horizont jenseits seiner Endlichkeit gewinnen kann, und demnach im rein immanenten und säkularen Dasein eine Form der Verzweiflung sieht. Entsprechend der hier fälligen Entscheidung wird auch das Bild des Nihilismus verschieden ausfallen: das eine Mal ist der Nihilismus eine mehr oder weniger geschichtlich-ephemere Erscheinung, die zwar ihre Wurzeln in der Vergangenheit hat, aber doch Europa erst in der jüngsten Gegenwart und Zukunft ernstlich bedroht, im anderen Fall dringt die Interpretation des Nihilismus in eine tiefere zeitlose Schicht und sieht ihn im Wesen des Menschen, sofern er gottlos ist, begründet. Das Nichts als Gegenstand der Angst ist dann des Menschen ständige Bedrohung außerhalb aller geschichtlichen Bedingungen.

Der Kampf, den hier Kierkegaard und Nietzsche ausfechten, geht um die Bewertung der drei möglichen Lebensformen oder Existenzstadien, in denen sich der Mensch bewegen kann: der ästhetischen

Lebensform, die zugleich die tragische ist, der ethischen und der religiösen. Wie stark sich hier die Linien auseinanderbewegen, mag an der Gestalt des Sokrates deutlich werden. Für Kierkegaard war Sokrates darum vorbildlich gewesen, weil er in ihm den Repräsentanten der menschenbildenden Pädagogik sah, die Menschen führt, indem sie sie in ihr eigenes Nichtwissen weist und so zur Besinnung über sich selbst bringt. Die sokratische Ironie ist zutiefst ethisch, insofern sie ganz und gar nur am Menschen interessiert ist und diesen nicht als Natur versteht und in die Naturzusammenhänge einordnet, sondern ihn als Person, als sittliches Wesen ernst nimmt. Das Fragen des Sokrates stellt die Ratio in den Dienst der Innerlichkeit, verwendet das Mittel der Reflexion, um das Subjekt zu sich selbst zu befreien. Die Unruhe und die Einsamkeit, in die sich das ironisch befragte Individuum bei Sokrates geführt sieht, sind gleichsam die Geburtswehen des eigentlichen Menschen: des Menschen, der sich selbst versteht und als solcher handelt. So wird Sokrates für Kierkegaard zum Prototyp des ethischen Menschen schlechthin, der im Vorhof zum Heiligtum des Religiösen steht.

Ganz anders dagegen bei Nietzsche. Schon in der ›Geburt der Tragödie‹ sieht er in Sokrates die fragwürdigste Erscheinung des Altertums. An ihm geht das Kunstwerk der Tragödie zugrunde. Sokrates ist die Verkörperung des Vernunftprinzips „nur der Wissende ist tugendhaft". Aus der Hochschätzung des Wissens heraus glaubt Sokrates das Dasein korrigieren zu müssen: er, der Einzelne, tritt mit der Miene der Nichtachtung und Überlegenheit als der Vorläufer einer ganz anders gearteten Kultur, Moral und Kunst in die Welt hinein, deren Zipfel mit Ehrfurcht zu erhaschen wir uns zum größten Glück rechnen würden. Noch schärfer wird, wie in allem anderen, sein Urteil, auch über Sokrates in den späten Schriften. Im ›Willen zur Macht‹ nennt Nietzsche ihn einen Roturier, der gegen den vornehmeren Geschmack die Dialektik durchsetzte und damit den Pöbel zum Siege brachte. Die Ironie des Dialektikers ist eine Form der Pöbel-Rache: die Unterdrückten haben ihre Ferocität in den kalten Messerstichen des Syllogismus ... „Es ist alles übertrieben, exzentrisch, Karikatur an Sokrates, ein Buffo mit den Instinkten eines Voltaire im Leibe." Er ist der unausstehliche Moral-Monoman.

Deutlich heben sich bei dieser verschiedenen Beurteilung des Sokrates bei Kierkegaard und Nietzsche die auseinandergehenden Linien ab. Für beide ist Sokrates keine endgültige Verpflichtung, für Kierkegaard nicht, weil Sokrates durch Christus überwunden wird, und für Nietzsche nicht, weil er das Dionysisch-Tragische höher stellt als das Ethische. Indem Sokrates für Kierkegaard ein notwendiger Durchgang wird und als solcher eine höhere Stufe gegenüber dem naiven, über sich selbst unklaren, in seiner Uneigentlichkeit verharrenden Menschen ist, sieht Nietzsche im Vernunftgebrauch des Sokrates nicht das Positive der für das Menschsein notwendigen Reflexion, sondern nur den Verlust der ursprünglichen Naivität des archaischen Menschen, und zugleich damit das Ende des Ästhetischen. Denn dieses ist es ja, in dem Nietzsche die Überwindung des Nihilismus sieht. Mit Schopenhauers weltgeschichtlicher Wendung zum Willen entthront er den Rationalismus und den Moralismus, beides Geschwister gleichen Blutes, als Deutung des Menschen. Nietzsche weiß sich dem verpflichtet, was größer ist als das Bewußtsein des Menschen, und sucht das Abenteuer des Geistes in der Ekstase und der Tätigkeit, die mit dem ursprünglichen Leben eins ist. Dieses Leben ist ihm das größere als der Verstand, und der Wille zur Macht stellt auch den Verstand in seinen Dienst. Der Mensch hat dann seine wahre Größe und Schönheit erreicht, wenn er sich der Leidenschaft seiner Seele, der libido dominandi, die La Rochefoucauld als die Erbsünde des Menschen bezeichnet, hingibt. Das vorklassische Griechentum und die Renaissance sind für Nietzsche die Vorbilder geworden für die Züchtung des großen Menschen. Tragisches Lebensgefühl, dionysischer Überschwang, Handeln aus dem Instinkt, Leben als Kampf und Untergang – das sind die Züge, die der Übermensch, und das heißt doch der eigentliche Mensch, trägt und die schon dem frühen Griechentum zu eigen waren. Wie Hölderlins Empedokles ist Nietzsches Zarathustra ein „furchtbar allverwandelnd Wesen", in dem alle in der Gegenwart geltenden Werte umgeschmolzen werden.

Ganz anders nun Kierkegaard. Auch ihm sind Rationalität und Moralität nicht letztgültige Größen, aber sein Weg führt nicht zum Abbau von Rationalität und Moralität, nicht zu einer romantischen „zweiten Unschuld", sondern für ihn gewinnt das Dasein erst seinen

Ernst und seine Tiefe, wenn es sich Gott gegenüber sieht. Wirklicher
Ernst liegt nur in dem Gedanken, daß *Gott* auf den Menschen sieht,
wird uns in der ›Krankheit zum Tode‹ gesagt. Erst durch Gottes
Offenbarung entsteht der Ernst des Daseins. Ernst wird es erst da,
wo die stille Besinnung der Verantwortung eintritt. Das Gottesverhältnis ist das einzig Ernsthafte (Leben und Walten der Liebe, S. 109)
und darin liegt des Menschen wahre Größe, daß er Gottes bedarf
(Gottes bedürfen . . ., S. 140). Dadurch fällt ein ganz neues Licht auf
Vernunft und Ethos des Menschen: sie sind nicht letzte Größen, aber
Durchgänge zur Transzendenz. Die Ratio wird das Mittel, sich selbst
vor Gott in unendlicher Reflexion zu verstehen, sie erhält aber erst
ihren Sinn durch das Gegenüber Gottes, ist nichts Eigenständiges,
sich selbst Tragendes. Existenz als Urtatsache gibt es für Kierkegaard
nur als Existenz vor Gott, und alle Bestimmungen der Existenz
haben nur ihren Sinn, wenn sie als Aussagen des Menschen vor Gott
gelten. Von diesem Du her allein gibt es für den Menschen echte
Selbsterkenntnis. Aus der Urtatsache des Menschen vor Gott ergibt
sich für Kierkegaard als erste Bestimmung des Menschen, daß er
Sünder ist. Er hat kein ursprünglich harmonisches Verhältnis zur
Welt und zum Schöpfer, sondern ein gebrochenes, in dem nicht nur
tragisches Schicksal, sondern eigene Schuld sichtbar wird. Sokrates,
der Vater der Ethik, war noch nicht in der Lage, dieses Phänomen
der Sünde in den Blick zu bekommen, da er den Menschen nicht als
Sein vor Gott verstanden hat, sondern als Sein in und bei sich selbst.
Darum bestimmt er die Sünde als Unwissenheit. Und an dieser Stelle
kommt Kierkegaard zu einer ganz ähnlichen Beurteilung des Grie-
chentums wie Nietzsche, nur daß er sich nicht zu diesem Verständnis
des Daseins bekennt, sondern es durch christliche Erkenntnisse überwindet. In der ›Krankheit zum Tode‹ (übs. Schrempf, S. 84) heißt es:

> Die griechische Intellektualität war zu glücklich, zu naiv, zu ästhetisch,
> zu ironisch, zu witzig – zu sündig, fassen zu können, daß jemand mit Be-
> wußtsein, mit dem Wissen vom Rechten, das Unrecht tut.

Das ist ein Urteil, zu dem weder Sokrates noch Nietzsche hätten
kommen können – Sokrates noch nicht, weil er nicht die Frage nach
dem Grund der Unwissenheit stellt, weil er nicht den Willen als die
Wurzel des Bösen erkennt, und Nietzsche nicht mehr, weil er sich

jenseits des Christlichen stellt, in dem allein die Sünde ernst genommen und erkannt wird.

Von da her stellt sich für Kierkegaard das Problem des Nihilismus auch anders als für Nietzsche. Die innere Fluchtbewegung des Ressentiments findet bei Kierkegaard nicht im Ästhetisch-Tragischen ihre Lösung, vielmehr wird der romantische Rückzug ins frühe Griechentum selbst noch als im Bann des Nihilismus stehend begriffen. Das kommt bei Kierkegaard darin zum Ausdruck, daß er das ästhetische Stadium als eine Form der Verzweiflung bezeichnet. Nichts anderes aber haben wir in Nietzsches positivem Lebensideal zu erblicken als eine Form des ästhetischen Daseins. Dies ist darum verzweifelt, weil es eigentlich wirklichkeitsfern ist. Das Ästhetische als ein Leben in der Vielfalt der Möglichkeiten, im freien Erwählen seiner eigenen Normen und Tafeln, steht im Gegensatz zur Eindeutigkeit und Monotonie der Wirklichkeit. Das „gefährliche Vielleicht" Nietzsches begleitet das Dasein mit einer tiefen Unruhe, und die Friedlosigkeit des Ästhetikers, die ihn nicht in einen übergreifenden Ordo sich einfügen läßt, macht ihn unfruchtbar. Der Ästhetiker hat nicht die Kraft zu einem erfüllten Leben, vielmehr bleiben auf dem Untergrund seiner Seele die Langeweile und der Ekel unüberwunden. In dem kleinen Zwischenstück in ›Entweder – Oder‹, überschrieben ›Die Wechselwirtschaft‹, sagt Kierkegaard von der Langeweile:

Die Langeweile ruht auf dem Nichts, das sich durch das menschliche Leben hindurchzieht, und führt daher leicht zu Schwindel, der uns ja dann ergreift, wenn wir in einen tiefen Abgrund sehen. Daß jene exzentrische Zerstreuung auf Langeweile gegründet ist, kann man auch daran erkennen, daß die Zerstreuung keinen Widerhall hat, denn in einem *Nichts* ist ein Widerhall eine absolute Unmöglichkeit (Schrempf, S. 249).

Damit kennzeichnet Kierkegaard die ästhetische Lebensform als die eigentlich nihilistische. Sie ist bodenlos und als Resultat ein „reines *Nichts*, eine Stimmung, eine einzelne Farbe" (Diapsalmata, S. 30). Die entscheidende Kategorie für dieses Leben ist die der *Verzweiflung*. Am Ende bleibt das schale Gefühl des Überdrusses, des Ekels, übrig. Die schöpferische Genialität des Ästhetikers, auch des Übermenschen, denn er ist ja kein anderer als das Genie der Romantik, ins Willensmäßig-Heroische transponiert, offenbart sich als schöner

Schein, und die Wirklichkeit zerbricht ihm im Zwiespalt zwischen der harten Wucht der Gegenwart und der Erinnerung eines sehnsüchtig erstrebten Ideals.

Diese Situation hat Nietzsche selbst erfahren, indem das „gefährliche Vielleicht" seines Übermenschen, jene letzte Schwebe zwischen Traum und Wirklichkeit sich bei den Nachfolgern in ein nicht minder gefährliches anarchistisches Handeln verwandelt hat. Das aus einer Hysterie geborene Ideal des moral- und geistfreien Übermenschen, der allein aus der Antithese verständliche und als für sich und absolut genommene Größe sinnlose Biologismus und der Züchtungsgedanke, die aus dem Verlust des Gefühls für echten Adel erwachsene Sehnsucht nach dem Edelmenschen und die damit verbundene Ablehnung der Demokratie werden wörtlich genommen und geben der Skrupellosigkeit des SS-Staates das gute Gewissen. So ist Nietzsche das Opfer seiner eigenen Jünger geworden, aber gewiß nicht ohne eigene Schuld, denn an dem Schicksal seiner Gedankenbewegung zeigt sich die innere Unmöglichkeit dieser Überwindung des Nihilismus: der Mensch, der trotzig er selbst sein will, oder wenn er realem Mißerfolg begegnet, sich im Selbstmord verzweifelt wegwirft, verkennt die Wirklichkeit, weil er aus seiner Einsamkeit den Weg zum entscheidenden Du, dem Du Gottes, nicht findet. Und ein Weg, der den Menschen nicht aus der Einsamkeit als einzelner oder als Nation herausführen kann, ist kein echtes Heilmittel gegen den Nihilismus.

Von daher gesehen, enthüllt sich auch die scheinbare Gleichheit der Kategorien Nietzsches und Kierkegaards als Pseudoidentität. Wenn Kierkegaard sagt: „Die Subjektivität ist die Wahrheit" und den Einzelnen als den Menschen in seiner Eigentlichkeit erkennt, so ist das toto coelo verschieden von dem Einsamen Nietzsches. Der Einzelne Kierkegaards steht nicht in seinem eigenen Horizont, sondern ist Einzelner *vor Gott,* ist der Mensch, sofern er das Bewußtsein der Transzendenz hat, sofern er als Glaubender ein Einzelner wird. Dieser Einzelne ist der Mensch, der das Fürchten und das Sollen gelernt hat – nicht die knechtische Furcht des in seiner Sünde Gebundenen, sondern das Fürchten dessen, der um *den* weiß, der Leib und Seele verderben kann in die Hölle. Dieser Einzelne ist der Ritter des Glaubens, der wie Abraham mit dem schweren und unverständlichen Auftrag beladen wird, sein Liebstes um Gottes Willen zu opfern, der in unendlicher Resignation nur Gott allein vertraut und nicht sich auf seine eigene Einsicht verläßt, aber eben durch sein unendliches Vertrauen auf das Unsichtbare für seine Umwelt, seine Familie und Freunde unverständlich wird. Diesen Weg der Einzelung geht der Glaubende aber nicht mehr voll Ekel gegen seine Mitmenschen und seine Zeit, sondern in Geduld unter ihr leidend und in Liebe um sie besorgt. In der Kategorie des Einzelnen wird das Geheimnis der Erwählung sichtbar, denn durch das Herausgerufensein des Glaubenden aus der Welt wird er gerade ein Einzelner. Nietzsches Einsamer, sein Genie und sein Übermensch dagegen überwinden den Ekel und das Ressentiment nicht, weil sie zu sehr im Negativen bleiben, zu sehr sich auf der Flucht befinden, als daß sie den starken positiven Zug hätten, den Kierkegaards Einzelner trägt.

III

Schließlich stellt sich die Frage noch einmal in aller Deutlichkeit, wo wir die echte Überwindung des Nihilismus finden, ob bei Kierkegaard oder bei Nietzsche. Dabei ist klar, daß diese Frage nicht durch rationales Beweisen entschieden werden kann. Sie wird sich daran entscheiden, ob Transzendenz als Wirklichkeit zur Gegebenheit kommen kann, oder ob es fiktive Hinterwelt ist, die vor dem kritischen Fragen nicht bestehen kann. Die Argumente, die freilich die Vernunft für oder gegen die Transzendenz beibringen kann, heben sich offenbar gegenseitig auf, so daß die Vernunft in sich nicht das Kriterium zu tragen scheint, aus dem heraus die Entscheidung über Sein oder Nichtsein der Transzendenz getroffen werden kann. So wie Nietzsche die Dinge sieht, ist sein Atheismus „der schwer errungene Sieg des europäischen Gewissens über eine zweitausendjährige Tradition". Er scheint das Gefälle der geschichtlichen Entwicklung für sich zu haben, da die aus dem Christentum stammende Zucht zur Wahrheit den Menschen in die Gottlosigkeit und den Säkularismus geführt hat. Ist daher etwa Kierkegaards Weg ein vorschneller Absprung von der Verzweiflung in den Glauben, ein Kopfsprung, der sich vor den positiven Möglichkeiten gerade des Nihilismus verschließt? Und könnte es nicht doch noch sein, daß ein Europa von

morgen in ganz anderer Weise als das Deutschland von gestern in
seiner jungen Generation Nietzsche als seinen Führer und Erzieher
wählen könnte? Die positive Bedeutung des Nihilismus mag darin
bestehen, daß er die zukunftsreiche Voraussetzung für ein produktives Vorwärtsschreiten in der Auflösung alles Bisherigen, Traditionellen ist; er glaubt sich ganz neuen Daseinsbedingungen gegenüber
zu sehen, einer neuen Art zu leben, jenseits von Gut und Böse, Sinn
und Unsinn. Dieser neuen Art muß schließlich auch das Letzte, auch
Gott geopfert werden, wie es Nietzsche in einem seiner erschüttern-
dsten Aphorismen sagt:

> Einst opferte man Gott Menschen, dann in der moralischen Epoche der
> Menschheit opferte man seinem Gotte die stärksten Instinkte, die man be-
> saß, seine „Natur"... Endlich, was blieb noch zu opfern übrig? Mußte man
> nicht endlich einmal alles Tröstliche, Heilige, Heilende, alle Hoffnung, allen
> Glauben an verborgene Harmonie, an zukünftige Seligkeiten und Gerechtig-
> keiten opfern? Mußte man nicht *Gott* selbst opfern – dieses paradoxe
> *Mysterium* der letzten *Grausamkeit* blieb dem Geschlechte, welches jetzt
> eben heraufkommt, aufgespart: wir alle kennen schon etwas davon (Jen-
> seits..., S. 74).

Aber ist denn tatsächlich das positive Leitbild der Menschlichkeit
bei Nietzsche so frei von allem Vergangenen, aller Tradition, wie es
den Anschein haben kann, wenn man sich an die ekstatischen Aussagen des Zarathustra hält? Wir erinnern daran, daß schon gesagt
worden ist, wie Nietzsches Menschenbild in enger Verbindung mit
dem Menschentum der frühen Griechen steht, also doch eine geheime
Vorbildhaftigkeit der Geschichte anerkannt wird. Man kann also
nicht darum Kierkegaard gegenüber Nietzsche verwerfen, weil
Nietzsche in einem radikaleren Sinne sich von der Geschichte und
der Tradition frei gemacht habe als jener. Für beide stehen die Möglichkeiten der Wiedergeburt des Menschlichen in einem mehr oder
weniger offenen Verhältnis zur Überlieferung. Weder schöpft Nietzsche sein Leitbild der Menschlichkeit aus reiner Phantasie, noch
erhebt Kierkegaard den Anspruch auf unbedingte Originalität. Man
kann also nicht sagen, die Schau Nietzsches sei schon darum der
Kierkegaards überlegen, weil sie absolut neu, absolut traditionslos
sei, wobei die Frage noch offen bleibt, wieso das Neue, Traditions-
lose schon als solches das Bessere, Überlegene sei. Es lebt auch der

Übermensch Nietzsches noch in entscheidenden Stücken von der Tradition, und Gerhard Krüger (Die Geschichte im Denken der Gegenwart, S. 32/33) hat recht, wenn er feststellt, daß noch kein Übermensch so weit gekommen sei, daß er wirklich versucht hätte, einzig durch sein Machtwort bei allen Dingen erst Ordnung aus dem Chaos zu stiften, also ganz neu eine Welt und eine Wahrheit im Chaos zu schaffen. Es ist also deutlich zu machen, daß sowohl Nietzsche wie Kierkegaard die Wiedergeburt der Menschlichkeit aus einem neuen Verhältnis zur Tradition gewinnen. Was sich zwischen beiden abspielt, ist im Grunde der alte Kampf zwischen Griechentum und Christentum. – Ein Vergleich der Kritik am Christentum bei Kierkegaard und bei Nietzsche würde ergeben, daß sich beide vom depravierten Christentum ihrer Zeit zurückziehen und lossagen, Kierkegaard nicht minder radikal wie Nietzsche. Während aber Nietzsche sich nicht nur von der zeitgeschichtlichen Form des Christentums lossagt, sondern auch von seinem Urbild und zum Griechentum als der eigentlichen Gestalt des Menschlichen zurücklenkt, glaubt Kierkegaard an eine christliche Neugeburt, freilich nicht in dem Sinne des sozialen Evangeliums einer totalen Eroberung der Welt für Christus, wohl aber als Wiedergeburt des Einzelnen als Dasein vor Gott.

Noch haben wir aber keine bündige Antwort auf die schließliche Frage, wohin wir uns zu wenden haben, wenn wir nach der Überwindung des Nihilismus streben. Eine bündige Antwort könnte es darauf auch nur geben, wenn wir eine Entscheidung darüber herbeiführen könnten, ob es den Zugang zur Transzendenz und die Wiedergeburt im Sinne Kierkegaards geben kann oder nicht. Offenbar kann darüber theoretisch nichts mehr ausgemacht werden, sowenig die letzte Entscheidung über Atheismus und Gottesglauben eine theoretische Entscheidung ist. Es ist ja das Eigentümliche der Transzendenz, daß sie nicht allgemein einsichtig gemacht werden kann, etwa wie man einen naturwissenschaftlichen Tatbestand jedem Vernünftigen beweisen und klarmachen kann. Transzendenz entzieht sich grundsätzlich unserem menschlichen Verfügen und unserer rationalen Berechnung. Wenn es anders wäre, dann hätte es längst einen schlüssigen Beweis gegen den Atheismus geben müssen, der jeden Atheisten von der Unrichtigkeit seiner Überzeugung überzeugen müßte. Einen solchen Beweis kann es aber der Sache nach gar nicht geben. Man wird diesen Beweis auch von der Lebenspraxis her nicht führen können, etwa so, daß man behauptet, mit dem Christentum könne man „besser leben" als mit dem Atheismus Nietzsches. Solche pragmatischen Beweise setzen immer schon einen Maßstab voraus, an dem das Leben zu messen ist. Wer will denn sagen, es sei ein besseres Leben, wenn ein Mensch sich als Sünder weiß und in Furcht und Zittern vor Gott steht, als wenn einer das Sündegefühl abgeworfen hat als hemmenden Komplex und als Atavismus und in der griechischen Heiterkeit dahinlebt? Es bleibt auch die Frage, ob man mit Solowjow aus Nietzsches Ende den erbaulichen Schluß ziehen darf, er sei an der Wahrheit des Christentums gescheitert. Es könnte ja auch André Gide recht haben, der in Nietzsches Leben von Anfang an ein tragisches Spiel sieht, bei dem Nietzsche seinen Verstand einsetzt und verliert, um aber das Spiel zu gewinnen. „Vielleicht ist ein gewisser Grad Wahnsinn nötig, um zum erstenmal gewisse Dinge zu sagen. Das Bedeutsame ist, *daß* diese Dinge gesagt sind. Nun braucht man nicht mehr wahnsinnig zu sein, um sie zu denken." – Was anfänglich wie eine krankhafte Überreizung des Gehirns aussah, kann in Zukunft als höchste Normalität und Vollkommenheit, als Gesundheit und Wahrheit gelten und wird auch durch das Schicksal Deutschlands nicht widerlegt. Die Heraufkunft des europäischen Nihilismus ist zu allgemein, zu zwingend, als daß Nietzsche sowohl in seiner Diagnose als in seiner Therapie darüber einfach vergessen werden könnte. Ob freilich die Therapie ein wirksames Heilmittel kennt oder nur letzter Ausdruck der Krankheit des Abendlandes selbst ist, könnte nur entschieden werden, wenn ausgemacht ist, daß Dionysos-Zarathustra sich *gegen* das Gefälle der Zeit stellen kann und so viel Ewigkeit in sich trägt, daß dadurch die Zeit und ihre Ungestalt überwunden wird. Und wenn der tiefste Kern des Nihilismus der Verlust der Ewigkeit in der Moderne ist, dann kann doch wohl die Heilung nur aus der Rückkehr zum Ewigen kommen. Wenn aber die Tendenz des Zarathustra auf reine Imannenz, auf Abstoßung der „Hinterwelt" geht, so ist das aber gerade nicht die Ewigkeit und das neue Ufer, nach dem er zielt, ist nur das andere Ufer im Fluß der Zeit und des strömenden Seins der diesseitigen Welt.

Sollte es daher der Weisheit letzter Schluß sein, daß es eine Überwindung des Nihilismus gar nicht geben kann, weil Zarathustra ein

Mensch ohne Jenseits ist und nur das Jenseits, die ewige Welt, die Zeit überwinden kann? Wir müssen mit dieser Möglichkeit rechnen, wenn wir uns nicht dazu bekennen wollen, daß es ein Offenbarwerden der Transzendenz und eine Begegnung mit ihr geben kann. Nur wenn durch das Ja und Nein der Geschichte hindurch, wenn jenseits ihrer entarteten Gestaltungen die Offenbarung Gottes selbst sichtbar werden kann, wie sie für den Christen in Jesus Christus Gestalt geworden ist – nur wenn es zugleich mit dieser Offenbarung Gottes eine Offenbarung der Menschlichkeit des Menschen, des Menschen wie er ist und was er werden soll, gibt, können wir an eine Überwindung des Nihilismus glauben.

Theologische Zeitschrift. 7 (1951), S. 55–65.

KIERKEGAARD
UND DIE HEUTIGE EXISTENZPHILOSOPHIE

Von Fritz Buri

Man pflegt heute in Sören Kierkegaard so etwas wie den Vater der Existenzphilosophie zu sehen. Danach wären also die heutigen Vertreter dieser Art Philosophie die geistigen Kinder und Erben jenes dänischen Denkers und Dichters.

Diese Ansicht ist sicher nicht unbegründet. Ein gemeinsames Merkmal der unter sich sehr verschiedenen Existenzphilosophien der Gegenwart besteht nämlich darin, daß hier der Begriff der Existenz in jener Füllung, die Kierkegaard ihm gegeben hat, verstanden und verwendet wird. Von der zentralen Bedeutung, die dieser Begriff in diesem Denken gefunden hat, rührt auch der Name Existentialismus oder Existenzphilosophie her. Ohne Zweifel hat diese philosophische Strömung auch dazu beigetragen, daß Kierkegaard, der zu seinen Lebzeiten außerhalb Dänemarks kaum beachtet worden ist und dann jahrzehntelang fast vergessen war, jetzt, nach 100 Jahren, zu ungeahnter Wirkung gekommen ist.

Indessen wird man sich auch fragen müssen, ob Kierkegaard selber an diesem Neuzurgeltungkommen, speziell in dieser existenzphilosophischen Form, Freude haben würde. Er wollte doch ein bewußt christlicher Denker sein und hat sein ganzes Werk als eine „Einübung ins Christentum" aufgefaßt. Das ist aber eine Voraussetzung und Absicht, die man wohl den wenigsten der heutigen Existenzphilosophen zumuten darf, und auch bei denjenigen, bei welchen jene Bedingung erfüllt ist, dürfte das Resultat kaum im Sinne Kierkegaards sein. Er würde wahrscheinlich heute gegen die Existenzphilosophie

Vortrag im Radio Basel am 19. Dezember 1950 im Rahmen eines Zyklus über Existenzphilosophie.

nicht weniger heftig zu Felde ziehen, als er es seinerzeit gegen die Hegelsche Philosophie getan hat.

Dieser Sachverhalt, daß die Existenzphilosophie einerseits wohl grundlegend von Kierkegaard beeinflußt ist, anderseits aber gerade das, worauf es ihm entscheidend ankam, beiseite stellt oder umdeutet, wird schon seine Gründe haben. Und zwar dürften diese nicht bloß in der dezidierten Gottlosigkeit oder Unchristlichkeit heutiger existenzphilosophischer Jünger Kierkegaards zu suchen sein, sondern vielleicht auch mit der Eigentümlichkeit der Kierkegaardschen Christentumsauffassung zusammenhängen. Mit dieser Vermutung berühren wir nichts weniger als das Zentralproblem des Kierkegaardverständnisses. Es ist die Frage nach der Bedeutung der christlichen Offenbarung für das Verständnis der Existenz, bzw. des existentiellen Denkens für das Verständnis der christlichen Offenbarung.

Wenn wir uns auch bewußt sind, daß es hier nicht entfernt möglich sein wird, dieses Problem in der erforderlichen Weise zu erörtern, so möchten wir uns im folgenden doch von den angedeuteten Gesichtspunkten leiten lassen, weil dadurch die Beziehung der Existenzphilosophie zu Kierkegaard am ehesten deutlich werden dürfte. Wir werden demnach zuerst hervorheben, wodurch Kierkegaard für die Existenzphilosophie bedeutsam geworden ist, sodann auf das hinweisen, was sie an Kierkegaard außer acht läßt, um uns dann abschließend auf Recht und Fragwürdigkeit der existenzphilosophischen Kierkegaardinterpretation zu besinnen.

I

Fragen wir uns also zuerst, was die Existenzphilosophie mit Kierkegaard verbindet, dann müssen wir in erster Linie sagen: das Interesse am Menschen. Vom Meister wie von diesen seinen heutigen Jüngern gilt, was jener einmal in seinem Tagebuch aus Platos Phaedrus notiert: „Mein Lieber, vergib mir, denn ich bin sehr wißbegierig, aber Landschaften und Bäume lehren mich nichts, dagegen die Menschen in den Städten." Darum flanierte Kierkegaard in den Straßen und Zirkeln Kopenhagens herum, sich unterhaltend und diskutierend wie einst Sokrates, mit dessen Ironie er sich nicht umsonst

schon in seiner Magisterdissertation befaßte und dessen Gestalt dann
durch sein ganzes schriftstellerisches Werk hindurch immer wieder
auftaucht. So soll heute Sartre seine Werke im Café schreiben, will
Heidegger seine Ontologie auf das Daseinsverständnis des Menschen
aufbauen, wobei er sich gerade auf Kierkegaards Analysen stützt.
Und Jaspers, selber ursprünglich Psychiater, bezeichnet Kierkegaard
zusammen mit Nietzsche als den „größten Psychologen der Weltanschauungen".

Für das Bild vom Menschen, das sich aus diesem Beobachten und
Reflektieren hier wie dort ergibt, ist charakteristisch, daß sich darin
– um die berühmte Formulierung Pascals, eines anderen Ahnen heutiger Existenzphilosophie, zu verwenden – sowohl la misère als auch
la grandeur de l'homme spiegelt.

Was die erste Seite, das Elend des Menschen, betrifft, so braucht
man dafür nicht zu Sartres Romanen und Sittenstücken zu greifen
mit ihren Schilderungen des Abgründigen und Lasterhaften, Erotischen und Zynischen und der nausée, dem nihilistischen Ekel, der
denjenigen, der um nichts anderes weiß, schließlich über dieser Welt
und diesem Leben unausweichlich erfaßt – nicht zu Heideggers Analysen des Sichverlierens an die Welt und an das „Man" und die
damit verbundene Langeweile, Verzweiflung und Angst – nicht zu
Jaspers' Ausführungen über die Nachtseiten, die Grenzsituationen
und das Scheitern der Existenz. Das alles kann man in dichterischer
Fülle, psychologischer Feinheit und schärfster Begrifflichkeit schon
bei Kierkegaard finden, vor allem im ersten Teil von ›Entweder –
Oder‹ mit dem ›Tagebuch des Verführers‹, in den ›Stadien auf dem
Lebenswege‹, im ›Begriff der Angst‹ und in der ›Krankheit zum
Tode‹. Die Pseudonyme dieser Werke, ihre Schicksale und Reflexionen
könnten zu soundso vielen Figuren und Partien aus heutiger existenzphilosophischer Literatur Modell gestanden haben – und haben
es wohl auch getan. Und wie sich in diesen die Erfahrung des heutigen Menschen ausspricht, so stehen hinter den pseudonymen Verfassern und Herausgebern von Kierkegaards Schriften Möglichkeiten
und Seiten seines eigenen Ichs, mit dem er sich in seinen Tagebüchern
unaufhörlich beschäftigt.

Die Lebensauffassung, mit welcher sich für Kierkegaard wesens-
mäßig das Elend des Menschen verbindet, nennt er die „aestheti-

sche". Er meint damit eine, jeder unbedingten Verpflichtung aus-
weichende, nur auf den Genuß ausgehende Zuschauerhaltung, die
aber um der darin behaupteten scheinbaren Ungebundenheit willen
in ärgster Knechtschaft und bitterster Verzweiflung endigt. In Erscheinung tritt dieses Verhängnis in der Langeweile über der „Wechselwirtschaft" und in der Schwermut, die für ihn auf dem Grunde
aller Weltlichkeit lauert. Es ist, gerade wo sie als solche nicht erkannt
wird, eine „Krankheit zum Tode".

Aber nun weiß der Dichter des Don Juan und des Nero auch um
eine andere Möglichkeit, in der sich die grandeur de l'homme zeigt.
Ihre Verkörperung stellt der Assessor Wilhelm im zweiten Teil von
›Entweder – Oder‹ dar. In seinem Munde bedeutet diese Parole nicht
Beliebigkeit, sondern Entscheidung und Wahl. Damit tritt dem
Ästhetiker der Ethiker gegenüber; denn „zu wählen ist ein eigentlicher und stringenter Ausdruck des Ethischen", wie er sagt. Die spie-
lerische Willkür, aber auch die damit verbundene schwermütige Verzweiflung hat hier ein Ende. Denn der Wählende wählt sich selber
mitsamt seiner Verzweiflung. „Verzweifle! verzweifle von ganzem
Herzen, von ganzer Seele und von allen deinen Kräften", ruft Wilhelm dem Ästhetiker zu. Diese Verzweiflung ist jetzt nicht mehr
Schicksal, sondern Freiheit im Ergreifen seiner Bestimmung – und ist
damit zugleich überwunden. Das darin beschlossene Annehmen seiner selbst als eines zu Überwindenden führt in der Reue zu einer
Läuterung der Persönlichkeit und bringt sie zugleich in Verbindung
mit dem Absoluten, mit Gott, indem die Realisierung dieser Möglichkeit des Zusichselberkommens als Geschenk empfunden wird. Der
Assessor schildert diese Erfahrung folgendermaßen: „Wenn alles
stille um den Menschen geworden ist, feierlich wie eine sternklare
Nacht; wenn die Seele, weltvergessen, allein ist mit sich selbst: da
tritt ihr nicht ein ausgezeichneter Mensch gegenüber, sondern die
ewige Macht selbst; da öffnet sich der Himmel über ihr, und das Ich
wählt sich selbst – oder vielmehr: es läßt sich sich selbst gegeben werden. Da hat die Seele das Höchste gesehen, das kein sterbliches Auge
sehen kann, das nie wieder vergessen werden kann; da empfängt die
Persönlichkeit den Ritterschlag, der sie für die Ewigkeit adelt."

Wenn Kierkegaard schon in ›Entweder – Oder‹ keinen Zweifel
darüber läßt, daß dieses Stadium des Ethischen und die damit ver-

bundene Religiosität der Immanenz für ihn nicht das letzte Wort in
dieser Sache ist, und er in späteren Schriften dieser religiös-ethischen
Existenz die spezifisch-christliche als die von ihm eigentlich gemeinte
gegenüberstellt, so hat er doch gerade mit dieser Konzeption bei den
heutigen Existenzphilosophen ein starkes Echo gefunden. Am deutlichsten wird die Verwandtschaft mit dieser Seite Kierkegaards spürbar bei Jaspers, der die Existenz in Grenzsituationen zu sich selber
kommen und darin ihr Bezogensein auf Transzendenz und beides
als ein Sichgeschenktbekommen erfahren läßt. Aber auch in Heideggers Verständnis eigentlichen Daseins als des angstbereiten Sichent-
werfens auf seine eigenste Möglichkeit des Vorlaufens in den Tod
hören wir die Stimme des Kierkegaardschen Ethikers. Wenn bei ihm
die Beziehung auf die Transzendenz als einer besonderen Seinsform
in ein Aufbrechen der metaphysischen Tiefe des Seins abgebogen
wird, so entspricht das nicht dem Christen Kierkegaard, wohl aber
der ethischen Religion der Immanenz beim Assessor Wilhelm. Und
deshalb kann auch noch das trotzige Sich-selber-in-seiner-Freiheit-
Begründen des Sartreschen Atheismus in dieser Linie gesehen werden.

Außer dieser inhaltlichen Verwandtschaft im Bild des Menschen
haben Kierkegaard und die genannten Existenzphilosophen aber
nun zweitens auch in formaler Hinsicht das gemeinsam, daß sie von
dieser Existenz bzw. eigentlichem Dasein nicht in begrifflicher Gegenständlichkeit im Rahmen eines Systems allgemein einsichtiger
Wahrheiten glauben reden zu können, sondern nur existentiell, d. h.
ausgehend von je meiner, ganz konkreten, geschichtlich bestimmten,
deshalb unvertauschbaren Lage, in der ich mich mit dem leidenschaftlichen Interesse am Sinn meines Seins vorfinde. Nur in dieser
Haltung, in der ich unbedingt ich selber bin, gibt es Entscheidung,
während da, wo ich mir gegenüber betrachtend Abstand nehme, die
Wirklichkeit in bloße Möglichkeit und damit in Beliebigkeit aufgelöst oder, wenn blind gehorcht wird, das Selber-Sein verunmöglicht
ist. Das meint Sartre, wenn er formuliert: *l'existence précède l'essence*, oder Jaspers, wenn er einschärft, daß die Existenz nicht direkt
begriffen werden könne, sondern nur indirekt, und deshalb in begrifflichen Aussagen mißverständlich „erhellt" werden müsse. In
diesem Sinne lautet Kierkegaards aufs äußerste zugespitzte Formel:
„Die Subjektivität ist die Wahrheit."

II

Gerade in denjenigen beiden Schriften, in welchen Kierkegaard diese Systemfeindschaft des existentiellen Denkens sozusagen systematisch entwickelt, nämlich in den ›Philosophischen Brocken‹ und in der ›Abschließenden unwissenschaftlichen Nachschrift‹ treten nun aber auch zwei Momente in Erscheinung, denen die heutige Existenzphilosophie in auffälligem Unterschied zu ihrer Übernahme des Kierkegaardschen Existenzbegriffs in materialer wie formaler Hinsicht keine oder wenigstens nicht die gebührende Berücksichtigung zuteil werden läßt und die wir deshalb hier um so nachdrücklicher hervorheben müssen. Es handelt sich um die Art und Weise, in welcher Kierkegaard seine Fassung des Existenzbegriffs durch die christliche Offenbarung begründet sein läßt, und um die Konsequenzen, die sich für ihn daraus für die Frage nach der Möglichkeit des Eigentlichwerdens des Daseins, des Gewinnes der Existenz, d. h. für sein Hinausgehen über die Sphäre des Religiös-Ethischen zum Paradox-Christlichen ergeben.

Wohl stellt Kierkegaard einmal fest, daß man „über das viele Wissen das Existieren vergessen hatte und was Innerlichkeit zu bedeuten habe", und umschreibt deshalb sein Programm: „Hatte man vergessen, was Religiös-Existieren heißt, so hatte man wohl auch vergessen, was Menschlich-Existieren heißt, dies mußte also hervorgeholt werden."

Aber dieses Hervorholen des Menschlich-Existierens bedeutet für ihn — wenigstens seiner Absicht nach — nicht die Ausarbeitung eines allgemein menschlichen Existenzverständnisses, sondern für ihn handelt es sich zum vornherein um die durch die christliche Offenbarung bestimmte Existenz. Und wenn er auch im Blick auf sein Ausgehen von dem Gegensatz des Ästhetischen und Ethischen von einem „in das Wahre hineinbetrügen" spricht, so geht es für ihn doch nicht so sehr um den berühmten sog. „Anknüpfungspunkt" christlicher Apologetik, von dem aus die Wahrheit der Offenbarung evident gemacht werden könnte, sondern um die Dialektik der Existenz, in die dieselbe unter dem Anspruch der in ihrer Wahrheit in sich gegründeten christlichen Offenbarung gerät.

Nach dem Gedankengang der ›Philosophischen Brocken‹ ist die Sachlage bei Kierkegaard eindeutig die, daß er von einer bestimmten

Form des christlichen Offenbarungsglaubens ausgeht und ihr entsprechend die Möglichkeit, davon zu reden, konstruiert. Dieses
„Denkprojekt" lautet: „Kann es einen historischen Ausgangspunkt
für ein ewiges Bewußtsein geben? Wie kann ein solcher mehr als
historisch interessieren? Kann man eine ewige Seligkeit auf ein historisches Wissen bauen?" Im Gegensatz zum sokratischen Lehren, für
das die Wahrheit immer schon vorhanden ist und nur in Erinnerung
gerufen werden muß, für das deshalb weder der Lehrer, der das tut,
noch der Zeitpunkt, zu welchem dies geschieht, eine Bedeutung hat,
zieht er hier die Konsequenzen aus der Annahme, daß die ewige
Wahrheit, die vorher nicht war, zu einer bestimmten Zeit durch eine
bestimmte Person in die Zeit eingetreten ist. Die Folgerungen, die
sich aus dieser Voraussetzung ergeben, sind, daß in diesem Falle
Gott selber, allerdings in irdischem Incognito, der Lehrer sein muß,
daß die Unwahrheit, die er mir aufdeckt, dadurch, daß er mir die
Wahrheit schenkt, von mir als meine Schuld und Sünde erkannt
wird, daß der göttliche Lehrer infolgedessen mehr als bloß Lehrer,
nämlich Richter, Erlöser und Versöhner ist und daß der Augenblick,
in dem das Ewige in die Zeit eintritt, die Fülle der Zeiten, das Wunder ist, das für mich, indem ich dieses Paradox glaube, d. h. willentlich als für mich gültig bejahe, zum Anlaß der Reue und der Wiedergeburt zu einem neuen Menschen wird – ein Ereignis, durch das ich
über alle Zeiten hinweg mit dem historischen Ereignis der Menschwerdung Gottes, die eben so recht verstanden kein bloßes historisches Ereignis ist, gleichzeitig werde. Wenn es schon in den ›Brocken‹
durchschimmert, daß es sich dabei um den Glauben an das Dogma
der Fleischwerdung Gottes in Christus handelt, so wird das vollends
in der ›Nachschrift‹ deutlich, indem Kierkegaard hier die christliche
Lehre als das „geschichtliche Kostüm" jenes Denkprojekts ausführlich
erörtert.

In den teils früher, teils später veröffentlichten erbaulichen christlichen und religiösen ›Reden‹ sowie in späteren, nichtpseudonymen
philosophischen Schriften stellt nun Kierkegaard zweitens auch die
Konsequenzen, die sich aus diesem Offenbarungsbegriff für die Erlösung des Menschen, existenzphilosophisch gesprochen, für die Sinn-
gebung des Daseins, das Eigentlich- und Ganzwerden der Existenz
ergeben, heraus. Hier wird vollends klar, daß es sich für ihn in der

ethischen Haltung des Assessors Wilhelm noch nicht um Erlösung handeln kann. Wie es von der Subjektivität jetzt heißt, daß sie abgesehen von der Offenbarung in der Unwahrheit sei, so erscheint hier jene Überwindung der Verzweiflung durch ihr entschlossenes Aufsichnehmen als durch die Verstricktheit in die Macht der Sünde unmöglich und Erlösung nur durch das göttliche Heilswerk in Christus als Gnade möglich.

Damit haben wir die beiden Punkte genannt, welche die heutigen Existenzphilosophen bewußt umgehen oder für sich neutralisieren. Für Sartre gibt es weder Gott noch Sünde, sondern, wie er es in den ›Mouches‹ sehr drastisch darstellt, vermag er darin nur Einbildungen kranker Phantasie und sich dieser menschlichen Schwächen bedienenden Priesterbetrug zu sehen. Orest als Typ eines neuen Heilandes entschlägt sich dieser Vorstellungen und nimmt unter Verzicht auf die darin enthaltenen Tröstungen sein Fluchschicksal und seine Verzweiflung auf sich, um so seine absolute Freiheit findend sich selber zu erlösen. Heidegger weist wohl auf die „erbaulichen Reden" als für die Daseinsanalyse besser als die philosophischen Schriften Kierkegaards geeignete Quellen hin und benutzt sie auch ausgiebig. So weiß er denn auch um Gewissen und Schuld. Aber das Gewissen ist für ihn nicht die Stimme des richtenden und vergebenden Gottes, sondern die Stimme des sich ängstenden Daseins selber, das den Menschen aus der Verlorenheit der Welt und dem Wegschleichen zu seinen Göttern zu sich selber zurückruft, um ihn so ganz werden zu lassen. Jaspers trägt dem besonderen Christlichen in Kierkegaard von den Dreien am meisten Rechnung, aber er sieht darin das, was Kierkegaard zur nicht nachzuahmenden „Ausnahme" macht, und glaubt seinen „philosophischen Glauben" wie gegen pseudowissenschaftlichen Aberglauben so auch gegen Offenbarungsglauben entschieden abgrenzen zu müssen. „Angesichts von Religion lebt der Philosophierende aus eigenem Glauben."

III

Existenzphilosophie hat also ihre Gründe, wenn sie bei ihrem Meister Unterschiede macht, das eine übernimmt und anderes – wenigstens für sich – beiseite läßt. Anders als durch solches persönliches

Aneignen wären ihre Vertreter schlechte Schüler Kierkegaards; denn wie wenige andere hat gerade Kierkegaard zu solcher kritischer Aneignung aufgerufen und sie selber geübt – mit einer Ausnahme: nämlich in bezug auf das Christentum, und wie er es verstanden hat. Hier ist er bei aller Aneignung und Verinnerlichung in der überlieferten Form und der äußerlichen Institution steckengeblieben, indem für ihn ein ganz bestimmtes Christentum, nämlich das Christentum des überlieferten Dogmas, wie er es im Umgang mit seinem Vater und aus den Bekenntnissen seiner Kirche kennengelernt hat, *das* Christentum bedeutet. Daß dieses Christentum eine bestimmte Ausformung des Christentums in einem langen historischen Prozeß, der weder in der Vergangenheit noch in seiner Gegenwart überall zu den nämlichen Formen geführt hat, darstellt, das schien ihn nichts anzugehen – oder nur so weit, daß er alle Ausprägungen, die mit dem, was ihm als Offenbarung galt, nicht übereinstimmten, als Heidentum und Verderbnis glaubte ablehnen zu müssen: so z. B. die sich der Mittel der Hegelschen Spekulation bedienende Christentumsauffassung seiner Zeit oder das pietistische Christentum, teilweise auch Luther, insofern er ihm zu wenig dialektisch erschien, und schließlich sogar seine eigene Kirche, weil er sie als im Gegensatz zum neutestamentlichen Christentum, wie er es sah, stehend erkennen mußte. Historisch aber hat er sich von dieser Sachlage nicht Rechenschaft abgelegt, sondern sie nun wirklich bloß und rein existentiell verstanden, und zwar aus seiner ganz persönlichen Situation heraus, die aber nach dem, was wir über sein Verhältnis zu seinem Vater und seine unglückliche Verlobungsgeschichte wissen, wirklich alles andere denn als Maßstab zur Eruierung dessen, was als christliche Offenbarung schlechthin zu gelten hat, geeignet scheint.

In diesem Zusammenhang gewinnt eine Tagebuchnotiz aus dem Jahre 1849, in welcher er auf einen Umstand hinweist, der die Geschichte des Christentums mit ihren mannigfaltigen Ausformungen, einschließlich derjenigen des Kierkegaardschen Offenbarungsbegriffs, in einem ganz neuen Lichte erscheinen läßt, besondere Bedeutung. Er kommt nämlich hier auf die „Schwierigkeit" zu reden, die darin bestehe, daß im Neuen Testament „Christi Wiederkunft als nahe bevorstehend vorausgesagt" werde „und doch noch nicht eingetreten" sei. Statt nun aber auf diese, im Zeitalter eines David Friedrich Strauß eigentlich nicht überraschende Feststellung in Ruhe einzutreten und sich den Christus des Neuen Testaments, aber auch sein unvorhergesehenes Schicksal in der christlichen Kirche etwas näher anzusehen, begnügt er sich mit dem, etwas ganz anderes als den urchristlichen Mythus von Christus als dem göttlichen Bringer der Erlösung darstellenden, späteren Dogma von der Fleischwerdung Gottes, um dann daran doch noch die Hoffnung auf die Wiederkunft anzuhängen – allerdings mit dem bezeichnenden Zugeständnis, daß es sich dabei um eine aus der Qual und dem Leiden des Lebens geborene „Illusion" handle, die aber notwendig sei, weil es ohne sie „nicht zum Aushalten wäre".

Das ist der Punkt, an dem mit der Kritik an Kierkegaards Christentumsauffassung einzusetzen wäre und von dem aus sich die Ablehnung, die sie bei den heutigen Existenzphilosophen findet, erst im Zusammenhang erklären und rechtfertigen ließe. Freilich nur insoweit, als der in seiner ursprünglichen Geschichte scheiternde, aber gerade darin sich vollendende Christusgedanke einen einzigartigen Ausdruck darstellt für die Möglichkeit, daß Existenz in der entschlossenen Übernahme ihres Scheiterns frei werden kann zu einem neuen eigentlichen Sein – eine Möglichkeit, um die sowohl Kierkegaard als auch die Existenzphilosophie, wie wir gesehen haben, wissen. Wie dieser Gesichtspunkt aus der dogmatischen Enge und Verkrampftheit Kierkegaards herausführen könnte, so würde er die heutigen Existenzphilosophen vor einer oft zu kurzschlüssigen und verhängnisvollen Bejahung des Seins, wie es ist, bewahren und sie vor allem, worum nun allerdings Kierkegaard auf seine Weise gewußt hat, die Erfahrung erlösenden Eigentlichwerdens als *Gnade* verstehen lehren. So müßte gerade ein existentielles Verständnis der ursprünglichen Christusbotschaft nicht nur über Kierkegaards Christentum hinausführen, sondern es könnte dadurch zugleich Existenzphilosophie zu ihrer Erfüllung gelangen, indem ihr, wenn auch in etwas anderer Weise, als Heidegger ihn noch jüngst in Aussicht gestellt hat, ein neuer Advent zuteil werden könnte.

Evangelische Theologie 11. (= 6 N.F.), (1951/52), S. 209–224.

DER ANDERE KIERKEGAARD

Zu Søren Kierkegaards Christentumsverständnis [1]

Von KNUD HANSEN

Im folgenden soll ein Bericht darüber versucht werden, welches Verständnis des Christentums hinter dem Angriff liegt, den Kierkegaard gegen die Kirche geführt hat. Ich beschränke mich dabei auf die Äußerungen, die Kierkegaard in den Blattartikeln und in ›Der Augenblick‹ im Frühjahr und Sommer 1855 getan hat. Eines ist der Angriff selbst, die Kritik an dem Bestehenden, der Nachweis, daß die offizielle Kirchlichkeit sich in einer Sinnestäuschung befand. Ein Anderes ist die Auffassung, die hinter der Kritik steht, das Verständnis des Christentums, durch welches Kierkegaard das bestehende ersetzt wissen will.

Im allgemeinen ist Kierkegaard in der Kritik ungeheuer stark. Sein Kampf gegen die Kirche ist insofern eine Parallele zu seinem Kampf gegen Hegel, als es sich in beiden Fällen darum handelt, Platz zu schaffen für den Einzelnen.

In der Philosophie Hegels war der Einzelne im „System" verschwunden. Nach jenem System war der Gedanke der typische Ausdruck für das Wesen des Menschen. Im Denken erlebt der Mensch nicht nur seine eigene mehr oder minder große Begabung, sondern den schaffenden Weltgeist selbst. Unsere Begriffe sind ja nicht von uns selbst geschaffen, sondern sie sind der objektive Ausdruck für den Weltgeist, und je mehr sich der Mensch durch den Gedanken sich selbst mit dem, was er denkt, identifiziert, desto mehr hört er auch auf ein selbständiges Wesen zu sein und wird zu einem Ausdruck

[1] Aus der Zeitschrift ›Heretica‹, 4. Jahrg., Nr. 1, 1951. Die etwas gekürzte Übersetzung aus dem Dänischen stammt von P. Götz Harbsmeier, Göttingen.

für eine Idee, die Idee des Rechtes, des Staates oder der Weltgeschichte.

Die Nichtigkeit des Einzelnen gegenüber dem System kommt weiter auch zum Ausdruck in der Dialektik des Systems, die bekanntlich
auf der Voraussetzung beruht, daß die Ideen nicht nur eine selbständige Existenz haben, sondern sich auch in der Entwicklung und Bewegung befinden, ganz unabhängig von dem, der sie denkt . . .

In einer solchen Anschauung ist der Mensch mit seiner eigenen
individuellen Gestalt und Persönlichkeit vollständig ausgeschaltet,
eine Konsequenz, die zu ziehen Hegel sich denn auch an keinem
Punkte scheut . . .

Während diese Philosophie großen Eindruck auf die meisten Zeitgenossen von Kierkegaard machte (nicht nur auf Heiberg und Martensen, sondern z. B. auch auf Rasmus Nielsen und viele andere),
wendet sich Kierkegaard gegen das System mit aller Macht und hält
es für eine reife Frucht der Auflösung der Zeit (Pap. IX B 63, 7). Direkt gegen Hegel behauptet Kierkegaard den Einzelnen, die Person,
die Subjektivität als das Primäre im Dasein, das einzig wirklich
Existierende, das Ziel und den Sinn der Schöpfung, und er sieht in
einem jeden Versuch, die Subjektivität durch Kollektivbegriffe wie
Zeit, Geschlecht, Historie, dialektische Entwicklung usw. zu ersetzen,
nur den Wunsch, sich der Last zu entziehen, die darin liegt, die persönliche Verantwortung für sein Leben zu haben.

An diesem Punkt ist die Abrechnung Kierkegaards mit Hegel ganz
parallel seiner späteren Abrechnung mit der Kirche. Bekanntlich
hat er die Kirche besonders um dreier Dinge willen angegriffen. Zum
ersten hatte es die Kirche zu ihrem Broterwerb gemacht, die Lehre
zu verkünden, daß die Wahrheit heimatlos in der Welt ist; und
nicht nur das allein, sondern auch zu einem Broterwerb, der mit allen
möglichen Ehrungen und Bequemlichkeiten verbunden war; man
hatte das Christentum zu einem Erwerbszweig gemacht. Dagegen wäre
gar nichts zu sagen, wenn das Christentum eine Philosophie wäre.

Aber dies, daß die Wahrheit in dieser Welt immer verfolgt wird,
daß der Gute hingerichtet wird – das zu etwas zu machen, wovon
man gut lebt, Ansehen unter den Leuten erwirbt, das ist nicht nur
kompromittierend, es ist ein Verbrechen, Kannibalismus: Man frißt
die Gedanken der Verstorbenen, ihre Meinungen, Äußerungen,

Stimmungen – aber ihr Leben, nein danke, davon hat man ja nichts!
(X 4 A 537).

Und zum anderen hat man die Predigt zu einem Vortrag über
eine objektive Lehre herabgewürdigt und den Glauben zu der Annahme einer solchen Lehre. Wenn man nur rein objektiv die richtigen
Ansichten hatte, so war man nach dieser Auffassung ein wahrer
Christ, und wenn man nur rein objektiv solche Ansichten richtig vor-
trug, war man ein rechter Verkündiger, und nicht nur das, sondern
auch – wie Martensen sagte –, ein Wahrheitszeuge. Daß es auch noch
etwas gab, das „entweder – oder" heißt, die persönliche Verantwortung des Einzelnen und seine Verpflichtung, das war nicht nur in der
Philosophie Hegels, sondern auch in der offiziellen Kirche abgeschafft.

Und zum dritten klagte Kierkegaard die Kirche an, weil sie vergessen hatte, daß das Christentum darin besteht, mit Christus gleichzeitig zu sein. Das Christentum ist nicht eine Lehre mit soundso vielen Meinungen, sondern eine Forderung, und die Forderung heißt:
Du sollst Christus folgen. Wie aber folgt die Kirche Christus? Sie
folgt ihm überhaupt nicht. Denn während Christus von Zöllnern
und Sündern umgeben war, mit ihnen aß und in Gemeinschaft mit
dem gemeinen Mann auf der Gasse und den Straßen lebte, hat sich
die Kirche mit einer unnahbaren Vornehmheit umgeben und hält sich
nur zu den Gebildeten, den Moralischen und zu denen, die die richtigen Ansichten haben. Aber ist das nicht die lächerlichste Form des
Christentums, die sich denken läßt, ist das nicht noch lächerlicher als
wenn Rübezahl sich als eine junge Tänzerin von achtzehn Jahren
ausgeben würde? . . .

Selbst wenn Kierkegaard gelegentlich übertreibt, wenn er behauptet, in der ganzen dänischen Volkskirche sei kein einziger ehrlicher
Pastor, so ist doch keine Oberflächlichkeit in seinen Behauptungen.
So sind alle wohl begründet; auch die übertriebenen! Als er einmal
beschlossen hatte zuzuschlagen, hielt er es auch für erforderlich, so
zuzuschlagen, daß kein Zweifel über die Absicht aufkommen konnte.
War es wirklich wahr, daß die offizielle Kirchlichkeit eine Sinnestäuschung war – und das meinte ja auf seine Weise auch Grundtvig –, so war kein Ausdruck zu sehr übertrieben, so war es auch nötig, das Äußerste dafür zu tun, daß die Wahrheit klar würde. Und

hatte er darin nicht recht? Die Frage nach dem Verhältnis der offiziellen Kirchlichkeit zu dem Christentum des Neuen Testaments ist
immer aktuell, sofern es immer aktuell ist, daß die Kirche sich selbst
fragt, wem sie eigentlich dient, ob sie wirklich dem Christentum des
NT dient oder ihrer Selbstverherrlichung, ihrer eigenen Rechtgläu-
bigkeit, ihrer eigenen Herrschsucht, Moral und Ansicht. Kierkegaard
hat darin recht, daß diese Frage immer lebendig bleiben muß, wenn
die Kirche nicht der einen oder der anderen Form des kollektiven
Pharisäismus verfallen soll.

Aber wie gesagt: Eines ist die Kritik, ein Anderes das eigene Verständnis hinter der Kritik, Kierkegaards eigene Auffassung davon,
was das Christentum eigentlich ist. Wenn man sich mit dem Angriff
Kierkegaards auf die Kirche befaßt, so kommt man ja nicht darum
herum, Stellung zu dem zu nehmen, was nun Kierkegaard an die
Stelle dessen gesetzt sehen will, was er kritisiert. So scharf er in seiner Kritik an dem Bestehenden ist, so scharf ist er auch in der Formulierung dessen, was nach seiner Meinung das wahre Christentum
ist. Und diese Auffassung befindet sich in einem genauso entscheidenden Widerspruch zum Neuen Testament, wie dies nach Kierkegaard bei Mynster und Martensen auch der Fall war.

Im Folgenden sollen einige Hauptpunkte dieser Auffassung vorgetragen werden.

Der am meisten ins Auge fallende Anspruch in Kierkegaards Abrechnung mit der Kirche ist der Anspruch zu sterben. Das Christsein
ist für Kierkegaard nicht jedermanns Sache. Wohl unterstreicht er
beständig, daß das Christentum für alle da ist, aber noch bewegen-
der klagt er darüber, daß in unseren Tagen überhaupt keine Menschen von der Bonität geboren werden, daß sie dazu imstande sind,
es mit Gott zu tun zu haben. Wie Nietzsche vom Übermenschen
redet, so redet Kierkegaard vom Christen. Ich lehre euch den Übermenschen, heißt es bei Nietzsche, der Mensch ist etwas, das überwunden werden muß. Was ist der Affe für den Menschen? Ein Gegenstand seines Gelächters und schmerzlicher Scham. Und genau das
soll der Mensch für den Übermenschen werden: ein Gegenstand seines Gelächters und schmerzlicher Scham. Dasselbe hätte Kierkegaard
gesagt haben können, oder richtiger, er hat es gesagt. Ein Christ ist
so hoch über den gewöhnlichen Menschen gehoben wie der Mensch

über das Tier erhoben ist. Das sagt er (XIV 282). Millionen treiben es im allgemeinen nur bis zur Mittelmäßigkeit im Christentum, heißt es auch, und das will heißen, sie treiben es überhaupt nicht bis zum Christentum, ebensowenig wie im allgemeinen die Soldaten es bis zum General bringen (XIV 340 f.). Es ist in bedrückendem Maße dafür gesorgt, daß das Christentum nicht durch den gemeinen Haufen profanisiert werde: Es liegt so hoch, daß das, was im Christentum unter Gnade verstanden wird, von allen Profanen mehr als alles andere mit Dank abgelehnt wird (XIV 371). „Ich verhehle dir nicht, daß nach meinen Begriffen das Christsein etwas so Hohes ist, daß es immer nur Einzelne sind, die dahin kommen" (XIV 372).

Auf die Frage danach, wie es kommt, daß das Christentum etwas derartig Erhabenes und Unerreichbares ist, so daß in unseren Tagen ein Christ noch seltener ist als ein Genie, gibt Kierkegaard zwei offenbar ganz verschiedene Antworten. Die eigentümlichste – und interessanteste – gibt er in seinen pseudonymen Schriften, wo er den Glauben geradezu als eine intellektuelle Ekstase, eine leidenschaftliche Hochspannung bestimmt, die dem Menschen die Möglichkeit gibt, sein Christentum in der verborgenen Innerlichkeit zu realisieren – eine große und umfassende Frage, auf die wir in diesem Zusammenhang nicht eingehen können. Die Antwort, die er in den Blattartikeln und in ›Der Augenblick‹ gibt, ist anderer Art und besonders eigentümlich wegen ihrer Polemik gegen die verborgene Innerlichkeit und wegen ihrer Behauptung, daß das Christentum ein Höhepunkt des Kreuzes, der Leiden und der Qual sei, da sein zentraler Anspruch darauf ausgehe, allem abzusterben, was ein natürlicher Mensch am meisten liebt (XIV 53; 264). Durch Entsagung und Selbstverneinung will das Christentum dem Menschen alles das entreißen, woran er unmittelbar hängt und worin er unmittelbar sein Leben hat (XIV 271). Das Christentum will den Menschen befreien, aber es macht kein Geheimnis daraus, daß, wenn es ernst wird mit dieser Erlösung, das Leben hier auf Erden just das Gegenteil von dem wird, wonach des Menschen Sinn steht: Eitel Leiden, Qual und Elend (XIV 278).

Selbst wenn auch Kierkegaard in seinen Tagebuchaufzeichnungen aus dieser Zeit ab und zu mit großem Respekt von der Askese spricht, so braucht er doch während des Kirchenkampfes diesen Ausdruck nicht zur Beschreibung dessen, was er anstrebt. Und das ist gewiß kein Zufall. Man hat den Eindruck, daß das ein allzu blasser Ausdruck für den Bruch mit der Zeitlichkeit wäre, der nach Kierkegaards Meinung die unumgängliche Voraussetzung für das Christsein ist (XIV 237, 27, 226). Das wahre Christentum besteht nicht darin, daß man stoisch gegenüber den Gütern dieser Welt resigniert, sondern darin, daß man leidenschaftlich all das haßt, worin ein Mensch sein Leben hat, all das, um dessentwillen er sich die Hilfe Gottes erbitten könnte, damit er es bekommt, oder um dessentwillen er den Trost von Gott herbeisehnen könnte, wenn er es verliert (XIV 361 f.).

Es ist daher ein schweres Mißverständnis zu meinen, ein Kind könnte ein Christ sein. Man hört in der Christenheit oft die Ansicht vorgetragen: Soll man ein Christ werden, so muß man es als Kind werden und es von Kind auf sein. Das ist glattweg Galimathias. Ein Kind kann kein Christ werden, genauso wenig wie ein Kind Kinder gebären kann. Ein Kind ist ja überhaupt nicht in entscheidender Weise an die Welt gebunden, es hat z. B. keinen Geschlechtstrieb und kann infolgedessen auch nicht dem Geschlechtstrieb entsagen. Das Christwerden setzt ein vollständiges menschliches Dasein voraus mit der ganzen Gebundenheit des Erwachsenen an die Welt und an das Verlockende in der Welt, und Christ wird man demgemäß, indem man mit all dem bricht, woran man sich so gebunden fühlt (XIV 261). Nur ein Willensmensch kann Christ werden, heißt es in einer Tagebuchaufzeichnung aus dieser Zeit. Denn nur ein Willensmensch hat einen Willen, der gebrochen werden kann, und das Gebrochenwerden eines Willens ist der entschiedene Prozeß in der Christwerdung. Je stärker der Wille ist, desto tiefer kann der Bruch werden und desto höher rangiert man als Christ (XI 2 A 436).

Die leidenschaftliche Askese ist also nichts wert, so wenig wie die leidenschaftslose Naivität, in der das Kind lebt. Es hat nur Bedeutung, der Welt zu entsagen, wenn man die Welt leidenschaftlich liebt. Wenn du nur der Welt entsagst wie ein Satter einem wohlgedeckten Tisch entsagt, was tust du da Großes, tun nicht die Zöllner und Heiden dasselbe? Nur wenn du dich in der Brandung befindest, in der deine Leidenschaft für die Welt mit deinem leidenschaftlichen Haß gegen diese Leidenschaft gebrochen wird, nur dann erfüllst du die

Voraussetzung, um ein Christ zu werden. Wie die widereinandergehenden Wogen bei Skagen-Riff gegenseitig gebrochen werden, so
werden die widereinandergehenden Leidenschaften in einem wirklichen Christen gebrochen. Es ist der leidenschaftliche Haß wider die
Leidenschaft, mit der man an der Welt hängt, der das Christentum
konstituiert. Ohne diese Leidenschaft bleibt das Christentum nur
eine Kinderei, etwas, was Mannsleute noch mehr anekeln muß als
das Gerede und Gejammere und die Temperatur in einem Kreißsaal
(XI 2 A 192).

Gottes Absicht mit dem Christentum, wie Kierkegaard es auffaßt,
war nicht die, bloß uns zuliebe auf den Tisch zu hauen, sondern das
Christentum sollte in radikalstem Sinn der Todfeind des Menschen
sein (XIV 206, 279, 193 f.). Je mehr du dich mit Gott einläßt, je
mehr er dich liebt, desto mehr kommst du zum Leiden, nicht bloß
damit du auf gewisse kleine Annehmlichkeiten des Lebens in der
Welt verzichtest, sondern damit das Christentum eine Qual wird, im
Vergleich zu der alle anderen Leiden nur ein Kinderspiel sind (XIV
233, 208). Die Forderung lautet nämlich nicht bloß auf Entsagung,
sondern auf Absterben. Mit dem heiligen Abendmahl weihte Jesus
seine Jünger zum Tode oder zur Möglichkeit des Todes. So gesehen
ist es grausig, was Millionen Menschen seither aus dem Abendmahl
gemacht haben. Wie ein Opfer sitzt der Erlöser der Welt zum letzten
Male mit seinen Jüngern am Tisch, und unter der Voraussetzung,
daß auch ihre Bestimmung die ist, geopfert zu werden, gibt er ihnen
den Kelch und sagt: Das ist mein Blut, das für euch vergossen wird.
So trinken sie den Wein, und das heißt für sie: Jetzt sind wir an der
Reihe, unser Blut zu vergießen. Wie grausig ist es, an die Tiefe des
Nonsens zu denken, der dann folgte, diese Millionen Christen und
ein langwieriger Streit um das Sakrament *sub utraque specie*, und
dann dieses Vergessen des Verpflichtenden im Laufe der Zeit (XIV
255, XI 2 A 4).

In einer Aufzeichnung vom Sommer 1855 spricht sich Kierkegaard
noch deutlicher darüber aus, in wie hohem Grade er das Christentum
als einen Zustand unaufhörlichen Sterbens versteht: „Wovor graut
einem Menschen am meisten? Doch wohl vor dem Tode und am
allermeisten vor dem Todeskampf, den man sich deshalb so kurz wie
möglich wünscht. Aber Christ sein, das heißt: im Zustand des Ster-

bens sein und darin leben, vielleicht vierzig Jahre in diesem Zustand. Man graut sich davor, wenn man liest, was ein Tier leiden muß, wenn es zur Vivisektion gebraucht wird, doch ist das nur ein kurzfristiges Bild für das Leiden eines Christen: lebenslänglich im Zustand des Todes (Sterbens) gehalten werden. Und nicht nur das: Es kommt noch eine Verschärfung dazu. Diejenigen nämlich, die an einem Sterbebette stehen, pflegen doch nicht über den Sterbenden zu lachen, weil er sich in seinem Todeskampf windet, auch hassen sie ihn nicht, oder tun in den Bann und verabscheuen ihn – weil er im Todeskampf liegt. Aber gerade dieses Leiden gehört mit zum Christen, es kommt von selbst, wenn das wahre Christentum in dieser Welt zum Ausdruck kommt. Und dann kommt noch dazu die Anfechtung: Ist das Gottes Liebe, die solches zumutet? (XI 2 A 422).

Kierkegaard macht darauf aufmerksam, daß bei einem solchen Verständnis des Christentums keine Rede von irgendeiner Art christlicher Kindererziehung sein kann, allein schon darum nicht, weil unmöglich die Eltern einem Kinde erzählen können, daß wenn Gott so gnädig ist, seine Liebe dem Kinde zuzuwenden, dies bedeuten würde, daß es von allen Qualen durchmartet werde mit der Absicht, ihm das Leben zu nehmen; denn dann ist es, was Gott will, so fügt Kierkegaard hinzu: „er will dem Geborenen das Leben nehmen und es in ein Sterbendes, Gestorbenes verwandeln" (XIV 275 f.). Das Christentum ist also an allen Punkten das Entgegengesetzte zu allem, was ein Mensch wünscht und erstrebt, es will nicht nur gewisse Wünsche und Lüste, es will die Lust zum Leben selbst. Während alle menschliche Erfahrung dem Menschen rät, vor allen Dingen nicht die Lust zum Leben zu verlieren – was sonst auch immer man im Leben verlieren mag –, ist Gott entgegengesetzter Meinung. „Er sagt, vor allen Dingen muß ich einem Menschen die Lust zum Leben genommen haben, wenn im Ernste die Rede davon sein soll, daß er ein Christ werde, daß er absterbe, daß er sich selbst hasse, und daß er mich liebt" (XI 2 A 421, vgl. XII 414 ff.).

In den laufenden Ausfällen nicht nur gegen Mynster, sondern auch gegen Grundtvig in den Tagebüchern erhebt er die Anklage, daß sie das Christentum verfälscht haben, indem sie den Menschen einbilden, es lasse sich mit dem allgemeinen menschlichen Lebensdrang vereinigen, eine Ketzerei, die nach Kierkegaards Meinung schlimmer ist

als alle Formen der Ketzerei in der Dogmatik; denn das ist die
Hauptsache im Christentum, daß der Mensch der Lust zum Leben
absterbe. Das ist ein Gedanke, der Kierkegaard in den letzten zehn
Jahren seines Lebens in ständig steigendem Maße beschäftigt.

Im Jahre 1848 schreibt er z. B., daß schließlich Ausgelebtheit erforderlich ist, wenn jemand den Drang zum Christentum haben soll,
und daß infolgedessen das Christentum nichts ist, was Kinder oder
junge Menschen begreifen können. Später wird er noch schärfer mit
seiner Forderung nach dem Bruch mit dem Lebenswillen, da ist dann
nicht mehr die Rede davon, daß man die Lebenslust verliere, weil
man ausgelebt hat, sondern von einem direkten Bruch mit dem Willen zum Leben. Da heißt es dann, daß nur ein Willensmensch Christ
werden kann; denn nur ein Willensmensch ist dazu imstande, den
Bruch mit dem Willen zu erleben, der einen Menschen zum Christen
macht.

Eine weitere Beleuchtung dieses Verständnisses des Christentums
bei Kierkegaard als dem Feinde der Lebenslust finden wir in seiner
Forderung nach Ehelosigkeit. Das so oft gepriesene christliche Familienleben ist lauter Lüge, heißt es, ein christliches Familienleben gibt
es nicht (XIV 276). Wie sehr man es auch als Christentum hinstellt,
wenn ein Mann mit einem Frauenzimmer am Arm sich vor den Altar
hinstellt, wo ein schmucker Seidenpriester, halbstudiert im Dichten,
halb im Neuen Testament eine halb erotische, halb christliche Rede
hält: diese Komödie ist und bleibt von Anfang bis zu Ende eine
heidnische Sache. Christentum würde es dagegen sein, wenn ein
Mann mit der ganzen Leidenschaft seiner Seele ein Mädchen lieben
könnte, sie so lieben, daß sie in Wahrheit die einzige ist, und dann
sich selbst haßte und die Geliebte, sie gehen ließe, um Gott zu lieben.
Ein Mädchen laufenlassen, das man nicht liebt, was ist schon Großes
daran, tun nicht die Zöllner und Heiden desgleichen? Das Christliche stellt sich erst dann ein, wenn dieses Laufenlassen so verdoppelt
wird, daß man sie gerade deshalb laufen läßt, weil man sie liebt.
Auch hier ist das Christliche also als eine Brandung bestimmt, in der
widerstrebende Leidenschaften aufeinanderprallen. Das Christliche
hat seine Voraussetzung darin, daß beide Leidenschaften da sind,
beide, die leidenschaftliche Liebe zu dem Mädchen und die leidenschaftliche Entsagung gegen diese Liebe, und nur da handelt man

christlich, wo man in dieser für einen gewöhnlichen Menschen uner-
träglichen Spannung das Mädchen laufen läßt, um Gott zu lieben.
Das Verhältnis zu dem Mädchen kann so sehr wohl eine Bedeutung
haben und behalten, aber nur dann, wenn man sich nicht mit ihr
verheiratet, nur wenn es zu der oben erwähnten Spannung führt, nur
wenn dies einem Menschen zu dem oben erwähnten Bruch mit der
Zeitlichkeit verhilft – so wie es ja auch für Kierkegaard selbst der
Fall war. In einer Tagebuchaufzeichnung sagt er denn auch gerade
heraus, sein Bruch mit Regine sei seine Verlobung mit Gott gewesen
(X 5 A 21, vgl. XII 416 ff.).

Über die Begründung der Forderung nach Ehelosigkeit bei Kierkegaard kann so kein Zweifel bestehen: Die Begründung liegt darin,
daß der Lebenswille sich gerade auf dem erotischen Gebiete stärker
als auf irgendeinem anderen Gebiete äußert, und daß daher dieses
Gebiet mehr als alle anderen die Möglichkeit bietet zu einem entscheidenden Bruch mit diesem Willen ... Selbst wenn nun der Erlöser nichts über den Stand der Ehelosigkeit gesagt haben würde, so
wäre es doch ganz selbstverständlich – so selbstverständlich, daß er
es gar nicht zu sagen brauchte –: ein Christ heiratet nicht. Das ist
doch wirklich das mindeste, was man verlangen kann von einem
Erlösten, daß er sich nicht mit Kinderzeugung befaßt und so noch
mehr Verlorene auf die Welt setzt, deren Seele womöglich ewig verloren ist. Durch die Fortpflanzung des Menschengeschlechts werden
wie durch ein Abflußrohr Milliarden Verlorene über die Welt ver-
schüttet, und da sollte ein Erlöster aus Dank für seine Erlösung her-
gehen und seinen Beitrag an Verlorenen liefern. Das kann doch wohl
jeder sehen, wie schreiend dieser Widerspruch ist. Auch in den Tagebüchern eifert Kierkegaard beständig gegen die Kinderzeugung als
eine christlich verwerfliche Sache; denn dadurch werden beständig
mehr Seelen in dieses Dasein gezerrt, hinab in das Verderben (XI 2
A 202).

Es kommt noch hinzu, daß der Zeugungstrieb ein unreiner, heid-
nischer Trieb ist. So viel auch in der Christenheit die Leute daran
gewöhnt sind, es als etwas Gott Wohlgefälliges hinzustellen, dieses
Meisterstück der Eltern, durch das die Kinder zur Welt kommen, so
kann doch ein wirklicher Christ darüber nicht im Zweifel sein, daß
es alles andere als eine Wohltat ist, einem Kinde das Leben zu schen-

ken. Dieser ganze Kindererzeugungsprozeß ist doch nur das Ergebnis
davon, daß ein Mann und eine Frau ihre Brunst nicht beherrschen
können; und aus diesem elenden Grund soll dann ein anderer Mensch
vielleicht siebzig Jahre lang in diesem Jammertal, dieser Strafanstalt
seufzen und womöglich ewig verloren sein! Wohl hat ein Apostel
gesagt, daß, wenn schon einmal das Übel da ist, es besser sei zu heiraten, als Brunst zu leiden. Aber das war nicht sonderlich durchdacht
von diesem Apostel, er hat da eigentlich nur eine Konzession an die
heiratslüsterne Menge gemacht, eine Konzession, die man bei dem
Vorbilde nicht findet (XIV 274 f., 262, 1. Kor. 7, 1 ff.).

In der Christenheit ist man inzwischen viel weiter gegangen als
der Apostel, in der Christenheit hat man Pastoren, und die verstehen bekanntlich etwas von der Kunst, aus der Lüge die Wahrheit
zu machen. Gottes Wort im Hinblick auf die Ehe ist klar und deutlich, es empfiehlt die Ehelosigkeit genau so bestimmt wie es anemp-
fiehlt, nicht zu töten. Gut, – aber da sind ein paar Leute, die gerne
heiraten möchten, obwohl sie als Christen besser über das Christentum Bescheid wissen müßten. Sie wenden sich an den Pfarrer. Aber
wenn der Pfarrer nicht ein Lügner wäre und ein Meineidiger, der auf
die niedrigste Weise lumpiges Geld verdient, so würde er wohl wissen, wie er sich zu verhalten hätte. Er würde ihnen menschliche An-
teilnahme an diesem Menschlichen, verliebt zu sein, zeigen, aber
dann würde er sagen: Liebe Leute, ich bin der, an den ihr euch zu
allerletzt wenden solltet; sich mit diesem Anliegen an mich zu wenden, ist im Grunde genau so komisch, als wenn sich einer an einen
Polizeidirektor wendet mit der Frage, wie er sich beim Stehlen verhalten soll. Es ist meine Pflicht, euch zu warnen, und ich kann höchstens mit dem Apostel sagen: ja, wenn es denn sein muß und ihr eure
Brunst nicht beherrschen könnt, so seht zu, daß ihr zusammen-
kommt; aber ich kann euch dabei nicht helfen. Ich weiß wohl, daß
euch schaudert, wenn ich so von dem rede, was ihr für das Schönste
im Leben haltet; aber ich muß meine Pflicht tun. Und deshalb habe
ich euch gesagt, daß ich der letzte sei, an den ihr euch wenden solltet
(XIV 270).

Aber so redet kein Pastor. Der Pastor sieht es im Gegenteil als
seine Pflicht an, die Ehe zu segnen. Es würde dem entsprechen, wenn
er den Dolch des Mörders segnen würde und es dadurch zu etwas

Gott Wohlgefälligem machte, zu morden. Denn was ist es, was da bei einer „christlichen" Trauung gesegnet wird? Es ist die Brunst des Menschen und weiter nichts. Mit Hilfe der Weihe wird diese Brunst so raffiniert, daß sie Gottesdienst wird, ganz so, als wäre es Gottesdienst, zu morden, wenn nur der Dolch vorher geweiht ist. Die Mitwirkung des Pastoren ist daher das Kriminellste bei einer Trauung. Sie geht darauf aus, zu verbergen, daß so, wie es Sünde ist, zu morden, es auch Sünde ist, sich zu verheiraten, und durch diesen Verschleierungsversuch verwandelt er das Ganze zu einer Gotteslästerung. Christlich müßte man daher sagen: Wenn du nun mit aller Gewalt heiraten willst, so laß dich doch lieber von einem Schmied trauen, der dich wenigstens nicht glauben macht, daß es Gott wohlgefällig sei, zu heiraten; so könnte das vielleicht der Aufmerksamkeit Gottes entgehen (XIV 271, 265).

Die Frage nach der Ehe oder dem ledigen Stande – und nach dem Verhältnis zur Frau überhaupt – ist in Kierkegaards Produktion ein beständig wiederkehrendes und fast unerschöpfliches Thema. Und wir sehen aus diesen Andeutungen, daß da eine zusammenhängende Linie in den Gedanken Kierkegaards zu dieser Frage ist, eine Linie, die bis zu den ästhetischen Schriften, besonders zu der Weiberfeindschaft Johannes, des Verführers, und des Viktor Eremita zurückverfolgt werden kann. Was diese ästhetischen Pseudonyme aussagen von der Fähigkeit einer Frau, einen Mann besonders dann unbedeutend zu machen, wenn er sich mit ihr verheiratet, genau das schreibt er in den Tagebüchern mitten in seinem Kirchenkampf und den ihm vorausgehenden Jahren. Die Frau hat in Wirklichkeit nur die Bedeutung eines Köders. Für den Ästhetiker ist sie nur das äußere Incitamentum, das die Verliebtheit in Gang setzt, das aber dann so schnell wie möglich wieder fallengelassen werden muß, wenn es möglich bleiben soll, die Verliebtheit rein zu erhalten, nicht infiziert von äußeren Dingen. Für den religiös Bestimmten ist sie es, die die höchste Kulmination im Lebenswillen hervorbringt, und die darum auch die beste Möglichkeit dafür bietet, den allerradikalsten Bruch mit der Endlichkeit zu vollziehen, etwas, was ungeheure Bedeutung hat, weil es das Christliche ist, was sich in diesem Bruch aktualisiert. Für Kierkegaard persönlich verhielt es sich ja gerade so, wie er mehrfach in den Tagebüchern vermerkt, daß die Vorsehung ein Mädchen brauchen müßte gegen ihn, um ihn „auf die Idee zu bringen", zum Bruch mit dem Zeitlichen (XII A 288).

Indessen ist der Bruch nicht nur ein Bruch mit der Ehe, dem Familienleben und der Kinderzeugung, sondern auch ein Bruch, der den Einzelnen in die absolute Isolierung bringt, indem er ihn in ein Gegensatzverhältnis zu allem anderen führt. Alles Leiden macht einsam. Und das gilt ganz besonders von den Leiden, die einen Menschen zum Christen machen. Es ist eine ganz simple Folge aus der Liebe zu Gott, daß man eben durch dieses Verhältnis zu Gott in ein Gegensatzverhältnis zu denen gerät, die Gott nicht lieben. Man kann dem nicht entgehen, daß man unter dem Haß und der Verfolgung dieser Menschen leidet! Der Begriff Christ ist ein polemischer Begriff. Man kann nur Christ sein im Gegensatz, gegensätzlich. Sobald man den Gegensatz wegnimmt, wird aus dem Christsein ein Unsinn! (XIV 322, 155 f.). Und dabei denkt Kierkegaard nicht an die für alle faßbare, aber banale Wahrheit, daß der, der die Wahrheit liebt, natürlich riskiert, von der Lüge verfolgt zu werden. Das in diesem Zusammenhang besonders Kierkegaardsche ist, daß selbst wenn da gar keine Lüge wäre, die den Christen zu verfolgen hätte, er trotzdem verfolgt werden müßte, weil man ja sonst gar nicht wissen kann, ob er wirklich die Wahrheit liebt. In einer Tagebuchaufzeichnung aus dieser Zeit heißt es deshalb auch, daß selbst wenn alle Christen wären – also nicht bloß Namenschristen, wie es ja der Fall ist, sondern wirkliche Christen –, der Christ dennoch mit den anderen kollidieren müßte, teils weil sie so verschieden geschaffen sind, daß sie notwendig kollidieren müssen, teils weil schon das Aushalten solcher Kollisionen ein Prüfstein dafür ist, ob man im großen und ganzen ein Christ ist (E. P. IX 435).

Aber so wie die Welt im Augenblick eingerichtet ist, so voll von Lüge, Mittelmäßigkeit und Gaunerstreichen, besteht keinerlei Gefahr, daß ein Christ nicht genug Widerstand findet und verfolgt wird und so die Gelegenheit bekommt, dem Examen unterzogen zu werden, ob er wirklich ein Christ ist. Dies ist der Grund dafür, daß Kierkegaard immer wieder feststellt, daß darin, daß die Christen so viele geworden sind, der beste Beweis dafür liegt, daß sie keine Christen sind. Die Wahrheit nämlich, daß nur der Einzelne Christ ist, darf nicht so verstanden werden, daß der Einzelne umherlaufen kann, um in der verborgenen Innerlichkeit Christ zu sein, ohne daß jemand das weiß – so war es noch in den pseudonymen Schriften vor dem ›Korsaren-Streit‹. Das Christsein ist eine Isolationsbestimmung zweiten Grades. Die unmittelbare Isolation: Das in seinem eigenen Inneren, vor anderen verborgene Leben, das ist nur die erste Potenz der Isolierung. Ein höherer Grad wird erreicht, wenn man sich nicht nur vor anderen verbirgt, sondern sich in leidenschaftlichem Gegensatz zu ihnen befindet. Eine solche verdoppelte Isolierung kann nur ein Geistesmensch aushalten. Der Geistesmensch unterscheidet sich von uns Menschen durch seine Fähigkeit zur Isolation, ja seine Kapazität als Geistesmensch entscheidet sich geradezu an dieser Fähigkeit. Je mehr Isolation einer vertragen kann, desto höher rangiert er als Geistesmensch. Dies ist der Grund für die Rede des NT, daß man Gott nur im Haß gegen den Menschen lieben kann, im Haß gegen sich selbst und gegen andere, gegen Vater und Mutter, Hausfrau und die Geschwister, ja sogar gegen sein eigenes Kind (XIV 201). Ohne dieses Gegensatzverhältnis ist das Christentum nur ein „Limonadegesöff", aber kein Christentum.

Es gibt nur ein Kriterium für das wirkliche Christentum: Das Leiden. Zu leiden um seines Glaubens willen, oder wie es auch heißen kann: zu leiden für die reine Lehre, das ist das Element des Christentums wie das Wasser für den Fisch und die Luft für den Vogel. Wie entschieden dieses Leiden und Glauben miteinander verbunden ist in dem Bewußtsein Kierkegaards, geht auch aus der Definition des Glaubens hervor, die ihm zuweilen aus der Feder rutscht: Nur das Leiden um seines Glaubens willen, nur das ist Glauben (XIV 359). Was für Paulus und Luther ein Begleitumstand war bei dem Glauben, daß man auch einmal für ihn leiden müsse, das wird von Kierkegaard mit dem Glauben überhaupt identisch gemacht. Der Glaube wird geradezu damit definiert, daß er das Leiden um seines Glaubens willen sei, also durch einen Umstand, der nicht aus dem Glauben stammt, sondern aus dessen Umgebung, ungefähr so, als wollte man Wasser damit definieren, daß es gelegentlich zu Eis gefriert, und dann hinzufügen: wenn das Wasser nicht hartgefroren ist, dann ist es überhaupt kein Wasser. Wenn der Glaube nicht Leiden ist, also etwas, was den Haß deiner Mitmenschen nicht provoziert, ihren Abscheu und ihre Verfolgung, dann ist es überhaupt kein

Glaube. Man kann nicht den Glauben an Christus bekennen, so
heißt es auch, ohne in ein lebensgefährliches Verhältnis zur Umwelt
zu geraten (XIV 4 ff.). Natürlich ist es, wie schon gesagt, richtig, daß
es Situationen gibt, in denen es lebensgefährlich ist, sich zum Christentum zu bekennen; aber das für Kierkegaard Eigentümliche ist,
daß ihn dies Lebensgefährliche mehr interessiert als der Glaube
selbst. Was der Glaube ist, abgesehen davon, daß man um seines
Glaubens willen verfolgt wird und leidet, darüber spricht er sich in
›Der Augenblick‹ buchstäblich überhaupt nicht aus. Dagegen ist er
äußerst beredt, wenn die Rede auf das lebensgefährliche Verhältnis
des Glaubens zur Um-Welt kommt. Da ist er dann richtig in seinem
Element. Man merkt das auch am Stil. Da ist er gut aufgelegt, witzig,
munter und schlagfertig. Man kann sich nicht ganz des Eindruckes
erwehren, daß er es geradezu genießt, in dieser in ihrer Weise lüster-
nen Beschreibung der Qualen des Christen in der Welt zu schwelgen.
Und das ist natürlich kein Zufall. Es kommt daher, daß in den Augen
Kierkegaards ein Leben ohne solche Qualen überhaupt kein Leben
ist.

Die Qualen sind äußerst schmerzhaft; sie entspringen einer derartig absoluten Isolierung, daß Kierkegaard immer wieder Anlaß zu
der Frage findet, ob in unseren Tagen überhaupt noch Menschen
geboren werden, die die Bonität und das Kaliber besitzen, sie auszuhalten. Nach seiner Meinung geschieht das faktisch nicht (XIV 201).
Das Neue Testament ist für heutige Menschen ein zu starker Trank,
sie müssen sich mit Limonade begnügen wie die Kinder. Nur ein
Geistesmensch von höchstem Range kann eine Isolation aushalten,
von der die Rede ist, wenn man sich nicht nur von seiner Umgebung lossagt, sondern auch der Gegenstand ihres Abscheus wird,
ihres Spottes und ihrer Verachtung.

Dafür hat aber der wirkliche Geistesmensch dann doch etwas
nahezu Berauschendes in dieser potenzierten Isolation. So qualvoll
auch die Situation ist, sie scheint doch nichtsdestoweniger eine eigene
Freude und Stimmung einzuschließen, die sich in Kierkegaards Stil
indirekt melden, auch wenn er in seinen direkten Beschreibungen
noch so sehr davon beansprucht ist, bei dem Leidvollen zu verharren
und das Heroische hervorzuheben, das in dem Durchstehen der Tor-
tur liegt. Das geht so weit, daß er ganz vergißt, davon zu reden,

daß er in Wirklichkeit selig ist, mitten in seinem Leiden. In den Tagebuchaufzeichnungen macht er freilich keinen Hehl daraus, daß es sich so verhält. Immer wieder verharrt er bei dem Gedanken, daß Seligkeit und Leiden eins sind. Das Christentum macht den Menschen unglücklich wie einen unglücklich Verliebten, heißt es an einer Stelle, und doch – welche Seligkeit in beiden Fällen (IX A 88). Und einmal sagt er, gleichsam streng vertraulich, aus: wenn er nicht in seinem Schwermut selig gewesen wäre, so wäre er vielleicht doch unbesonnen genug gewesen, sich zu verheiraten.

Zum Schluß soll nun noch eine bedeutsame Frage für das Verständnis Kierkegaards berührt werden, die Frage nämlich, inwieweit das Christentumsverständnis Kierkegaards nun auch wirklich das des Neuen Testamentes ist. Kierkegaards Angriff auf die Kirche war in erster Linie ein Angriff auf Bischof Mynster als die repräsentativste Gestalt der Kirche. Aber in Wirklichkeit repräsentiert Kierkegaard in seinem Christentumsverständnis eigentlich doch nichts Neues im Verhältnis zu Mynster. Sein Ausgangspunkt ist im wesentlichen derselbe wie der von Mynster, nämlich, daß diese Welt ein Sündenpfuhl ist, wie auch sein Ziel dasselbe ist, nämlich die Erlösung der Seele. Daß er in seiner Verachtung der Welt leidenschaftlicher ist und in seinem Verständnis des Heiles raffinierter, reicht nicht aus, um als etwas Neues bezeichnet zu werden. Was Mereschkowski von Luther sagt, daß er eine ganze Zeit dazu gebraucht hat, sich über Christus zu wundern, gilt nicht von Kierkegaard. Der Kierkegaardsche Christus hat mit dem Jesus der Evangelien nicht viel gemein, oder richtiger: sie sind so verschieden wie Sommer und Winter. Das ganze Streben Kierkegaards ist Jesus so entgegengesetzt wie möglich.

Das was für Kierkegaard dem Leben den Inhalt gibt, ist eine Art schmerzvoller Selbstgenuß, der daher kommt, daß die Seele durch widerstreitende Leidenschaften in einen Zustand unerträglicher Spannungen versetzt wird. Wir haben gesehen, worin diese Spannung besteht. Sie besteht in einer Art Weltentsagung, die der Welt nicht einfach aus apathischer Gleichgültigkeit entsagt, sondern weil man sie leidenschaftlich liebt. Indem die leidenschaftliche Gebundenheit an die Welt mit dem leidenschaftlichen Haß gegen diese Gebundenheit zusammenstößt, entsteht eine so qualvolle Spannung, daß selbst die schlimmsten Leiden im Vergleich dazu nur Kinderspiel sind. Doch ist sie gleichzeitig so wonnevoll, daß sie ein Vorgeschmack der Seligkeit ist. Ja, Kierkegaard geht noch weiter; da ist nämlich nicht nur die Rede von einem Vorgeschmack der Seligkeit, sondern von dem eigentlichen Nahrungsmittel der Seligkeit. Kierkegaard zweifelt nicht daran, daß die Seele in der Ewigkeit nur eines hat, von dem sie sich nährt: die Erinnerung an die in der Welt ausgestandenen Leiden (XIV 322 f.). Mit anderen Worten: Die Seligkeit liegt nicht in dem Leben selbst, sondern in dem Bewußtsein zu leiden. In der Ewigkeit nimmt die Leidenschaft die Gestalt der Erinnerung an, geläutert von alledem, was an die Zeitlichkeit denken läßt, während sie sich hier in der Welt in dem wonnigen Wissen um das „nahezu Übermenschliche" äußert, das in dem Leiden liegt, das man hier aussteht.

Die leiderfüllte Spannung in der Seele ist nicht nur eine Bedingung für die Erlösung der Seele, sondern sie ist identisch mit ihr, insofern die Spannung dadurch entsteht, daß man seine Aufmerksamkeit bewußt auf sie richtet und so fähig dazu wird, sie ohne Unterlaß im Blickpunkt zu haben.

Ein solcher Erlösungsprozeß stellt hohe Ansprüche an die Selbsterforschung und an die Selbstbearbeitung. Die beiden Leidenschaften, das leidenschaftliche Streben zur Welt und der leidenschaftliche Haß gegen dieses Streben, müssen fortgesetzt gegeneinander aufgepeitscht werden, bis zu einem Stärkegrad, der das übersteigt, was ein gewöhnlicher Mensch darstellen kann. Wenn auch nur die eine dieser Leidenschaften abgeschwächt wird, so wird der Mensch abgestumpft, meint Kierkegaard (IX A 297). Wenn z. B. die erstere abgeschwächt wird, so entsteht entweder ein Zustand kindlicher Naivität oder ohnmächtiger Impotenz, die dazu imstande ist, sich in so verschiedene Gestalten zu kleiden wie die geschlechtslose Weltentsagung des Klosterbruders und die selbstzufriedene Sattheit des Spießbürgers. Und wenn diese geschwächt wird, so wird das Menschliche durch dämonische Weltlichkeit verschluckt. In beiden Fällen verfehlt der Mensch sich selbst und die Seele ist verlorengegangen.

Kierkegaard kann auch nicht müde werden, ganz wie Mynster, die Menschen zu ermahnen, zur rechten Zeit das Heil ihrer Seelen zu bedenken und zu erwägen, wie grauenhaft es ist, sich ewig selbst zu betrügen (XIV 316 f.). Es schaudert ihn, wenn er sieht, wie wenig diese Sache im allgemeinen den Menschen angeht. Während er selbst nicht daran zweifelt, daß sein eigenes Leben es zum Ausdruck bringt, wie er in der Sorge um das Heil seiner Seele um die Ewigkeit kämpft – wiewohl er sich nicht mit dem vergleichen mag, der so herrlich vor ihm gelebt hat, kann er sich doch der Tatsache nicht verschließen, daß er von einer Mitwelt umgeben ist, die sich höchstens als Publikum für diese Sache interessiert. An einer Stelle (in ›Der Augenblick‹ Nr. 9) spricht er sich ausführlich darüber aus. „Keinem, keinem von ihnen fällt es ein, daß sie dadurch, daß sie Menschen sind, dem gleichen Willen unterworfen sind wie ich, daß auch sie einer ewigen Abrechnung entgegengehen und daß die Ewigkeit ihre Augen verschließt vor allem, was in diesem Leben nur Publikum sein will. Sieh, das bringt mich zum Schaudern, daß diese Menschen in der Vorstellung leben, ich sei in der Gefahr, während ich doch, im Lichte der Ewigkeit verstanden, weit weniger gefährdet bin als sie, während ich doch für die Ewigkeit kämpfe" (XIV 339).

Das, was an diesen Aussagen, deren es in den Tagebüchern zahlreiche andere gibt, von Interesse ist, ist nicht das Selbstgefühl, dem Kierkegaard hier Ausdruck verleiht, es ist vielmehr die Bewertung, die er der Sorge um das Heil seiner Seele gibt. Er ist nicht nur dessen gewiß, daß sein eigenes Leben diese Sorge ausdrückt, sondern er sieht in dieser Sorge überhaupt die einzige menschliche Möglichkeit, Mensch zu sein.

Wir stehen hier vor dem, was man im Verhältnis zum NT Kierkegaards Grundketzerei nennen könnte. Er macht das Christsein zu etwas Qualitätsverschiedenem gegenüber dem Menschsein. Die Bestimmung des Christentums sei die, so schreibt er in einem Journal, daß es die Qualität des Menschseins verändere; was aber war das Resultat? Das Resultat ist dies, daß in der Christenheit die Bonität, ein Christ zu sein, noch geringer ist als sie war, bevor das Christentum in die Welt kam (XI 2 A 125, E. P. IX 355).

Die Tendenz ist deutlich genug. Die Bestimmung des Christentums ist die, Qualitätsmenschen hervorzubringen, oder wie es in unseren Tagen heißt: A-Menschen; Menschen, die auf eine solche Weise um das Heil ihrer Seelen bekümmert sind, daß sie sich bereits in ihrer Sorge von der Welt losgesagt haben und ihr ganzes Streben darauf richten, ihre Seele zu bergen, sie frei zu machen von der rohen

Materie, wie der Bildhauer die Statue von dem formlosen Stein befreit.

Wie wenig dieses Christentumsverständnis mit dem NT übereinstimmt, geht allein schon daraus hervor, daß es dieses ganze Sterben war, von dem Jesus sagt: „Wer sein Leben gewinnen will, der wird es verlieren!", ein Wort, das nicht nur formal, sondern auch sachlich das Gegenteil von dem sagt, was Kierkegaard sagt. Für Kierkegaard geht der Weg zum Heil durch eine intensive Beschäftigung des Menschen mit sich selbst. In dem Evangelium Jesu ist die Selbstbeschäftigung identisch mit der Verlorenheit. Nach Kierkegaard gibt es einen Zugang zum Christentum nur für die Geistesmenschen, die heroischen Qualitätsmenschen, die wenig Seltenen, die in der Weltentsagung imstande sind, die stärkste geistige Spannung auszuhalten; im Evangelium Jesu dagegen heißt es auch von den von Kierkegaard so verachteten Dutzendmenschen, „diesen Schuppen und Speichelklecksen", wie er sie nennt, „diesen schmierigen Studenten und unrasierten Flegeln", von diesen Zöllnern und Sündern, daß sie vor den Qualitätsmenschen eingehen in das Reich Gottes. Für Kierkegaard ist das Christentum die Entsagung gegen alles, woran man mit irdischer Leidenschaft hängt, die Entsagung gerade, weil man es liebt. In dem Evangelium Jesu ist Gottes Reich das eine, das not ist, im Vergleich zu dem alle anderen Dinge so sehr bedeutungslos sind, daß es auch bedeutungslos ist, ob man sie liebt oder nicht. Wenn Jesus von der Armut redet – der Armut an Frömmigkeit, irdischem Eigentum oder guten Werken – als dem Wege zum Reiche Gottes, so bedeutet das nicht, daß er die Entsagung predigt. Um das Reich Gottes zu finden, genügt es nicht, alles wegzuwerfen und sich in das Büßerhemd der Lebensverneinung zu stecken. Kein Verzicht verhilft einem Menschen zu dem Reich Gottes. Verzichten heißt sich verschließen, sich verschließen gegen das, worauf man verzichtet; Glauben heißt aber im Munde Jesu: sich öffnen, und dieses Sich-öffnen – für das Leben, den Mitmenschen, für Gott – ist schlechterdings unvereinbar mit einem krampfhaften Sich-klammern an das, was man besitzt, seien es nun irdische Güter oder geistige Tugenden und Vorzüge.

Für Kierkegaard ist es der Verzicht, der das Zentrum seiner Aufmerksamkeit bildet. Ein Verzicht, dessen man sich nicht erinnert, hat keine Bedeutung. Nur der Verzicht hat Bedeutung, der dich reizt.

Nur wenn du das Mädchen leidenschaftlich liebst und deshalb auf es verzichtest, nur dann handelst du christlich. Und nur wenn du unaufhörlich in diesem Verzichten lebst, weil du sie unaufhörlich liebst, nur dann bist du Christ. Nur die gebrochene Leidenschaft ist christlich; die Voraussetzung ist also die, daß eine Leidenschaft da ist (IX A 297). Denn nur da ist es möglich, sie zu verneinen, und nur da ist es möglich, Christ zu werden.

Etwas anderes als diese selbstbewußte Selbstverneinung kennt Kierkegard nicht. Spricht er von der Selbstverneinung, so hat das niemals eine Beziehung zu dem Mitmenschen im evangelischen Sinn, ist es niemals etwas, das mit einem Sich-öffnen für einen anderen umschrieben werden kann; es ist nicht um eines anderen willen, daß man sich selbst verneinen soll, sondern um seiner selbst willen; denn nur durch die Selbstverneinung kommt das Selbst dazu, sich selbst in seiner höchsten Potenz zu ergreifen. Die Selbstverneinung ist so gar keine wirkliche Selbstverneinung, sie ist nur der Verzicht auf alles, was das Selbst an die Welt bindet, aber ein Verzicht, durch den das Selbst frei gemacht wird zu einem mit Hilfe der Selbstverneinung verstärkten Selbstgefühl. Gott lieben ist für Kierkegaard auch identisch mit der Selbstliebe, mit dieser höheren Potenz der Selbstliebe, ein Gedanke, der Kierkegaard schon 1847 in ›Leben und Walten der Liebe‹ beschäftigt.

Wenn Kierkegaard sich selbst zuweilen als „Mynsters eigene Predigt am Montag" bezeichnet, so hat er damit mehr recht, als er selbst weiß, mehr recht, als wenn er behauptet, gegenüber der offiziellen Kirche das Christentum des Neuen Testamentes geltend gemacht zu haben. Auch Mynster gewann das höhere Selbst durch Verzicht auf das Niedrigere. Und selbst wenn auch ein bedeutender Abstand zwischen dem mynsterschen und dem kierkegaardschen Verzicht liegt, so liegt darin doch kein Gegensatz. Sie repräsentieren nur verschiedene Stärkegrade in ein und derselben Sache. Auch Mynsters Voraussetzung ist, daß der Verzicht der Weg zur Christwerdung ist. Aber während Mynster in stoischer Ruhe verzichtet, hat Kierkegaard, als der Virtuose, der er ist, es vermocht, den Verzicht auf eine Hochspannung von so viel Volt umzuspannen, daß, wie er selbst sagt, in unseren Tagen kaum ein Mensch zu finden ist, der die Bonität und das Kaliber besitzt, sie auszuhalten.

Ein stärkerer Gegensatz zu dem Christentum des Neuen Testaments kann kaum gedacht werden. Kierkegaards Auffassung vom Heil ist in gewisser Beziehung dem Manichäismus weit näher verwandt als dem Neuen Testament. Während das Heil für Kierkegaard darin besteht, daß es das natürliche Selbst in ein potenziertes Selbst verwandelt und dieses sich in seiner Erlöstheit in noch viel höherem Grad als je zuvor seiner selbst bewußt ist, redet das Neue Testament von dem Selbst als von einem Samenkorn, dessen Bestimmung es ist, zu sterben. Wahrlich, wahrlich, ich sage euch: Es sei denn, daß das Weizenkorn in die Erde falle und ersterbe, so bleibt's allein; so es aber erstirbt, so bringt es viele Früchte."

Nachwort des Übersetzers

Die Zeitschrift ›Heretica‹ will „gewagten Behauptungen" auf allen Gebieten der Literatur Raum geben. Der vorliegende Aufsatz möchte entsprechend verstanden werden. Er soll auf eine Seite bei Kierkegaard aufmerksam machen, die auch dort eine Rolle spielt, wo man versucht, sein Werk theologisch und philosophisch heute fruchtbar zu machen.

Daß es jetzt in Dänemark eine solche Zeitschrift mit solchen Aufsätzen gibt, entspricht nicht nur der dänischen Lust und Fähigkeit zur Selbstironie und zur humorvollen Selbstprüfung. Es entspricht auch in bestimmter Weise dem Erbe Kierkegaards selbst als dem „Korrektiv". Es warnt die eifrigen Kierkegaardjünger in Philosophie und Theologie, dem Meister allzu unkritisch nachzufolgen. So will der vorliegende Aufsatz durch den Hinweis auf „den anderen Kierkegaard" zu einer wirklich sachgemäßen Bestreitung der gemachten „gewagten Behauptungen" herausfordern. Die *Stellenangaben* beziehen sich nur auf dänische Ausgaben der Werke K.s wie folgt: XII 154 auf: Samlede Værker 2. udg. 1920 ff.; X 1 A 250 auf: S. Kierkegaards Papirer, udg. af P. A. Heiberg, Victor Kuhr m. fl. 1909 ff.; E. P. IX 550 auf: S. Kierkegaards Efterladte Papirer, udg. af Barfod og Gottsched, 1869 ff.

Evangelische Theologie. 11 (= 6 N.F.), (1951/52), S. 561–571.

NOCH EINMAL DER ANDERE KIERKEGAARD *

Von Anna Paulsen

Beim Lesen des Artikels von Knud Hansen in der November-
nummer 1951 dieser Zeitschrift wird sich mancher Leser erschrocken
gefragt haben, ob dies wirklich Sören Kierkegaard ist, der Kierkegaard, der mit seiner Fragestellung und seinen Kategorien heute
noch und gerade heute die Welt in Atem hält, der Kierkegaard, von
dem eine so tiefe Befruchtung unserer gegenwärtigen Theologie ausgegangen ist. Wenn dies sein wahres Bild ist, dann ist ja sein Werk
nicht aufbauend, sondern zerstörend, so muß man sich sagen; dann
muß er ja schlechthin als Schrittmacher des Nihilismus gelten,
wenn auch vielleicht eines Nihilismus mit besonderem Vorzeichen.

Die Frage hat schon ihre Dringlichkeit, denn man muß doch wissen, wer dieser Kierkegaard eigentlich ist. Wenn der Aufsatz von
dem „anderen" Kierkegaard spricht, dann erweckt er damit den
Anschein, daß es daneben einen eigentlichen noch geben muß, also
den Kierkegaard des pseudonymen Werkes und der ›Reden‹. Woran
entscheidet es sich, welches der eigentliche und welches der andere
ist? Diese Frage scheint dabei offenzubleiben, zumal ja der ›Augenblick‹ nicht pseudonym gemeint ist, während ein großer Teil des
übrigen Werkes unter fingierter Herausgeberschaft steht [1]. Angenom-

---

* In dieser Darstellung konnte vieles nur abrißartig beleuchtet werden.
Wesentliche Fragestellungen und Gedankengänge mußten übergangen werden. Es darf deshalb darauf verwiesen werden, daß die Verfasserin in größerem Rahmen eine ausführliche Behandlung dieser Zusammenhänge vor-
bereitet. [Eine gründlichere Behandlung der in diesem Aufsatz angeschnit-
tenen Fragen findet sich jetzt in dem 1955 erschienenen Buch der Verfasserin
„Sören Kierkegaard. Deuter unserer Existenz", Friedrich Wittig Verlag,
Hamburg, 464 Seiten.]

[1] Diese Problematik muß sich bekanntlich jeder Bearbeiter Kierkegaards
gegenwärtig halten. Im Folgenden wird darum vorwiegend aus den ›Re-

men, dieser frühere Kierkegaard wäre der eigentliche; in welchem Verhältnis steht zu ihm dann „der andere", der Verfasser und Herausgeber des ›Augenblicks‹? Wie ist dann diese Verlagerung der Gesichtspunkte, diese Veränderung des Gesamtbildes, zu erklären? Knud Hansen stellt sich diesen Fragen überhaupt nicht; um so nötiger scheint es, sie aufzuwerfen und ihre Beantwortung zu versuchen.

Die Zitate, die Knud Hansen zusammenstellt, sind ja im wesentlichen stichhaltig; sie sind dem ‹Augenblick› und den Tagebüchern der letzten Jahre entnommen. Das Mißliche ist aber dies, daß Knud Hansen über seinen eigenen Ansatz hinausgeht. Er will den Kierkegaard des ›Augenblick‹, also der Kampfschriften des Sommers 1855, uns zeigen, verlängert dann aber die Linien und zieht sie nach rückwärts aus, so daß nun doch der Anschein entsteht, als ob unter dieser Signatur ein vollgültiges Kierkegaardbild gegeben werden soll. Er kommt dabei unversehens zu Thesen, die geradezu apodiktisch dastehen, und eben dies legt uns die Pflicht auf, diese Thesen auf ihre Tragweite hin zu prüfen. Und dies soll im folgenden geschehen.

Knud Hansen leitet aus Aussagen des ›Augenblicks‹ das Kierkegaardsche Christusbild ab und stellt die These auf: „Der Kierkegaardsche Christus hat mit dem Jesus der Evangelien nicht viel gemein, oder richtiger: sie sind so verschieden wie Sommer und Winter" [in diesem Band S. 135]. Dabei wird überhaupt keine Beziehung hergestellt zu dem Christusbild des übrigen Werkes, und es wird verschwiegen, daß im ganzen neunzehnten Jahrhundert wohl kaum an einer anderen Stelle ein so tiefes und nachhaltiges christologisches Zeugnis gegeben worden ist, wie bei Kierkegaard in den ›Brocken‹, in der ›Einübung‹ und in den ›Reden‹. Das Rätsel der Gott-Menschheit wird hier in seiner ganzen Anstößigkeit in das geistige Bewußtsein der Zeit hineingerückt, und Kierkegaard spricht dabei als einer, der sich bewußt ist, eine Hülle wegzuziehen von einem Geheimnis,

den‹, die ja nicht pseudonym sind, zitiert, und aus dem übrigen Werk werden Züge herausgehoben, die durch die Reden mitbeglaubigt sind. Zitiert wird aus dem dänischen Text (Samlede Værker I–XIV, Papirer und Efterladte Papirer).

das lange Zeit verborgen war. Immer wieder kreisen seine Gedanken in staunender Ergriffenheit um die Tatsache, daß Gott selbst sich mit der Gestalt eines einzelnen niedrigen Menschen verbunden hat, daß er dies „Inkognito" sich hat gefallen lassen. Dieser immer wiederkehrende Begriff des Inkognito greift ein Motiv des Johanneischen Prologs auf, wie man überhaupt von einem Wiedererstehen im Besonderen der johanneischen Christusgestalt sprechen möchte. Hier spricht ein Bibelleser, der immer wieder einzelne Züge entdeckt, die lange Zeit übersehen waren. Man denke nur an die Art, wie das Motiv des „Selig, wer sich nicht an mir ärgert", im ersten und zweiten Teil der ›Einübung‹ durch jede einzelne Meditation durchgezogen wird. Wo gibt es überhaupt im neunzehnten Jahrhundert sonst noch eine so originale und tiefgründige Exegese der Evangelien?

Kierkegaard versteht dabei das Geheimnis der Inkarnation im Sinne der Lutherschen These, Gott sei in Christus Mensch geworden, damit am ecce homo endlich wieder offenbar würde, was Menschsein überhaupt ist.

„Aus Liebe wird Gott Mensch; er sagt: Siehe hier, was das heißt, Mensch zu sein... Er nimmt es auf sich, Mensch zu werden in der Gestalt eines geringen Dieners und drückt damit aus, was es heißt, ein geringer Mensch zu sein, damit doch ja kein einziger Mensch meinen sollte, daß er ausgeschlossen wäre... Siehe hierher, sagt er, um zu verstehen, was es heißt, ein Mensch zu sein! Aber nimm dich in acht, denn ich bin zugleich Gott; – ‚selig, wer sich nicht an mir ärgert!'... – Ein jeder prüfe sich selbst! Wo diese Worte nicht mit erklingen, wo die Darstellung des Christlichen nicht an jedem Punkt von diesem Gedanken durchtränkt ist, da ist das Christentum Blasphemie" (XI, S. 237).

Das Leiden des Christus besteht nun darin: Er muß erleben, daß er „trotz seiner Liebe aus Liebe" nicht verhindern kann, daß sich alle an ihm ärgern. Er ist der Einzige, der den Menschen helfen kann; statt sich zu ihm hinzudrängen, und diese Hilfe zu suchen, fliehen sie vor ihm und wenden sich alle schaudernd von ihm ab. Er, „der in seiner Allmacht alles vermag und in seiner Liebe alles opfert", muß diesen Widerspruch ertragen, weil er eben aus Liebe die letzte Freiheit der persönlichen Entscheidung nicht antasten darf und will.

„Mit dem Vater weiß er von Ewigkeit, daß nur durch ihn die Seele des
Menschen erlöst werden kann; er weiß zugleich, daß kein Mensch ihn begreifen kann, und daß nicht die Mücke, die in das Licht fliegt, ihres Unter-
gangs gewisser ist, als der Mensch, der ihn begreifen will, statt an ihn zu
glauben, und nun weil er ihn nicht begreifen kann, an ihm sich ärgert"
(XII, S. 75).

Aus diesem Leiden stammt die Wehmut seiner Liebe, denn „je
mehr Überlegenheit, um so mehr Wehmut". Von diesem Leiden des
Christus handeln die Reden immer wieder:

„Er, der Einzige, der den Segen besaß, wurde wie zum Fluch für jeden,
der ihm nahte, ... eine Plage auch für die wenigen, die ihn liebten, da er sie
mit sich hinausreißen mußte in die furchtbarsten Entscheidungen, ... für
die Jünger selbst eine gekreuzigte Liebe" (VIII, S. 339).

„O, Himmel und Erde zu tragen mit einem allmächtigen ‚Bleibe!', so
daß, wenn dies auch nur den geringsten Teil der Zeit außer Kraft gesetzt
würde, alles in sich zusammensinken müßte, wie leicht ist das im Vergleich
damit, die Möglichkeit zu ertragen, daß das Geschlecht sich an ihm ärgert,
wenn man aus Liebe sein Erlöser geworden ist!

Er ist Gott, und doch ist sein Gang vorsichtiger, als wenn Engel ihn trü-
gen, nicht damit sein Fuß nicht anstoßen soll, sondern damit er nicht die
Menschen in den Staub darniedertritt, indem sie sich an ihm ärgern"
(IV, S. 200).

Daß dieser unerhörte neue Nachdruck auf das Christusgeheim-
nis fällt, ist bedingt durch die Kategorie der „Gleichzeitigkeit",
diese seine eigentlichste Kategorie, wie Kierkegaard selbst meint.
Er stellt sie der Spekulation, die die Gott-Menschheit zu einer Idee
verflüchtigen will, entgegen sowohl wie der Straußschen Mythisie-
rung, überwindet mit ihr aber auch den Historizismus, lange bevor
noch die Leben-Jesu-Bewegung ihre Orgien begeht[2]. Das Leben
Jesu kann niemals Vergangenheit werden, ist aber auch „nicht Dichtung, sondern Geschichte", wirklicher als alle sonstige Geschichte.
Diese übergeschichtliche Wirklichkeit des Christus, die Gleichzeitigkeit des Erhöhten mit unserem Heute, eben sie, bürgt auch für die
objektive Realität seines irdischen Daseins.

---

[2] Auf die Problematik, die diesem Begriff im übrigen auch anhaftet, kann
hier nicht eingegangen werden.

Die entscheidende Bestimmung dieser Kategorie ist ein Motiv, das er mit Luther gemeinsam hat:

„Die Bestimmung, die eigentlich die der Wahrheit ist (als Innerlichkeit), ist das ‚Für Dich'. Das Vergangene ist nicht Wirklichkeit für mich, nur das Gleichzeitige ist Wirklichkeit für mich. Das, womit du gleichzeitig lebst, ist Wirklichkeit: für Dich" (XII, S. 61).

Und so ergibt sich denn der Satz: „Jeder Mensch kann nur gleichzeitig sein mit seiner eigenen Zeit und dann noch mit etwas anderem, nämlich mit dem Leben Christi auf dieser Erde, denn Christi Leben auf dieser Erde, die heilige Geschichte, steht einzig für sich da, außerhalb der Geschichte". Und dieser Satz trägt allen Nachdruck des Staunens und der Erschütterung.

Eins hätte einem Kierkegaardkenner nicht passieren dürfen, nämlich der Ausspruch, daß Kierkegaard im Gegensatz zu Luther das sich Verwundern über Christus nicht gekannt hätte [in diesem Band S. 135]. Wenn eins dem ganzen Schrifttum, den Pseudonymen, den ›Reden‹ und den Tagebüchern, gemeinsam ist, dann ist es das Motiv des Staunens und die Klage darüber, daß die eigene Zeit, weil sie scheinbar so viel weiß und alle Geheimnisse in Formeln gefaßt hat, in ihrer Aufgeklärtheit nun so blasiert geworden ist, daß sie das Staunen nicht mehr kennt.

„Gibt es etwas, was man in diesen Zeiten vergessen hat, dann ist es das, sich zu verwundern und darum auch das, zu glauben, zu hoffen und zu lieben. Das Höchste wird verkündigt, das Wunderbarste, aber keiner verwundert sich. Es wird verkündigt, daß es eine Vergebung der Sünden gibt, und niemand sagt: ‚Das ist unmöglich!' Kaum, daß noch einer verärgert sich abwendet und sagt: Das ist unmöglich; geschweige, daß einer in Verwunderung so sagte ... O, selige Erquickung, wenn der, der der Verzweiflung nahe war, weil es unmöglich schien, es nun glauben darf und im tiefsten Staunen seiner Seele immer wieder sagt: Es ist unmöglich" (X, S. 112).

Verwunderung in diesem Sinne ist überhaupt das Kennzeichen des Gottesverhältnisses, nämlich der Tatsache, daß ein Mensch sein einzelnes unauswechselbares Gegenübersein mit Gott entdeckt. Dies unterscheidet eigentlich das christliche Gottesverhältnis vom heidnischen, wie es einmal dargestellt wird an dem Unterschied zwischen Mose und den Magiern in Ägypten:

„Die Weisen in Ägypten, auch sie konnten große Zeichen tun, fast ebenso
große, wie Mose. Was folgt daraus für das Gottesverhältnis? Nichts! Denn
Mose fürchtete Gott, und Mose verwunderte sich über Gott, und Furcht und
Verwunderung bestimmen das Gottesverhältnis."

Und hier folgen nun die Sätze, die so bedeutsam sind für das
Kierkegaardsche Prinzip der „Aneignung", als „Innerlichkeit", das
Prinzip, nach dem es in der Welt des Geistes „ewige Eigentums-
sicherheit" gibt, weil hier „Erwerbsweise und Besitz das gleiche
sind":

„Die wahre Verwunderung und die wahre Furcht kann kein Mensch den
andern lehren. Nur wenn sie deine Seele, eben deine, zusammenpreßt und
ausweitet, deine allein in der ganzen Welt, weil du allein geworden bist mit
dem Allgegenwärtigen, dann ist sie in Wahrheit für dich" (V. S. 190/191).

Wir stoßen damit auf eines der Hauptanliegen Kierkegaards, das
die Pseudonyme wie die Reden durchgehend beherrscht, nämlich die
Betonung dessen, was er „ligelighed" nennt, ein Begriff, der sich mit
seinem besonderen Akzent schwer übersetzen läßt. Er meint damit
den gleichen Rang aller Menschen vor der Ewigkeit, die gleiche Verantwortlichkeit vor Gott. Die These vom A-Menschen, die aus dem
›Augenblick‹ gewonnen wird (vgl. S. 137), hätte darum niemals in
dieser ungeschützten Weise als Kierkegaardscher Grundsatz überhaupt herausgehoben werden dürfen. Diese ligelighed ist das beherrschende Motiv der mitternächtigen Aufzeichnungen des Quidam,
des Pseudonyms, das mit Kierkegaard selbst am stärksten verwandt
ist. Die Überzeugung, daß es sie geben muß und gibt, ist, wie er sagt,
„der tiefste Atemzug seiner geistigen Existenz", Lebenskraft seines
Daseins überhaupt, darum aber auch der Ursprung seines ganzen
Leidens. Weil er diesen letzten Maßstab an seine Geliebte anlegen
mußte, darum konnte er sie nicht mit sich verbinden, wie er meint,
denn er konnte es nicht verantworten sie „auf die Tiefe" mit hinaus-
zuziehen und die ganze Erschütterung seines eigenen Gottesverhältnisses und seines persönlichen Schuldbewußtseins auf sie mitabzu-
wälzen, weil er sie dadurch hätte erdrücken müssen.

„Wenn für einige Individuen das Religiöse (gemeint ist damit das
Gottesverhältnis in dem schon erwähnten Sinn) das Absolute sein
soll, für andere nicht, dann: ‚Gute Nacht, aller Sinn im Leben!‘."

So Vigilius Haufniensis im ›Begriff Angst‹ (IV, S. 383). „Wenn nicht jeder Mensch wesentlich partizipiert am Absoluten, dann ist alles vorbei", sagt er, und verknüpft diesen Gedanken einmal mit dem Shakespeare-Zitat:

> Von jetzt an gibt es nichts Ernstes mehr im Leben:
> Alles ist Tand, gestorben Ruhm und Gnade!
> Der Lebenswein ist ausgeschenkt.

In der schon herangezogenen Beichtrede von 1845 heißt es darum:

„Für jeden Menschen, den Geringsten wie den Größten, gilt, daß weder ein Engel, noch Legionen von Engeln, noch alles Grauen der Welt ihm die wahre Verwunderung und die wahre Furcht eingeben können; sie können ihn höchstens abergläubisch machen ... Es gibt einen letzten Inhalt der Wirklichkeit, der jedem in gleicher Weise zugänglich ist ... Niemand steht zwischen mir und dem letzten Geheimnis der Existenz, Gott selbst. Darum kann auch keiner hier für mich einstehen und keiner mit seinem inneren Erleben gleichsam für mich die Kosten zahlen" (V, S. 190).

Ein metaphysisches Grauen, ein Grauen vor dem Abgrund ergreift Kierkegaard bei dem Gedanken, daß einmal die Physiologie, gegen die er nun einmal eine Antipathie hat, wie gegen die Naturwissenschaften überhaupt, dahin kommen könnte, gewisse seelische Abnormitäten und schließlich auch verbrecherische Taten eindeutig kausalgesetzmäßig zu erklären und damit die menschliche Zurechnungsfähigkeit einfach zu streichen.

„Wenn sie von einem Verbrecher etwa sagen würden, sein Gehirn sei eben etwas zu klein gewesen, – welches Entsetzen bei diesem Abstehen von weiterer Anklage im Vergleich mit dem Urteil, das das Christentum über ihn fällt!" (VII A S. 121).

Bei dieser Betonung der Realität der Schuld und damit auch der „Realität der Reue" geht es ihm um die Ehre der Menschheit schlechthin.

Angesichts dieses Materials drängt sich natürlich um so mehr die Frage auf, wie die abweichende Haltung des ›Augenblicks‹ und der letzten Tagebücher zu erklären ist. Jedenfalls kann die Frage nur beantwortet werden, wenn man zunächst die tiefgehende Verschiedenheit anerkennt. Es geht darum auch nicht an, in der Weise, wie es Knud Hansen versucht, die verneinende Haltung des ›Augenblicks‹ mit den Reden des Gastmahls aus den Stadien auf eine Linie zu stellen, indem er z. B. die Feindschaft gegen die Frau, die für den ›Augenblick‹ so bezeichnend ist, in einen eindeutigen Zusammenhang bringt mit der Haltung des „Verführers" dort (S. 131) [3]. Diese Redner, unter ihnen der Verführer!, stehen da als negative Paradigmata; ihre Aussagen haben nur Gültigkeit insofern, als sie dazu bestimmt sind, durch den Gegenstandpunkt aufgehoben zu werden. Diese Redner sind nach den Worten des Assessors Wilhelm, der ihnen zur Abwehr entgegengeschickt wird, Chicaneure, Freibeuter, eine Bande, die sich am Heiligen vergreift. Und der Climacus der ›Nachschrift‹ spricht von ihrem Attentat auf die Ehe und bezeichnet sie als „gebrandmarkte und ausgestorbene Individualitäten". Ihr wirklicher Gegenspieler ist, und das ist sehr bezeichnend, nicht der Ethiker, der Assessor, mit seiner großen Gesprächseinlage im Mittelteil der Stadien, seiner Apologie der Ehe auf humanistischer Grundlage, sondern eben der Quidam der ›Leidensgeschichte‹, der an seiner Verantwortung für das Mädchen, dem er die Treue nicht hat halten können, so leidet, daß ihm darüber alles andere fraglich wird. Und wenn irgendeines der Pseudonyme, dann hat ja er vom Herzblut Kierkegaards selbst getrunken. Das Verhältnis zu Regine, wie es sich in diesen mitternächtigen Aufzeichnungen widerspiegelt, steht wahrlich in einer andern Dimension, als Knud Hansen glauben machen will mit seinen Bemerkungen S. 132. Es sei nur darauf verwiesen, daß er ihr, der Einzigen, die er neben seinem Vater in sein Gottesverhältnis aufgenommen hat (das ist der für ihn bezeichnende Ausdruck für letzte persönliche Gemeinschaft), sein gesamtes Schrifttum, vorab die Reden, gewidmet hat. Das Bündnis mit Regine ist ja die Stelle gewesen, wo bei diesem einsamen Menschen die Bresche in die Mauer geschlagen und der Weg zum Du überhaupt gefunden wurde. Regine wurde, wie es Quidam von seiner Geliebten sagt, „die unumgehbare Instanz", durch die er nun „in sympathetischer Weise", das heißt in letzter Verantwortung vor Gott, mit allen Menschen zusammengeführt wurde.

---

[3] Diese Behauptung wird auch dadurch nicht hinfällig, daß K. selbst im ›Augenblick‹ gelegentlich auf sie anspielt.

Wie hängt nun aber der ›Augenblick‹ mit seinem Exzeß von Verneinung und Anklage mit dem übrigen Werk zusammen? Gibt es überhaupt eine Klammer, die beides verbindet? Die Antwort kann zunächst mit einer einfachen Formulierung gegeben werden: Im ›Augenblick‹ werden die Kategorien in Funktion gesetzt, die das übrige Werk erstellt hat, die Grundaussagen über die menschliche Existenz: Das Entweder – Oder der „Wahl", der Entscheidung, die Einzelheit, der „Augenblick", die Gleichzeitigkeit. Wo diese Kategorien entfaltet werden, da gewinnt auch der Augenblick trotz seiner bitteren und oft hämischen Satire den alten Kierkegaardschen Stil, beschwörenden Ernst von letzter Größe und Prägnanz des Ausdrucks, verbunden mit seelsorgerlich bittender Zuwendung. Die Kategorien werden in Funktion gesetzt im Angriff auf die „bestehende Christenheit", die verbürgerlichte, im Indifferentismus, d. h. in absoluter Gleichgültigkeit, erstarrte Kirche – schon eine geistige Tat von einmaligem Rang! Alle anderen Mittel waren erschöpft. Noch in der ›Einübung‹ und in den ›Reden zur Selbstprüfung‹, dem letzten Aufruf zur „Innerlichkeit", hat er mit seelsorgerlichem Ernst zu mahnen gesucht und geradezu flehentlich um Gehör gebeten. Das, worauf er hoffte, war das „Zugeständnis" in dem Sinne, wie es die erst posthum erschienene Redesammlung ›Richtet selbst!‹ entfaltet, das Zugeständnis des eigenen Abfalls vom Urchristentum, wie er es verstand, Ausdruck der Buße und der eigenen Armut, das Zugeständnis, das Antrieb werden soll „hinzufliehen zur Gnade, um sie als Gnade zu benutzen", statt sie im landläufigen Sinne zu mißbrauchen. Wenn dies Zugeständnis erbracht würde, dann wäre noch ein Rest von Hoffnung geblieben, eine Möglichkeit der Ansprechbarkeit und der Umkehr. Ein „Bestehendes" aber, das dies verweigert, setzt sich selbst absolut und verbarrikadiert sich endgültig in seiner selbstgewählten Isolierung von Gott. Das verweigerte Zugeständnis [4] ist *der* Verrat an der Wahrheit; „bestehende Christenheit", die sich so verhält, ist „Fäulniszustand des Christentums".

[4] Die Tagebücher zeigen näher, wie das Zugeständnis gemeint ist; darauf kann aber hier nicht eingegangen werden, wie auch der Begriff des „Bestehenden" hier nicht mehr entfaltet werden kann. Zu verweisen wäre auf entscheidende Ausführungen der ›Einübung‹ und ebenfalls der Tagebücher, der ›Papirer‹.

„Der Gedanke des Christentums war es, alles zu verändern; das Resultat
ist das Christentum der Christenheit, nämlich dies, daß alles geblieben ist,
wie es war, nur daß es den Namen der Christlichkeit angenommen hat. –
Nun laßt die Musik nur aufspielen; wir leben wie im Heidentum, so fröh-
lich, so rund, rund, rund; oder richtiger noch, wir leben das Heidentum
noch raffinierter mit Hilfe der Ewigkeit und mit Hilfe der Beruhigung,
daß dies alles ja christlich ist. – Es ist alles geblieben, wie es war, die einzige
Veränderung ist das Prädikat des Christlichen" (XIV, S. 198).

Der bürgerliche Mensch, der sich Christ nennt, schließt sich damit endgültig aus von der Wahrheit seiner Bestimmung und von
der Verheißung, die über seiner Existenz steht. Das Menschsein ist
verraten, nicht mehr nur bedroht; die Katastrophe ist ausgebro-
chen, die er so lange schon ahnte. Jetzt muß der „Brandmajor"
auf den Weg, der keine Nachsicht mehr kennt, keine Höflichkeits-
regeln und auch keinerlei ästhetische Maßstäbe für den Stil seines
Redens.

Der Bischof Mynster hätte dies Zugeständnis erbringen sollen,
meint er, von ihm hat er es erhofft und erwartet. Daß er stirbt, ohne
es getan zu haben, bewirkt nun in seiner Haltung ihm gegenüber das
Umschlagen aus Pietät und Bewunderung in den Haß verwundeter
Liebe. Mit Mynsters Tod ist die Sache für ihn entschieden, und Martensens Gedenkrede auf ihn wird das „Faktum", das er braucht, um
seinen Schritt innerlich vor sich selbst zu begründen, das Signal zum
Ausbruch des offenen Kampfes.

Aus der Verweigerung des Zugeständnisses entspringt also seine
andere Haltung der Gesamtheit gegenüber, der Kirche zunächst,
aber auch dem Staat, der sich mit ihr verbündet hat. Es läßt sich
beobachten, wie diese Haltung in gewissen Etappen sich immer mehr
verschärft hat. Im ›Buch über Adler‹ 1847, wo die Kategorie des
Bestehenden zum ersten Male prägnant gebraucht wird, besteht noch
ein gewisses positives Vorzeichen; er hat es noch nicht endgültig auf-
gegeben. Noch bewegt ihn die Erkenntnis, daß es Mächte der Erhal-
tung geben muß, Dämme gegen das Chaos, und der Staat ist eine
dieser Mächte, die er unter Vorbehalten anerkennt. Eine tiefgehende
Veränderung, angebahnt durch das eigene Erleben im Korsarstreit,
vollzieht sich unter der Einwirkung der Ereignisse des Jahres 1848.
Der „christliche Staat" offenbart hier seine Ohnmacht; ihm fehlt die

letzte Autorität dem Aufbruch der Massen gegenüber und damit auch die innere Legitimität.

Das Fazit aus diesen und anderen Erkenntnissen wird nun gezogen in den Artikeln des ›Augenblicks‹. Und nun richtet sich sein Verwerfungsurteil auch gegen die Ordnungen, die das Bestehende tragen: Ehe, Familie, Staat. Der Kontrast ist riesengroß, wenn man einen Vergleich zieht mit der Haltung noch der Stadien. Hier ist noch der Horror spürbar vor dem „Draußen", jenseits der Ordnung und der Bindung, dem Raum der subjektiven Willkür.

Eine ungeheure Verschärfung des Prinzips ist eingetreten, eine ungleich stärkere Betonung der Verschiedenheit zwischen Gott und seinem Geschöpf und ihrer Geschiedenheit als in den früheren Schriften. Es war von Anfang an die Gefahr, daß durch den spekulativen Einsatz, begründet durch die Antithese gegen Hegel, der Gegensatz ins Metaphysische verlagert wurde und damit der Blick abgezogen von der eigentlichen Kernfrage in der Beurteilung des gefallenen Menschen. Jetzt erscheint das gefallene Geschöpf so von Gott geschieden, daß er es absolut verneinen muß. Das Verwerfungsurteil trifft nicht das Gefallensein nur, also die Schuld, sondern das geschöpfliche Dasein überhaupt.

Es ist klar, daß die Wirklichkeit nun in zwei Hälften auseinanderzubrechen droht, und daß die Klammer zwischen Schöpfung und Erlösung sich löst. In den Spalt, der hier aufbricht, dringt nun der Einfluß Schopenhauers ein, dem er, wie die Tagebücher zeigen, in den letzten beiden Jahren immer mehr sich erschließt, obschon er sich zugleich dagegen wehrt. Nun werden letzte biblische Motive überdeckt, und es kommt vollends zu einer Verneinung des Daseins an sich. Symptom dafür ist diese erbitterte Negierung der Ehe als Fortpflanzungsgemeinschaft. Immer neue Hekatomben von Menschen werden dadurch ausgeschüttet und in diese bürgerliche Christenheit hineingeboren und dadurch dem Verderben ausgeliefert, so scheint es ihm. Zeugung und Geburt sind für ihn nicht mehr Willensausdruck Gottes, sondern lediglich Ausfluß menschlicher ungezügelter Triebhaftigkeit.

Sören Kierkegaard hat einmal eine Rede geschrieben: „Wie herrlich es ist, ein Mensch zu sein", ein Mensch, der etwas kann, was allen übrigen Geschöpfen unmöglich ist, nämlich die Liebe Gottes für sich

entdecken, als unausdenkbar großen Inhalt dieses einmaligen zeitlichen Daseins. Diese Rede könnte er selbst jetzt so nicht mehr
schreiben.

Die veränderte Haltung zeigt sich am deutlichsten in der Beurteilung des Leidens und der Verschiebung des Akzents, die hier allmählich eintritt. Es ist funktional gemeint, nicht „stofflich", inhaltlich, das ist deutlich geworden durch die „Leidensgeschichte" des
Quidam; das heißt, es ist Werkzeug der Umbildung der innersten
Haltung des Menschen aus Selbstliebe in Gottesliebe, nach dem
Motto: „Es ist eine ewige Veränderung, merkwürdiger als die merk-
würdigste Begebenheit dieser Welt, wenn ein Mensch dahin kommt,
Gott zu lieben" (X, S. 196). In den früheren Schriften wird es nicht
als Selbstzweck verstanden, als eignete ihm eine kausale Gesetz-
mäßigkeit, sondern es besteht noch die Erkenntnis, daß das Leiden
an sich überhaupt keine Sicherung dafür bedeutet, daß diese Umbildung sich auch wirklich vollzieht, da es auch das Gegenteil bewirken kann, nämlich Bitterkeit und Trotz. Kronzeuge dafür sind die
›Reden‹, vor allem eine Rede aus dem ›Evangelium der Leiden‹
unter dem Thema: „Das Freudige darin, daß die Schule der Leiden
für die Ewigkeit bildet"; hier wird sehr stark unterstrichen, daß der
Leidende sich immer in einer überaus gefährlichen und ausgesetzten
Situation befindet. Daß hier eine Gewichtsverlagerung eintritt, zeigt
sich schon daran, daß immer weniger von dieser Umbildung die
Rede ist, sondern statt dessen kategorisch vom „Absterben" gesprochen wird [5]. Das Leiden wird schlechthin Sinn des Menschseins überhaupt, wenn auch nicht im Sinne der Verdienstlichkeit, denn es
erfüllt sich damit ein Sollen, das keinen Lohnanspruch begründet.
Aber es läßt sich nicht verkennen, daß ein Akzent darauf fällt, der
dem Neuen Testament fremd ist. Dort hat Leiden einen zweifachen
Sinn: Es will eine Hilfe sein zur Entsicherung, um beim Menschen
Raum zu schaffen für die Gnade; es dient der Umbildung des Menschen insofern, als es ihn innerlich bereit machen will, immer mehr
nach Gott selbst zu fragen und immer mehr die Bedürftigkeit wecken

---

[5] Hierbei wäre auch einzugehen auf den Sinn der Reue, auf den in den
Pseudonymen und den Reden sehr stark der Finger gelegt wird, aber es ist
hier nicht der Ort dazu.

will für die Gnade. Und daneben gibt es das Leiden als Ertragen des Widerspruchs der Welt, das im inneren Zusammenhang steht mit dem Leiden Jesu Christi selbst. Dies sieht Kierkegaard auch, geht aber weit darüber hinaus mit der Absolutsetzung des Leidens als des einzigen Weges, auf dem der Wille Gottes bei dem Menschen erreicht werden kann. Dabei wird die Wirklichkeit der Versöhnung mit Gott in den Schatten gestellt. Christus wird für ihn primär „Vorbild" als der Leidende und Gehorsame, und dies Vorbild überdeckt immer mehr das gesamte Christusbild; darum kehrt er schließlich auch die Evangelien gegen Paulus hervor. Manche Tagebuchaufzeichnungen lassen deutlich erkennen, wie die beiden Prinzipien, Vorbild und Versöhnung, miteinander ringen und wie dann immer mehr die Waagschale sich senkt zugunsten der einseitigen Betonung des Vorbilds und dadurch die Bedeutung des Kreuzes zurückgedrängt wird.

Es ist eine irrige Behauptung, wenn Knud Hansen sagt, daß Mynster und Kierkegaard dasselbe gewollt hätten [in diesem Band S. 135 f.]. Sie wollen eben nicht dasselbe. Mynster ist rechtgläubiger Lutheraner, was Kierkegaard schon lange nicht mehr ist; er vertritt auch dies sein Luthertum, wie seine Predigten [6] zeigen, nicht ohne Tiefe und Eigenart. Kierkegaard aber ist erbitterter Gegner dieses Luthertums, das so, wie er es sieht, die Gnade mißbraucht, indem es sie als Zuckerbrot anbietet. Wie eine Begegnung zwischen ihm und Luther selbst ausgegangen wäre, das ist eine andere Frage.

In seinem Protest gegen die verbürgerlichte Kirche hat Kierkegaard objektiv das Recht auf seiner Seite. Diese Kirche lädt eine ungeheure Verantwortung auf sich, indem sie sich der Verdiesseitigung des modernen Lebens gleichschaltet und „alle Kategorien hineinbiegt ins Diesseits". Aber er hat unrecht insofern, als er das Neue Testament gegen sie als Instanz anruft, dabei aber dem Neuen Testament eine Kategorie zuschreibt, die ihm nicht wirklich entspricht. Sein Kampf mit der Kirche seiner Zeit bleibt ewig denkwürdig als der leidenschaftlichste Versuch, in dieser geschlossenen Immanenz Raum zu schaffen für Gott und Gottes Anspruch geltend zu machen. Sein Auftreten in der letzten Phase, seine Pamphlete, wirken wie

[6] Betragtninger over de kristelige Troslärdomme. 1833.

ein verkrampfter Aufschrei, eine Notwehr aus letzter Angst, um doch noch Raum zu schaffen für Gott in dieser Welt, die keinen Raum mehr für ihn hat. Er ist also Anwalt Gottes, aber nicht des Gottes, der dies menschliche Dasein als seine Schöpfung ernst nimmt und von dem es heißt: „Er kam in sein Eigentum", sondern eines Gottes, der in seiner Heiligkeit und absoluten Andersartigkeit den Menschen im absoluten Sinne verneinen und richten muß.

Diese den Umständen nach sehr abrißartige Darstellung möge beschlossen werden mit einem Wort aus dem Jahre 1846, also einem Wort des früheren Kierkegaard, das zugleich aber auch als Ausdruck gelten darf für das eigentliche und letzte Anliegen des Kierkegaard, der durch den „Augenblick" zu uns spricht:

„Was die Zeit nötig hat, nun, da durch eine innere Selbstentzündung die Weltlichkeit in Brand geraten ist, läßt sich mit *einem* Wort sagen: was sie braucht, ist: Ewigkeit. Das Unglück der Zeit ist dies, daß sie nur ‚Zeit' allein geworden ist, Zeitlichkeit, die in ihrer Ungeduld nichts hören will von der Ewigkeit und in ihrem Rasen sogar eine künstliche Nachahmung der Ewigkeit bewirken will, was ihr doch in aller Ewigkeit nicht glücken kann; denn je mehr man in Selbstverhärtung meint, die Ewigkeit entbehren zu können, um so dringender braucht man sie und eben nur sie" (XIII, S. 590).

Catholica. Jahrbuch für Kontroverstheologie. 9 (1952/53), 2. Teil, S. 81–94.

DIE KONTROVERSTHEOLOGISCHE RELEVANZ SÖREN KIERKEGAARDS

Von WALTER REST

War Sören Kierkegaard ein Protestant, der das Anliegen der Reformatoren in seinem Jahrhundert noch einmal um einen Schritt weiter von der Mutterkirche weg in eine noch größere Distanz zu tragen suchte, oder läßt sich sein Protest gar im Sinne einer Heimkehr zur katholischen Kirche deuten? Es fehlt in der weitschichtigen Kierkegaardliteratur nicht an Stimmen, die den großen Dänen in diesem wie in jenem Sinne interpretieren möchten [1]. Aber man kann sich bei der Lektüre solcher Darlegungen kaum eines peinlichen Gefühls erwehren, wenn man Kierkegaard in seinen Schriften und Tagebüchern unvoreingenommen gelesen hat. Der Austritt aus der lutherischen Landeskirche Dänemarks ist allerdings in seiner Entwicklung folgerichtig geschehen und ein Faktum, das man nicht bagatellisieren oder nur als Kurzschluß in der Endkrise seines Lebens bezeichnen darf. Kierkegaard nahm den Protest auf, den einst die Reformatoren in ihrer Zeit gewagt hatten, er protestierte nun seinerseits gegen den Zustand, in den die evangelische Christenheit geraten war, und wollte Zeugnis für das Christentum in der Christenheit seiner Zeit ablegen, er wollte im ursprünglichen Sinne des

---

[1] Es ist z. B. nicht zu bezweifeln, daß die sprachlich sicherlich hervorragende Auswahl der ›Tagebücher‹ Haeckers (Hegner-Verlag 1941) Einseitigkeiten zeigt, die ein gewisses „katholisches" Moment hervorheben sollten. Wilhelm Kütemeyer hat darauf in der Einleitung zu seiner Auswahl ›Der Einzelne und die Kirche‹, Berlin 1934, S. 30 ff. wenig liebevoll repliziert. Ich frage mich aber, was man auf evangelischer Seite zu E. Przywaras neuem Werk ›Humanitas‹, Nürnberg 1952, sagen wird, wo Kierkegaard gleichsam zum Rufer: „zurück zum Katholischen als der durchdauernden Form" (S. 302) gemacht wird. Ich habe das Werk trotz seiner genialen Lichter peinlich berührt beiseite gelegt.

Wortes: pro-testare! Wir wissen, daß dem letzten Schritt ein langes
und ernstes Ringen vorausging, das mit dem Tode besiegelt wurde.

Man könnte die Frage stellen, ob sich Kierkegaard anders verhalten hätte, wenn er als Katholik in einem katholischen Lande auf-
gewachsen wäre. Richtet sich sein Protest gegen die evangelische
Christenheit oder gegen die Christenheit seiner Zeit ganz allgemein,
also auch gegen die katholische Christenheit? Man kann darauf mit
großer Bestimmtheit antworten, daß Kierkegaard die Christenheit
in ihrer Vielfalt und Gesamtheit nur sehr begrenzt zu beurteilen ver-
mochte. Von seinem Leben und schriftstellerischen Ansatz her war er
ein „Lokalkritiker". Man könnte allenfalls untersuchen, ob die Sicht
der Zustände, auf die seine Kritik in seinem Lande abzielte, sich von
unserer Kenntnis des 19. Jahrhunderts her heute verallgemeinern
ließe. Und in Hinblick auf den Katholizismus darf man mit Sicherheit sagen, daß er niemals katholisierende Absichten im konkreten
Sinne der Konversion gehabt hat, zumal ihm die katholische Kirche
und ihre Christenheit niemals zu einer echten Erfahrung geworden
sind. Noch heute bildet in Dänemark und den nordischen Ländern
die katholische Christenheit eine verschwindende Minderheit, und
die wenigen Auslandsreisen führten ihn immer nur in eine damals
noch rein protestantische Welt (Berlin!). Er hatte nachweisbar keine
ernstere Kenntnis der katholischen Theologie seiner Zeit, und wenn
er gelegentlich einmal Johann Michael Sailer erwähnt, so lehnt er
ihn mit den gleichen Argumenten ab, wie er die Bischöfe seiner Landeskirche, Mynster und Martensen, ablehnte[2]. Man begibt sich also
auf eine völlig irreführende Fährte, wenn man Kierkegaard zum
Protestanten gegen den Protestantismus in Richtung auf den Katholizismus machen möchte.

Ohne nun auf eine vergleichende Religionssoziologie angewiesen
zu sein, kann man aus der Tatsache, wie das kritische Verhalten
Kierkegaards in Leben und Werk als Kritik seiner Zeit schlechthin im
20. Jahrhundert aufgenommen wurde, schließen, daß nicht die einzelne Konfession qua Konfession und ihre zeitbedingte Theologie,
sondern der Zustand der Christenheit des vergangenen Jahrhunderts
in Theologie und Leben überhaupt, dessen Erbe man anzutreten

[2] ›Einübung im Christentum und anderes‹, Olten–Köln 1951, S. 385.

hatte, durch seine Kritik entscheidend getroffen wurde. Es wäre gewiß eine besondere, allerdings recht schwierige Aufgabe, zu untersuchen, inwieweit seine Kritik, die zunächst einmal an den geographischen und historischen Raum seines Lebensweges gebunden ist, auch für den Zustand der katholischen Christenheit seiner Zeit zutreffen mag. Wenn man also Kierkegaard kontroverstheologische Relevanz zusprechen möchte, dann muß man sie nicht in einer allzu vereinfachenden Weise zu gewinnen suchen. Gelegentliche Bemerkungen zustimmender Art über Eigentümlichkeiten der katholischen Kirche machen einen so eminent evangelischen Schriftsteller noch nicht zum Katholiken.

Im übrigen hat Kierkegaard seine Position selber eindeutig bestimmt [3]. Er hat sie durch den immer wiederholten Satz gekennzeichnet, den er mit einer fast ermüdenden Häufigkeit einzuschärfen bemüht war: „Ich bin ohne Autorität, ohne Vollmacht." Im Dänischen heißt es: Uden Myndighed, wörtlich also: Ohne *Mündigkeit*. Damit wollte er offenbar sagen, daß das Wort seines Mundes nicht den Anspruch erhebe, in eigener Mächtigkeit lehrend verstanden zu werden: also weder als Wort eines ordinierten Theologen – „Ich bin ohne Ordination!" – noch eines „Apostels". Er nannte sich „Schriftsteller", der, auf dem Hintergrunde der Hl. Schrift, die eigentümliche, sokratische, besser noch johanneische (des Täufers) [4] Aufgabe hat, aufmerksam zu machen: „'Ohne Mündigkeit' auf das Religiöse, das Christliche *aufmerksam zu machen,* ist total betrachtet die Kategorie für meine Schriftsteller-Wirksamkeit. Daß ich 'ohne Mündigkeit' war, habe ich vom ersten Augenblick an eingeschärft und stereotyp wiederholt; ich betrachte mich selbst am liebsten als *Leser* der Schriften, nicht als Verfasser" [5]. Kierkegaard nimmt sich unermüd-

---

[3] S. V. (Samlede Værker, Kopenhagen 1920 ff.) Bd. XIII, S. 523 ff.

[4] Eine seiner ersten Schriften aus der ethisch-religiösen Schaffensperiode trägt das bezeichnende Pseudonym „Johannes de silentio" (Furcht und Zittern), ob es auch einen besonderen Bezug zu seiner Braut, Regine Olsen, hat – wie Schrempf meint –, lasse ich dahingestellt.

[5] S. V. XIII, S. 535, die Worte „aufmerksam zu machen" sind in Fettdruck gegenüber anderen Sperrungen im Satz noch besonders hervorgehoben.

lich als Kind seiner Zeit unter Selbstkritik und betont immer wieder, wie sehr er hinter den eigenen Forderungen zurückbleibe.

Daraus folgt erstens, daß man ihn nicht als „Theologen" in dem Sinne verstehen darf, als habe er einen Beitrag zur Theologie seiner Zeit oder zur Theologie der Reformatoren oder gar zur katholischen Theologie schreiben wollen, und zweitens, daß er nicht die Absicht gehabt hat, selber eine eigene Theologie, sei es als Systematiker oder als Dialektiker, sei es als Kirchenlehrer oder als Apostel, sei es als Vorbild oder gar als Heiliger, zu geben. Er versteht sich eher als „Episcopus" in dem Sinne, wie sich Augustinus in seinem ganzen Leben und Werk nach seiner Berufung auf den Bischofsstuhl von Hippo als *Seelsorger*[6] verstanden hat. Aber auch dann muß man noch unterscheiden, denn dem großen Dänen kam ja nicht eine solche Ordination zu, und so läge es vielleicht nahe, ihn eher einen „*Propheten*" zu nennen: „daß man etwas sagt, das man selber auf seine Weise versteht – und lange danach versteht man, daß doch etwas Tieferes darin lag . . .", aber er möchte auch dies nur „wie eine Analogie zum Prophetischen" zulassen, direkt bezeichnet er sich eher weltlich als *Erzieher*[7]. Als solcher lebte er im Verständnis eines Berufes, aber doch wiederum in der Unterscheidung, daß nicht er selber aus sich die Erziehung als Kunst seines Könnens entfaltete, sondern als „Dienstmann", als „Aufseher" im Auftrage des einen Herrn und Meisters. Nur ein Wort sei ihm eigentlich direkt erlaubt auszurufen, nämlich „*tilbage*" zu sagen: Zurück![8] Und wer könnte dabei übersehen, daß es die Losung des Rufenden in der Wüste ist: Metanoeite!

Man muß sich in diesem Zusammenhang einmal die Gedanken über seine Schriftsteller-Wirksamkeit gegenwärtig halten, die von ihm auf dem Höhepunkte seiner religiösen Verfassertätigkeit im Jahre 1848 niedergeschrieben und erst posthum von seinem Bruder im Jahre 1859 veröffentlicht wurden: „Und nun ich, der Verfasser, welches Verhältnis habe ich dann, nach meinem Urteil, zur Zeit? Bin

---

[6] Vgl. F. Van der Meer, Augustinus der Seelsorger, Köln 1951, besonders S. 473 ff.

[7] Vgl. meine Dissertation ›Indirekte Mitteilung als bildendes Verfahren, dargestellt am Leben und Werk Sören Kierkegaards‹, Münster 1937.

[8] S. V. Bd. XIII, S. 603.

ich vielleicht der Apostel? Abscheulich, hierzu habe ich nie Anlaß gegeben, ich bin ein ärmlich geringer Mensch. Bin ich dann der Lehrer,
der Erzieher? Nein, auch nicht, ich bin derjenige, der selbst erzogen
wurde, oder wie es die Verfasserschaft ausdrückt: erzogen zu werden,
ein Christ zu sein; indem die Erziehung und je nachdem wie die
Erziehung auf mich drückt, drücke ich wieder auf die Zeit, aber ich
bin nicht Lehrer, nur Mitschüler" [9]. Kierkegaard versteht sich also
weder als Theologe noch als Seelsorger, sondern als Mit-Teilender,
der seine eigene Erziehung religiös erfährt (als Werk der Vorsehung)
und sie nun weitergibt (als Werkzeug der Vorsehung) [10]. In dieser
Weitergabe dessen, was er selbst erfahren hat, versteht er sich rein
dienend und in Hinblick auf seine Mitmenschen auf gleicher Ebene
mit ihnen: als Mitschüler. Niemand anders als Augustinus wiederum
hat sich selber so verstanden, und zwar, wie wir gerade heute wieder
verstehen lernen, nicht nur in seinen Traktaten über die Erziehung,
sondern gerade auch im konkreten Lebensvollzug, aus dem seine
Schriften unmittelbar hervorwuchsen.

Damit kommen wir zu einer ersten, wenn auch nur ganz allgemeinen Feststellung: Augustinus und Kierkegaard haben eine besondere Nähe zueinander, sofern man überhaupt zwei so ausgeprägte
und einmalige Gestalten vergleichen kann [11]. Und es hat sich so
gefügt, daß man von sehr verschiedenen Standpunkten her an beide
anzuknüpfen vermag, und zwar so, daß die eine Seite (die evangelische Theologie) bei Augustinus sucht und findet, was sie auch bei
Kierkegaard glaubt suchen und finden zu können. Zwischen diesem
Suchen und Finden auf der einen und der anderen Seite liegt die
Frage nach der Gültigkeit der Inanspruchnahme, und hier entbrennt
die Kontroverse. Als ersten Ertrag unserer Überlegungen halten wir
fest: 1. Kierkegaard ist kein Theologe, der Lehrmeinungen in eigener
Instanz vertritt. 2. Sein Werk kann Rechtens von keiner theologischen
Richtung mit absolutem Beschlag belegt werden. 3. Er hat sich weder
als Reformator im Protest gegen die römisch-katholische Theologie

[9] Ebenda S. 603/604.
[10] S. V. XIII, S. 595 ff. ›Der Anteil der Vorsehung in meiner Verfasserschaft.‹
[11] Vgl. meine Dissertation a. a. O. S. 83 ff.

verstanden, noch 4. als katholisierender Christ im Protest gegen den Protestantismus. 5. Jenseits aller Konfessionalität ging es ihm um die Renovatio der Christenheit seiner Zeit, mit seinen eigenen Worten: Die Aufgabe lautet, das Christentum in der Christenheit wieder einzuführen.

Kierkegaards kontroverstheologische Relevanz liegt nicht primär in seinen theologischen (dogmatischen) Aussagen, sondern in der Auslösung eines neuen theologischen Denkens, das, ganz schlicht gesprochen, wieder Theologie im ursprünglichen Sinne anstrebt und nicht Weltanschauung oder Systemtheologie (als Wissenschaftslehre), für die noch Adolf von Harnack als letzter großer Repräsentant genannt werden könnte. In der Theologie geht es wieder um die Verkündigung der Frohen Botschaft und die Wirklichkeit des anwesenden Herrn, Jesus Christus, aber auch um die Gleichzeitigkeit des Christen mit ihm. Alles andere, der ideologische Überbau, wurde von Kierkegaard entlarvt, er hat die christliche Ideologie und die Ideologisierung der christlichen Wirklichkeit überwunden. Darin sollte eine weitere Bestimmung seiner kontroverstheologischen Relevanz zu erblicken sein.

I

Die kontroverstheologische Ambivalenz im Werk Sören Kierkegaards

Die kontroverstheologische Relevanz der Schriften Kierkegaards scheint uns in jener eigentümlichen Ambivalenz zu liegen, die heute ebenso stark von katholischen wie von evangelischen Lesern empfunden wird. Dieses Empfinden kann man nicht als subjektive Täuschung deuten, denn die Doppelwertigkeit ihrer theologischen Spannung tragen die Werke Kierkegaards in sich selber. Sie ist das Geheimnis ihrer Dialektik, die beim katholischen Theologen in umgekehrter Relation anziehend und unbehaglich zugleich ist wie für den evangelischen Theologen. Wenn Adolf von Harnack im Jahre 1928 in einem Brief an Martin Rade seiner tiefen Besorgnis über die dialektische Theologie Karl Barths Ausdruck verleiht und befürchtet, daß „neue Verbindungen dieser evangelischen Theologie mit dem

Katholizismus (sic!) und der Romantik" auftauchen könnten [12], so spiegelt sich in dieser Besorgnis symptomatisch diese Ambivalenz, wie sie in der Tat noch aus dem ›Römerbrief‹ deutlich spricht, der ja, im Gegensatz zu dem späteren Barth, sehr starke Anregungen von Kierkegaard empfangen hat. Barth gibt dies in seinem „Nein!" an Brunner offen zu, wenn er zu der Theorie „einer eigenen Möglichkeit des Menschen für Gottes Offenbarung", „nach berühmtem Vorbild mit Kierkegaard und Heidegger" sagt: „Ich gestehe, daß ich selber ihr noch um 1920 herum und vielleicht auch noch später in dieser Form wahrscheinlich zunächst erlegen wäre, und wer weiß, ob man mir nicht Stellen etwa aus dem 'Römerbrief' nachweisen kann, an denen ich tatsächlich selber Derartiges gesagt habe" [13]. Wenn Barth in seiner weiteren Kritik an Brunner sein Nein! ausdrücklich auch für den Fall bekräftigt, „daß er (Brunner) eines Tages wieder auf die Kierkegaard–Heideggersche Form seiner Lehre zurückkommen sollte", und gleichsam abschreckend darauf hinweist, daß E. Przywara, „dieser Meister der analogia entis-Lehre", „unter Einbeziehung auch der ganzen Kierkegaard-Dialektik" den Gedanken von der „Offenbarungsmächtigkeit" des Menschen gut katholisch interpretiert habe und auch „gut katholisch interpretieren konnte!", so scheint hier doch der Beweis für die behauptete kontroverstheologische *Ambivalenz* der Schriften Kierkegaards deutlich gegeben zu sein.

Aber weder Barth in seinem ›Römerbrief‹ noch Brunner in ›Natur und Gnade‹ noch auch Przywara in seiner ›Analogia entis‹ *konnten* (!) legitim den großen Dänen für ihre theologischen „Schemata" in Anspruch nehmen, und es ist ein glattes Mißverständnis, wenn Barth im Anschluß an seine Kritik zu Brunners Lehre vom „Anknüpfungspunkt", die der theologia naturalis vulgaris Tür und Tor geöffnet habe, behauptet, daß es „auch via Kierkegaard zu diesem traurigen Ergebnis kommen" konnte [14]. Via Kierkegaard kann es überhaupt nicht zu einer theologischen Theorie über das Verhältnis von Natur und Gnade kommen, weil er niemals eine theologische *Lehre*, sondern immer nur die *Existenz des Christen* darstellen,

---

[12] Agnes Zahn-Harnack, Adolf von Harnack, Berlin 1951, S. 414.
[13] Karl Barth, Nein! Antwort an Emil Brunner, München 1934, S. 50 ff.
[14] Ebenda S. 56.

wachrufen und herausfordern will. Kontroverstheologische Ambivalenz bedeutet also zunächst einmal, daß sich die Aussagen Kierkegaards für eine theologische Auswertung innerhalb theologischer Lehrsysteme oder dogmatischer Theorien auf einem Nullpunkt befinden: es ist weder ein Plus noch ein Minus für diese oder jene theologische Lehrmeinung gegeben. Man *kann* also nichts oder man *kann* alles von Kierkegaard her, nur daß man jeweils im gleichen Augenblick etwas in Kierkegaard hineinträgt, was er selber nicht intendiert hatte. Anders ausgedrückt: Die Aussagen Kierkegaards sind *existential-dialektisch* zu verstehen. Wenn man sich ihrer bedient, so ist man als Christ angesprochen, nicht als Theologe, und in der Reflexion muß man seine Darlegungen dialektisch auf die eigene Existenz beziehen. Kierkegaard hat für dich und für mich geschrieben, so wie das Evangelium an den konkreten einzelnen Menschen gerichtet ist und keinesfalls dafür, um Fakultäten zu begründen und Berufsmöglichkeiten zu schaffen, geschweige denn Lehrbücher mit tausend Streitereien auszulösen. „Tilbage!", zurück in die Gleichzeitigkeit mit Christus, zum logos theou, nicht aber zur Theo-logie, das ist Kierkegaards Stellung in seiner und unserer Zeit. Schon daraus eine Existenz-Philosophie oder Existenz-Theologie abziehen zu wollen, ist ein Mißverständnis. Was da etwa im Sinne von „Offenbarungsmächtigkeit" oder gar eines „Anknüpfungspunktes" gedeutet werden könnte, ist in der Spitze der Existenz-Dialektik immer wieder aufgehoben. Es ist daher gänzlich unverständlich, wie Urs von Balthasar in seinem Werk über Karl Barth [15] die Dialektik Kierkegaards als „statisch" oder gar als „statisch-dualistisch" bezeichnen kann, wie es eben zu einfach und typisch falsch ist, Kierkegaard als Antipoden Hegels zu betrachten und zu meinen, ihn damit hinreichend eingeordnet zu haben. Zwar hat Kierkegaard, der *Situation seiner Zeit* entsprechend, leidenschaftlich gegen die Hegelianer anzukämpfen versucht, aber doch niemals in der bloßen Absicht, Hegel ein anderes Denken und eine andere Formel der Dialektik entgegenzustellen. Er hat es für wert und notwendig gehalten, die Hegelianer (ob Theologieprofessoren oder Pfarrer) zu bekämpfen, nicht aber die Hegelsche Philosophie-Theologie, denn es ging ihm um die Wieder-

[15] Köln 1951, S. 80, S. 238.

einführung des Christentums in der Christenheit, nicht aber um eine neue theologisch-philosophische Doktrin, mochte sie auch zehnmal seinen Schriften innewohnen, wie unsere Zeit eindringlich gezeigt hat.

Das Unglück des ganzen Kierkegaard-Mißverständnisses begann mit seinem Übersetzer Christoph *Schrempf*. Ein Beispiel: In der ersten Auflage seiner Übersetzung der ›Krankheit zum Tode‹ bringt er die für das Gesamtverständnis dieses Werkes entscheidenden Abschnitte über das Selbst des Menschen sehr ungenau und streicht sie dann für die weiteren Auflagen so zusammen, daß sie mit dem Urtext überhaupt nicht mehr zu vergleichen sind. Zugegeben, daß diese Sätze schwierig in ihrer Diktion sind, aber sie bestimmen genau die existential-dialektische Position. Es erhebt sich die Frage, ob z. B. Brunner oder Barth den ursprünglichen Text gekannt haben und sich auch im übrigen auf Schrempf verließen, dasselbe gilt für Przywara, Dempf, Balthasar usw. Vielleicht wäre dann rechtzeitig ein anderes Kierkegaard-Verständnis angebahnt worden. Hier eine exemplarische Gegenüberstellung:

Schrempf: „Der Mensch ist Geist. Was ist Geist? Geist ist das Selbst. Was ist das Selbst? Das Selbst ist ein Verhältnis, das sich zu sich selbst verhält; oder ist das im Verhältnis, daß das Verhältnis sich zu sich selbst verhält; also nicht das Verhältnis, sondern daß das Verhältnis sich zu sich selbst verhält.

Ein Verhältnis, das sich zu sich selbst verhält, ein Selbst, muß sich entweder selbst gesetzt haben oder durch ein anderes gesetzt sein.

Ist das Verhältnis, das sich zu sich selbst verhält, durch ein anderes gesetzt, so steht es als Verhältnis zu sich selbst außerdem in einem Verhältnis zu dem Dritten, das das ganze Verhältnis gesetzt hat" [16].

Kierkegaard (die von Schrempf gestrichenen Sätze in Kursiv): „Der Mensch ist Geist. Aber was ist Geist? Geist ist das Selbst. Aber was ist das Selbst? Das Selbst ist ein Verhältnis, das sich zu sich selbst verhält; das Selbst ist nicht das Verhältnis, sondern daß das Verhältnis sich zu sich selbst verhält. *Der Mensch ist eine Synthese von Unendlichkeit und Endlichkeit, von Zeitlichem und Ewigem, von Freiheit und Notwendigkeit, kurz eine Synthese. Eine Synthese ist ein Verhältnis zwischen Zweien. So betrachtet, ist der Mensch noch kein Selbst.*

[16] Jen. VIII S. 10 ff., in Zusammenarbeit mit H. Gottsched.

In dem Verhältnis zwischen Zweien ist das Verhältnis das Dritte als negative Einheit, und die Zwei verhalten sich zum Verhältnis und im Verhältnis zum Verhältnis; so ist unter der Bestimmung Seele das Verhältnis zwischen Seele und Leib ein Verhältnis. Verhält sich hingegen das Verhältnis zu sich selbst, so ist dieses Verhältnis das positive Dritte, und dies ist das Selbst. Ein solches Verhältnis, das sich zu sich selbst verhält, ein Selbst, muß sich entweder selbst gesetzt haben, oder durch einen Anderen gesetzt worden sein.

Ist das Verhältnis, das sich zu sich selbst verhält, durch einen Andern gesetzt, *so ist das Verhältnis zwar dieses Dritte, aber dieses Verhältnis, dieses Dritte, ist so doch wieder ein Verhältnis, das sich zu jemand verhält, der das ganze Verhältnis gesetzt hat"* [17].

Wenn man sieht, wie Schrempf diesen Text eigenmächtig verstümmelt hat, begreift man, von welchem Verständnis her er Kierkegaard übersetzte: er streicht alles, was existentiell bedeutsame Aussage ist, und sucht eine identitätsphilosophische Formel zu gewinnen, dadurch verkürzt er die Existential-Dialektik, die ihm im Wege steht. *Was* der Mensch ist und *wer* er ist, das drücken gerade jene Sätze aus, die Schrempf zu streichen für angebracht hielt. Also gerade die kontroverstheologisch bedeutsamen anthropologischen Aussagen über die eigenen Möglichkeiten des Menschen und seine Hingeordnetheit auf Gott in ihrem dialektischen Zusammenhang werden somit entstellt. Denn wenn es abschließend bei Kierkegaard heißt: *„indem es sich zu sich selbst verhält, und indem es sich selbst sein will, gründet das Selbst durchsichtig in der Macht, die es setzte"* [18], so ist hier gerade jene Ambivalenz präzise beachtet, von der wir gesprochen haben. Es steht im dänischen Text eben nicht, wie es Schrempf übersetzt hat, daß sich das Selbst *sich selbst* durchsichtig in der Macht gründe, die es setzte, sondern eindeutig heißt es bei Kierkegaard: *Wenn der Mensch qua Person* (indem das Selbst sich zu sich selbst verhält) *Person sein will* (indem es sich selbst sein will), *gründet er als Person durchsichtig in Gott* (gründet das Selbst durchsichtig in der Macht, die es setzte). Nicht der Mensch gründet sich selbst (!) in Gott, er hat keine Eigen-

---

[17] S. V. Bd. XI, S. 143 ff. (Ich habe schon 1937 in meiner Dissertation a. a. O. S. 5, Anm. darauf hingewiesen.)

[18] S. V. Bd. XI, S. 145.

mächtigkeit auf Gott hin, sondern als Geschöpf Gottes, indem er ist, wer er ist, gründet er in Gott. Als dieser Mensch findet er sich vor, und er macht sich selbst nicht, Gott hat ihn gesetzt. Was immer er ist, ist er durch Gott, und nur was er *nicht* ist, ist er durch sich selbst. Von hier aus leiten sich erst gültig die verschiedenen Formen der Verzweiflung, der „Krankheit zum Tode" ab. Indem nun die Philosophen (von Heidegger bis Sartre) von der theologischen Relevanz ganz allgemein absahen und die Theologen jeweils nur das hineininterpretierten, was ihrem Schema zuträglich war (das Beispiel Brunner–Barth–Przywara ist Beleg genug), mußte es entweder zu Mißdeutungen kommen oder aber zu unbegründeter Abkehr.

Noch an einem anderen Beispiel möchten wir unsere These von der Ambivalenz aufzeigen und zu verdichten suchen. In seiner Schrift aus den letzten Schaffensjahren (1851) ›Zur Selbstprüfung der Gegenwart anbefohlen‹ berührt Kierkegaard die kontroverstheologisch so empfindliche Frage nach der „Rechtfertigung" wie folgt: „Da trat ein Mann auf, Martin Luther, von Gott und mit dem Glauben; mit dem Glauben (denn wahrlich, hierzu bedurfte es des Glaubens) oder durch den Glauben setzte er den Glauben in seine Rechtheit ein. Sein Leben drückte die Werke aus, laßt es uns nie vergessen, aber er sagte: ein Mensch wird allein durch den Glauben erlöst. Die Gefahr war groß. Wie groß sie in Luthers Augen war, ich weiß keinen stärkeren Ausdruck dafür, als daß er beschloß: um Ordnung in die Sache zu bringen, muß der Apostel Jakobus beiseite geschoben werden. Denke dir eines Luthers Ehrfurcht vor einem Apostel – und dann dieses wagen zu mögen, um den Glauben in sein Recht eingesetzt zu bekommen" [19]. Kierkegaard wendet das Theologoumenon des alleinseligmachenden Glaubens schon bei Luther ins Existentielle: Luther hat recht, aber nur auf Grund eines Untersatzes, den er den Untersatz des Lutherischen schlechthin nennt, daß nämlich die Werke, die Existenz, das Zeugen und Leiden für die Wahrheit, die Werke der Liebe usw. etwas genauer betrachtet werden als gemeinhin in der Welt. Luther „in seiner Ehrlichkeit" sei dieser notwendige Untersatz gar nicht zu Bewußtsein gekommen. „Denke dir aber Luther in unserer Zeit, aufmerksam auf unseren Zustand, meinst du nicht, er würde

---

[19] S. V. Bd. XII, S. 361.

sagen, wie er in einer Predigt sagt: 'Die Welt ist wie der volle Bauer, wenn man ihm von der einen Seite auf das Pferd hilft, fällt er auf der andern Seite herunter'. Meinst du nicht, er würde sagen: Der Apostel Jakobus muß ein wenig hervorgezogen werden, nicht für die Werke *gegen* den Glauben, nein, nein, das war doch auch nicht die Meinung des Apostels, sondern für den Glaubenden, dafür, wenn möglich, um zu bewirken, daß der Drang nach 'Gnade' tief in wahrhaft demütiger Innerlichkeit empfunden werde, und dafür, wenn möglich, um zu verhindern, daß die 'Gnade', der Glaube und die Gnade als das allein Rettende und allein Seligmachende nicht ganz eitel genommen, und zu einem Deckmantel für eine sogar raffinierte Weltlichkeit würden" [20]. Und diese Wendung auf das Existentielle in Luther, aber auch „in unserer Zeit", „auf unseren Zustand hin" hebt die Problematik des Theologoumenons auf: *In der christlichen Existenz gibt es keine Frage über die Bedeutung der Werke einerseits und einer sola-gratia-Lehre andererseits.* In trefflicher Ironie spielt Kierkegaard auf sich selber an und bezeichnet sich als einen „listigen Burschen", für den es doch wichtig sei, darauf aufmerksam zu machen, daß Luther eine „ehrliche Seele" gewesen sei, der gegenüber es unnötig sei, Vorsicht walten zu lassen. Aber auch Jakobus habe ja gesagt: 'Seid nicht nur Hörer des Wortes, sondern Täter desselben.' – Doch um Täter desselben zu werden, muß man ja zuerst Hörer oder Leser desselben sein, was Jakobus auch sagt. In der Wendung auf die Existenz, „auf mich, wie ich bin, wird es gewiß richtig sein", etwas genauer auf den Untersatz im Lutherischen zu achten. Es sollte somit den Theologen schwerfallen, Kierkegaard in dieser oder jener Weise für sich in Anspruch zu nehmen. Er würde immer antworten: Richtig, *aber* . . ., und im Nachsatz würde er seine Zustimmung wieder aufheben, weil er keine „Lehre" vertritt, keine Theologenmeinung, sondern die christliche Existenz, in der solche „Lehren" ambivalent werden.

In dieser Ambivalenz aber liegt die entscheidende kontrverstheologische Relevanz; denn das Christentum ist mehr als „Theologie", es ist Wirklichkeit Jesu Christi hier und heute, und von dieser Wirklichkeit her fordert Kierkegaard auch die theologischen Kon-

---

[20] Ebenda S. 362.

troversen, die Fakultäten, Systeme und Richtungen, die Gelehrten und Professoren in die Schranken, er stellt sie in die Pilatus-Situation: Die Frage lautet nicht: „Was ist Wahrheit?", sondern: *„Wer ist Wahrheit?"* und die Antwort lautet: *„Ich* bin die Wahrheit und das Leben!"*

II

Die Ohnmacht der Theologie und die Bedeutung des Einzelnen

Im augenblicklichen Streit um Bultmann ist noch einmal deutlich geworden, welche Stellung die theologischen Fakultäten in der evangelischen Kirche einnehmen. Sie sind maßgebliche Instanzen für die evangelische Theologie, ihre Theologen stehen sich dabei oft in entscheidenden Fragen wie Ja! und Nein! gegenüber. Dennoch sprechen sie seit Luther und Calvin bis zu Barth, Brunner und Bultmann hin für eine Kirche, die sich letztlich als „Corpus reformatorum" versteht. Kierkegaard spricht nicht in solchem Consensus dieser „Kirche", er spricht nicht als reformatorischer Theologe, sondern als *einzelner Christ.* Seine Position außerhalb der Theologie und der Amtskirche (ohne Ordination und ohne Mündigkeit!) zwingt die Theologie, sich mit ihm ganz anders auseinanderzusetzen als mit einem Theologen. Grundsätzlich muß sie sich mit ihm überhaupt nicht befassen (Adolf von Harnack hat das trotz seiner 1600 Arbeiten auch nicht getan!). Der Einspruch der Schriften Kierkegaards in das reformatorische Selbstverständnis, in die Kirche und ihre Theologie hinein ist eben völlig verschieden von den Stellungnahmen eines beamteten Theologen, auch wenn dieser noch so umstritten wäre und wie Bultmann die geschichtlichen Fakten der Heilsgeschichte für Mythen erklären wollte! Kierkegaards Schriften sind *Streitschriften,* sie haben daher auch primär für die reformatorische Theologie kontroverstheologische Relevanz. Aber in diesem Sinne sind sie eigentlich echt „reformatorische" Schriften, denn die meisten Schriften Luthers und Calvins sind ja auch Streitschriften. Von dieser Eigentümlichkeit her rührt nun aber bei Kierkegaard, weil er in den *protestantischen* Raum hinein streitet, die besondere Nähe zum katholischen Denken, die sich immer deutlicher ausprägte, als er über die Kontroverse hinaus auf einen Bruch mit der Amtskirche seines Landes und der evangelischen Christenheit seiner Zeit hindrängte. Aber man sollte sich über diese Entwicklung keinen Täuschungen hingeben: Kierkegaard wendet sich von der evangelischen Christenheit und Kirche nicht ab, um sich der katholischen zuzuwenden. Man hat seine positive Wertung des Klosters und der Askese in diesem Sinne zu interpretieren versucht. Die katholische Christenheit stand aber, wie wir schon ausführten, gar nicht konkret im Blickfelde seiner Entscheidungen.

Dennoch liegen diesen Bemerkungen über das Kloster Ansichten und Überzeugungen zugrunde, die im echten Sinne kontroverstheologische Bedeutung haben. Wir möchten dies in einem anderen Zusammenhang aufzeigen.

In einer Tagebuchnotiz aus dem Jahre 1847 heißt es: „Darüber ist kein Zweifel, daß unsere Zeit, daß der Protestantismus besonders das Kloster wieder brauchen könnte, oder daß es da wäre. Das Kloster ist ein wesentliches dialektisches Moment im Christlichen, darum müssen wir es auch draußen haben als ein Seezeichen, um zu sehen, wo wir sind – selbst wenn auch ich selbst just nicht in eines gehen wollte. Aber wenn da wirklich in jeder Generation wahres Christentum ist, so müssen auch Individuen da sein, die diesen Drang haben. Was würde Luther denken, wenn er jetzt sich umsehen würde. Daß also in unserer Zeit gar keine Menschen mehr sind, die das Religiöse überwältigt hat – daß wir alle so stark geworden sind – oder so schwach in Religiosität! Daß die wenigen Analogien zu solchen Menschen heutzutage auf das Irrenhaus deuten" [21]. In späteren Jahren wiederholt Kierkegaard dieses Thema immer eindringlicher und schärfer; auch seine Angriffe auf den Protestantismus und auf Luther werden in diesem Zusammenhang immer heftiger, aber auch dabei geht es ihm nicht darum, wie vielleicht Haecker und Przywara glauben möchten, dem Katholizismus recht zu geben, sondern hier liegt eine kontroverstheologisch sehr wichtige Auffassung über die Stellung des *Einzelnen* in der Christenheit zugrunde.

Schon in seiner Schrift ›Der Begriff der Angst‹ (1844) tritt dieses Anliegen deutlich hervor. Kierkegaard sucht in diesem Werk ein

---

[21] Tagebücher (Haecker a. a. O.) S. 266.

„*psychologisches*" Verständnis der Erbsünde zu erarbeiten, das seiner Meinung nach den verschiedenen dogmatischen Lehren (in der katholischen, griechischen und evangelischen Dogmatik) vorausgehen müßte. Er tritt also mit seiner Untersuchung nicht gegen die Dogmatik an, sondern betont ausdrücklich, daß diese zu erklären hätte, was die Psychologie nie erklären könne. Aber er will eine Vorfrage klären: das Verhältnis des Individuums zum Geschlecht [22].

Er bezeichnet es als eine wesentliche Bestimmung menschlicher Existenz, „daß der Mensch Individuum ist und als solches er selbst und das ganze Geschlecht, dergestalt, daß das ganze Geschlecht am Individuum partizipiert und das Individuum am ganzen Geschlecht" [23]. Die geschichtliche Bedeutung Adams für das Geschlecht und des „zweiten" Adam für die erlöste Menschheit erhellt aus dieser Relation. Aber auch die geschichtliche Bedeutung jedes einzelnen Menschen für das Geschlecht, jedes einzelnen Christen für die *Kirche* wird von hier aus deutlich. Wer diesen Zusammenhang übersieht, muß Kierkegaards Betonung der Kategorie des *Einzelnen* mißverstehen. Sie hat nichts mit Individualismus oder gar Solipsismus zu tun. Die korrelative Kategorie ist die der *Gemeinde*. Es ist aber ein weitverbreiteter Irrtum, die Communio sanctorum auf der Ebene der Soziologie und ihrer Lehre von der „Gemeinschaft" im üblichen Sinne „sozial" zu verstehen. Kirche ist nur in Hinsicht auf das Zusammenwirken von Hirt und Herde auf dem Wege der Pilgerschaft *auch* „Gemeinschaft", aber schon nach innen hin, im Blick der einzelnen Glieder aufeinander ist sie etwas anderes, ist sie Gemeinde. „Das Vereinigende bei der Gemeinde ist, daß jeder ein Einzelner ist", sagt Kierkegaard in einer Tagebuchnotiz aus dem Jahre 1850, „der Einzelne ist in der Gemeinde der Mikrokosmos, der qualitativ den Makrokosmos wiederholt; hier gilt im guten Sinne unum noris omnes" [24]. Der Mensch ist Person, und der Christ ist es in einem höheren Sinne als personales Glied des corpus Christi

[22] S. V. Bd. IV, S. 332. Vgl. hierzu meinen Artikel ›Individuum und Geschlecht‹ in Loseblatt-Lexikon ›Die Kirche in der Welt‹, Münster 1951, S. 373 ff.

[23] Ebenda S. V. IV, S. 332

[24] Pap. Bd. X, 2 A, S. 390. Vgl. meine Studie ›Kierkegaard und Marx‹ in ›Situation und Entscheidung‹, Warendorf 1947, S. 49 ff.

mysticum (quoniam sumus invicem membra Eph 4,25) und nicht als
bloß funktionelles, sensomotorisches oder gar automatisch beherrsch-
tes Glied[25], mit einem trefflichen Wort Karl Barths: „Der Christ
ist kein geschobener Stein und keine ins Rollen gebrachte Kugel."
Glied der Kirche sein bedeutet: „Gott wieder lieben und also willig
und bereit sein, Verantwortung–Mitverantwortung, aber eben so
wirkliche Verantwortung übernehmen"[26]. Darum, in Adam und
in Christus Jesus, die als Einzelne jeweils sie selbst und das ganze
Geschlecht waren, ist die Kategorie des Einzelnen die entscheidende
christliche Kategorie. Der Einzelne trägt die Verantwortung für das
ganze Geschlecht und nicht diese Verwechslung der Gemeinde mit
Gemeinschaft, Menge, Masse oder Publikum. Indem der Einzelne
Täter des Wortes und nicht nur Hörer ist, wird eine wesentliche
Seite der Kirche erst verwirklicht. Und darum sucht Kierkegaard
diesen Einzelnen, er sucht im Einzelnen diese wesentliche Seite der
Kirche, er sucht im Einzelnen die Kirche, die ecclesia, die Versamm-
lung der Gläubigen, die aus den Einzelnen gebildet und tätig ist, den
Krispus, Kajus, Timotheus, Epaphras, Silvanus und Onesiphorus,
und man braucht ja nur den Kanon der Messe aufzuschlagen, das
Martyrologium usw., um zu begreifen, daß die communio sanctorum wesentlich eine Gemeinde in dem eben bezeichneten Sinne ist:
„daß hier Menschen an diesem Heiligen Anteil bekommen, daß es
also in ihre Hände gelegt, ihnen anvertraut wird, daß sie selbst jetzt
kraft der in dieser communio stattfindenden communicatio der
sancta zur communio der sancti werden, aufgerufen nicht nur Hörer,
sondern auch Täter des Wortes zu sein"[27]. Und nun wird man doch
auch verstehen können, warum Kierkegaard das Kloster, die Zelle,
die Einsiedelei, die Askese trotz Luther und trotz der Geschichte des
Protestantismus wieder herbeirufen möchte: um der rührseligen Zu-
hörerschaft in den Abendpredigten seiner Zeit einen Kontrapunkt
geben zu können: „Zurück zum Kloster, aus dem Luther ausbrach,
ist die Sache des Christentums zu führen"[28].

[25] Vgl. meinen Artikel über ›Einheit, Gleichheit und Besonderheit des
Menschen‹, Loseblatt-Lexikon a. a. O. 1950 Bd. II, S. 228 ff.

[26] Dogmatik I, 2, 1938, S. 742.

[27] Ebenda S. 741.

[28] Tgb. a. a. O. S. 583.

Natürlich rief Kierkegaard nicht nach Institutionen, die Klöster, Orden heißen, sondern nach dem Manifestwerden einer christlichen Existenz extra ordinem mundi. Hat nicht Dostojewskij im Bilde des Staretz Sossima diesem Rufe zu gleicher Stunde adäquat geantwortet? Aber begreift man nicht heute in der evangelischen wie in der katholischen Kirche, daß die Sache des Christentums mit dem Einzelnen stehen und fallen wird? Deuten nicht auch innerkirchliche Reformen (Apostolat und Mündigkeit des Laien) darauf, daß der Ruf Kierkegaards über die konfessionellen Grenzen hinweg verstanden wurde? Oder läßt man sich von den glanzvollen Kirchentagen mit ihren vielen tausend Besuchern berauschen? Hier läge dann eine kontroverstheologische Relevanz Sören Kierkegaards von eigentümlicher, aber doch sehr aktueller und konkreter Bedeutung. Doch wollen wir nicht verschweigen, daß die Kategorie des Einzelnen nicht numerisch zu verstehen ist. Warum sollte es nicht viele tausend Einzelne in unserer Zeit geben, so wie Kierkegaard scheinbar vergeblich in unserer Zeit nach jenem Einzelnen gesucht hat. Aber genügte es nicht schon, daß er selber als dieser Einzelne da war? Wir sehen überall die Saat aufgehen, die er einsam aussäte, und schon beginnt man auch in der katholischen Christenheit nicht mehr nur literarisch, sondern auch existentiell das aufzugreifen, was Kierkegaards innerstes Anliegen war. Urs von Balthasar hat es kürzlich, ohne den Zusammenhang mit Kierkegaard zu bemerken, deutlich ausgesprochen [29]: „Eine Theologie des christlichen Daseins unter dem Gesichtspunkt des Auftrags, der Miterlösung tut not. Ist sie einmal klar durchdacht und auch in den christlichen Unterricht hinein popularisiert, dann könnte eine neue Kraft aus den christlichen Gemeinden in die Welt ausstrahlen. Vergessen wir nie, daß die Offenbarung Christi um ein Unendliches reicher ist als die Begriffe und Schemata jeder Theologie und jedes kirchlichen Bewußtseins irgendeiner Zeit. Klammern wir uns deshalb nicht an Schemen fest, sondern tauchen wir mutig in die Urforderungen des Evangeliums zurück, die zugleich die Urgnaden sind, sichtbar und faßbar im Beispiel Christi, der sich für alle dahingab, um alle zu erretten." Wer auch nur einmal auf-

---

[29] In ›Michael‹, kath. Wochenzeitung, Düsseldorf 1952, Nr. 36 ›Für alle Menschen und Völker‹.

merksam die ›Einübung im Christentum‹ gelesen hat, der weiß, daß
es Kierkegaard gerade um dieses Anliegen ging: Heraus aus dem
Historismus und heraus aus den Schemen einer festgefahrenen Theologie: in die Gleichzeitigkeit mit Christus Jesus, unserm Herrn, hier
und heute!

Zeitschrift für Theologie und Kirche. 51 (1954), S. 50–105.

PHILOSOPHIE UND GLAUBE
BEI S. KIERKEGAARD

Über die Bedeutung der Existenzdialektik für die Theologie [1]

Von WILHELM ANZ

I

In dem Streit zwischen Vernunft und Glaube hat sich seit der Aufklärung folgende Lage ergeben: *Die Vernunft wird religionskritisch.*
Sie fragt danach, ob der Glaube mit ihr vereinbar ist. Fällt die Antwort negativ aus, dann bleibt für den Glauben kein Raum. Was außerhalb der vernünftigen Erkenntnis fällt, hat keine Wahrheit. Fällt die Antwort positiv aus, dann erscheint der Glaube als eine Vorstufe der vernünftigen Autonomie. Man kann seinen relativen Wert würdigen, ohne durch ihn gebunden zu sein. So haben z. B. Lessing und Hegel den Glauben beurteilt.

Kierkegaard hat eine dritte, der Aufklärung widersprechende Bestimmung des Verhältnisses von Vernunft und Glaube versucht. Bei ihm wird *der Glaube vernunftkritisch.* Es kommt Kierkegaard darauf an, zu zeigen, daß die Vernunft die eigentliche Wirklichkeit des Menschen, die der Glaube meint, nicht erfaßt. Kierkegaard hält sich in

---

[1] Den vorliegenden Aufsatz habe ich auf einer Tagung des Arbeitskreises früherer Marburger Theologen im Oktober 1953 vorgetragen. Er ist als philosophischer Beitrag zu der dort geführten Diskussion gedacht. Die Anmerkungen sind für den Druck hinzugefügt.

Ich zitiere die Werke nach der Übersetzung von Schrempf = Jen. (Jenaer Ausgabe), den Begriff der Ironie nach der Übersetzung von Kütemeyer = Ironie, die Tagebücher nach der dänischen Ausgabe von Heiberg und Kuhr = Pap. (Papirer). Gelegentlich weise ich auf die von Th. Haecker besorgte Auswahl der Tagebücher hin = H.

seinen Erörterungen vor allem an die Philosophie als die legitime
Repräsentantin der Vernunft. Wir fragen daher zuerst: *Was versteht
Kierkegaard unter Philosophie?*

Kierkegaard kennt nur die Philosophie des vernünftigen Selbstbewußtseins. Das vernünftige Selbstbewußtsein ist *absolut.* Es hat
sich aus aller Abhängigkeit von den Vormeinungen der natürlichen
Erfahrung und den Vorurteilen der Tradition gelöst. Es setzt allein
sich selbst und sein reines Denken voraus. Vermöge seiner ist es
autonom und *souverän.* Es findet in sich selbst die Maßstäbe, nach
denen es die Welt erkennend ordnet und handelnd beherrscht. Es ist
selbstgenugsam; denn es ruht in der reflektierenden Besinnung auf
sich als reines Denken. Alles außerhalb seiner Liegende begegnet nur
als Objekt seiner Erkenntnis. Für die Philosophie ist nach Kierkegaard Sein gleich Gedachtsein [2].

Diesen Grundtypus des philosophischen Selbstbewußtseins findet
Kierkegaard in allen bedeutenden Erscheinungen des modernen Geistes abgewandelt wieder: nicht nur in der wissenschaftlichen Aufklärung, sondern auch in der romantischen Dichtung und Reflexion
und vor allem in der idealistischen Philosophie. Kierkegaard kommt
hier zu folgender Kritik: Das philosophische Selbstbewußtsein ist
bestrebt, vermöge seiner Vernunft die Welt *immanent,* d. h. aus sich
selbst zu erklären. Es setzt sich damit an die Stelle Gottes; denn es ist
bestrebt, durch seine produktive Tätigkeit den „absoluten Zusammenhang" des Seienden hervorzubringen. Der autonome Verstand
tendiert seinem Wesen nach dahin, unendlicher Verstand zu sein. Das
ist eine Selbstüberhöhung, in der das Verständnis des Erkennenden
für sein von der Not des Daseins bedrängtes Leben verlorengeht [3].
Aber nur wer dieser Not nicht ausweicht, bewahrt seine Menschlichkeit. Nur er bleibt Person. Wir sind jedoch zuerst Person. Die Personalität ist unsere Grundwirklichkeit. Wir halten sie fest im ethischen Handeln, wenn wir Gott als den Herrn unserer Freiheit anerkennen und ihm gehorchen [4]. Die Wirklichkeit dieses ethischen
Handelns heißt bei Kierkegaard Existenz.

---

[2] Vgl. Jen. VII S. 3, 28, 39, 43; Jen. VI S. 248; Jen. V. S. 74 f. Anm.
[3] Vgl. Jen. VI S. 195; Jen. VIII S. 88.
[4] Jen. VIII S. 37.

Damit ist der Philosophie eine deutliche Grenze gesetzt. Wir erreichen die eine Wirklichkeit, auf die es ankommt, nicht mit Hilfe der Vernunft als Denkende, sondern in unserm ethischen Handeln als Existierende. Nun ist aber bei Kierkegaard der Mensch in seinem Leben an die – immer autonom gedachte – Vernunft gebunden. Diese Bindung enthält in sich eine große Gefahr. Sie droht den Menschen von seinem ursprünglichen Wesen abzuschneiden. Kierkegaard hält die Bindung des Menschen an seine Vernunft für so verhängnisvoll, daß er sein eigenes vernunftkritisches Denken, vom Offenbarungsglauben her geurteilt, als philosophisch und das heißt für ihn als wahrheitsfremd, als der Sünde verfallen bezeichnet. Es gibt keine menschliche Denkbemühung außerhalb des aktuellen Glaubens, die nicht die menschliche Grundwirklichkeit immer wieder verstellte und verwirrte. Nur der Glaube erreicht, was der Philosophie versagt bleibt: er bringt das Selbstbewußtsein dazu, auf seine Selbstgenugsamkeit zu verzichten und sich ganz dem Anspruch der ethischen Existenz und damit Gottes auszusetzen [5]. So können wir denn die Kritik an der Philosophie nicht zu Ende führen, ohne zu fragen, *was Kierkegaard unter Glaube versteht.*

Der Glaube, den Kierkegaard durch die Kritik an der Philosophie zum Sprechen bringen will, ist „das Alte, Bekannte und von den Vätern Überlieferte" [6], etwa der Glaube des Neuen Testaments in der Auslegung, die ihm die reformatorischen Bekenntnisschriften gegeben haben. Kierkegaard hat das Bewußtsein, über den *Inhalt* des Glaubens nichts Neues zu sagen. Aber er weiß zugleich und rechnet es sich als sein Verdienst zu, daß er dieses Vertraute und Überlieferte „womöglich auf eine noch innerlichere Weise" [7] hat lesen lehren. Kierkegaard hat ein klares Bewußtsein darüber, daß er die *Form* der Glaubensüberlieferung geändert hat. Er hat zu diesem Zweck eine besondere Weise der Mitteilung, die *Existenzdialektik*, methodisch ausgebildet.

---

[5] Diese Grenze ist an der Position des „sokratischen Denkers" in den ›Philosophischen Brocken‹ dargestellt. Alle Existenzdialektik außerhalb des Offenbarungsglaubens ist „sokratisch". Über das Scheitern und die Wahrheitsfremdheit des Verstandes vgl. Jen. VI S. 11, 34 ff., 42 f.

[6] Jen. VII S. 278.

[7] Jen. VII S. 278.

Die Existenzdialektik macht sich die Kritik an der Vernunft zunutze. Sie geht davon aus, daß die ethische Existenz und das in ihr entspringende, den Glauben begründende Verhältnis zu Gott der Vernunfterkenntnis unzugänglich sind.

Diese Erfahrung findet ihren methodisch klaren Ausdruck in dem Begriff des *Paradox*. Das Paradox ist, wie Kierkegaard sagt, eine „ontologische Bestimmung"[8]. Es ist der Grundbegriff der Existenzdialektik. In ihm ist festgelegt, daß die Vernunft prinzipiell auf die Sphäre des „Objektiven" eingeschränkt ist. Die Vernunft stößt in der Existenz auf einen Bereich, der ihr jenseits, ihr unbekannt bleibt. Umgekehrt muß sich die Existenz in der Sphäre der innerlichen Gewißheit halten und darauf verzichten, ihr Wissen von sich durch objektiv Feststellbares zu sichern, wenn sie nicht die ihr eigene Wahrheit verlieren will. Existenzwahrheit gibt es nur als „subjektive", in persönlicher Entscheidung festgehaltene Gewißheit des Glaubens, nicht als neutrale vernünftige Erkenntnis von „Objektivem".

Zwischen Vernunft und Existenz besteht in gewisser Weise Übereinstimmung. Wer beide Sphären aufeinander bezieht, kann die eine durch die andere kontrollieren und vor Grenzüberschreitungen schützen. Diese Beziehung ist das Geschäft der Existenzdialektik. Innerhalb der Existenzdialektik begrenzt der Glaube die Vernunft auf den ihr eigenen Bereich der objektiven Erkenntnis, die Vernunft hilft dem Glauben, seine Wahrheit reiner, innerlicher zu verstehen. Sie ermöglicht es ihm, sich in aller Klarheit von objektiver Erkenntnis, z. B. von rein historischem Wissen zu unterscheiden. Es liegt an der Klarheit des Glaubenden über sich selbst, ob er in der Religionskritik eine Gefahr für seinen Glauben sieht oder ob er sie vielmehr als eine Hilfe versteht, den paradoxen Charakter der Existenz zu bewahren.

Bei Kierkegaard stehen sich dann aber Philosophie und Glaube nicht wie zwei in sich abgeschlossene, gegeneinander indifferente Größen gegenüber. So könnte man allenfalls bei Luther meinen. Die Existenzdialektik setzt in sich selbst die innere Durchdringung von modernem Denken und Glauben voraus; denn erst in der dialektischen Begrenzung durch die Vernunft bildet sich die existentielle Gestalt

[8] Pap. VIII₁ A. 11.

des Glaubens aus, die der Zersetzung durch die Religionskritik überlegen ist. Nun geht es nicht mehr nur um die kritische Begrenzung
der Philosophie durch den Glauben, sondern ebensosehr um die dialektisch richtige Verarbeitung der Philosophie im Interesse des
Glaubens.

Damit ändert sich auch für uns, die Leser Kierkegaards, die Lage.
Wir fragen nicht mehr nur danach, ob die Kritik des Glaubens an
der Philosophie sachkundig durchgeführt ist, sondern auch danach,
ob die dialektische Interpretation des Glaubens seinen Inhalt unangetastet läßt. Es wäre jedenfalls ein ungewöhnlicher Glücksfall,
wenn autonome Vernunft und „heteronomer" Glaube, recht verstanden, sich in ihrer Intention begegneten. Wie verhalten sich die
Glaubenstradition und die neue Methode der Existenzdialektik zueinander? Um diese Frage beantworten zu können, müssen wir
untersuchen, was alles in den Bereich des autonomen Selbstbewußtseins fällt, und darin liegt, welche Vorstellungen wir auszuklammern
haben, damit wir die im Glauben gemeinte Wahrheit erreichen und
rein darstellen.

II

Die erste Gestalt des vernünftigen Selbstbewußtseins, die, ausgesprochen und unausgesprochen, in Kierkegaards Auseinandersetzungen mit dem Reflexionszeitalter vorausgesetzt ist, ist die *wissenschaftliche Aufklärung* [9]. Wir halten uns zunächst an ihre repräsen-
tative Gestalt, die exakten Naturwissenschaften. Wir dürfen von

---

[9] Im allgemeinen unterscheidet Kierkegaard nicht streng zwischen idealistischer Philosophie und Aufklärung. Die idealistische Philosophie ist ihm
nur ein extremer Sonderfall der Aufklärung. Vgl. z. B. Pap. VIII₂ B. S. 78:
„Der Eigenwille hat dialektisch zwei Formen: entweder den Herrscher
stürzen wollen, oder selbst Herrscher sein wollen, also religiös: entweder
ein Feuerbach sein wollen und eigenwillig alle Religion abschaffen oder
eigenwillig ein Apostel sein wollen." Die gegebene Alternative entspricht
den beiden Weisen der Religionskritik, von denen wir oben (S. 173 f.) aus-
gingen. Mit der zweiten Möglichkeit meint Kierkegaard die „Vollendung"
des christlichen Glaubens durch Hegel. Vgl. Pap. VII₂ B. S. 78: „Unter
verschiedenen Namen bis zu dem letzten der Spekulation hat man daran

vornherein annehmen, daß es Kierkegaard in seinen Reflexionen über
die wissenschaftliche Erkenntnis nicht um die sachlichen Ergebnisse der Forschung geht, sondern um die Intention, die hinter ihr
steht, um die Bedeutung, die sie für das Selbstverständnis hat, um
die Wirkung, die sie auf die Lebensverhältnisse ausübt. Das durchschnittliche wissenschaftliche Bewußtsein bleibt, wie Kierkegaard
meint, die Rechenschaft darüber schuldig. Es gibt eine enzyklopä-
dische Fülle des Stoffes, es entwickelt differenzierte Methoden seiner
Bearbeitung, aber der Leser erhält nicht klar gesagt, wie die Philosophie die Ergebnisse der Forschung zu gebrauchen hat [10]. Kierkegaard fragt: Geben die Naturwissenschaften „Exempel", d. h. Wis-
sensstoff, „so daß man ebensogut unwissend bleiben kann", oder
sind sie von solcher Wichtigkeit, daß „die Theorie danach gebildet
werden soll" (d. h. die Lehre vom Menschen)? Trägt die objektivierende Wissenschaft überhaupt etwas zum Selbstverständnis bei?

Wir fragen zunächst in der Richtung der Erkenntnis auf ihren
Gegenstand. Hier setzt Kierkegaard undiskutiert den uns geläufigen
Wissenschaftsbegriff voraus, demgemäß wir eine gegebene Wirklichkeit dann erkennen, wenn wir sie aus ihren Voraussetzungen heraus
konstruieren können. Ein Seiendes erkennen, heißt, es aus der Abfolge eines innerweltlichen Begründungszusammenhanges ableiten
oder es innerhalb von Raum und Zeit mit Hilfe der Kategorie der
Kausalität „konstruieren". Die exakte Erkenntnis ist beweisend.
Innerhalb vorausgesetzter Gesetzlichkeiten geht sie von gegebenen
Bedingungen aus und sucht von ihnen aus schließend und folgernd
den einzelnen Fall, die Wirklichkeit, zu erreichen. Dieser Erkenntnisbegriff hat es ausschließlich mit der Ordnung vorhandener innerweltlicher Objekte nach den Kategorien des Verstandes zu tun.

Schon im Hinblick auf die Natur hat, nach Kierkegaard, diese
exakte Erkenntnis ihre Grenzen. Die folgernde Ableitung erreicht

---

gearbeitet, das Christentum wahrscheinlich, begreiflich zu machen, es her-
auszunehmen aus der Gottessprache des Paradox und in Spekulations- oder
Aufklärungsplattdeutsch zu übersetzen." Direkt von der Aufklärung spricht
Kierkegaard dort, wo er sich auf Descartes bezieht, den er aus eigenem
Studium kannte.

[10] Vgl. Pap. VII₁ A. 200 = H. S. 223.

nämlich nie den gegebenen wirklichen, sondern immer nur einen gedachten möglichen, den idealen Fall. Wir bleiben immer auf die Erfahrung und das heißt auf das Urteil des lebendigen Menschen angewiesen, wenn wir die Wirklichkeit ausmachen wollen. Insofern endet alle Erkenntnis in einer Entscheidung oder in einem „Glauben". Wir erreichen die Wirklichkeit nicht in einem Schluß, sondern in einem „Beschluß". Wir müssen uns immer dafür entscheiden, das Faktische unter den idealen Fall zu subsumieren [11].

Bereits innerhalb der materiellen Natur entzieht sich das einzelne Objekt der Erkenntnis. Wir müssen es wagen, die Wirklichkeit so oder so aufzufassen, weil wir niemals über den Begründungszusammenhang absolut verfügen. Beim Menschen tritt eine wesentliche Bedingung hinzu, die jeden Versuch objektivierender Erkenntnis von vornherein ausschließt. Das „historische Werden ist innerhalb eines Werdens . . . (Es weist) definitiv auf eine absolut frei wirkende Ursache hin" [12], auf die menschliche Freiheit.

Diese Grenze überschreitet die objektivierende Erkenntnis. Für den reinen Verstand wird der Mensch zum Exponenten einer materiellen oder psychischen Natur, historischer oder soziologischer Gegebenheiten. Kierkegaard leugnet nicht, daß jeder von uns das auch ist; aber wir sind nicht in erster Linie unsere Gegebenheiten, sondern Person. Davon sieht die objektivierende Erkenntnis ab. Im Hinblick auf unseren Charakter als Person wird jedoch jedes Absehen von sofort zum Aufheben, Vernichten. Kierkegaard spricht davon, daß die Wissenschaft die Menschen demoralisiert; denn sie bringt sie dahin, daß sie den Mitmenschen und in vielen Fällen auch sich selbst moralisch zu nehmen verlernen, weil sie sogar sich als Objekt zu sehen und zu behandeln gelernt haben.

Kierkegaard findet für diese Lage drastische Formulierungen. „Es endet zuletzt doch damit, daß, wie die Metaphysik die Theologie verdrängt, so die Physik die Sittenlehre verdrängt. Die ganze moderne statistische Betrachtung des Sittlichen trägt dazu bei" [13]. „Alles Verderben wird zuletzt von den Naturwissenschaften kommen" [14]. Meta-

[11] Vgl. hierzu Jen. VI S. 74–78, besonders 76.
[12] Jen. VI S. 70.
[13] Pap. VII$_1$ A. 15 = H. S. 182 f.
[14] Pap. VII$_1$ A. 186 = H. S. 218.

physik bedeutet hier die rationale Konstruktion des Weltablaufes nach vorausgesetzten Prinzipien[15]. Jede positive Wissenschaft tendiert in diesem Sinne zur Metaphysik, sobald sie mehr will, als innerhalb einer bestimmten Seinsregion einen Bestand methodisch gesicherter Erkenntnis zu vermitteln, sobald sie ein „System des Daseins" erstrebt[16]. So verstanden, löst die Metaphysik die Welt von Gott, dem jenseitigen Schöpfer, ab und tritt an die Stelle der Theologie. In ihrer Anwendung auf die einzelnen Gegenstände (als „Physik") erstrebt die objektivierende Erkenntnis die durchgängige Determination der innerweltlichen Ereignisse, so daß für die Freiheit kein Platz bleibt.

Theoretischer Atheismus und die Verdrängung der Moral aus dem menschlichen Selbstverständnis sind zwei Erscheinungen ein und desselben Vorganges. Der Mensch erscheint, sogar innerhalb des humanitären Handelns, vor allem als berechenbarer Exponent. Ein besonders drastisches Beispiel ist Kierkegaards Ablehnung der Statistik. Ihn beschäftigt in den ›Stadien‹ ein Artikel des liberalen Schriftstellers Börne, der die steigende Selbstmordziffer in Paris aus den schlechten Wohnverhältnissen dort erklärt und ausdrücklich als eine Art Kulturkrankheit verstanden wissen will. Eine solche Betrachtung ist nach Kierkegaard inhuman. Börne spricht aus einer intellektuellen Distanz, die es ihm ermöglicht, den Menschen wie eine quantitativ meßbare Größe aufzufassen, sein Schicksal wie einen Naturvorgang zu beschreiben. Er läßt das Wesentliche, das zugleich das einzig Humane ist, aus: die Entscheidung des Einzelnen[17].

Hier ist jener Zustand der Demoralisation, von dem wir oben sprachen, offenkundig geworden. Die objektivierende Erkenntnis gerät damit in eine Aporie, aus der sie mit eigenen Mitteln nicht herausfindet. Der Mensch als Objekt der Erkenntnis wird in seiner Personalität verkannt. Wo aber die sittliche Freiheit verkannt ist, da ist auch die Rede von Gott als dem Herrn dieser Freiheit sinnlos.

Wie können wir nun den Menschen vor der Verkennung seines We-

[15] Vgl. unten S. 206 f., 216 f.
[16] Jen. VI S. 185 ff.
[17] Vgl. Jen. IV S. 444 f.

sens durch die objektivierende Erkenntnis schützen? Kierkegaard gibt folgende Antwort: Alles, was am Menschen materielle Natur oder in ihr fundiert ist, kann nicht unser Wesen als Mensch ausmachen. Wir sind nicht Naturwesen – Natur verstanden als Zusammenhang materiell begründeter objektivierbarer Ereignisse. Dazu gehören die Leiblichkeit, auch die psychischen Zustände, soweit sie leiblich fundiert sind, und die gesellschaftliche Bedingtheit. Nur indem der Mensch aus dieser Natur heraustritt und sich unbedingt auf sich selbst stellt, kann er hoffen, seine Menschlichkeit zu bewahren. Das eigentliche Menschliche liegt in dem, was nie Objekt werden kann, in der Subjektivität als der „absolut frei wirkenden Ursache" [18].

Mit dieser Forderung tritt Kierkegaard an sich noch nicht aus dem Horizont der souveränen Vernunft der Aufklärung heraus. Auch bei Descartes löst sich der Mensch aus allen innerweltlichen Abhängigkeiten, um als reiner Verstand einen Bereich autonomer Wahrheit zu schaffen, innerhalb dessen er frei handeln kann. Der Mensch als Subjekt der objektivierenden Erkenntnis scheint alle Bedingungen, die Kierkegaard von der absoluten Subjektivität fordert, zu erfüllen. Warum gibt sich Kierkegaard damit nicht zufrieden?

Kierkegaard stellt das *cartesianische Selbstbewußtsein* etwa in der Weise dar, in der wir zu Anfang das philosophische Selbstbewußtsein beschrieben haben. Er nennt das philosophische Selbstbewußtsein einen „mathematischen Punkt, der gar nicht da ist" [19]. Er will damit sagen, daß das philosophische Selbstbewußtsein „sich vom Dasein losgerissen hat" [20]. Der autonom Denkende muß sich allen unkontrollierten Einflüssen entziehen, um auf die reinen Denkakte reflektieren zu können. Er wird dadurch zum reinen Verstand oder zur reinen Subjektivität. Die reine Subjektivität ist absolut oder sie ist voraussetzungslos; denn sie konstituiert sich aus sich selbst in ihren spontanen Denkakten. In der Reflexion auf diese Denkakte

---

[18] Jen. VI S. 70. Hierher gehört das Problem der quantitativen Dialektik. Siehe unten S. 200 Anm. 56.

[19] Jen. VI S. 254.

[20] Vgl. hierzu Jen. VI S. 248 ff.; ferner die Dialektik des Anfangs. Jen. VI S. 187 ff.

gewinnt sie die Kategorien, nach denen als maßgebender Instanz sie alle Objekte der Erkenntnis beurteilt. Sein ist so viel wie Gedachtsein, d. h. erkennbar, erklärbar, der rationalen Konstruktion zugänglich sein. In diesem Seinsbegriff liegt für Kierkegaard von vornherein die Tendenz auf den unendlichen Verstand, der nicht nur auf „immanente" Erkenntnis des Innerweltlichen dringt, sondern die Welt als „den absoluten Zusammenhang" (Hegel) oder als in seiner Notwendigkeit durchschautes „System des Daseins" begreifen will.

Dieses vernünftige Selbstbewußtsein täuscht sich über sich selbst. Es ist faktisch nicht das absolute Subjekt, als das es sich im Erkenntnisvorgang versteht. Als absolutes Bewußtsein müßte es letzte Gegebenheit sein, die sich aus sich selbst konstituiert. Das ist jedoch nicht der Fall. Das cartesianische Bewußtsein ist abstrakt; es unterscheidet sich von dem leibhaften Menschen als dem empirischen Träger der Denkakte. Diese empirische Subjektivität ist, wie Kierkegaard sagt, das Dasein, von dem sich die reine Subjektivität losreißen will. Das ist jedoch unmöglich; denn diese sogenannte empirische Subjektivität (Kierkegaard sagt in seinem sehr fließenden Sprachgebrauch Dasein, Sein, Realität, Wirklichkeit, Existenz) ist gegenüber der reinen Subjektivität (Bewußtsein; Denken, Idee-Existenz) das Ursprünglichere. Sie ist nicht eine indifferente Vorbedingung, die an der reinen Subjektivität vorkommt, sondern die fundamentalere Wirklichkeit, aus der heraus es zu der von ihr gewollten Konstituierung des absoluten Bewußtseins kommen kann. Wir können sehr wohl das autonome Denken aus dem Interesse am Dasein erklären, aber niemals das Dasein innerhalb des autonomen Denkens, etwa als Objekt innerhalb des Determinationszusammenhanges aller Objekte, der von dem reinen Subjekte souverän konstruiert wird. Auf diese Weise würde das eigene Dasein zum Ob-iectum, zum Vorgestellten oder zum Bewußtseinsinhalt. Die reine Subjektivität erwiese ihre Absolutheit dadurch, daß sie das ihr zugehörige Dasein „aufhebt", es in seiner ursprünglichen Selbständigkeit negiert. Das cartesianische Bewußtsein läßt in Wahrheit keine „Synthese" von reiner und empirischer Subjektivität zu. Es entzweit den Menschen in sich selbst, reißt die Einheit des menschlichen Wesens auseinander in ein indifferentes Dasein, das Objekt der Erkenntnis ist, und in ein ebenso indifferentes Subjekt der Erkenntnis, das nur das „reine und abstrakte Mitwissen von und in diesem Verhältnis zwischen Denken und Sein" ist [21]. Was ist das aber für ein Absolutes, das alle Wirklichkeit begründen soll und doch keinen Raum für den Menschen als ethische Existenz, als moralisches Wesen läßt? Wie gibt es überhaupt absolutes Bewußtsein?

Kierkegaard notiert während seines Descartesstudiums [22]: „Es ist merkwürdig, daß Descartes den Gedanken zum Absoluten gemacht hat, nicht die Freiheit. Hier liegt offenbar der alte Fichte. (Es sollte heißen) nicht cogito ergo sum, sondern ich handle ergo sum; denn dieses cogito ist etwas Abgeleitetes, oder es ist identisch damit, daß ich handle, oder das Bewußtsein der Freiheit ist ein Handeln, und da darf es nicht heißen cogito ergo sum. Das ist vielmehr ein nachfol-

---

[21] Jen. VI S. 196.

[22] Kierkegaard hat sich mit Descartes ausgiebig beschäftigt. Er kannte ihn aus genauem Quellenstudium. Das Bild, das wir von seinem Verständnis Descartes' gewinnen können, ist nicht einheitlich. In der ›Nachschrift‹ sieht Kierkegaard mit den Augen Hegels Descartes nur als Repräsentanten des „abstrakten" Selbstbewußtseins. Vgl. dagegen Pap. IV C. 14. Dort rühmt Kierkegaard an Descartes den „redlichen Ernst", mit dem er das Bestehende mit seinem Zweifel nicht antaste. Besonders lobt Kierkegaard Descartes' Ehrfurcht vor der Religion. „Er meint, man solle eine göttliche Offenbarung glauben, auch wenn sie lehrt, was lumini naturali contrarium." Kierkegaard sieht dort in der cartesianischen Lehre von Gott als einer ewigen Idee und von der daraus folgenden Vernunftgemäßheit der Welt eine Art Glaubensentscheidung (Pap. IV C. 12). Kierkegaard rückt also Descartes in den Horizont der Existenzdialektik.

Auch die cartesianische Urteilslehre versteht Kierkegaard als Hinweis auf die Existenzdialektik (vgl. Jen. VI S. 76). Bei Descartes gewinnt der Mensch durch die Bindung an den reinen Verstand die Freiheit zu wahren Urteilen. Die Gefahr ist, daß sich die Freiheit durch die Macht der Sinneseindrücke zu einer voreiligen unkritischen Zustimmung nötigen läßt. Daraus wird bei Kierkegaard: Erst wer über die Erkenntnis als Erkenntnis hinausgeht, versteht, daß er als endlicher Mensch nur durch den Beschluß des Glaubens die Wirklichkeit erreicht.

In beiden Fällen hat Kierkegaard Descartes umgedeutet. Descartes denkt ausschließlich im Horizont des autonomen Bewußtseins. Die Umdeutungen

gendes Bewußtsein" [23]. Daher nennt Kierkegaard den Übergang von der natürlichen Erfahrung zum reinen Verstande einen „pathetischen", d. h. einen in persönlicher Leidenschaft gewollten Übergang [24]. Der Standpunkt, den das cartesianische Bewußtsein in seinem reinen Denken einnimmt, entspringt der freien Entscheidung des natürlichen leibhaften Menschen, der wir jeder sind.

Descartes täuscht sich also, wenn er im Übergang zum reinen Denken einen „dialektischen Übergang" sieht oder eine logische Notwendigkeit. Die autonome Vernunft ist der leidenschaftliche Versuch, sich der ethischen Existenz und damit der Bindung an Gott zu entziehen [25]. Der moderne Zweifel ist „Unlust zu gehorchen, Aufruhr gegen alle Autorität" [26], „Aufsässigkeit gegen die Vollmacht des

zeigen beide, mit welcher Selbstverständlichkeit Kierkegaard die autonome Vernunft als die Bedingung der Existenzdialektik voraussetzt.

Zu Kierkegaards eigener Bestimmung des Verhältnisses von Vernunft und Offenbarung siehe unten S. 228 f. Über den Ansatz dieses Problems durch Descartes vgl. Gerhard Krüger, Die Herkunft des philosophischen Selbstbewußtseins, Logos, Bd. XXII (1933), Heft 3, S. 225 ff.

Kierkegaard verweist in seinen Schriften ziemlich oft auf Descartes, ohne daß freilich durch diese Hinweise das Verhältnis von Vernunft und Existenz hinreichend geklärt würde.

Kierkegaard gebraucht Descartes sehr frei. Innerhalb der Existenzdialektik treten die historischen und systematischen Unterschiede zurück hinter dem einen entscheidenden Merkmal, daß alle Philosophie nur Abwandlung des vernünftigen Selbstbewußtseins ist. In der Charakteristik des vernünftigen Selbstbewußtseins zielt Kierkegaard meist auf Hegel, doch wiederholt auch ausdrücklich auf Descartes. Beides geht ohne deutliche Markierung ineinander über. Daher spreche ich im folgenden von „cartesianischem Bewußtsein" oder generell von philosophischem Selbstbewußtsein. Kierkegaard vereinfacht und verwischt die historischen Tatbestände, weil er jede Aussage entschieden in den Gang der Existenzdialektik hineinstellt. Daß er so verfahren kann, beweist nur, wie sehr er die Aufklärung, den Idealismus und sogar die antike Philosophie auf seine Fragestellung nivelliert. Er braucht ein vereinfachtes Gegenbild zur Existenzdialektik.

[23] Pap. IV C. 11.
[24] Pap. IV C. 12.
[25] Vgl. Jen. VI S. 251.
[26] Pap. VIII$_1$ A. 7.

Religiösen" [27]; er ist „des Menschen aufrührerische Stärke gegen Gott" [28].

Kierkegaard hat mit seinem Vorwurf gegen das cartesianische Bewußtsein die historische Ausgangsposition der Aufklärung richtiger getroffen, als er sich selbst bewußt ist. Descartes hat im vernünftigen Selbstbewußtsein tatsächlich die Basis für autonomes, also von Gott unabhängiges Denken und Handeln gesehen. Bei ihm war der Übergang zum reinen Denken tatsächlich „pathetisch", ein bewußt unternommener Versuch, in der Welt ohne Gott auszukommen.

Bei diesem Übergang als einem frei gewollten setzt Kierkegaards Kritik ein. Eher als das reine Denken ist der lebendige Mensch, der es als eine Möglichkeit seiner selbst ergreift. Wir sahen bereits bei der Kritik der objektivierenden Erkenntnis, daß wir die konkrete Wirklichkeit nicht durch einen Schluß, sondern durch einen Beschluß erreichen. Zwischen Erkenntnis und Wirklichkeit steht nicht die logische Folgerung, sondern der lebendige Mensch, der die Erkenntnis anwendet und zu bewähren hat. Ganz entsprechend steht auch innerhalb der Subjektivität des erkennenden Menschen zwischen reinem Denken und empirischem Dasein als verbindende Mitte das eigentliche Menschliche in uns, unser freies Selbst.

Um zu verstehen, welche Stellung Kierkegaard dem Selbst im Verhältnis zum reinen Denken und zum Dasein zuweist, untersuchen wir den für Kierkegaard wichtigen Begriff des *Interesses*. Kierkegaard hebt innerhalb des Begriffes drei Momente hervor:

1. Inter-esse, Dazwischen-sein, zielt auf das Auseinandertreten von Denkend-sein und Da-sein. Keines der beiden Extreme läßt sich in dem anderen aufheben. Zwischen beiden steht das entscheidende und wählende Selbst, und von ihm aus meint Kierkegaard, den Gegensatz von Geist und Natur, von mens und corpus, überwinden zu können [29].

2. Kierkegaard benutzt bei der Entwicklung der folgenden Momente, seiner Intention durchaus gemäß, die etymologische Mehrdeutigkeit des Wortes Interesse. Inter-esse meint ferner: Dieses

---

[27] Pap. VIII₂ B. S. 78.
[28] Pap. VIII₁ A. 125.
[29] Vgl. Jen. VII S. 2, 13; Jen. V S. 38, 80; Jen. VII S. 104, 150.

Selbst, das zwischen Subjekt und Objekt, reine und empirische Subjektivität tritt, ist in sich zeitlich. Von Augenblick zu Augenblick
gehend, entscheidet es sich, wie es die angegebenen Verhältnisse verstehen (= denken) will. Das Dasein ist das „Spatiierende" [30]. Raumgebend steht es zwischen Vergangenheit und Zukunft. Es gibt sich
die innere zeitliche Dimension seiner Möglichkeiten vor [31].

3. Diesem vor- und rückblickenden Selbst kann es um sich selbst
gehen. Der Mensch wird sich selbst der eigentliche Gegenstand. Er
ist an seinem Verhalten interessiert. „Es gibt nur *ein* Interesse, das
zu existieren" [32].

Dieses an seinem Verhalten interessierte Selbst erreicht nun auf
seiner Ebene, der Existenz, das, was dem cartesianischen Bewußtsein innerhalb des reinen Denkens unmöglich war. Es wird selbst in
der lebendigen Freiheit seines Verhaltens das Absolute. Hier wendet
nicht ein abstraktes Bewußtsein fertige Begriffe auf ein indifferentes vorgegebenes Objekt an, sondern hier eignet sich der natürliche
konkrete Mensch seine Zuständlichkeiten, Stimmungen und Befindlichkeiten und seine künftigen Möglichkeiten frei zu. Er wird dadurch zum Selbst. Indem nun dieses Selbst das ganze konkrete Leben
„übernimmt" oder als zu sich gehörig setzt, setzt es sich als das Absolute [33]. „Das eigentliche Selbst wird erst durch den qualitativen
Sprung gesetzt. In dem Zustand davor kann davon nicht die Rede
sein" [34]. Das Selbst hat sowohl sein reines Denken, insofern es davon
Gebrauch macht, als auch sein in Zuständen oder Befindlichkeiten
erschlossenes Dasein zu verantworten. Es verhält sich in ihnen: insofern es sie versteht, ergreift, verantwortet, sich ihnen überläßt,
sich in ihnen mißversteht, in ihnen scheitert.

Hier ist auf eine allerdings sehr verwandelte Weise die Einheit von
Bewußtsein (Denken) und Dasein (Sein) verwirklicht, die das abstrakte cartesianische Bewußtsein nicht erreichte. Für das freie Verhalten wird jede übernommene Möglichkeit zur Aufgabe. Die existie-

---

[30] Jen. VI S. 192.
[31] Vgl. Jen. VII S. 1, 12, 29, 38.
[32] Jen. VII S. 16.
[33] Vgl. vor allem Jen. II S. 181 ff.
[34] Jen. V S. 75.

rende Subjektivität muß sie als das, was sie zu sein oder zu tun hat, vorwegnehmen. Dieses Denken ist nur dann existentiell bedeutsam oder ethisch ernst, wenn die Spannung zum Tun, das Wissen um den „Sprung" darin enthalten ist. Die existierende Subjektivität denkt ihr eigenes Seinkönnen vorweg. Dieses Denken enthält in sich das „Interesse an der Wirklichkeit", es ist eine „Handlung", „ein innerer Vorgang". Das Individuum „hebt die Möglichkeit auf" und „identifiziert sich mit dem Gedachten, um darin zu existieren" [35].

Kierkegaard sieht das Existenzdenken des konkreten Selbst im Gegensatz zu der objektivierenden Erkenntnis des abstrakten cartesianischen Bewußtseins. Wir, seine Leser, sollten, wie ich meine, beachten, daß wir zwar auf einer anderen Ebene, der der Existenz, es dennoch mit einer Gestalt des absoluten Bewußtseins zu tun haben. Auch die Existenz hat ihre Weise der Selbstreflexion. Diese kann selbstverständlich nicht der souverän durchgeführte Zweifel des Descartes sein; vielmehr führt hier, auf der Ebene der Existenz, das Leben selbst die menschliche Freiheit auf sich zurück. Die fundamentale Reflexion auf die Freiheit als das Absolute oder als den Grund alles menschlichen Verhaltens vollzieht sich in „negativen" Erfahrungen, die den Menschen überkommen, also die cartesianische Souveränität beeinträchtigen. Sie geschieht in den Erfahrungen des Schicksals, des Todes, der Schuld, alles in sich zusammenfassend in der *Angst*. Die Angst verweist den Menschen an die Freiheit als das Absolute weit radikaler, als es jeder methodische Zweifel vermöchte. Sie ist die eigentliche Reflexionskategorie [36].

Erst diese an sich selbst verwiesene, ihrer Freiheit überantwortete Subjektivität existiert. Sie übernimmt ihre Ungeborgenheit in der Welt; sie weicht der Frage, ob sie ihrer selbst in alle Zukunft gewiß ist, nicht aus. Sie gewinnt angesichts der äußersten Gefährdung die Freiheit, entgegen der Übermacht eines niemals durchschaubaren Schicksals, entgegen der nie voll durchschauten Ohnmacht der eigenen „Natur" an ihre unverlierbare Verantwortung für sich selbst zu „glauben". Inmitten der „Reflexion des Nichts" erfährt sie sich in unüberbietbarer Evidenz als ewiges Selbst bestätigt. Dieser Glaube

---

[35] Jen. VI S. 35.
[36] Vgl. Jen. VIII S. 22 f.; Jen. V S. 156–163.

an die unverlierbare Existenz als Person ist religiöser Glaube. Er
führt die Freiheit über sich hinaus. Sie erfährt Gott als Garanten
und Bürgen ihrer selbst.

Kierkegaard hat diese aus der Angst zum Glauben drängende
Bewegung der Existenz mit dem ἔρως *Platons* verglichen [37]. Aber ist
diese „Unruhe des Werdens", die gleichsam ständig neu geschehene
Geburt des Selbst angesichts des Nichtseins tatsächlich mit dem ἔρως
vergleichbar? Zwar ist sowohl in der Existenz als auch im ἔρως die
Bedürftigkeit des Menschen anerkannt, der über den gegenwärtigen
Zustand hinausdrängt zu einer künftigen Erfüllung. Wie verschieden haben aber Platon und Kierkegaard das menschliche Streben
dargestellt. Der antike Denker versteht die Seele von dem Gut her,
auf das sie hindrängt. Dieses Gut verspricht der Seele Befriedigung,
Erfüllung zu geben. Es weckt in ihr leidenschaftliche Hingabe. Der
Fortgang bis zum höchsten Gut geschieht von Erfüllung zu Erfüllung. Das Begrenzte, Vergängliche, Wandelbare verweist in sich
selbst auf das Unbegrenzte, Unvergängliche, Unwandelbare zurück.
Die Seele verliert nirgends ihre Geborgenheit im Sein.

Der moderne Denker denkt auch hier, wenn ich so sagen darf,
cartesianisch. Die existierende Subjektivität setzt bis in ihre persön-
lichsten Erfahrungen hinein das Weltverhältnis des cartesianischen
Bewußtseins voraus. Das „Objektive" gibt nicht Maß, Halt, Erfüllung. Der Mensch ist in der Welt ungeborgen. So muß er auf sich
reflektieren als die Freiheit, die erst den Rückhalt in sich selbst finden muß, ehe sie ihr Verhältnis zur Welt, zum Schicksal, zu sich
selbst bestimmen kann.

Wohl liegt auch im ἔρως eine gewisse Reflexion der Seele auf sich
selbst. Der Mensch reflektiert ausdrücklich auf seine Bedürftigkeit,
auf seine Hingebung. Aber er sucht den Halt nicht in sich selbst,
sondern in dem Gute, von dessen maßgeblicher Macht er ergriffen
ist. Darum bleibt er in seiner liebenden Ergriffenheit. Nur solange
er von ihr getragen ist, ist er im Besitze seiner Freiheit.

Der moderne Denker dagegen hebt Zuständlichkeiten hervor, in
denen der Mensch seine Entzweiung mit der Welt, seine Abgelöst-
heit von allem Tragenden und darin dann die Bedrohung seiner

---

[37] Jen. VII S. 10; Jen. VI S. 172, 195.

Freiheit erfährt. Die „negative" Zuständlichkeit der Angst kann nicht dauern. Der Mensch muß über sie hinausgehen und nach dem Absoluten greifen, weil er sonst in Verzweiflung verginge.

In diesem Hinausgehen liegt ohne Frage eine gewisse Analogie zum ἔρως. Die Existenz strebt danach, das „Zeitliche", ihr von der Verlorenheit im Nichts bedrohtes Leben, im „Ewigen" zu begründen. Was ist aber dieses Ewige? Zunächst und zuerst die Gewißheit, ewiges Selbst zu sein, und dann die sie überbietende paradoxe Sicherheit, *deshalb* ein ewiges Selbst zu sein, *weil* Gott die Möglichkeit dazu offenhält. Das Streben der Existenz geschieht auf dem Grunde der Ungeborgenheit, im Rückgang auf die unverlierbare Freiheit zu sich selbst und im Hinausgehen zu Gott als dem Bürgen dieser Freiheit.

Diese aktuelle Unruhe der Existenz setzt den Verlust alles dessen voraus, was die liebende Ergriffenheit des ἔρως ermöglichte. Allein in der entscheidungsvollen Existenz gibt es Gewißheit des Seins und der Wahrheit. Hier wird die Selbstgewißheit zu dem archimedischen Punkt, von dem aus es die Wirklichkeit, die der Ängstende verloren hatte, wieder zu erreichen, zu *„wiederholen"* gilt [38].

Diese Wirklichkeit ist nun aber *dialektisch* oder zweideutig geworden. Sie bedarf der ständigen Begründung aus dem Absoluten, von dem her sie ihre Bedeutung erhält. Das vorfindlich Faktische ist im Sinne der Existenz nur wirklich und bedeutsam, insofern es ausdrücklich ergriffen, gewollt, gewählt ist. Die Wirklichkeit ist selbstgesetzte Wirklichkeit. Daher der leidenschaftliche Kampf, die Wirklichkeit zu erreichen, d. h., sie im freien Verhalten sich zuzueignen und dadurch erst zur wirklichen Existenz zu werden.

Hier scheinen mir alle wesentlichen anthropologischen Probleme der Existenzdialektik zu entspringen, deren Lösbarkeit oder Unlösbarkeit dann das Urteil über die Geistesexistenz und ihre praktischen Konsequenzen im Verhältnis zu Christentum, Kirche, Staat, Ehe bestimmen. Denn zuletzt bleibt für Kierkegaard nur das wahr und berechtigt, was im Augenblick als der vollendeten Synthese von Denken und Sein Raum hat. Wenn wir uns den Kampf vergegen-

---

[38] Hierher gehört die „Doppelbewegung", in der sich das Selbst als Synthese konstituiert. Vgl. Jen. VIII S. 26 f.; Jen. VI S. 95.

wärtigen, den Kierkegaard in den unter dem Sammelnamen ›Der
Augenblick‹ zusammengefaßten Flugblättern gegen die dänische
Kirche geführt hat, dann, glaube ich, müssen wir fragen, ob nicht
an dem vermenschlichten absoluten Bewußtsein der – cartesianische,
nicht christliche – Gegensatz von Geist und Leib in verwandelter und
radikalisierter Gestalt wiederkehrt.

Nun wird jeder Kierkegaardleser zwar nicht die letzten radikalen
Konsequenzen leugnen können, zu denen Kierkegaard im Zuge der
Existenzdialektik gekommen ist – sie liegen ja offen zutage –, aber
er wird doch fragen, ob Kierkegaard in der inneren Tendenz der
Existenzdialektik auf sie geführt wurde [39] oder ob außerhalb ihrer
liegende Ereignisse, etwa Vorgänge innerhalb der dänischen Staatskirche oder eine besondere seelische Veranlagung diesen heftigen
Ausbruch veranlaßt haben. Ich bin der Ansicht: auch wenn sich bestimmte auslösende Anlässe finden lassen, so hat Kierkegaard doch
nur die Konsequenz gezogen, die von Anfang an die bewegende Unruhe seines Denkens war. Der Erweis meiner Behauptung läßt sich
allerdings nur indirekt erbringen, indem ich nachweise, daß Kierkegaards Auseinandersetzung mit dem modernen Geiste ihn zu der
Fassung des absoluten Bewußtseins getrieben hat, in der die beab-
sichtigte Synthese von Geist und Leib (Natur) in ihre radikale Entzweiung umschlagen muß. Kierkegaards Kritik an der *Romantik*
wird uns die Frage nach der Entzweiung von Geist und Natur
genauer verstehen helfen [40].

[39] Vgl. Jen. VII S. 1, 12, 29, 38.

[40] Diese erste Überlegung soll die Unabgeschlossenheit der endlichen Erkenntnis zeigen. Hier könnte es noch so aussehen, als wäre wenigstens im
Idealfall für einen unendlichen erweiterten menschlichen Verstand ein abgeschlossenes System des Daseins möglich. Eine zweite Überlegung erweist
aus der spezifischen Menschlichkeit auch des wissenschaftlichen Denkens,
daß jedes Erkennen, weil es menschliches Verhalten ist, als solches offen
bleiben muß. Jedes Erkennen vollendet sich in einer „Transzendenz", in
einem Glauben.

Die Aussagen hierüber sind sehr aphoristisch, abstrakt, oft mehr Notizen
als ein zusammenhängender Text. Aber sie scheinen mir doch überzeugend
zu der Auffassung zu führen, daß das Verständnis Kierkegaards vom

III

Zunächst ist man versucht zu fragen: Ist mit der Kritik des cartesianischen Bewußtseins das moderne Denken wirklich umfassend getroffen? Der Mensch ist nicht nur Vernunft, sondern z. B. auch Gefühl. Die Natur begegnet nicht nur als Objekt der Wissenschaft,

Glauben aus der existenzdialektischen Begrenzung der autonomen Vernunft erwachsen ist.

Diese zweite Gedankenreihe setzt ein beim Verhältnis des Denkens zur Wirklichkeit. Das Denken will sich „der Wirklichkeit bemächtigen", „hebt sie aber auf" (Jen. VI S. 13). Das Denken will „Wirklichkeit geben" (S. 17), „erfassen" (S. 19). Kierkegaard spricht von der Mißweisung durch Kant. Er sieht die Mißweisung bereits in der Frage, ob sich die Wirklichkeit in ein Verhältnis zum Denken bringen lasse; denn darin liegt die Frage, ob das, was das Ding an sich und d. h. eben in Wirklichkeit ist, durch die ableitende Erkenntnis ausgemacht werden könne. Es ist aber nach Kierkegaard nicht mehr statthaft, danach zu fragen, ob in dem Begriff einer Sache bereits ihre Existenz erreicht ist (vgl. Jen. V S. 5).

In dieser Frage scheidet sich nach Kierkegaard die neue von der antiken Philosophie. Die griechische Philosophie erklärt alle Erkenntnis für Erinnerung (vgl. Jen. III S. 137; Jen. VI S. 8 A, 35, 81 A). Sie wollte damit sagen: „Das gleiche Dasein, das da ist, ist schon dagewesen." Für Kierkegaard heißt das: 1. Die reine Vernunft ist die immer schon gegebene Voraussetzung aller Erkenntnis. Sie enthält in sich die ewigen Prinzipien aller Erkenntnis. 2. Sie verfügt aber zugleich über die Prinzipien der Realität; denn in der Antike sind Denken und Sein noch identisch. Die Welt hat die höhere Wirklichkeit gegenüber dem Menschen, und die Anstrengung der antiken Philosophen ist darauf gerichtet, sich von ihr zu befreien. In der Besinnung auf den λόγος ist zugleich das Bleibende am Sein erfaßt. Darum ist der Übergang vom Denken zur Wirklichkeit kein Problem. Daher liegt aber auch das Veränderliche, die Bewegung außerhalb des Denkens (vgl. Jen. V S. 6 A).

Nachdem aber die Besinnung auf den λόγος zur Selbstreflexion und damit zur Konstituierung des absoluten Bewußtseins geführt hat, bedeutet Erinnerung die Besinnung auf das autonome Selbstbewußtsein, das nunmehr die Wahrheit seiner subjektiven Vorstellungen am Objekt auszuweisen hat. Jetzt zeigt sich, daß die Realität, die wir dem Denken zusprechen, durch den spontanen Denkakt erst konstituiert wird und darum der ver-

sondern auch als ein Ganzes unendlicher Lebendigkeit, dem der
Mensch sich verwandt weiß. Der Mensch darf sich selbst als unendlich bewegtes inneres Leben erfahren, das dem Leben des Ganzen
gleich ist. Dieses Gefühl hat bei *Goethe* und in der *Romantik* Ausdruck gefunden. Die dort aus dem Ungenügen an der wissenschaftlichen Aufklärung entstandene Gegenbewegung, die sich auf unser

gleichenden Ausweisung bedarf; denn nun ist sichtbar geworden, daß es an
uns liegt, als was wir den Gegenstand nehmen. Das Denken ist jetzt die
Sphäre des Vorgestelltseins oder der *Idealität.*

Das durchschnittliche Bewußtsein übersieht, daß in ihm die Realität (= in
der Anschauung gegebene Objektivität) mit der Idealität (= die im Bewußtsein vorhandene Vorstellung) zusammenstoßen. Es achtet nicht darauf, daß es eine Paradoxie ist, etwas Allgemeines (= die Vorstellung, die
Sprache, das Wort) als Reales (= Einzelnes, der wirkliche Gegenstand, das
Unmittelbare) zu setzen (vgl. Pap. IV B. 1, S. 146–150). Der naive, unreflektierte Mensch wechselt von dem einen zum andern, ohne zu überlegen,
welches von beiden die maßgebende Instanz ist. Auch der Mathematiker
und der Künstler reflektieren nicht: der eine bleibt bei dem reinen Ange-
schauten der Mathematik, der andere bei der zur Idealität gesteigerten Gestalt, ohne danach zu fragen, ob sie auch wirklich da ist. Sogar der positive
Wissenschaftler kommt nicht eigentlich zur Reflexion, obwohl seine Arbeit
darin besteht, Vorgestelltes und Wirkliches miteinander zu vergleichen. Für
sein Bewußtsein steht das Denken in der ordnenden Bearbeitung des Details. Er bleibt dem Objekt zugewendet und kommt zu keiner Konklusion
(vgl. H. S. 223 ff.).

Zur Vergleichung und damit zur Selbstreflexion im strengen Sinne zwingt
erst das Leben selbst, die Existenz oder, wie Kierkegaard in „De omnibus
dubitandum" sagt, das Interesse (Pap. IV B. 1, S. 148). Kierkegaard läßt
dort ungeklärt, inwiefern das Interesse als das Wissen darum, daß es
um das eigene Sein geht, zur Selbstreflexion zwingt. Deutlich wird nur: Es
löst aus der naiven Hingegebenheit an die „Objektivität" heraus und weckt
damit unwiderruflich das „Bewußtsein" (Pap. IV B. 1, S. 148) davon, daß
die Wirklichkeit der interessierten Subjektivität im Objektiven nicht aufgeht und daß sich darum ein gespanntes Verhältnis des Denkens zur Wirklichkeit ausbildet. Jetzt erst wird Raum für den wesentlichen, den existentiellen Zweifel, der viel tiefer geht als der methodische Zweifel des Descartes. Der existentielle Zweifel ist das Bewußtsein davon, daß es an uns
liegt, als was wir das Begegnende verstehen oder auffassen. Kein Gegen-

tieferes Wesen beruft, an das die Ratio nicht heranreicht, ist nicht ohne weiteres durch die Kritik am cartesianischen Bewußtsein getroffen.

Bei Goethe baut zwar die menschliche Freiheit die ihr gemäße Welt souverän auf. Die Freiheit ist in ihrem produktiven Gestalten, in ihrem sittlichen Handeln autonom. Aber sie erfährt sich eben

stand zwingt uns eine endgültige Auffassung von ihm auf. Es gibt keine Erkenntnis, die schlechthin notwendig ist (Jen. VI S. 72).

Der cartesianische Zweifel ist nach Kierkegaard nur die Besinnung auf die reine Vernunft als die apriorische Grundlage aller Erkenntnis. Zwar müßte das cartesianische Bewußtsein sich darüber klar sein, daß es aus einer freien Entscheidung hervorgeht, daß es also eine „gewagte" Auffassung ist. Aber eben die Rechenschaft über das eigene Verfahren vermißt Kierkegaard an Descartes, wie auch später bei Hegel. Daher wird die erkennende Subjektivität zu einem „fingierten objektiven Subjekt" (Jen. VI S. 162).

Aus dieser vernünftigen Objektivität löst das Interesse heraus. Sobald dieser Schritt geschehen ist, zeigt sich erst das Problematische der Subjekt-Objekt-Beziehung. Das Denken erreicht die Wirklichkeit nie, weil immer der lebendige Mensch dazwischensteht, nämlich in der „Pause" des Überganges (Jen. VI S. 73 f., 67) von der Möglichkeit zur Wirklichkeit.

Hier gewinnen die Begriffe nun ihre eigentliche, existenzdialektische Fassung. Erinnerung wird nunmehr zur Rechenschaft der Freiheit über ihr Verhalten, zum „Gedächtnis für das eigene Leben". Diese Erinnerung schlägt dann um in Wiederholung, zunächst der eigenen Wirklichkeit (der Existenz). Während bisher *Erinnerung* und *Wiederholung* entgegengesetzte Bewegungen waren, zeigt sich jetzt, daß sie zwei zusammengehörende Momente der „Doppelbewegung" der Existenz sind. Wenn man das Leben für Wiederholung erklärt, will man sagen: „Das Dasein, das gewesen ist, tritt ins Dasein" (Jen. III S. 137, vgl. weiter Jen. V Anm. zu S. 11–13). Kierkegaard meint damit: 1. Der Mensch ist immer Geist. Er „ist" es aber erst dann, wenn er sich willentlich als solcher verhält. Der Mensch muß sich seine Grunderfahrung ausdrücklich zueignen, sie realisieren; erst dann tritt er im eigentlichen Sinne als Mensch ins Dasein. 2. Ferner liegt darin: der Mensch muß dann auch sein bisheriges Leben ausdrücklich übernehmen und verantworten. Hier liegt das Problem der Schrift „Die Wiederholung". Ohne 2 „ist" auch nicht 1. Aber ist der Mensch dazu aus eigener Kraft imstande? Kann er aus eigener Kraft „werden", ins Dasein treten? 3. In „De omnibus dubitandum" zeigt sich eine dritte Bedeutung von Wiederholung.

darin als Gestaltwerdung des unendlichen göttlichen Lebens. Goethes Begriff der Persönlichkeit setzt die Erfahrung von der Einheit des menschlichen Geistes und der göttlichen Natur voraus, die sich im Menschen selbst versteht und durch ihn hindurch wirksam wird. Goethe bestreitet, daß der Mensch durch die wissenschaftliche Bearbeitung der Natur aus der Einheit mit ihr herausgerissen werden

Nur wer im Interesse an der eigenen Existenz gebunden ist, hält die Bedeutung des im Leben Erfahrenen fest. Nur für ihn gibt es Wiederholung als Bewahrung des Zugeeigneten und damit Kontinuität. Diese Bewahrung ist jedoch nicht selbstverständlich. Sie setzt den „Zusammenstoß" des Entgegengesetzten im Bewußtsein voraus, d. h., sie setzt voraus, daß im Augenblick die Subjektivität ihre zeitliche Entscheidung für die Ewigkeit verantwortet, sonst hätte sie nichts Bleibendes zum Bewahren. (Kierkegaard spricht hier erst von dem Bewußtsein als dem Medium, das weder Zeit noch Ewigkeit ist. Pap. IV B. 1, S. 150). 4. So verstanden wird Wiederholung zum Ernst der ethischen Existenz, die die Ursprünglichkeit ihrer Entscheidung bewahrt und verhindert, daß sie zur Gewohnheit wird. Vgl. Jen. V S. 148.

In der Wiederholung wandelt sich also der Sinn von Erkennen. Erkennen erreicht in allen vier Bedeutungen von Wiederholung sein Ziel: die Wirklichkeit nur im „Beschluß" eines freien Handelns, das Kierkegaard in einem vorläufigen Sinne *Glaube* nennt. Glaube ist „Sinn fürs Werden" (Jen. VI S. 77), der Sinn dafür, daß für den endlichen Menschen sich die Wahrheit des Erkannten allemal erst in der gewagten Auffassung, in der Aufhebung des „möglichen Wie" in ein „wirkliches So" festlegt (Jen. VI S. 70) und daß daher mit der Beurteilung des Gegenstandes immer auch das persönliche Sein des Urteilenden auf dem Spiele steht. Urteilen ist niemals ein objektiver Erkenntnisakt, sondern eine Handlung, ein Akt des Glaubens. Der Glaubende wagt es, das objektiv Ungewisse zur Gewißheit zu erheben (Jen. VI S. 74). Die vermeintliche Realität des Gegenstandes und unseres Vorstellens (die Idealität) lassen sich also gar nicht voneinander trennen. Sie fallen beide in das Sein des Glaubenden als das Geglaubte, als das, wofür sich der Glaubende entscheidet. Glaube und Sein aber ist dasselbe. „Glaube ist Sein" (Jen. VIII S. 88). Der Glaube bezeichnet hier die äußerste Aktualisierung der auf ihre Freiheit gestellten Subjektivität.

Die so beschriebene Identität von Glauben und Sein wird von Kierkegaard ausdrücklich als Gegenbild zur Identität von Denken und Sein verstanden, die Kierkegaard dem cartesianischen Bewußtsein zuweist (ebda.).

müsse oder daß die Entzweiung das notwendige Schicksal des denkenden Menschen sei. Er hat in ausgedehnter wissenschaftlicher Tätigkeit zu erweisen gesucht, daß bei unvoreingenommener Betrachtung, die die Phänomene hinnimmt, ohne sie erklären zu wollen, die Natur sich in allen ihren Äußerungen als sinnvoll lebendiges Ganzes darstellt. Nach Goethe ist die Wissenschaft symbolisch; sie weist über sich hinaus – auf eben die Einheit, die der Dichter in Bildern, in dem reinen Aussprechen menschlicher Zustände und Schicksale vergegenwärtigt. Ohne diese Einheit gäbe es nicht die Geborgenheit in dem eigenen als notwendig erfahrenen und bejahten Wesen, die wir an allen Helden der Dichtung Goethes kennen. Der Mensch wird zur Persönlichkeit, indem er die Welt und sich in der Welt dieser inneren Gewißheit gemäß zu bilden strebt. Hier tritt die Genialität als konstitutives Moment der Persönlichkeit hervor. Die Subjektivität handelt aus der ihr innerlich gegenwärtigen Notwendigkeit des eigenen Wesens. Vermöge dieser inneren Gewißheit ist die Persönlichkeit autonom und souverän.

Kierkegaard rühmt zwar an Goethe die Kraft, mit der er die innere Unendlichkeit des Dichters mit dem Dasein des tätigen, handelnden Menschen in Einklang bringt [41]; dennoch ist für ihn die Versöhnung von Ich und Welt, wie Goethe sie z. B. im ›Wilhelm Meister‹ darstellt, fragwürdig. Kierkegaard sieht in Goethe einen „Titularkönig", der durch eine unwahre Verklärung von Mensch und Welt sich das eigentliche katastrophische Geschehen unserer Zeit verdeckt. Diese Katastrophe liegt in der Entzweiung von Mensch und Welt. Daher zieht Kierkegaard die Romantik Goethe vor; denn dort zerbricht die goethesche Lebenseinheit. Je radikaler aber und unverdeckter dieser Bruch geschieht, um so eher kann die Existenzdialektik als letzter Ausweg in den Blick kommen. So tut Kierkegaard alles, um diese Gebrochenheit des Romantikers aufs äußerste zu steigern.

Der Hauptangriff Kierkegaards gegen die Romantik [42] richtet sich folgerichtig gegen die im dichterischen Gefühl erfahrene Einheit von

[41] Ironie S. 326.
[42] Alle wichtigen Momente lassen sich aus der Charakteristik des „Ästhetikers" durch den „Ethiker" in ›Entweder – Oder II‹ gewinnen. Besonders bezeichnend ist der Abschnitt „Wechselwirkschaft" in ›Entweder – Oder I‹

Mensch und Welt, gegen die Genialität als die Grundlage der Persönlichkeit. Die Notwendigkeit des Wesens, in der der Dichter ruht, ist keine wahre Grundlage für das freie Selbstsein. Sie ist in sich etwas Scheinhaftes; sie ist eine frei hervorgebrachte Überhöhung der isolierten Subjektivität, die ihre innere Unendlichkeit und Bewegtheit in das All hineinspiegelt, um sich dann von diesem Ganzen her zu verstehen oder in diesem selbstgeschaffenen Spiegel die innere Unendlichkeit zu genießen [43].

So gesehen erscheint die romantische Subjektivität trotz ihres Gegensatzes gegen die rationale Wissenschaft doch auch als eine Gestalt des modernen reflektierten Selbstbewußtseins, an dem, abgewandelt, dieselben Aporien wiederkehren, zu denen das cartesianische Bewußtsein führte. So paradox es klingt: der Unterschied, daß der Romantiker mit ganz anderen Organen die Welt erfährt als der Aufklärer und daß er sich z. T. auch anderen Bereichen des Lebens zuwendet und diese anders bewertet, ist weniger wichtig als die Tatsache, daß er gleichwohl souveräne Subjektivität ist. Der Gegensatz Gefühl–Verstand tritt zurück hinter der Gemeinsamkeit des Anspruchs auf Souveränität. Romantisches Gefühl ist nach Kierkegaard souveränes Gefühl. Der romantischen Subjektivität gilt – nicht anders als dem cartesianischen Bewußtsein – nur die durch ihre produktive Tätigkeit zustande gebrachte Wahrheit: das All des Gefühles, das Universum der erlebten und geträumten Mächte. Sie selbst ist es, die allen wahren Inhalt schafft, und sie weiß darum [44]. Sie weiß um den eigentümlichen transzendentalen Anspruch, den sie erhebt. Die durch sie geschaffene Wahrheit übergreift die empirische Welt und gibt ihr ihren Sinn.

Die romantische Ausnahmeexistenz ist also nur ein extremer Sonderfall der modernen Selbstreflexion. Der Romantiker reflektiert auf sich als unendliches Gefühl. Er löst sich nicht weniger vom empirischen Dasein ab als der Aufklärer, nur daß ihm zum persönlichen Schicksal wird, was dem cartesianischen Bewußtsein methodisch be-

und die Charakteristik der Romantik im ›Begriff der Ironie‹. Vgl. Jen. II S. 131–290; Jen. I S. 253–268; Ironie S. 280–341.

[43] Ironie S. 285 ff.; Jen. II S. 179.

[44] Ironie S. 285 ff.; Jen. I S. 261.

gründetes Verfahren ist. Er lebt in einer äußersten Steigerung der Selbstreflexion. Er ist „Subjektivität in zweiter Potenz" [45]. Der Romantiker erliegt seinem Schicksal offensichtlich, während die Aporien der autonomen Vernunft teils durch verinnerlichte Reflexion, teils erst in ihren Konsequenzen für die Kultur offenbar werden. Der Lauf dieses Schicksals ist etwa folgender:

Im Ungenügen an der vorgegebenen Welt, wie sie von den Autoritäten geordnet besteht, flieht der Romantiker in das All des Gefühles, in das Universum der Geschichte, in die Tiefe des Unbewußten [46]. In dieser verklärten Welt der Poesie, der Phantasie, des Erlebnisses findet er das wahre Leben, das Ganze, das sich hinter dem Vordergrund der alltäglichen Rationalität verbirgt. Mit diesem Leben ist er im Grunde seines Wesens eins. Aber diese unendlich reiche und zugleich unendlich erfüllende Innenwelt hat nicht die transzendentale Wahrheit, die der Romantiker ihr zuspricht. Sie ist Produkt der Phantasie. Ihr kommt keine ontologische Realität zu. Daher hat sie in sich keinen Bestand. Sie bietet keinen wahren verbindlichen Inhalt, der das freie Verhalten von sich her ordnete und dirigierte. Der unendliche Horizont, den sich der Romantiker gibt, umschließt nicht; die Tiefe, die er entdeckt, trägt nicht. Alle Weite und Tiefe ist nur Mittel der Selbstreflexion, eine Weise, auf die sich die Subjektivität die Erfahrung von ihrer inneren Unendlichkeit erzeugen und zum Erlebnis bringen will [47].

Am Ende der Romantik steht die *Ironie,* die Erfahrung, daß es mit nichts in der Welt ernst ist. Die bestehende Welt draußen ist bereits der Kritik verfallen. Die selbstgeschaffene Welt drinnen hat keine bindende Kraft. Jedes Erlebnis zersetzt sich in sich selbst. Es hat nur die illusionäre Unendlichkeit von Stimmungen, die in ihrem Wechsel jeder aufrichtigen Herrschaft entgleiten [48]. Die Wirklichkeit, die bleibt, ist die einzelne, ihrem Lebenmüssen überlassene Subjektivität. Das, was diese intendierte, ist ihr geworden: die allen einzelnen Inhalten, jeder innerweltlichen Aufgabe überlegene verabsolu-

---

[45] Ironie S. 284.
[46] Vgl. Ironie S. 293, 314 ff.
[47] Vgl. Ironie S. 294.
[48] Ironie S. 294 ff.; Jen. I S. 267.

tierte Egoität. Sie behält in der Hand nur sich selbst, ihre Tendenz auf Unendlichkeit. Je deutlicher am Erlebnis die Selbstabsicht wird, d. h., die Tendenz, sich den Eindrücken des Lebens nur so hinzugeben, daß sie die innere Unendlichkeit des Erlebenden bestätigen, um so mehr verwandelt sich das All des Gefühls zum „dämonischen Pantheismus der Langeweile"[49].

So kehrt der Gegensatz von reiner und empirischer Subjektivität auch in der Romantik wieder. Die Stimmung hält nicht vor; der Genießende geht in ihr nicht auf[50]. Der Romantiker schwankt zwischen transzendentaler Selbstüberhöhung und der Erfahrung, wechselnden Zuständen ausgeliefert zu sein, die sich zuletzt als die Angst der Sinnlosigkeit und Lebensleere enthüllen, vor der er sich vergeblich in neue Erlebnisse und neues Genießen flüchtet[51]. Auch das romantische Bewußtsein ist also ohne Ethik. Ja, es liefert nicht anders als das cartesianische Bewußtsein die Freiheit der Person an „objektive" Einflüsse aus: an undurchsichtige Stimmungen und Bedürfnisse, die in all ihrer Wandelbarkeit doch nur den einen Drang spiegeln, in der fühlenden Hingabe an die Welt ein Selbst sein zu wollen. Da aber die Identität von Einzel- und Alleben zerbrochen ist, wird aus der Hingabe heischenden Natur ein Fremdes, Unheimliches, eine übermächtigende Notwendigkeit, in der die Freiheit vergeht[52]. Der romantischen Subjektivität widerfährt ein Verhängnis, das dem des

---

[49] Jen. I S. 259 ff.; Ironie S. 295.

[50] Jen. II S. 196.

[51] Besonders eindrucksvoll ist der Zusammenhang von Genuß, Schwermut, Langeweile und Angst in der Charakteristik Neros dargestellt. Vgl. Jen. II S. 191 ff.

[52] Hierher gehören vor allem Tagebucheintragungen über *Angst* und über *Ahnung*. Sie schließen sich an an die Lektüre deutscher romantischer Literatur. Nach der Lektüre von Brentano Pap. II A. 33, von Arnim Pap. II A. 70, 558, von Schwabs Volksbüchern (Robert der Teufel) Pap. II A. 584. Alle Eintragungen zielen im Zusammenhang mit Kierkegaards Verhältnis zu seiner Herkunft auf das Problem der Erbsünde. Vgl. Pap. II A. 18, 584. Immer ist es die Sorge, daß das Individuum durch Voraussetzungen, die jenseits seiner liegen, von der Möglichkeit der freien Entscheidung und vom allgemein Menschlichen ausgeschlossen sein könnte. Interessant ist auch die Angst vor dem Doppelgänger, Pap. II A. 444. Über die Angst

cartesianischen Bewußtseins durchaus vergleichbar ist. Sie kann ihr freies Personsein nicht mehr verstehen. Sie verliert das „Gedächtnis für das eigene Leben", ohne das es keine Verantwortung für sich selbst gibt[53]. Einerseits lebt sie intensiv im Augenblick, andererseits wird sie, allerdings auf phantastische Weise, sich selbst objektiv. Sie wird zu einem geistigen Naturwesen, das sich in seinen Zuständen zuschaut und sich in ihnen spiegelt. Sie zersetzt sich als Person und erliegt nun, nicht im Endlichen und nicht im Unendlichen zu Hause, der Schwermut[54].

Auch hier steht am Ende für Kierkegaard die in der Angst erfahrene Nötigung, sich auf sich selbst zu stellen; denn das Andere meiner selbst ist ein Fremdes, gegen das ich mich als Selbst zu behaupten habe, weil es alle prätendierte Freiheit in Schein auflöst[55]. Die Subjektivität erweist ihre Absolutheit nur, indem sie sich in Widerspruch zu allem, was Nicht-Ich ist, auf ihr freies Entscheiden zurückzieht und von ihm aus das Nicht-Ich beherrscht. So erreicht sie in der freien Aneignung der gegebenen Welt, des der Entscheidung vorausliegenden Daseins, der eigenen Zuständlichkeit die einzige Wirklichkeit, die es gibt, die Existenz.

Die Kritik der romantischen Subjektivität zeigt, wie radikal Kierkegaard die absolute Subjektivität „entweltlicht". Wenn wir die Stimmungen und Befindlichkeiten des „unmittelbaren" Lebens existenzdialektisch überprüfen, dann führen sie nicht, wie wir das von der antiken Dichtung und Philosophie lernen, auf eine im feststehenden Wesen der Welt gegründete Ordnung hin, die den Menschen erfüllt, trägt, in Anspruch nimmt, sondern der Mensch ist auch hier in der Welt mit sich allein. Verständlich ist ihm nur die Tendenz, ein Absolutes zu finden, in dem er ruhen könnte. Alles „Objektive"

---

der Schwermut vgl. Jen. IV S. 327 f., Eintragung von 5. VI. „Nebukadnezar".

[53] Vgl. Jen. II S. 167.

[54] Jen. II S. 168 ff.

[55] Besonders wichtig ist der Begriff der *Lebensironie*. Vgl. Pap. I A. 75 S. 57. Die Lebensironie macht immer wieder die eingebildete Freiheit der Lebensführung zunichte. Sie löst das Leben auf in ein Spiel des Zufalls und der Notwendigkeit.

außerhalb seiner erweist sich, wenn die Illusion der Identität von Gefühl und All vergangen ist, die der glückliche Augenblick des Erlebnisses vorspiegelte, als undurchschaute, fremde, unheimliche Notwendigkeit. Nur wenn die Übermacht dieser „Natur" zu einer bloßen Vorbedingung der freien Entscheidung herabgesetzt ist oder wenn das Selbst seine Hingabe zurücknimmt als eine verzweifelte Weise, ein Selbst sein zu wollen, nur dann ist die romantische Spaltung von genialer Getriebenheit und zuschauendem oder spiegelndem Bewußtsein überwunden, nur dann ist der Mensch in allen seinen Zuständen wieder er selbst [56].

Als Ergebnis von Kierkegaards Kritik an der Romantik bleibt uns: Die romantische Subjektivität ist eine Gestalt des absoluten Bewußtseins. „Absolutes" oder unendliches Gefühl enthält in sich

---

[56] Hierher gehört das Problem der *„quantitativen"* und der *„qualitativen" Dialektik.* Der Gegensatz der quantitativen und qualitativen Dialektik ist von Hegel ausgebildet. Hegel wollte zeigen, daß die „Substanz" in ihrer Lebendigkeit nicht durch die kausale Determination der exakten Wissenschaften erfaßt wird. Die „Substanz" ist „Subjektivität". Sie zeigt in ihren Erscheinungen eine Spontaneität, die niemals direkt aus der kausalen Determination hervorgeht, also für sie inkommensurabel ist. Hegel führt hier selbst die Kategorie des *Sprunges* ein. Eins der Beispiele Hegels, das „Gerinnen des Wassers zu Eis", gebraucht Kierkegaard in Pap. V C. 1.

In ähnlicher Weise hat Carus in seiner ›Psyche‹ auf das „Gesetz des Geheimnisses" verwiesen (vgl. Pap. VII$_1$ A. 186 = H. S. 221), das im Übergang von einer Seinsregion zur anderen liegt (Pflanzenreich, Tierreich, Menschenleben). Dieser Übergang ist ein „Wunder"; denn er kann nicht mechanisch errechnet werden.

Das Seltsame ist nun, daß Kierkegaard die Kritik, die Hegel an dem „bloßen" Verstande übt, auf Hegel (und auch auf Carus) anwendet. Bei Hegel hebt, wie Kierkegaard meint, der Sprung die Notwendigkeit des Ganzen nicht auf. Er wird sollizitiert, hervorgerufen, durch sich steigernde – quantitative – Umstände erzwungen. Er ist in den Prozeß des Ganzen „hineinvermittelt". Kierkegaard besteht darauf, daß der Übergang niemals notwendig ist. Das gilt ganz besonders für den Menschen. Die Freiheit muß in ihrer unerklärbaren Faktizität ergriffen werden. Keine „Analogie", wie sie die romantische Psychologie von Carus beibringt, hilft über diesen Sprung hinüber. Wo soll der Mensch sich aus der Notwendigkeit verstehen, wo aus der Freiheit? „Kann der Übergang von einer quantitativen Bestim-

den Anspruch auf Identität von Ich und Universum, menschlichem und göttlichem Leben. In diesem Anspruch liegt eine transzendentale Überhöhung des Menschen. Indem sich diese als Schein erweist, treten alle Aporien des autonomen Selbstbewußtseins gesteigert hervor. Die transzendentale Subjektivität tritt an die Stelle Gottes. Der „objektive" Zusammenhang, in dem innenstehend sie ihrer Absolutheit gewiß ist, hebt die ethische Wirklichkeit auf. Die „objektiven" Mächte, die der Romantiker verklärte, ohne doch ihrer Herr zu sein,

mung zu einer qualitativen ohne einen Sprung geschehen? *Und liegt nicht das ganze Leben hierin?"* (Pap. IV C. 87)

Mit diesem Satz ist das Thema des *„Begriffs der Angst"* angegeben. Ein seelischer Zustand ist quantitativ bestimmbar, z. B. das biologische Erbe, die leiblich-seelische Konstitution, deren der Mensch kaum je so Herr wird, daß er ihren Einfluß auf sein Denken und Handeln im konkreten Augenblick ganz durchschaute. Kierkegaard ist hier von großer psychologischer Konkretion. Er hebt z. B. die Bedeutung der Kindheitseindrücke hervor, die mit einer gleichsam naturhaften Konsistenz wirken. Der Einfluß der Zeit und des Milieus: alles sind „quantitative" Größen.

Im ›Begriff der Angst‹ bricht die Handlung – der je und je geschehende Sündenfall –, dialektisch geurteilt, immer unmotiviert hervor. Daher läßt sich die Erbsünde als Realität dialektisch nicht fassen. Sie läßt sich weder metaphysisch konstruieren noch wissenschaftlich feststellen. Sie ist eine Aussage der Dogmatik und als solche wider die Vernunft, auch wider die Vernunft der Existenzdialektik, wenn auch nicht wider die innere Gewißheit des Sünders, der der Offenbarung glaubt.

Die Grenze zwischen eigentlichem und uneigentlichem Sprachgebrauch ist beim Begriff des Quantitativen fließend. Aber gerade diese Ungenauigkeit ist charakteristisch. Sie zeigt, daß Kierkegaard alles, was nicht aus der Freiheit als absolut wirkender Ursache hervorgeht, *methodisch* auf das Feststellbare, Meßbare nivelliert. Dieses feststellbar Objektive sieht er gemäß seinem Erkenntnisbegriff von vornherein innerhalb der „immanenten Notwendigkeit" (Pap. VII$_2$ B. 235 S. 159), innerhalb der durchgängigen Determination nach vorausgesetzten Prinzipien. Am „Objektiven" ist vor allem wichtig, daß es abstrakt ist, weil es prinzipiell von der Existenz absieht (Jen. VII S. 217).

Demgegenüber ist in der Kategorie des Sprunges die absolute Subjektivität des Existierens festgestellt. In ihr ist festgelegt, daß das personale Verhalten immer aus sich selbst entspringt. Keine Steigerung des Quantitativen

gewinnen die Übermacht und vernichten ihn als freie Person. Das Ganze, innerhalb dessen sich der Romantiker zu eigen war, zersetzt sich. Aber wenn kein Inhalt des Gefühles mehr wahr bleibt, wenn er nur Spiegelung unserer selbst ist, dann stehen wir in einer Leere, die uns von allem „Substantiellen", von jedem bleibenden, wahren Inhalt unseres Lebens trennt.

Gegen die Übermacht des „Objektiven" weiß Kierkegaard Rat: Wenn wir unsere Zuständlichkeit, statt als Bekundung einer uns

schließt die Selbstbestimmung der existierenden Subjektivität aus. Nur der Sprung setzt die „qualitative Dialektik" (Pap. VII$_2$ B. 235 S. 159); denn nur so ist die Subjektivität selbst die Ursache ihrer „Eigenschaften" oder vielmehr Grund ihres Verhaltens. Das entscheidende Indizium für diesen Sachverhalt ist die Zuständlichkeit der Angst, in der allemal die Freiheit an sich selbst verwiesen wird.

An der methodischen Nivellierung dessen, was nicht Subjektivität ist, auf das Quantitative oder das Abstrakte oder das Objektive zeigt sich, wie sehr Kierkegaard im Banne des von ihm bekämpften absoluten Bewußtseins steht. An dieser undurchschauten Abhängigkeit leidet seine ganze Anthropologie. Kierkegaard kann der Natur im Menschen keine eigene wesenhafte Bedeutung zugestehen. Wenn die Natur in uns nicht Objekt der wissenschaftlichen Erkenntnis werden soll, dann müssen wir sie als Stufe des Bewußtseins oder als Existenzstadium verstehen. Sie ist zunächst eine uneigentliche Weise des Selbstseins, ein Relatives, das zu Unrecht zu etwas Absolutem verklärt wird. Wo die Subjektivität diesen Trug ihres unmittelbaren Lebens durchschaut, wo sie auf ihre Freiheit als das Absolute reflektiert, da zeigt sich, daß dieses uneigentliche mit dem eigentlichen Selbstsein nicht vereinbar ist.

Hieraus erklärt sich die Unmöglichkeit, als Geistesexistenz das „Erotische" zu leben. Kierkegaard kann die eigene leibliche und seelische Bedürftigkeit nicht als essentielle „Natur" oder als Wesenheiten verstehen, deren Ansprüche eigenen Sinn, eigenes Recht und Maß haben und als solche hinzunehmen sind. Sie wird ausschließlich daraufhin beurteilt, inwieweit die Subjektivität in ihr Geist ist und sich als Geistesexistenz behaupten kann. So wird sie in gewisser Weise zum „Objekt"; denn sie ist noch nicht ganz Subjektivität, ganz durchsichtiges Selbst geworden. Die Geistesexistenz hebt aber alles „Objektive" auf; es darf nicht zur Triebfeder des Verhaltens werden, weil die Geistesexistenz sonst nicht mehr durchaus Subjektivität wäre.

überlegenen „Natur" als uneigentliche modi unseres freien Verhaltens verstehen, dürfen wir hoffen, unser freies Personsein zu behaupten. Wie soll aber der Mensch ohne bleibende „objektive" Inhalte leben, deren Bewahrung und Entfaltung seinem Leben Gehalt und Bedeutung gibt? Auf solche Bewahrung zielte Goethes Persönlichkeitsbegriff. Das Schicksal der romantischen Subjektivität zeigte aber, daß es die Lebenseinheit, der Goethe vertraut, nur als „Wunsch der Kreatur" gibt. Aber der Einzelne kann nicht bestehen ohne ein sinngebendes Ganzes. Gibt es einen unbedingten, dem Schicksal der subjektiven Reflexion überlegenen Inhalt? Dieses Problem hat Kierkegaard gesehen und in der Auseinandersetzung mit *Hegel* ausdrücklich erörtert.

IV

Hegel hat mit unübertroffener Eindringlichkeit die *Geschichte* als den Ort beschrieben, an dem der lebende, tätige Mensch frei entscheidet und doch ein seiner Freiheit überlegenes Maß findet, das ihm den Spielraum seines Handelns allererst vorgibt. Die Geschichte ist in eins Erscheinung der göttlichen Vernunft des Lebens und Hervorbringung bewußten, entscheidungsvollen menschlichen Handelns. Behielte Hegel mit seinem großen Versuche recht, dann wären alle die Schwierigkeiten überwunden, die Verstellungen beseitigt, mit denen die wissenschaftliche Aufklärung und die Romantik nicht fertig wurden.

Bekanntlich sieht Kierkegaard Hegels Versuch als gescheitert an. Er findet alle Schwierigkeiten des absoluten Bewußtseins bei Hegel gesteigert wieder. Sowohl die transzendentale Überhöhung des Menschen als auch die nihilistische Relativierung aller Lebensgehalte erreichen nach Kierkegaard in Hegels spekulativer Geschichtsphilosophie ihren Höhepunkt. Wenn die Geschichte der letzte umgreifende Horizont ist, auf den das moderne philosophische Selbstbewußtsein führt, dann ist die Katastrophe der modernen Kultur unabwendbar.

Im Bewußtsein Kierkegaards und seiner Leser lebt der erregende Gegensatz zwischen Hegels Apotheose der Geschichte und ihrer Verwerfung durch Kierkegaard. Hegel sieht die Geschichte als den Weg zur endgültigen und universalen Realisierung der Vernunft bis hin zu ihrer Vollendung in der modernen Kultur. Kierkegaard beurteilt die Geschichte als den mit zunehmender Reflexion immer offenbarer werdenden Abfall von Gott. Tradition erscheint ihm als Verfallstradition[57]. Die gegensätzliche Beurteilung der Geschichte durch Kierkegaard und Hegel ist also offenkundig und unbestreitbar. Ihr liegt jedoch, von der Polemik Kierkegaards verdeckt, ein Gemeinsames zugrunde, aus dem beide herkommen. Diese verborgene gemeinsame Herkunft beider scheint mir nun ebenso bedeutsam zu sein wie ihr späterer offenbarer Gegensatz.

Kierkegaard denkt wie Hegel geschichtlich. Er kennt keine andere Ordnungsmacht als das autonome Handeln. Obwohl er christlicher und „sokratischer" Denker sein will, führt für ihn kein Weg zurück zum antiken Kosmos oder zur christlichen Schöpfung. Sobald das Individuum sich als souveräner Punkt von den Ordnungen, in denen es lebt, distanzieren kann, hat es seine Gebundenheit verloren, auch wenn es an dem Bestehenden nichts ändert. Das Bestehende wird dann zu etwas Relativem, dem das Individuum in seiner kritischen Reflexion prinzipiell überlegen ist. Hier geschieht weit mehr, als daß viele einzelne Bindungen auseinanderfallen; denn in dem anonymen, aber fundamentalen Vorgang der allgemeinen Reflexion zersetzt sich der religiöse Sinn der menschlichen Gemeinschaft. Es gibt keine an sich seiende Ordnung, an die sich der Mensch angesichts der korrumpierenden Macht der Geschichte halten könnte. Es gibt nur profane Verhältnisse, über die er souverän disponieren kann. In einer solchen alles festen Sinnes baren Welt sind alle Lebensinhalte relativiert, und zwar nicht mehr nur für einzelne Ausnahmeexistenzen wie in der romantischen Dichtung, sondern für jedermann. Die allgemeine Reflexion ist das Schicksal, dem sich niemand entziehen kann;

---

[57] Beispielshalber: Pap. IX A. 95 „Die Historie fort, die Situation der Gleichzeitigkeit wird geschaffen." Hierher gehört dann vor allem der Begriff des Bestehenden, den Kierkegaard von Hegel oder der hegelschen Schule übernommen hat. Das Bestehende ist die gegenwärtige Lebensordnung und Lebensanschauung, aber ohne die Begründung aus dem Ewigen. Daher wird es zur leergewordenen Tradition, zur Konvention, zur allgemeinen Meinung. Als solches ist das Bestehende dann das Korrelat zum souveränen Verstandesdenken.

sie gefährdet die Möglichkeit ethischer Existenz umfassender und radikaler als die romantische Ironie.

Trotz aller Polemik ist Kierkegaard auch hier, in der Beurteilung der Geschichte, genau so Kind seiner Zeit wie im Verhältnis zur wissenschaftlichen Aufklärung. Objektivierende naturwissenschaftliche Erkenntnis und souveränes geschichtliches Handeln sind als endgültige Fakten hinzunehmen und anzuerkennen. Es kann also nur darum gehen, in der durch ihre Vorherrschaft bestimmten Lage Raum frei zu halten für die Existenz. Gegen das „quantitative" Denken der Aufklärung setzte Kierkegaard die „qualitative" Dialektik. Gibt es einen Weg, auch die Macht der Geschichte „qualitativ" zu überwinden? Eröffnet die Auseinandersetzung mit Hegel hier einen Ausblick? [58].

[58] Die Korrelation von Existenz und souveräner Vernunft kommt besonders klar zum Ausdruck in der Zeitkritik Kierkegaards, etwa in der Besprechung der Novelle ›Zwei Zeitalter‹, auf die Kierkegaard öfters verweist (übersetzt von Theodor Haecker unter dem Titel ›Kritik der Gegenwart‹, Innsbruck 1922). Kierkegaard beschreibt dort die Zersetzung der Lebensordnungen durch die anonyme Macht der allgemeinen Reflexion. Er weiß, daß die fraglose Autorität des Bestehenden zerbrochen ist. Im Reflexionszeitalter ist jedes Individuum zu reflektiert, um sich noch durch ein Allgemeines, zusammengefaßt in einem Menschen, repräsentieren zu lassen. Das war in naiveren Zeiten möglich. Jetzt ist es dafür zu spät. Kierkegaard stellt sehr eindrucksvoll die Gefährdung des menschlichen Lebens dar im Zerfall der festen Lebensordnungen, im Ersatz der traditionellen Autoritäten durch die allgemeine Reflexion der öffentlichen Meinung.

Aber wenn wir Kierkegaards Begriffe nachdenken, dann zeigt sich, daß er selbst im Horizont der von ihm bekämpften souveränen Vernunft denkt. Wenn es von der Stufe des Selbstbewußtseins abhängt, ob es Repräsentation des einzelnen durch das Allgemeine gibt oder nicht, dann steht das Allgemeine für das Bewußtsein aller, aber nicht für ein ansichseiendes Gesetz, einen einsehbaren göttlichen Willen, den die weltlichen Institutionen darzustellen suchen. Die latente Übereinstimmung von Existenzdialektik und kritischer Vernunft zeigt sich darin, daß erst jetzt die Subjektivität reflektiert genug wird, um das Gottesverhältnis erster Hand zu leben. Der Nihilismus des Reflexionszeitalters und die Entscheidung des Einzelnen, sich auszusondern und allein in der Bindung an das Unbedingte, an Gott, das Menschsein zu bewahren, sind beide Ausdruck der gleichen Lage.

Der Einspruch Kierkegaards gegen Hegel beginnt dort, wo Hegel durch eine umfassende Interpretation der Geschichte die Situation der Entzweiung von Ich und Welt von Grund auf zu überwinden sucht. Hegel sieht in der Geschichte die reale, Gestalt gewordene Mitte zwischen menschlicher und göttlicher Vernunft, zwischen menschlichem Geist und dem Weltgeist. Die Inhalte und Ordnungen, die sie dem Menschen zubringt, sind Manifestationen eines allgemeinen göttlichen Lebens. Es gibt tatsächlich das Ganze, das sich dem romantischen Gefühl erschloß – allerdings nicht in der Innerlichkeit des Erlebnisses, sondern draußen, in dem Gang der Geschichte. Wir stehen darum nicht mit unserm Denken und Handeln im Leeren, weil hinter uns eine übermenschliche, aber uns gleiche Vernunft steht, die sich in uns ihrer bewußt wird und sich durch unser Handeln hindurch verwirklicht. Diese allgemeine Vernunft bedient sich der Menschen als ihrer Organe. Es ist unmöglich, daß der Mensch aus ihr herausfiele. Der faktische Zustand des allgemeinen Wesens ist zwar immer Werk der Menschen; es gibt keinen Staat ohne seinen Träger, das Volk; aber dennoch ist er immer mehr als die Summe der Eigenwillen: er ist allgemeine Vernunft, objektiver Geist, der die Individuen, die ihm zugehören und von ihm durchdrungen sind, übergreift und trägt. Der Mensch steht nie und nirgends außerhalb dieser Welt des Geistes.

Die Geisterfahrung Hegels ist nur sinnvoll, solange die Einheit von endlichem und unendlichem, menschlichem und göttlichem Geiste besteht. Kierkegaard hat daher mit außerordentlicher Energie seine Angriffe auf diesen zentralen Punkt gerichtet. Er ist sich dabei der Aktualität der spekulativen Lösung durchaus bewußt. Das absolute Bewußtsein muß entweder zur spekulativen Geschichtsphilosophie oder zur Existenzdialektik kommen. In dieser Alternative ist die Situation, die durch die Existenzdialektik entschieden werden soll, wie mir scheint, sehr klar erfaßt.

Kierkegaard entfaltet selbst die Alternative zwischen Spekulation und Existenzdialektik [59]. Er geht aus von der *Erinnerung* als dem Grundakt aller Erkenntnis. Die autonome Subjektivität gewinnt den Ausgangspunkt der Denkbewegung, indem sie sich „erinnert",

---

[59] Jen. VI S. 261 f.

d. h., indem sie sich auf ihr reines Denken als die Voraussetzung der Erkenntnis besinnt und alles Seiende als möglichen Gegenstand dieser Erkenntnis versteht. Jede Aussage über ein Objekt hat sich an den Maßstäben zu messen, die das reine Denken aus sich gewinnt. Diese Reflexion des Denkens auf sich als Subjekt der Erkenntnis heißt nicht nur darum Erinnerung, weil sich in ihr der Blick des Denkenden nach innen wendet, sondern vor allem weil sie vergegenwärtigt, was von Anfang an war. Das von Anfang an „Seiende", das im Akte der Erinnerung vergegenwärtigt wird, meint nun ein reines Sein, das nicht nur unserm Denken zugrunde liegt, sondern auch dem Seienden, auf das wir in unserm Denken zielen. Wir reichen also im Denken an den identischen Grund unserer selbst, des Ich, und des Nicht-Ich heran. Kierkegaard steht vor dem Problem der Identität von Denken und Sein, von dem der transzendentale Idealismus ausgeht. Spekulativ geurteilt reicht das Denken darum an das absolute Sein, das dem Unterschied von Subjekt und Objekt vorausliegt, weil das Objekt seinerseits eine Einheit von Faktischem (Einzelnem) und Denken (Allgemeinem, Subjektivität) ist. Die reine Form der sich selbst denkenden Subjektivität ist der Schlüssel, der die Substanz in ihrem Hervorgehen aus dem identischen Grunde von Denken und Sein erschließt.

Obwohl Kierkegaard die prinzipielle Möglichkeit dieses Weges nicht bestreitet, weigert er sich, Hegel auf dem Wege der spekulativen Erinnerung zu folgen. Auf ihm vorwärtsgehend überschreitet der Philosoph die Grenzen des Menschseins. Es ist etwas im Menschen, das ihn hindern sollte, sich zur transzendentalen Subjektivität zu erhöhen. Das ist die Erfahrung der Angst, die Reflexion des Nichts, die den Menschen an sein endliches Dasein bindet. Diese existentielle Reflexion kann nur im Glauben zur Ruhe kommen. Im Glauben aber ist Gott als das Absolute gesetzt, das für alle Erkenntnis paradox bleibt [60]. Die autonome Vernunft dagegen muß sich bis zu dem Punkte steigern, wo sie sich in ihrem Denken mit dem übermenschlichen Grunde alles Seins identisch weiß, der sich dann in ihr begreift. Menschliches und göttliches Subjekt fallen hier zusammen. Alle Wirklichkeit erscheint als Setzung zwar nicht der empirischen,

[60] Vgl. unten S. 215 f. über Paradox und Glaube bei Sokrates.

wohl aber der übergreifenden transzendentalen Subjektivität des
Weltgeistes, deren Selbstdarstellung sie ist. Sonst gäbe es Erscheinungen der Geschichte, die nicht auf das zugrunde liegende Prinzip
zurückgeführt werden könnten. Um des Prinzips der Identität willen
muß der Geschichtsverlauf vernünftig sein, muß er verabsolutiert
werden.

Hier zeigt sich nun das Problem der Identität in seiner ganzen
Fraglichkeit. Ohne den Rückhalt in einer göttlichen Vernunft wäre
jede geschichtliche Wahrheit zufällig [61]. Menschliche Erfahrung und
menschliches Handeln wären auf den Umkreis der Subjektivität be-
schränkt und nur relativ auf sie wahr; also ohne einigende Allgemeinheit. Da aber die platonisch-augustinische Möglichkeit fehlt,
nämlich der Hinblick auf ein das menschliche Handeln führendes an
sich seiendes göttliches Gesetz, das der Mensch mit seinem Handeln
dann frei nachahmt, so bleibt die der autonomen Vernunft nächstliegende Möglichkeit, diese göttliche Vernunft selbst als transzendentales Subjekt zu begreifen, das sich der menschlichen Bewußtseine zu
seinen Zwecken bedient. Auf diese Weise tritt der Hinblick auf den
identischen Inhalt alles geschichtlichen Handelns hinter der spekulativen Deutung des Geschichtsablaufes zurück, der nunmehr in
allen seinen Stadien als Einheit von göttlicher und menschlicher Vernunft begriffen werden muß. Damit erhält die Geschichte als ganze
eine metaphysische Notwendigkeit zugesprochen, die wiederum die
Freiheit der Person in ihrem Zentrum bedroht [62].

Hier in dieser offenbaren Aporie unseres geschichtlichen Daseins
erhält nun die Frage nach dem Subjekt der Geschichte ihre ganze
Dringlichkeit. Wenn wir Kierkegaard in seiner Kritik am Reflexionszeitalter folgen, können wir kaum noch von einer Offenbarung der
göttlichen Vernunft in der Geschichte sprechen. Dann handelt es sich
bei Hegel in Wahrheit nicht um die Identität von menschlicher und
göttlicher, sondern von individueller und kollektiver Vernunft.
Hegel hat fälschlich das eine Gegensatzpaar mit dem andern ver-
tauscht. Kierkegaard spricht daher statt vom Weltgeist von der
„übergreifenden Subjektivität, welche die Menschheit ist oder das

[61] Vgl. Jen. VI S. 176 f.
[62] Vgl. Jen. VI S. 192 ff., 207 ff.

Menschengeschlecht" [63]. In dieser übergreifenden Subjektivität der Gattung, die durch die allgemeine Reflexion eine Art universaler Präsenz erhält, geht die Freiheit des Individuums unter. „Hegels historisierende Identitätsphilosophie schafft die Individualitätskategorie ab und ersetzt sie durch die der Generation (d. h. des Geschlechts)" [64]. Die Menschheit ist die transzendentale Subjektivität, die alle Wirklichkeit aus sich heraus setzt. Wir stellen in unserer allgemeinen Reflexion dieses Phantom ständig her, das uns den Ausblick auf Gott verdeckt, ja das an die Stelle Gottes tritt. Nun ist es jene geschichtsmächtige übergreifende Subjektivität der Menschheit, die den Einzelnen sagt, was an der Zeit und also in der Ordnung ist. Sie diktiert dem Menschen zu, wer er zu sein hat. Sie greift in sein innerstes Wesen ein, denn sie versetzt ihn nicht nur in unabwendbare Daseinslagen, sie macht ihn bis in den innersten Kern seines Wesens und demzufolge auch seines Handelns von sich abhängig. Der Mensch ist immer „Kind der Zeit". Die „sittliche Substanz", die „weltgeschichtliche Idee" [65], d. h., das innere Prinzip der Geschichte handelt durch das Individuum hindurch. Kann aber das Ethische das sein, was die Zeit fordert? Die Konsequenz, die Kierkegaard zieht, lautet: „Die hegelsche Philosophie ist ohne Ethik" [66]. Ein System der Identität von göttlicher und menschlicher Vernunft läßt keinen Raum für unbedingtes, selbständiges Handeln des Einzelnen [67]. Auch wenn er es nicht weiß, ist der Einzelne doch Exponent seiner Zeit, in die er durch die immanente Theologie des Geschichtsablaufes hineingebunden ist.

Von Kierkegaard her gesehen bedeutet der beschriebene Sachverhalt Folgendes: Hier wiederholt sich in gesteigerter Form die Aporie des cartesianischen Bewußtseins. Der Mensch als Objekt der autonomen Vernunft wird zum Exponenten „unmenschlicher" oder „übermenschlicher" innerweltlicher Mächte, die die Freiheit aufheben [68].

[63] Pap. VII$_2$ B. S. 207.
[64] Pap. VII$_2$ B. S. 170.
[65] Jen. VI S. 210.
[66] Pap. VII$_2$ B. S. 215.
[67] Vgl. Jen. V S. 193; Pap. VII$_2$ B. S. 215.
[68] Vgl. Jen. VI S. 213, 219.

Es ist von vornherein zu erwarten, daß auch die andere Aporie, die Entzweiung von reiner und empirischer Subjektivität, im Subjekt der Erkenntnis wiederkehrt. Wie kann der Philosoph zur Einsicht in die Vernunft des Geschichtsablaufes kommen? Nur indem er aufhört, Mensch zu sein, und für sich ein übermenschliches, „eschatologisches" Geschichtsbewußtsein in Anspruch nimmt. Er muß aus der Zeit heraustreten, um von ihrem Ende her den Gang der Geschichte als den Weg des Geistes zu sich selbst zu begreifen. In ihm, dem Philosophen, kommt in der vollendeten Zeit der Geist erst zum Bewußtsein seiner selbst, begreift er seine ausgearbeitete Gestalt. Philosophische und göttliche Subjektivität fallen also zusammen. Das Denken des Philosophen wird zum Selbstdenken Gottes, der Geschichtsprozeß zur Selbstoffenbarung Gottes, der jede Stufe seiner selbst mit sich identisch setzt [69].

Diese Lösung ist nun weder *theologisch* noch *ethisch* befriedigend. Theologisch nicht, denn Gott wird zu so etwas wie der „Seele des Geschichtsprozesses" [70]. Die Grundaussage der christlichen Dogmatik ist, daß Gott der Ordnung, die er der Welt setzt, *jenseits* bleibt. Die Jenseitigkeit Gottes wird für Hegel zu einem Einwand. Gott ist für ihn nur Gott, d. h. Schöpfer unserer Welt, insofern er als bewegende Kraft der Geschichte immanent wird. Gott wird also nicht mehr als ewige Person, als jenseitiger Schöpfer der Welt verstanden, sondern als eine Art geistiger Natur, die nur ist, indem sie sich in ihren Gestaltungen darstellt [71].

Hegels Lösung ist ebensowenig ethisch befriedigend: denn nur in einem Akte äußerster Selbstübersteigerung, wie Kierkegaard sagt: „in gottloser pantheistischer Selbstvergötterung" [72], kann der Philosoph zum Mitwisser Gottes werden. Aber sein Mitwissen ist abstrakt; es entstammt nicht der Selbsterfahrung des wirklichen lebenden Menschen. Der Philosoph ist ohne Verhältnis zu seiner eigenen ethischen Wirklichkeit. Dennoch befreit ihn sein Unverhältnis zum eige-

[69] Vgl. Jen. VI S. 192–196 passim, 213 A, 221 f.
[70] Jen. VI S. 221.
[71] Daher spricht Kierkegaard von „Gottes Freiheit, die in alle Ewigkeit (nicht) zur Immanenz wird" (Jen. VI S. 221).
[72] Jen. VI S. 196.

nen empirischen Dasein nicht von der Gebundenheit daran. Der Widerspruch, der darin liegt, daß das empirische Dasein des Philosophen doch auch in seinem System vorkommt und als zeitgebundenes Bewußtsein in ganz anderen Kategorien verlaufen müßte als das überzeitliche eschatologische Bewußtsein, hat Kierkegaards Spott immer wieder herausgefordert. Hegel will das Widersinnige: er will zugleich reine und empirische Subjektivität sein [73].

Die Folgerung, die Kierkegaard zieht, ist die: der Mensch kann nur in einer Welt leben, der Welt der sittlichen Verantwortung. Jede Aussage, die diese eine Wirklichkeit verfehlt, ist irreal, eine Konstruktion, mit der der Aussagende die Gefährdung der Existenz verdeckt. Hegel hat zwar die Verwirrung des Reflexionszeitalters richtig gesehen, aber er hat sie nur „quantitativ" überwunden [74], indem er sie aus einem objektiven Zusammenhang heraus verstand. Hegel hat jeden Inhalt, jede Ordnung oder Autorität auf die fortschreitende Realisierung des Weltgeistes hin ausgelegt. Indem er so jede Erscheinung in ihrer Bedeutung relativierte, hat er den Weg gefunden, den uns bedrängenden Konflikt zwischen Glaubenstradition und autonomer Vernunft auszugleichen. Sobald man jedoch mit dialektischer Unerschütterlichkeit im Blick behält, was in Hegels Philosophie vorgegangen ist, zeigen sich in höchster Steigerung die Merkmale eben des Reflexionszeitalters, das Hegel überwunden zu haben meinte. Die Geschichte bringt Inhalte heran, die ohne wahren inneren Bestand sind, weil sie Setzungen eines wechselnden allgemeinen Bewußtseins sind.

Wenn wirklich im Geschichtsprozeß jeder Inhalt nur insofern wahr ist, als er als ein Moment ihres Fortganges Bedeutung hat, dann tut sich wieder die ganze Bodenlosigkeit der modernen Subjektivität auf. Nimmt man von der Geschichte ihre transzendentalphilosophische Verklärung weg, dann fällt sie gleichsam ins Leere. Daher wird entscheidende Forderung, die Abhängigkeit von der Geschichte zu überwinden. Was als Aufgabe bleibt, ist *Aussonderung* aus der Verfallsgeschichte.

[73] Vgl. Jen. VIII S. 40; Jen. VI S. 193 f.; Jen. VII S. 2; Pap. VII$_1$ A. 80, 82.

[74] Pap. VIII$_2$ B. S. 170.

Wer sich aus ihrem Wirbel retten will, der muß jenseits ihrer das Absolute oder das Unbedingte (und also nicht Relativierbare) finden und mit seiner Hilfe einen Stand in der Zeit gewinnen. Die Aufgabe, die sich damit stellt, ist höchst paradox. Das Faktum der Geschichte statuiert eine, wie es scheint, unaufhebbare Abhängigkeit des Menschen von der Zeit. Die Kritik an Hegel hebt diese Konsequenz der Geschichtsphilosophie besonders hervor. Wie soll angesichts der Allmacht der Geschichte eine nicht nur illusionäre Aussonderung möglich sein?

Die Antwort lautet: Die Aufgabe ist nicht, die Existenz aus der Geschichte zu verstehen, sondern umgekehrt die Geschichte aus der Existenz [75]. Jeder geschichtliche Zustand – er erscheine so notwendig, wie er wolle – ist aus menschlicher Entscheidung hervorgegangen und läßt sich darum auch in diesen seinen Ursprung zurücknehmen. Sonst würde eine freie Teilhabe an der Geschichte unmöglich; denn sie verwandelte sich im Fortschreiten in einen Naturvorgang und müßte uns in ihrer Auswirkung nun auch mit Naturnotwendigkeit bestimmen. Die wahre menschliche Teilnahme an der Geschichte verlangt, daß wir die ständig geschehende Objektivierung der Wirklichkeit in uns aufarbeiten, indem wir ihren menschlichen Ursprung festhalten. Es gibt keine Wirklichkeit, sei sie noch so bedrängend, die wir nicht als aus menschlicher Entscheidung hervorgegangen verstehen und deshalb in ihrer Macht über uns widerrufen oder, wie es in ›Entweder – Oder‹ heißt, „bereuen" könnten [76].

Hier zeigt sich: die Geschichte kann nicht die letzte maßgebliche Wirklichkeit sein. Sie ist vielmehr die Verfallsform einer ursprünglicheren Zeit, die bereits bei Kierkegaard Zeitlichkeit heißt. Wir haben von ihr als dem Inter-esse der existierenden Subjektivität anläßlich der Kritik Kierkegaards an der cartesianischen Subjektivität bereits gesprochen. Kierkegaard hat die Zeitlichkeit als die innere Erstreckung der Freiheit verstanden, die ihr Verhalten als gewesenes bei sich hält und als mögliches sich vorgibt. So verstanden ist die Zeitlichkeit konkreter Ausdruck der Spontaneität der Person oder ihrer Absolutheit. Immer ist die Person absolut; denn alles, was sie ist,

[75] Vgl. Jen. V S. 23, 85.
[76] Vgl. Jen. II S. 184, 212.

ist in der ihr eigenen Zeit ihre Tat. Hier endlich treffen wir auf das gesuchte Gemeinsame im Denken Kierkegaards und Hegels. Was Hegel vom absoluten Geist aussagt: daß er der Grund alles zeitlichen Geschehens sei, das wir als sein Hervortreten in die Wirklichkeit verstehen müssen, dasselbe sagt Kierkegaard hier vom einzelnen Menschen: der einzelne Mensch ist – prinzipiell – absoluter Geist: als solcher ist er Grund des zeitlichen Verhaltens. Der Einzelne tritt in und mit ihm in die Existenz. Ja, wenn wir unter Ewigkeit den gleichbleibenden kontinuierlichen Grund verstehen dürfen, der den Ablauf des zeitlichen Geschehens bestimmt, *dann ist der menschliche absolute Geist ewig.* Er ist die Macht, die in allem Verhalten actualiter gegenwärtig ist und es bei sich hält. Darum spricht Kierkegaard in aller Selbstverständlichkeit von der menschlichen Existenz als der Ewigkeit, die ins Dasein tritt oder die „wird". Und er spricht hier nicht uneigentlich von Gott, der als der ewige im Gewissen gegenwärtig ist, sondern ganz eigentlich von der Ewigkeit als der Selbstgegenwart, in der der Existierende – wenigstens dem emphatischen Anspruch nach – sich selbst besitzt und absoluter Geist ist, weil er in sich selbst die Einheit des Zeitlichen und Ewigen ist. Ewigkeit ist Selbstgegenwart [77].

Es mag fraglich bleiben, wieweit der Mensch dieser Macht faktisch mächtig ist; aber hier, wo wir von den Kategorien der Existenz handeln, müssen wir sagen, daß Kierkegaard hier die alte Frage nach der Einheit oder Synthese empirisch-zeitlicher und transzendental-überzeitlicher Subjektivität, die wenigstens seit Goethe das Grund-

---

[77] „*Sich selbst ganz präsent zu sein, ist das Höchste* und die höchste Aufgabe für das persönliche Leben. *Das ist Macht. Deshalb nannten ja die Römer die Götter ›praesentes‹.* Sich selbst in Selbstbekümmerung ganz präsent zu sein, ist die höchste Stufe der Religiosität; denn nur so wird absolut ergriffen, daß ein Mensch absolut zu Gott drängt in jedem Augenblick. ... Wenn man sich selbst nicht präsent ist, so ist man abwesend in der vergangenen oder der zukünftigen Zeit, so ist die eigene Religiosität vielleicht eine Erinnerung oder ein abstrakter Vorsatz." (Pap. VII₂ B. S. 193). Vgl. Jen. V S. 83. Dort wird die Präsenz des Ewigen ausschließlich zur Charakteristik der Gottheit gebraucht. Vgl. weiter Jen. VI S. 163, 254; Jen. VII S. 11, 86; Pap. III A. 1, wo die Umwandlung des spekulativen in das existenzdialektische Schema besonders deutlich wird.

problem von Dichtung und Philosophie ist, entscheidet. Für Goethe
ist der Augenblick der Moment, in welchem die Seele ihrer Einheit
mit dem ewigen Leben des Alls gewiß und von ihm erfüllt ist [78]. Der
Mensch verleiht dem Augenblick Dauer immer dann, wenn er sich
zum Bewahrer und Träger dieses Lebens macht.

Kierkegaard verlegt die Einheit von Zeitlichem und Ewigem in
die Subjektivität selbst. Geist ist die „Synthese des Zeitlichen und
Ewigen im Augenblick" [79]. Der Augenblick wird hier zur menschlichen Grundkategorie. Der Geist tritt im Augenblick in die Existenz, d. h. immer dann, wenn er sich als den aktuellen Grund alles
persönlichen Verstehens und Verhaltens erweist. Es mag fraglich
sein, ob der Mensch als existierender Geist je über die emphatische
Vorwegnahme des Augenblicks hinauskommt, ob er also sich sich
selbst schuldig bleibt, – entscheidend ist, daß der Augenblick „Atom
der Ewigkeit" ist. In ihm vollendet sich, sei es auch mit dem vollen
Bewußtsein des Brüchigen, Gewagten, ja Unmöglichen, die durch
Romantik und absolute Philosophie hindurchgegangene absolute
Subjektivität. Der ontologischen Konzeption nach ist die Existenz
eine äußerste Gestalt des absoluten Selbstbewußtseins [80].

V

Existenzdialektik und die ihr zugehörigen Kategorien der Wiederholung, der Verzweiflung, des Glaubens, Existenzpsychologie und
die in ihr zentrale Kategorie der Angst, die Ausbildung der Zeitlich-

[78] Vgl. Max Kommerell, Gedanken über Gedichte, Frankfurt 1943.
[79] Jen. V S. 80–86.
[80] Für Kierkegaard verstellt sich diese Ordnung der Existenzkategorien
immer wieder, weil die menschliche Freiheit in der Ewigkeit Gottes gründet. Aber es muß erst einmal klar sein, daß für Kierkegaard Person immer
absolute Subjektivität ist. Sonst kann es nicht gelingen, die Existentialisierung des Gottesverhältnisses im Blick zu behalten. Hier liegt die Crux der
Kierkegaardinterpretation. Es will beinahe unmöglich erscheinen, Modernität und Christlichkeit in ihrer kaum zu entwirrenden Durchdringung zu
sehen. Aber nur wer beides sieht, darf vielleicht hoffen, von dem einen zu
reden, ohne das andere zu bagatellisieren.

keit und die zugehörigen Kategorien des Augenblicks und des Geistes als ewigen Bewußtseins sind Kierkegaards Versuche, die Abhängigkeit von der objektiv erkennbaren Natur, von der im Gefühl erfahrenen inneren Natur des eigenen Wesens, von der das tätige Leben überwältigenden Macht der Geschichte zu überwinden. Nachdem die Selbstüberhöhungen des romantischen Genies und des spekulativen Philosophen als illusionäre Identität von Gott und Mensch und als Verstellungen der ethischen Wirklichkeit durchschaut sind, sieht es so aus, als seien wir auf das vermenschlichte absolute Bewußtsein zurückgeworfen, in dem Kierkegaards Kritik der wissenschaftlichen Aufklärung endete. Kierkegaard kritisierte das philosophische Selbstbewußtsein, weil er mit Recht meinte, daß nur im Zerbrechen aller Identität wieder Raum für den Glauben wird. Aber wird wirklich Raum für den Glauben? Wo begegnen wir denn Gott? Das cartesianische absolute Bewußtsein ist atheistisch, es setzt allein sich selbst voraus, und es erklärt die Welt immanent. Die existierende Subjektivität teilt mit der objektivierenden Erkenntnis den theoretischen Atheismus; aber versteht sie sich nicht auch praktisch oder moralisch ohne Gott? Welchen Sinn soll es sonst haben, daß die Freiheit „die absolut wirkende Ursache" ist? [81]. Kierkegaards Wirkungen auf die ihm folgende Existenzphilosophie können zeigen, wie nahe atheistische Konsequenzen liegen. Dennoch ist gerade hier der Punkt, an dem nach Kierkegaard das Gottesverhältnis sich geltend macht. Mag Kierkegaard in der Beurteilung von Natur und Geschichte von Descartes und Hegel abhängen, im Verhältnis zu Gott ist er entscheidend über das autonome philosophische Selbstbewußtsein hinausgegangen.

Kierkegaard kommt zu einer Art *natürlicher Theologie*. Er bezeichnet sie seltsamerweise mit dem Begriff des *sokratischen Paradox*.

In diesem Terminus ist Kierkegaards Verständnis der sokratischplatonischen Philosophie enthalten. Kierkegaard sieht seine Situation in die des Sokrates hinein. Er zeichnet von Sokrates folgendes Bild: Sokrates anerkennt die im Mythos gegründete Lebensordnung der Polis durch die Sophisten. In der Welt der vollzogenen Aufklärung versteht er es als seine Aufgabe, die Freiheit gegen den

---

[81] Jen. VI S. 70.

unrichtigen Gebrauch der Reflexion zu sichern. Dabei stößt er an die
Existenz als die fundamentale menschliche Wirklichkeit. Auch für
Sokrates ist die Freiheit dem Verstande transzendent und gehört in
die Sphäre des Paradoxen. Sie verweist zugleich in sich auf Gott
zurück. Kierkegaard faßt sein Verständnis der sokratischen Philosophie in den Satz zusammen: „Selbsterkenntnis ist Gotteserkenntnis" [82]. Er will damit sagen: Der Mensch kann nicht auf die in seinem
Denken gegenwärtige Wahrheit reflektieren, ohne in dieser „Erinnerung" nicht Gott als dem Grunde der Freiheit – und alles Seins [83] –
zu begegnen. Philosophische Besinnung nähert sich hier der Erinnerung des Gewissens, in der der Mensch sich vor Gott durchsichtig
wird. Daher hindert nichts, in bezug auf Sokrates von Paradox und
von Glaube zu reden [84].

Kierkegaard hat damit ohne Frage Platon umgedeutet. Für Pla-
ton ist im νοῦς, dem reinen Verstehen (intellectus), der Maß und
Sinn gebende κόσμος gegenwärtig. Wahrheit ist dementsprechend
nicht die Durchsichtigkeit des für sein Verhalten verantwortlichen
Selbst, sondern die Vernehmbarkeit und darin die Gegenwart des
An-sich-Seienden. Die sokratische Dialektik führt bei Platon die
Gesprächspartner im Überprüfen ihrer Vormeinung auf das ständig
im Denken, wenn auch zunächst unausdrücklich und verworren
Gegenwärtige zurück. Darin besteht die natürliche Freiheit der
Philosophie.

Bei Kierkegaard tritt an die Stelle des νοῦς die Existenz. Im Existieren wird uns Gott als der Grund unserer Freiheit gegenwärtig.
Wir gebrauchen die Freiheit zu fragen und zu prüfen nicht, um der
ständig gegenwärtigen Wahrheit ansichtig zu werden, sondern wir
besinnen uns auf unsere Verantwortung für uns selbst. Haben wir
diese einzige uns verbliebene Wirklichkeit ergriffen, dann haben wir
Gott da [85]. Kierkegaard hat sich in seinem zentralen Anliegen mit
dem von ihm derart umgedeuteten Sokrates identifiziert. Zwischen
dem sokratischen Denker und dem Existenzdialektiker bestehen im

[82] Jen. VI S. 10 und 18.
[83] Siehe oben S. 206 f.
[84] Jen. VI S. 262.
[85] Jen. VI S. 205.

Ausgangspunkt der Denkbewegung keine Unterschiede. Kierkegaard bleibt in aller Verinnerlichung, zu der ihn die im christlichen Glauben gelernte Gewissensprüfung erzieht, „sokratischer" Denker.

Wie wird nun aus Selbsterkenntnis Gotteserkenntnis?

Wir gehen wieder von der Subjektivität aus. Die aus allen objektiven Sicherungen herausgestoßene Subjektivität wird auf ihre Freiheit zurückgeworfen. Sie begegnet in sich einer „Anlage zur Persönlichkeit" (Kant). Diese „Anlage" ist das unverlierbare Wesen, das dem Menschen mitgegeben ist und das ihm als mitgegeben in eigentümlicher Weise überlegen bleibt. Sie erfährt der Mensch als ein Sollen, dessen Anspruch sich unüberhörbar in der eigenen Innerlichkeit meldet. Die Freiheit ist also nicht Belieben, Willkür. Der Mensch begegnet hier einem Faktum, das seine Freiheit von innen her begrenzt, einem Anspruch, dessen verständliche Macht er als Anruf eines ihm überlegenen göttlichen Willens zu verstehen nicht umhin kann. Daher spricht Kierkegaard oft von dem göttlichen „Du sollst". Die Freiheit ist nur scheinbar selbstgenugsam. Tatsächlich verweist sie in sich selbst auf Gott als ihren Urheber zurück, dessen Urheberschaft im Gewissen ständig gegenwärtig ist[86]. Die sokratische Kritik des Verstandes endet also mit Recht in einer Art natürlicher Theologie. Diese Theologie ist allerdings streng zu scheiden von aller Metaphysik[87]; denn sie ist paradox. Vom Paradox sagt Kierkegaard: das Paradox ist nicht eine Konzession, sondern eine „ontologische Bestimmung". Es zielt auf einen Sachverhalt, von dem ich mit Bestimmtheit sagen kann, daß er sich der Erkenntnis durch den Verstand entzieht. Das Paradox drückt das „Verhältnis eines endlichen Geistes zu einer ewigen Wahrheit" aus[88].

Tatsächlich haben wir nun erst das eigentliche Absolutum erreicht. Die Freiheit entzieht sich zwar der Relativierung durch den Verstand, aber sie kann gleichsam aussetzen, sie bleibt ihrer nicht kontinuierlich mächtig und kontinuierlich bewußt. Daher ist ihre Ewigkeit doch nur eine – wenn auch prinzipiell gedachte – Prätention. Gott aber ist der unveränderlich kontinuierliche Grund unserer

---

[86] Jen. Erbauliche Reden III. S. 124; Pap. VII$_1$ A. 10.
[87] Siehe oben S. 179 f.
[88] Vgl. Pap. VIII$_1$ A. 11.

Freiheit [89]. Diese Aussage von Gott bleibt aber paradox. Wir können immer nur in der Erhellung unserer ethischen Existenz zu ihr gelangen. Sie ist objektiv ungesichert, also objektiv von einer bloßen Illusion nicht zu unterscheiden und auf dem Wege einer „metaphysischen" Konstruktion der Wirklichkeit nicht zu erreichen. Gott ist das „Unbekannte", an das der Verstand „stößt" [90]. Dennoch ist die paradoxe Rede von Gott wahr; denn in ihr erschließt sich erst unser Wahrsein, d. h. die Durchsichtigkeit des unser Verhalten führenden Selbstverständnisses [91].

Diese Wahrheit ist subjektiv: wir können von Gott nur im Hinblick auf unser Existieren sprechen, etwa als der Macht, die unsere Freiheit zu sich selbst ruft, aber wir können Gott niemals zum Objekt machen, auf das hin wir unsere Aussagen prädizieren; sobald wir Gott in sich selbst zu denken versuchen, wird Gott den Bedingungen des Verstandes gemäß gedacht: er wird zu einem Seienden, das, ob wir es nun via negationis oder via eminentiae von den Beschränkungen der Innerzeitlichkeit und Innerweltlichkeit befreien, dennoch immer nur durch eine Gedankenoperation erschlossen wird, also immer nur durch unser Denken zuwege gebracht ist. Der Verstand kommt über seine Angewiesenheit auf Gegebenes nicht hinaus. Wo es nichts anschaubar Gegebenes gibt, da stößt er an seine Grenze, an das Unbekannte. Man muß wortwörtlich den Verstand beiseite schaffen, um im Gottesverhältnis zu bleiben. Kierkegaard verwirft die analogia entis. Es gibt nichts im Seienden, das durch seine geordnete Zweckmäßigkeit auf die göttliche Weisheit als den Grund dieser Ordnung hinwiese. Jeder sogenannte Gottesbeweis ist nur eine Erläuterung des gläubigen Bewußtseins. Im Denken ist der Mensch mit sich allein; wir können Gott nicht denkend beweisen [92]. Sobald wir mehr wollen, wird der Beweis zu einer metaphysischen Konstruktion. Wir können niemals durch einen zwingenden Schluß von unserer Vorstellung über Gott zu seiner Existenz kommen. Gottes Wirklichkeit bleibt also für uns paradox. Nur wenn wir den Beweis loslassen,

---

[89] Vgl. Pap. VII₁ A. 10.
[90] Jen. VI S. 34, 36.
[91] Vgl. Jen. VI S. 256.
[92] Vgl. Jen. VI S. 36–42.

d. h., wenn wir wagen, uns vom Verstande abzustoßen und im „Sprunge" uns dem Anruf des göttlichen „Du sollst" anvertrauen, nur dann ist Gott da. Der Verstand verführt zur metaphysischen Konstruktion; nur in der ethischen Existenz kommt Gott für uns zur Gegenwart.

Hier haben wir – so scheint mir – das Ziel erreicht, auf das die existenzdialektische Kritik des philosophischen Selbstbewußtseins zusteuerte. Die existierende Subjektivität erfährt Gott als den Herrn des Gewissens, sie weiß um Gott und achtet darin auf den Unterschied zwischen Gott und Mensch; deshalb bleibt sie auch auf ihren Charakter als Person und die ihr zugehörige ethische Verantwortung aufmerksam.

Zweifellos spricht Kierkegaard im Sinne der christlichen Glaubenstradition, wenn er von dem göttlichen „Du sollst" spricht, das die Person als Person erst konstituiert. Zweifellos entspricht ihr auch Kierkegaards Bestreben, die Gleichstellung von Gott und Mensch zu verhindern und zu betonen, daß der Mensch zu Gott allein im Verhältnis des Gehorsams stehen kann und daß er sich zu solchem Gehorsam entscheiden soll. Dennoch gerät – wie Kierkegaard selbst weiß – der existierende Denker in einen dialektischen Zirkel, innerhalb dessen er – wie mir scheint – in weit höherem Maße, als sich Kierkegaard dessen bewußt ist, den Ertrag der Existenzdialektik wieder in Frage stellt. In der Subjektivierung der theologischen Wahrheit liegt eine Fragwürdigkeit, die mir über die im Neuen Testament ausgesprochene Korruption der natürlichen Gotteserkenntnis weit hinauszugehen scheint. Bedenken wir, daß es die absolute, d. h. die aus aller Bindung an Natur und Geschichte herausgelöste Subjektivität ist, die zum Ort der Wahrheit wird.

Was bedeutet es, daß alle theologische und existentielle Wahrheit *paradox* oder, was dasselbe ist, *dialektisch* ist? Wir begegneten der Dialektik zunächst in dem Zweideutigen, das jeder Wirklichkeit anhaftet, ehe sie nicht von der existierenden Subjektivität „übernommen" und in ihrem Sinn festgelegt ist [93]. Ganz allgemein bezeichneten wir mit Dialektik den Vorgang, ein für sich Bestehendes in seiner Vorläufigkeit oder Relativität zu durchschauen und aus einem

---

[93] Siehe oben S. 189 f.

Absoluten zu begründen. So gehört dem cartesianischen Bewußtsein die quantitative Dialektik, der idealistischen Philosophie die metaphysische oder „spekulative" Dialektik zu. Das konkret Wirkliche wird das eine Mal als Fall eines Gesetzes verstanden, das andere Mal als Erscheinung des Geistes. Die Person treffen wir nur in „qualitativer" Dialektik. Daher gehört dem Existenzdenken die qualitative Dialektik zu. Jedes Paradox liegt für Kierkegaard innerhalb der qualitativen Dialektik. Es hat seine Wahrheit nur, indem die Subjektivität es als wahr nimmt oder wahr macht. Die Frage ist nun: schlägt in diesem „Machen" die moderne Autonomie nicht doch wieder durch?

Läßt sich in einer Dialektik der Existenz Gott als der Gegenstand des Glaubens festhalten? Muß nicht die Rede von Gott als dem Paradox in einem dialektischen Zirkel enden? Gewiß gründet das freie Selbstsein im fordernden Anruf des göttlichen „Du sollst"; aber diese Gewißheit ist durch unsere Subjektivität vermittelt. Wer sich nicht als Selbst ergreift, für den ist Gott nicht da. Wir können von Gott nur so reden, daß wir von uns selbst reden. Verstünden wir uns nicht als ewiges Selbst, dann gäbe es keine Basis, von der aus wir zu Aussagen von Gott kämen. *Hier, an diesem Punkte überschlägt sich das Paradox.*

Das Paradox sollte alle „objektive" Erkenntnis von der Theologie abwehren. Es sollte verhindern, daß Gott als metaphysisches Prinzip verstanden wird. Nun aber, nachdem mit den objektiven Sicherungen auch alle objektiven Unterscheidungen preisgegeben sind, gerät der Mensch in eben die Gefahr, die durch die Existenzdialektik abgewehrt werden sollte: er kann zwischen sich und Gott nicht mehr unterscheiden [94]. Nun kann wirklich nicht mehr auf allgemein einleuchtende Weise mitgeteilt werden, ob der göttliche Wille, den die Freiheit zu vernehmen meint, mehr als nur die Objektivierung eines subjektiven Zustandes ist, also mehr als eine menschliche Setzung ist. „In der Tiefe der Gottesfurcht lauert wahnwitzig die launische Willkür, welche weiß, daß sie selbst Gott hervorgebracht hat" [95].

---

[94] Siehe oben S. 207.
[95] Jen. VI S. 41.

Man darf diese unerhörten Worte nicht bagatellisieren, indem man sich damit beruhigt, daß sie dem pseudonymen Autor der ›Philosophischen Brocken‹, Johannes Climacus, zugehören und deshalb Kierkegaard nicht treffen. Das christliche Bewußtsein, in dessen Lichte Kierkegaard Climacus philosophieren läßt, ist aus einer Verinnerlichung des absoluten Bewußtseins hervorgegangen. Dieses Bewußtsein wäre ohne den Halt der Offenbarung ständig von dem Zweifel an der Wahrheit seiner Inhalte begleitet. Hegel, der in der ›Phänomenologie des Geistes‹ vor der gleichen Aporie steht [96], hat, wie mir scheint, recht: Wenn es keine andere Wahrheit gibt, als die der objektiven Feststellbarkeit und der subjektiven Selbstgewißheit, dann kann der Glaube seinen Gegenstand nicht festhalten, weil er in Wahrheit nur sich selbst, sein Ungenügen an der entzweiten Welt, das Erfülltsein von der eigenen innerlichen Unendlichkeit greift. Hegel interpretiert dieses Ungenügen geistesgeschichtlich. Er entnimmt ihm die Hinweisung auf ein notwendiges geistiges Schicksal: wenn die „Intellektualwelt" des Glaubens in ihrer dogmatischen Gestalt hinfällig wird, dann wird der Mensch „diesseitig". Das Absolute, in dem er sich findet, ist er selbst, seine autonome Vernunft: die Geschichte ist das Feld ihrer Verwirklichung.

Kierkegaard befindet sich in der gleichen Lage wie Hegel. Auch für ihn ist die Frage: Kann der subjektiv gewordene Glaube zwischen sich und seinem Gegenstand unterscheiden? Kierkegaard lehnt die Konsequenz Hegels ab. Er hält an Gott als dem „jeweiligen" Gegenstand des Glaubens fest. Daraus erklärt sich einmal sein anderes Verhältnis zur Geschichte: Kierkegaard kennt ein „Jenseits" der Geschichte. Und vor allem erklärt sich daraus die Notwendigkeit, den Glauben durch seine existenzdialektische Interpretation vor seiner Auflösung in einen Zustand des absoluten Bewußtseins zu bewahren. Das Paradox ist so zu fassen, daß es jeder Religionskritik und jeder Religionspsychologie standhält. Sonst ginge der Gegenstand des Glaubens verloren. Die Sorge um die Realität des Glaubensgegenstandes treibt das Bewußtsein über die „natürliche Theologie" hinaus zum Paradox der Offenbarung. Nur in dem

---

[96] Phänomenologie des Geistes, Ausgabe von 1832, S. 398 ff. ›Der Glaube und die reine Einsicht‹.

Paradox der Offenbarung ist der qualitative Unterschied zwischen
Gott und Mensch festgehalten, weil hier das absolut Verschiedene als
kompaktes historisches Faktum außerhalb des Bewußtseins begegnet.
Dieses „Außerhalb" bezeichnet charakteristisch genug die höchste
Stufe der „Transzendenz"[97]. Hier sind wir nach Kierkegaard end-
gültig gewiß, daß das Bewußtsein über sich hinausgekommen ist.
Daher muß Kierkegaard eine neue Bestimmung der historischen
Offenbarung versuchen. Das Offenbarungs*faktum*, daß Gott Mensch
geworden ist, darf sich nicht in eine metaphysische Aussage über die
Identität von Göttlichem und Menschlichem, endlichem und ewigem
Geiste umwandeln lassen.

Wie kann Kierkegaard den „historischen Ausgangspunkt für ein
ewiges Bewußtsein" festhalten, wenn er zugleich auf dem Gedanken
der Unbeweisbarkeit Gottes auch in Hinblick auf das Paradox der
Offenbarung besteht? Die Metaphysik ist als Illusion durchschaut:
Gott läßt sich nicht als das absolut Verschiedene denken; denn im
Absoluten erlöschen alle unterscheidenden Merkmale. Der Glaube
aber ist die Illusion *nach* dem Verstande[98]. Dieses „Nach" besagt,
daß der paradoxe Inhalt des Glaubens dem Verstande ein für allemal
unzugänglich bleibt. Der Glaubensgegenstand läßt sich nicht als
innerweltliche Größe feststellen; er läßt sich auch nicht rational
erschließen. Der Inhalt des Glaubens ist objektiv unerweisbar, und
das heißt auch: seine Wahrheit ist an die Subjektivität gebunden. Sie
steht und fällt mit unserer Entscheidung.

Erinnern wir uns noch einmal an Platon, um das Problematische
dieser Lage im Blick zu behalten. Die Existenz steht bei Kierkegaard
dort, wo bei Platon der ἔρως steht. Für das verstehende Hinnehmen
an sich seiender Wesenheiten ist die Gefahr des Atheismus nicht gegeben. Für den existierenden Denker besteht sie durchaus. Es besteht
immer die Möglichkeit, daß die Freiheit mit sich allein bleibt. Dürfte
die Freiheit aber sich nicht mehr religiös verstehen, dann würde sie
den ihr Entscheiden begründenden Anruf verlieren. Sie würde zur

---

[97] Der andere – vorläufigere – Gebrauch von Transzendenz gehört in
den Bereich des sokratischen Paradox. Gegenüber dem Denken ist die Exi-
stenzbewegung eine „Transzendenz", vgl. Jen. V S. 7.

[98] Jen. VII S. 135.

Willkür, die undurchschauten Antrieben oder einem undurchschauten Schicksal unterliegt, gerade auch dann, wenn sie meinte, beliebige Standpunkte einnehmen zu können [99]. Sie verlöre, worum Kierkegaard so leidenschaftlich besorgt ist, das Unbedingte, das ein für allemal feststeht, die „Fodfaeste", den archimedischen Punkt, von dem aus man die Welt bewegen kann. Aber auch dann, wenn die Freiheit ihr Verhältnis zu Gott und damit ihren absoluten Standort behaupten kann, steht sie immer auf einem schmalen Grat, schwebt sie über dem Abgrund der Sinnlosigkeit und des Nichts.

Hier tritt m. E. das nihilistische Element in der Existenzdialektik besonders klar hervor. Gott ist das Unbedingte, wenn wir ihn als das Unbedingte nehmen. Jede theologische Aussage bleibt an die ihr korrespondierende existentielle Lage gebunden. Diese Lage erfaßt sich in einer Existenzkategorie. Aber Existenzkategorien sind zunächst nur Weisen des Selbstverständnisses, provisorische, durchaus veränderliche Perspektiven. Sie werden erst dann zu etwas Definitivem, wenn sie in einem definitiven Selbstverständnis festgemacht sind. Dieses kann nur theologischer Art sein. Aber die Existenzdialektik besteht ja darin, alle objektiven Theologumena durch Aussagen über die Existenz zu ersetzen. Hier schweben wir ständig über einem Abgrund.

Kierkegaard hat das methodische Prinzip ausgesprochen, nach dem er die Subjektivierung der theologischen Wahrheit betreibt. Es lautet: *Das Positive ist am Negativen kenntlich* [100]. Dieses Prinzip besagt: Alles Sprechen von Gott konkretisiert sich nur in dem Abbau alles Objektiven, aller Autonomie und aller Selbstgenugsamkeit. Der Anspruch Gottes auf die menschliche Freiheit wird kenntlich in dem Paradox als dem Scheitern des Verstandes. Die Vorsehung Gottes wird kenntlich in unserem Nichtvermögen, die einzelnen Schritte,

---

[99] Siehe oben S. 199 Anm. 55 über den Begriff der Lebensironie, S. 187 f. über den Begriff der Angst.

[100] Vgl. Jen VI S. 162 f.; Jen. VI S. 114; Jen. VII S. 229: „Die Religiosität A betont das Existieren als die Wirklichkeit; und die Ewigkeit, die doch in der zugrunde liegenden Immanenz das Ganze trägt, verschwindet für sie so, daß *das Positive am Negativen kenntlich wird.* . . . In der Religiosität A ist das Ewige ubique et nusquam . . . ist jeder Rest von ursprünglicher Immanenz vernichtet."

die wir tun, in vollständiger Durchsichtigkeit zu vollziehen, also in
unserer Angewiesenheit auf eine führende und leitende Wahrheit;
ferner in unserer Angst angesichts der schicksalhaften Unvorher-
sehbarkeit unseres Lebens. Die umschaffende Gnade Gottes wird
kenntlich in der Einsicht in unser Schuldigsein. Wir müssen uns die
Undurchsichtigkeit unseres Handelns und die Unzuverlässigkeit der
Herrschaft über uns als Schuld zurechnen. Aber wir sind dennoch
unser nie sicher. Das menschliche Existieren wird so gleichsam zur
ewigen Frage, die über sich hinausverweist. Aber auch nur zur Frage.
Und diese Frage ist immer durch ihr Scheitern bedroht. Wie könnte
sonst im ›Begriff der Angst‹ der Selbstmord als die Alternative zur
Flucht in die Gnade Gottes erscheinen? [101]

Dem *latenten Nihilismus* der Existenzdialektik entspricht auf der
anderen Seite die *latente Souveränität* der existierenden Subjektivität. Beides ist voneinander nicht zu trennen. Kierkegaard führt in
folgenden Überlegungen darauf hin. Wir weichen immer wieder dem
Ernst des Augenblicks aus, um im Bewußtsein unserer prätendierten
Ewigkeit oder Absolutheit zu ruhen. Ja – und hier zeigt sich die
unauflösbare Schwierigkeit von Kierkegaards Anthropologie – *wir
stellen uns* in gewisser Weise sogar *Gott gleich.*

Kierkegaard verlangt zwar den Gehorsam des Geschöpfs im Verhältnis zum Schöpfer; aber er kann doch nicht verhindern, daß dieses Gehorsamsverhältnis zu einem Verhältnis freier Analogie wird.
Die analogia entis, die Kierkegaard um seines atheistischen Welt-
verständnisses willen abwehrte, wird hier von ihm überboten in der
direkten Nachahmung der unendlichen Person durch die endliche.

Da die Subjektivität im Verhältnis zur Welt souverän ist, kann sie
kein anderes Maß haben als ihre eigene Absolutheit. Kierkegaard
kennt zwar das göttliche „Du sollst"; dieses „Du sollst" ist aber
weder die Seinsordnung der platonischen Philosophie, noch das Gesetz des Alten und des Neuen Testamentes, die den Menschen in
innerweltlichen Bindungen vor Gottes Willen stellen. Es sagt dem
weltlosen Ich nichts weiter als „Du sollst Gott gleich sein. Du sollst
absolute Subjektivität sein" [102].

---

[101] Jen. V S. 159 f.
[102] Vgl. Th. R. 1952 Heft 1, S. 41 und 48.

Gott wird hier als unendliche Person das Vorbild des menschlichen Personseins. Hierin besteht die Gleichheit von Gott und Mensch, von der wir gerade sprechen. Gott ist Geist; das heißt bei Kierkegaard: Gott ist sich mit seinem ganzen Vermögen stets gegenwärtig. Diese vollkommene Selbstgegenwart wird durch das Prädikat der Ewigkeit ausgedrückt. Aber auch der Mensch ist Geist und, wie wir wissen, darf man auch im Hinblick auf ihn von Ewigkeit sprechen; denn er hält wenigstens dem Anspruch nach in der Verantwortung für sich selber Vergangenheit und Zukunft als sein Verhalten bei sich präsent. Er kann es z. B. bejahen, verwerfen, bereuen. Dieser Augenblick des Selbstseins oder der Existenzewigkeit ist vielleicht nur emphatisch vorweggenommen. Er mag in sich brüchig sein; darum nennt Kierkegaard ihn ja auch „*Atom* der Ewigkeit"; denn er weiß, daß der Mensch seiner selbst nicht kontinuierlich mächtig ist. Der Mensch bleibt deshalb auch auf Gott angewiesen, der dem Menschen sein abgeleitetes Selbstsein ermöglicht und verbürgt. Und darin ist dann der qualitative Abstand von Gott und Mensch begründet.

Dennoch, scheint mir, ist in Kierkegaards anthropologischem Ansatz die Grenze überschritten, die das Neue Testament zwischen Gott und Mensch zieht. Diese Behauptung muß befremden; denn die Existenzdialektik führt bekanntlich auf die These, daß die Subjektivität die Unwahrheit sei. Aber diese These bemißt sich an der ihr vorhergehenden Bestimmung, daß die Subjektivität die Wahrheit sei, als an ihrem Maßstabe. Diese positive These enthält den Anspruch des Selbst auf die in sich durchsichtige Herrschaft über sich, der wiederum ohne den Anspruch des cartesianischen Bewußtseins auf Autonomie nicht denkbar wäre, auch für Kierkegaard nicht. Kein Scheitern kann den Maßstab aufheben, nach dem es beurteilt wird. Dieser Maßstab aber legt den anthropologischen Ansatz in einer Richtung fest, die Kierkegaard im Endresultat in Gegensatz bringt zu der Glaubenstradition, die er aneignen will.

Zunächst bemerken wir nur Verschiebungen, die sich leicht aus der Hinsicht auf den Gegner erklären lassen. Kierkegaard setzt voraus, daß das Bewußtsein der Gleichheit „natürlicherweise" das Bewußtsein des qualitativen Abstandes überwiege. Von dieser zum Menschen als Menschen gehörenden Überheblichkeit spricht Kierke-

gaard selbst in den „Philosophischen Brocken". Er beschreibt dort
Gottes unglückliche Liebe zu den Menschen [103] in einem dichterischen
Versuche. Ein König sucht die Geliebte, die er sich vermählen möchte,
unter den Armen des Landes. In die freudige Erwartung der Hochzeit mischt sich jedoch die Angst vor einem Mißverständnis. Kann
er in seiner Herrlichkeit der Geliebte des Mädchens werden? Ist
sie überhaupt imstande, ihn in seiner Liebe zu verstehen? Die Gefahr ist, daß sie entweder vor seiner Herrlichkeit ihre Freimütigkeit
verliert oder aber, daß sie überheblich wird und davon überzeugt
ist, daß diese Ehre ihr zustehe. In beiden Fällen ist das Einverständnis der Liebe gestört, das eine Mal durch das Übermaß der direkt
sichtbaren Autorität, das andere Mal durch die Überheblichkeit des
Mädchens, das die Gleichheit mit dem König nicht von dessen Liebe
erwartet, sondern ihrer Vollkommenheit zuschreibt. Wo der Mensch
Gott in seiner Herrlichkeit begegnet, wird immer eins von beiden
der Fall sein. Entweder wird der Mensch im Bewußtsein seiner
Nichtigkeit unfrei, oder er wird im Bewußtsein seiner natürlichen
Ebenbürtigkeit überheblich.

Auf diese zweite Erfahrung kommt es in den ›Philosophischen
Brocken‹ an. Der König muß zum Bettler werden, Gott muß in
Knechtsgestalt erscheinen, nicht zuerst um der Tröstung des geängsteten Gewissens willen, sondern weil der Mensch sonst den qualitativen Unterschied zwischen Gott und sich nicht festhielte. Es
geht Kierkegaard um die Abwehr des spekulativen Denkens. In ihm
stellt der Mensch sich Gott gleich, weil er die Offenbarung als eine
Stufe auf dem Wege der Vernunft zu sich selbst verstehen will. Wo
immer der Mensch den „absoluten Zusammenhang" denken will, da
stellt er sich Gott gleich, so daß der Unterschied zwischen Schöpfer
und Geschöpf verschwindet. In einer Zeit der Reflexion ist das „absolute Paradox": die völlige Gleichheit von Gott und Mensch in der
Gestalt des Erlösers, die einzige Macht, die den qualitativen Unterschied zwischen Gott und Mensch festhalten kann. Denn auch der
sokratische Denker scheitert, weil er vermöge des Gottesverhältnisses sich dem Ernst des Augenblickes entzieht oder weil ihm die

[103] Kap. II Gott als Lehrer und Erlöser (Ein dichterischer Versuch).
Jen. VI S. 21–33.

Erinnerung des Gewissens unter der Hand zur philosophischen Besinnung (Erinnerung) wird.

Nun wird man zunächst zugeben müssen, daß Kierkegaard hier die Paradoxie des Dogmas und sein Ziel: das Eingehen des Sünders auf Gottes vergebende Liebe zur Geltung gebracht hat; man wird ferner darauf hinweisen, daß die Philosophie, von der Offenbarung aus geurteilt, sich einer solchen Grenzüberschreitung immer wieder schuldig gemacht hat, sobald das Bewußtsein der similitudo dei das der Sünde überwog. Christliche Denker haben darin immer wieder eine Folge der Sünde gesehen. Aber ich frage mich doch, ob die „Verwandtschaft" des Menschen mit Gott, die nach Kierkegaard zur Anschauung des Heidentums, überhaupt des Menschen außerhalb der Offenbarung gehört, nicht weit über das hinausgeht, was in der Dogmatik unter similitudo dei verstanden wird. Wirkt hier nicht gegen Kierkegaards Absicht die Herkunft der Existenzdialektik aus dem absoluten Bewußtsein nach, wenn in nichts anderem, dann in der Selbstverständlichkeit, mit der er den Zusammenhang von vernünftiger Autonomie und von Gleichheit mit Gott denkt?

Bei Descartes [104] ist der Mensch zwar als Verstand endlich und im Umfang der Erkenntnis Gott schlechthin unterlegen. Als Freiheit aber ist er Gott gleich. Soweit er innerhalb der Verstandeswahrheit handelt, ist er völlig souverän und ist sich dessen in der Vergleichung mit Gott auch ausdrücklich bewußt. Hat nicht Kierkegaard tatsäch-

---

[104] Descartes, Meditationes de prima philosophia. Meditatio IV, de vero et falso. Nach der Zählung der Originalausgabe von 1641 S. 64–67. „Sola est voluntas, sive arbitrii libertas, quam tantam in me experior ut nullius majoris ideam apprehendam; adeo ut illa praecipue sit, ratione cujus imaginem quandam, et similitudinem Dei me referre intelligo: nam quamvis major absque comparatione in Deo quam in me sit, tum ratione cognitionis et potentiae quae illi adjunctae sunt, redduntque ipsam magis firmam et efficacem; tum ratione objecti, quoniam ad plura se extendit: non tamen in se formaliter et praecise spectata major videtur, quia tantum in eo consistit quod idem vel facere, vel non facere (hoc est affirmare negare, prosequi vel fugere) possimus, vel potius in eo tantum quod ad id quod nobis ab intellectu proponitur affirmandum vel negandum, sive prosequendum vel fugiendum ita feramur, ut a nulla vi externa nos ad id determinari sentiamus." (S. 66/67.)

lich diesen extremen Grenzfall der Selbstbeurteilung generell dem Verhältnis des „natürlichen" Menschen zu Gott zugrunde gelegt? Auch der sokratische Denker weiß um die Verwandtschaft von Gott und Mensch; er verlegt sie nur von dem durch das lumen naturale geführten souveränen Weltverhältnis weg in die Existenz. Die Existenz ist ihm die Synthese von Denken und Sein. Muß aber diese Synthese, da er sie allen Ernstes in der Vergleichung mit Gott lebt, nicht die endliche Person sprengen, weil ein Mensch dem darin enthaltenen Anspruch auf Durchsichtigkeit und auf Macht über sich nicht gewachsen ist? Dieser Frage dürfen wir, wie mir scheint, nicht ausweichen.

Wenn wir uns auf die einfache Wiedergabe von Kierkegaards Gedanken beschränken, dürfen wir wenigstens Folgendes sagen: Der Mensch kommt von der Autonomie nicht los, die anscheinend mit dem Verstande und mit der Freiheit unlösbar verbunden ist. Der Verstand drängt auf objektive Zusammenhänge; die Freiheit nimmt sich selbst als das Letzte, Sinn und Halt Gebende und mißversteht daher alles andere, auch Gott, als Vorbedingung ihres ewigen Bewußtseins. Der Mensch hält den paradoxen Charakter der Existenzwahrheit nie fest, oder er weicht dem „Augenblick" aus, sobald dieser mehr sein soll als die emphatische Vorwegnahme der eigenen Ewigkeit [105]. So weist denn das sokratische Paradox über sich hinaus. Seine Zersetzung wird zur Frage nach dem paradoxen Handeln Gottes selbst.

---

[105] Dies meint Kierkegaard, wenn er sagt, daß die Religiosität A „nicht die Spekulation, aber doch spekulativ" ist. Die Gewißheit, ewiges Bewußtsein zu sein, kann zu jeder Zeit die Begrenzung durch den Augenblick aufheben "vgl. Jen. VI S. 261). Daher sagt Kierkegaard: „Ein Glaubender dagegen bricht, um glauben zu können, mit seinem Verstande und gebraucht diesen nur noch dazu, verstehen zu wollen, was das heißt, so mit dem Denken und der Immanenz zu brechen, daß man den letzten Boden der Immanenz (nämlich die Ewigkeit hinter sich) verliert und in das Äußerste der Existenz gestellt, kraft des Absurden existiert." (Jen. VII S. 228.)

VI

Jede Interpretation Kierkegaards, die über ein immanentes Referat hinausgeht, wird angesichts von Kierkegaards Glaubensernst immer wieder vor die Frage gestellt, ob sie nicht seine Gestalt und sein Anliegen verzeichnet. Jeder Kritiker Kierkegaards wird sich immer wieder fragen müssen, ob er nicht zu der von Kierkegaard am tiefsten verachteten Spezies Mensch gehört: zu den Dozenten, die historisch und systematisch beurteilen, aber für die Sache blind sind.

Kierkegaard will nichts weiter, als den qualitativen Abstand von Gott und Mensch betonen, damit der Mensch für den Glauben an das Paradox der Offenbarung empfänglich werde und sich die Offenbarung glaubend *aneigne*. Die Kategorie der Aneignung scheint alle kritische Distanz auszuschließen. Nur wenn wir den Verstand beiseite schaffen, kann es zur Aneignung kommen. Diese enthält in sich eher Entscheidung für, Gehorsam unter, vertrauendes Hinnehmen von als kritisches Beurteilen. Kierkegaard hat mit Recht das Bewußtsein, hier Luther besonders nahezustehen [106].

Luther hat das Moment der Aneignung in seiner Beschreibung des Glaubens besonders betont. Gott oder Christus sind kein „deus pictus et fictus", kein gemalter oder nur erdichteter Gott, der in einer uns nicht angehenden Objektivität eine interesselose Einbildungskraft beschäftigen könnte. Sie gehen uns an als der uns formende und richtende heilige Wille des Gesetzes und als die Vergebung und Seligkeit verheißende Zusage des Evangeliums: sie sind Gott und Christus „pro nobis", für uns. Außerhalb des Glaubensgehorsams von Gott zu sprechen, führt zu einem illusionären Denken über ihn, das gegenüber dem undurchschaubaren Gang der Geschichte nicht standhält und das mit der Sündigkeit dessen, der von sich her über Gott denkt, nicht ernst genug rechnet. Daher Luthers heftige Polemik gegen die Philosophen.

Wenn irgendwo, dann denkt Kierkegaard hier lutherisch. Der Ernst, mit dem er auf den qualitativen Abstand des Sünders von Gott dringt, mit dem er alle definitive Erfahrung von Verlorenheit

---

[106] Vgl. Jen. VII S. 58 f.; Jen. XI S. 9 ff.; Pap. VIII₁ A. 465.

und Erlösung von der Aneignung der Offenbarung abhängig macht,
ist zunächst nichts weiter als eine sehr persönliche, innerlich durch-
lebte Wiederholung der Grundstücke lutherischer Tradition. Der
Atem der leidenschaftlichen Aneignung, den Kierkegaard bei Luther
spürt und an Luther rühmt, durchdringt auf eine eindrucksvolle
Weise sein eigenes Werk.

Und doch dringt mit dem Begriff der *Aneignung* die ganze Fragwürdigkeit der modernen Subjektivität in die Glaubenstradition ein
und wandelt diese so stark ab, daß zwar nicht die Christlichkeit
Kierkegaards fraglich wird, wohl aber die Angemessenheit der Existenzdialektik an diese Aufgabe, die sich Kierkegaard gestellt hat:
die verinnerlichte Wiederholung des Christlichen. Bringt der Begriff
der Aneignung tatsächlich etwas Neues in den Gang der Existenzdialektik, das den latenten Nihilismus und die latente Souveränität
der existierenden Subjektivität überwindet?

Etwas durchaus Neues wohl nicht. Wir haben, nur ohne es ausdrücklich zu sagen, ständig von der Aneignung gesprochen. Das
Selbst „wählt" oder „übernimmt" sein Dasein. Es eignet sich sein
Dasein zu, indem es es als sein Eigenes, als sein Verhalten versteht.
Für den Verstand ist Gott das Unbekannte; aber im Wagnis der Existenz ist Gott für den Existierenden da. Hier in diesem „Für ihn"
haben wir die Kategorie der Aneignung.

Ist die Kategorie der Aneignung nun im selben Sinne gebraucht wie
bei Luther? Ich meine: Nein. Sie hat bei Kierkegaard eine umfas-
sendere Funktion bekommen und ändert damit auch ihren Sinn. Mit
der ethischen Entscheidung ist Gott da, aber auch nur mit ihr [107].
Ohne sie steht der Mensch in einer Welt, in der nichts eindeutig auf
Gott hinweist, die sehr wohl atheistisch verstanden werden kann.
Deshalb sagt Kierkegaard ja, die Subjektivität sei in der Welt halb
verlassen. Deshalb spricht er davon, daß die Existenz Gottes ein
Postulat sei. Wenn wir nicht glauben könnten, müßten wir verzweifeln [108]. Kierkegaard meint damit: wir müssen den Mut haben, in
unserem Verwiesensein an uns selbst, in dem Ruf, der sich in der
Angst meldet, das göttliche Sollen zu erblicken. Hier erhält der

---

[107] Jen. VI S. 205.
[108] Jen. VI S. 256 A.

Glaube eine völlig neue Funktion: er wird der Mut zur paradoxen Existenz. Aber wir sahen bereits: im existenzdialektisch ausgelegten Glauben schlägt die Dialektik des Absoluten und d. h. auch die souveräne Subjektivität wieder durch. Wahr ist, was durch die Subjektivität anerkannt und damit als wahr gesetzt ist [109].

Läßt dieser existenzdialektische Begriff der Aneignung nun die Verkündigung der Kirche unangetastet? Was bedeutet es, daß die Offenbarung als absolutes Paradox beschrieben wird? Zunächst müssen wir nun wiederum sagen, daß Kierkegaard ein legitimes christliches Anliegen vertritt. Die Offenbarung ist ein Paradox; sie ist den Griechen eine Torheit und den Juden ein Ärgernis, und Kierkegaard hat dieses legitime christliche Anliegen z. B. in der ›Einübung im Christentum‹ sehr eindringlich dargestellt. Aber dann müssen wir doch auch sagen, daß Kierkegaard sich in der Darstellung des absoluten Paradoxes an der Religionskritik der Aufklärung methodisch orientiert. Alles, was ihr verfallen kann, schneidet er ab, bis die existentielle Intention des Dogmas überbleibt.

Diese Behauptung kann wiederum als Mißverständnis erscheinen; denn wer betont unnachgiebiger als Kierkegaard, daß „kritischer Gehorsam eine contradictio in adiecto" ist? Das Christentum verlangt gehorsame Anerkenntnis der Autorität, die Christus und „der Apostel" in Anspruch nehmen, mit all den Konsequenzen, die die Offenbarung Gottes für den Sünder bedeuten muß. Es verlangt, daß der Mensch die prätendierte – und wie wir sahen, ontologisch ja nicht unbegründete – Gleichheit seiner und des Ewigen preisgibt und den qualitativen Abstand zwischen sich und Gott anerkennt. Der ganze Weg der Existenzdialektik, den wir bisher gegangen sind, ist nichts als der ausgeführte Versuch nachzuweisen, daß alle Versuche scheitern, vermöge der Freiheit, die wir sind, die Herrschaft über die Welt und über uns so auszuüben, daß sie in der Rechenschaft vor Gott besteht. In der Relativierung alles Menschlichen (= dem Negativen) macht sich ständig das Absolute geltend (= das Positive), nämlich das Verhältnis zu Gott, und zwar so, daß der Abstand von Gott, die Ungleichheit, immer stärker hervortritt [110].

[109] Siehe oben S. 219.
[110] Vgl. Jen. VI S. 316.

Darauf zielt wenigstens die Existenzdialektik hin. Aber wir sahen am Ende, daß die Dialektik ihr Ziel in einer schwer durchschaubaren Zweideutigkeit verstellt. Je stärker die Rechenschaft des Gewissens vor Gott betont wird, um so sichtbarer wird auch der Anspruch darauf, ein in sich durchsichtiges und seiner mächtiges Selbst zu sein, um so deutlicher tritt die Analogie zwischen dem endlichen und dem unendlichen, absoluten Geiste hervor. Die Frage ist, ob der Glaube an das absolute Paradox der Zweideutigkeit der Existenzdialektik Herr wird.

Glaube ist gehorsame Anerkenntnis der paradoxen Autorität der Offenbarung. Aber nun zeigt sich, daß auch dieser Gehorsam seine Dialektik hat. Was ist es, das uns diesen Gehorsam abnötigt? Offenbar nicht die *historische Begebenheit* als solche. Eine historische Begebenheit ist in ihrem Sinn immer zweideutig. Ihre Faktizität fällt in den Bereich der positiven Wissenschaft. Ebensowenig aber eine aus der Verkündigung abstrahierbare *allgemeine Lehre*. Eine Lehre kann objektive, also „quantitative“ Einsichten über den Menschen enthalten; dann hat sie relative wissenschaftliche Bedeutung. Jede Aussage aber, die darüber hinausgeht, ist eine leere „metaphysische“ Behauptung, wenn sie nicht auf ihren Ursprung in der Existenz hin verstanden wird, als die Entscheidung dieses Menschen. So scheidet Kierkegaard alles objektiv Feststellbare, alles allgemein Wißbare ab bis auf das unbeweisbare paradoxe Faktum der Menschwerdung Gottes.

Keine historische Begebenheit des Lebens Jesu ist glaubensentscheidend. „Es zeigt sich hier sofort, daß das Historische im konkreten Sinne gleichgültig ist. Wir können in bezug auf dasselbe Unwissenheit eintreten und die Unwissenheit ein Stück nach dem andern vernichten lassen. Wenn nur noch der Augenblick zurückbleibt, nämlich als Ausgangspunkt fürs Ewige, so ist das Paradox zur Stelle“ [111]. Kierkegaard denkt hier als moderner Historiker ganz profan. Alles historische Erkennen ist nur eine Approximation an das faktisch Gewesene; es läßt die verschiedensten Auffassungen zu. Die religiösen Urkunden sind Quellen, die selbst der Interpretation bedürfen. Kierkegaard ist zwar an Textkritik nicht interessiert, genauso wenig

[111] Jen. VI S. 55.

wie an den Ergebnissen der positiven Wissenschaften; aber er hat sie nicht zu fürchten. Die Vernichtung des Historischen ist ihm durchaus recht; denn keine objektiv feststellbare Tatsache kann in den Glauben hinein verhelfen. Wer das meinte, wie das nach Kierkegaard eine sich selbst mißverstehende Orthodoxie tut, geht und führt in die Irre; er täuscht sich, wenn er meint, es könne irgendein apologetisch verwertbares objektives Ergebnis für den Glauben von Bedeutung sein. Das Dogma ist ausschließlich im Hinblick auf die Aneignung zu verstehen, auf die Bedeutung, die es im Glaubensakte gewinnt.

„Das Paradox war da, während Christus lebte, und seit der Zeit ist es nur da, wenn jemand Ärgernis nimmt oder wenn jemand glaubt" [112]. Aus profanen historischen Begebenheiten mitsamt dem geistigen Gehalte, der mit ihnen verbunden ist, wird ein Gegenstand des Glaubens nur in dem Augenblick der ewigen Entscheidung. Für den neutralen kritischen Beobachter gibt es nur zweideutige historische Vorgänge und – als solche – relativierbare menschliche Anschauungen.

Nun wird niemand leugnen, daß für den „Profanhistoriker" sich der Gegenstand der Theologie in dieser Weise darstellen muß; denn der Profanhistoriker kann die Welt nur „immanent" verstehen; aber nach Kierkegaard gehören wir alle, auch der Existenzdialektiker, dazu und müssen darauf Rücksicht nehmen. Solche Rücksichtnahme ist nicht etwa nur eine Konzession, sondern sie entspricht in Wahrheit der Sache selbst. Wir wissen: was objektiv feststellbar ist, kann für die Existenz keine entscheidende Bedeutung haben. Hier befreit uns also die Dialektik von einer unberechtigten Abhängigkeit von dem Historischen, die den Glauben um seine existentielle Ursprünglichkeit zu bringen droht.

An diesem Punkte gewinnt nun die Aneignung eine kritische Funktion, die sie bei Luther nicht hat, die aber das ganze Problem von Grund auf verwandelt. Ich will möglichst einfach und drastisch formulieren. Bei *Luther* gibt es eine fides historica, einen historischen Glauben. Die Teufel wissen, daß Christus gekreuzigt ist, zur Hölle niedergefahren und wieder auferstanden ist; aber sie wollen sich in ihrem Trotz das Heilsereignis nicht zueignen. Die historische Wahr-

[112] Pap. VII$_2$ B. S. 76.

heit des Heilsereignisses steht nicht in Frage. Bei *Kierkegaard* weiß der Glaubende, nur der Glaubende und allein in kraft seines Glaubens, daß die mehrdeutigen Ereignisse, von denen die Bibel spricht, Offenbarung sind.

Kein *Wunder* und keine *Selbstaussage* Christi hebt die *Indirektheit* der Glaubensmitteilung, d. h. den paradoxen Charakter der Aneignung auf. Das Wunder nicht, weil die übernatürliche Begebenheit (an deren Möglichkeit Kierkegaard übrigens nicht zweifelt, obwohl er weiß, daß der Verstand jede Begebenheit immanent erklärt) in ihrer theologischen Bedeutung mit der menschlichen Erscheinung Christi in Widerspruch steht und das eine (die theologische Bedeutsamkeit) dem anderen (der menschlichen Erscheinung Christi) widerspricht. Zwar läßt sich keine Qualität der Existenz, etwa Vertrauen, direkt mitteilen, weil das Innen durch das Außen niemals angemessen dargestellt werden kann. Aber menschliches Sein hat außer dem Wort noch Zeichen und Gebärden. Deshalb bleibt die Existenzmitteilung unter Menschen noch vergleichsweise objektiv; aber bei Christus können Zeichen und Gebärden keine Bedeutung haben. Das Wunder ist ausschließlich Zeichen des Ärgernisses, aber keinesfalls Woraufhin des Glaubens. „Es zieht die Aufmerksamkeit auf sich und präsentiert dann einen Widerspruch" [113]. Hier spricht ein Sein, das durch Objektivität, durch Feststellbares, schlechterdings nicht legitimiert werden kann. Je mehr Subjektivität, desto mehr Indirektheit, desto mehr Glaube [114].

Dieser Indirektheit, die der Glaube überwinden muß, hilft auch keine Selbstaussage Christi ab. Gegenstand des Glaubens ist keine einsichtige Lehre, die sich als ein Ganzes theologischer Begriffe von Christus ablösen ließe, sondern eben wiederum die Person Christi, der die Autorität des Offenbarers für sich in Anspruch nimmt.

Welche Legitimation gibt es für diese Autorität? Eben nur den Glauben. Kierkegaard spricht das offen aus: „Selbst das Gewisseste von allem, eine Offenbarung, wird eo ipso dialektisch, indem ich mir sie aneignen soll. Selbst das Festeste von allem, der unendliche negative Beschluß, der die unendliche Form der Individualität für das

---

[113] Jen. IX S. 111.
[114] Vgl. Jen. VI S. 293, 296.

Sein Gottes in ihr ist, wird sofort dialektisch. Sobald ich das Dialektische wegnehme, bin ich abergläubisch und betrüge Gott um das jeden Augenblick angestrengte Erwerben des einmal Erworbenen" [115]. Die Offenbarung (die fides, quae creditur) wird dialektisch, weil kein objektiv Feststellbares ihren Wahrheitsanspruch legitimiert. Dieser Anspruch besteht unbeweisbar, indem er sich kundgibt. Der „unendliche negative Beschluß" (die fides, qua creditur), der Glaubensakt, ist dialektisch, weil er negativ ist oder weil er auf jede objektive Sicherung, jeden objektiven Ausweis verzichtet. Nur so ist er „unendlich", aus freier Entscheidung vollzogene Aneignung der Offenbarung. Die Offenbarung ist also nicht wahr als objektiver Vorgang, vielmehr der Akt des Glaubens gibt dem Gegenstande des Glaubens die Möglichkeit, sich als wahr zu erweisen. Der Glaube ist also die einzige, exklusive und unüberbietbare Zugangsart, in der wir das Faktum der Offenbarung in seiner Bedeutung verstehen und uns zueignen. Ist nun damit die dogmatische Tradition der Kirche tatsächlich auf eine neue und womöglich innerlichere Weise wiedergegeben?

Es gibt genug, auf das wir hier hinweisen könnten: den Ernst des Sündenbewußtseins, das Verständnis für den Abstand von Gott und Mensch, die deutliche Unterscheidung von Vernunft und Glaube, die unbedingte Aktualisierung des Glaubensaktes. Doch hier melden sich bereits wieder die Bedenken gegen die Existenzdialektik. Die dialektische Fassung des Glaubensbegriffes bewirkt, daß der Glaube nicht nur die existierende Subjektivität in die Entscheidung stellt, sondern zugleich über seinen Inhalt entscheidet, darüber, ob dieser seiner Art nach qualifiziert ist, Glaubensinhalt, d. h. Anlaß eines wahren Existenzvollzuges zu sein.

Schon beim „sokratischen" Paradox, dem natürlichen Gottesverhältnis, fiel eine eigentümliche Zweideutigkeit der Begriffe auf. Das Ewige ist nur in und mit der Entscheidung des Menschen da, so daß im Sprachgebrauch Kierkegaards das Ewige im Menschen und *das* Ewige promiscue gebraucht werden. Wiederholt sich nun derselbe Vorgang nicht auch beim Glauben? Gewinnt nicht die Innerlichkeit

---

[115] Jen. VI S. 284, zitiert bei H. Diem, Die Existenzdialektik von Soeren Kierkegaard, Zollikon-Zürich 1950, S. 56.

des Glaubenden das Übergewicht über den Inhalt, der sie bestimmen sollte? Kierkegaard spricht von dem „kleinen ironischen Geheimnis", „daß ein Mensch, wenn er bloß das Wie seiner Innerlichkeit beschreibt, indirekt zeigen kann, daß er ein Christ ist, ohne daß er den Namen Christi gebraucht" [116]. Wenn wirklich vom Glauben gilt, „daß dieses Wie nur auf eines als Gegenstand paßt" [117], dann wird faktisch durch die Weise des Glaubens sein Gegenstand definiert.

Hier gewinnt der Glaubensakt tatsächlich das Übergewicht über den Glaubensinhalt. Dieser erscheint in polemisch einseitigen Formulierungen sogar als etwas dem Glaubensakt gegenüber Indifferentes. Kierkegaard begnügt sich nicht mit der unbestreitbaren Wahrheit, daß das Wissen von Gott kein objektiver Besitz ist, der als solcher das christliche Leben verbürgt, sondern er riskiert die Umkehrung, daß das irrende falsche Wissen um Gott, mit innerlicher Leidenschaft ergriffen, in die wahre Existenz hineinführe. Das besagt: es gibt in solchen Aussagen kein Dogma mehr, sondern nur noch Glaubensvorstellungen. Diese sind nicht mehr der Grund des Glaubens. Die eigentliche Realität kommt allein der Glaubensentscheidung zu.

Kierkegaard griff das spekulative Denken Hegels an, weil in ihm das Denken entscheidende Bedeutung für die Wahrheit habe, insofern die Identität von göttlicher und menschlicher Vernunft sich erst im Denken des Philosophen vollendet. Kierkegaard griff die Mittlerstellung an, die der Philosoph sich damit gibt [118]. Aber führt die dialektische Aneignung des Paradox nicht in dieselbe Verlegenheit? Bringt die glaubende Subjektivität – je klarer der dialektische und das heißt bei Kierkegaard auch der kritische Charakter der Aneignung wird – nicht auch in gewisser Weise die Wahrheit des Geglaubten hervor? Und gewinnt nicht der „Christ erster Hand" in der letzten Konsequenz auch eine gewisse Mittlerstellung?

Selbstverständlich meine ich nicht, daß nach Kierkegaard – etwa im Sinne Feuerbachs – Gott und die Gottheit Christi nur Hervorbringungen des menschlichen Bewußtseins wären; aber wir können

---

[116] Jen. VII S. 265.
[117] Ebd. Anm.
[118] Jen. VI S. 276.

unsere theologischen Aussagen nicht von unserer Glaubensentscheidung loslösen. Theologie, existenzdialektisch verstanden, wird ausschließlich zur Explikation der Glaubensentscheidung. Ist das möglich? Rächt sich hier nicht die Subjektivierung der Theologie? Enthält der Glaube in sich nicht doch Lehre, sogar in hohem Maße sogar *allgemeine Lehre?* Sind wir als Glaubende wirklich allein auf die Aktualisierung seines Inhaltes im Augenblick der Aneignung angewiesen? Wir müßten uns neu über den Begriff des Allgemeinen und der Lehre verständigen. Sicher ist der Inhalt des Glaubens kein Zusammenhang objektivierter verfügbarer allgemeiner Wahrheiten; aber setzt der Glaube als Glaube nicht Lehre voraus, das Verstehen einer bleibenden, unserer Freiheit überlegenen Wahrheit?

Nehmen wir die drei Lehrstücke des christlichen Glaubens. Daß die Welt von Gott geschaffen sei, ist – darin hat Kierkegaard recht – ein Artikel des Glaubens, nicht Resultat vernünftiger Erkenntnis [119]. Aber hat er ebenso recht, Natur und Geschichte nur in den verschiedenen Horizonten des absoluten Selbstbewußtseins begegnen zu lassen, so daß sie entweder nur als Objekt der Vernunft erscheinen oder aber als transzendentale Subjektivität? Gibt es wirklich keine Erkenntnis, die uns die Wahrheit des Schöpfungsglaubens, vor allem auch in Hinblick auf unser Leben in der Gemeinschaft, einleuchtend macht? Gibt es dort schlechterdings keine Ordnung, die wir als uns auferlegt hinzunehmen haben? Hatte Hegel nicht wenigstens mit der Frage recht, ob wir ohne bleibende, unserem freien Entscheiden überlegene, also doch religiös zu verstehende Inhalte als Menschen überhaupt leben können?

Kann das so radikal „entweltlichte" absolute Bewußtsein den Artikel der Erlösung festhalten? Wie mir scheint, schon darum nicht, weil es den Artikel von der Kirche [120] nicht festhält. Auch hier verkehrt sich ein legitimes theologisches Anliegen. Die Verkündigung der ϰϱίσις, des Gerichtes Gottes über die Welt, auch über die verweltlichte Christenheit, verwandelt sich hier in die dialektische Vernichtung alles „Objektiven", z. B. der Lehre, des Sakramentes, des Amtes, überhaupt jeder Größe, die gegenwärtig als solche für den

---

[119] Vgl. Jen. VI S. 294.
[120] Trotz Pap. X₄ A. 246.

Glauben Bedeutung haben will, ohne durch Aneignung legitimiert zu sein. So wird am Ende folgerichtig aus dem Dialektiker der Wahrheitszeuge, der an die Stelle der Kirche tritt – zu Recht, wenn die Wahrheit nicht nur Gehorsam verlangt, sondern zugleich als Wahrheit nicht ist ohne den, der sie wahr macht.

Der Leitgedanke des Wahrheitszeugen läßt sich aber nur unter der Voraussetzung vorwegdenken, daß auch der zweite Artikel des apostolischen Glaubensbekenntnisses, der Artikel der Erlösung, sich in der Leidenschaft der verinnerlichten Aneignung zersetzt. Ich weise auf dieses Endstadium der Existenzdialektik nur noch hin: Je ernsthafter der Glaubende in Christus das „Ideal" sieht – Ideal meint aber die jedem Menschen aufgegebene Einheit von Zeitlichem und Ewigem –, um so mehr muß sich das Verhältnis des gläubigen Gehorsams: der Hinnahme von Gericht und Gnade in ein Verhältnis der *Gleichzeitigkeit* oder der *Nachfolge* verwandeln. Gleichzeitigkeit kann im Horizont der Existenzdialektik nichts weiter heißen als Geistesexistenz, als Leben im absoluten Augenblick. Diese Konsequenz hat Kierkegaard gezogen. In seinen späten Tagebüchern erscheint die Lehre von der Vergebung als ein „Christentum in des Menschen Interesse" [121], das niedriger steht als das „Christentum in Gottes Interesse" oder als die Gleichzeitigkeit, in der die Geistesexistenz mit Gott steht.

Eine solche Geistesexistenz ist ein Mensch höherer Ordnung, weil sie in sich den Widerspruch von Geist und Leib überwunden hat; sie ist, wie Kierkegaard sagt, „ausgebrannt zu Geist". Solche „übermenschlichen" Geistesexistenzen machen das Christentum erst wahr; sie machen aus der Lehre Existenzwahrheit. Hier gewinnt für Kierkegaard der Gedanke des *Märtyrerpropheten* Bedeutung. Erst der Zeuge erwägt nicht nur und stellt nicht nur vor, sondern lebt ganz im Gedachten; erst in ihm wird die Möglichkeit, als welche wir in unseren dialektischen Erwägungen uns den Glauben vorstellen, definitive Wirklichkeit; er hat den Widerspruch in sich selbst und den Widerspruch zur Welt überwunden. Daher gewinnt die Geistesexistenz am Ende eine Art welthistorischer Mittlerstellung, weil durch sie und allein durch sie in der nihilistisch gesehenen Welt Gott als der

[121] Pap. X$_4$ A. 499.

Grund alles sinnvollen wahren menschlichen Lebens festgehalten wird.

Dieses Übermenschentum ist, wie mir scheint, die innerliche notwendige Konsequenz der Existenzdialektik. Wenn ich hier recht sehe, dann ist die vielleicht wichtigste Aufgabe der Kierkegaardforschung, die Überwindung des Dialektikers in Kierkegaard durch den Zeugen von den ersten Spuren an zu beschreiben. Von diesem Grenzproblem aus würde vielleicht die spannungsvolle Widersprüchlichkeit in Kierkegaards Denken zur Frage an die Theologie. Der Ernst der Zeugenschaft würde verhindern, Kierkegaard leicht zu nehmen, die absurde Übermenschlichkeit aber, in die Kierkegaard gerät, würde zum Stachel. Sie könnte zum Anlaß werden, die Mittel gründlich zu überprüfen, mit denen die Theologie den Glauben verständlich zu machen sucht.

Theologische Zeitschrift. 11 (1955), S. 437–465.

KIERKEGAARDS KRITIK AN HEGELS LOGIK

Zu Sören Kierkegaards 100. Todestag am 11. November 1955

Von Dietrich Ritschl

In der heutigen theologischen Literatur wird Kierkegaard seltener angeführt als vor etwa 20 Jahren. Niemand wird aber deshalb annehmen müssen, seine Wirkung sei heute geringer. Der damals weitgehend durch den Einfluß seiner Schriften angeregte Neuanfang in der Theologie hat heute längst Gestalt gewonnen. Kierkegaards Thesen und Fragen zum „System", zum Subjekt-Objekt-Problem, zum Ethischen, zum Einzelnen und der Allgemeinheit und zur etablierten „Staatskirche" haben jetzt ein genuin theologisches Gesicht erhalten, sofern sie nicht von der Existenzphilosophie auf ganz andere Weise verwertet worden sind.

Hier soll nun gezeigt werden, inwieweit Kierkegaards Kritik an Hegels logischem System ihm den Anstoß zu seinen eigenen Gedanken gegeben hat. Gerade diese Gedanken haben nachher die entscheidende Rolle im Einfluß auf die heutige Theologie gespielt.

K.s Entwicklung in der Stellungnahme H. gegenüber ist erheblichen Schwankungen unterworfen gewesen. So gibt H. Reuter, K.s rel.phil. Gedanken z. H.s rel.phil. System (Diss. Berlin 1913) bis etwa zum Jahre 1841 drei Stufen an: 1. bis 1835 Ansätze; 2. 1835–37 Bruch mit der Vergangenheit; 3. 1838–41 Konsolidierung des Standpunktes und Abschluß der Entwicklung. Weitere Stufen läßt E. Hirsch sichtbar werden, K.-Studien, 1–2 (1935), S. 519, 680 f., auch 513, 517 ff., 678 f., 696 (allerdings unter einfacher Gleichsetzung J. H. Fichtes mit dem Pseudonym „Climacus"). Wieder anders E. Geismar, S. K. (1929), S. 76–86, 286–338, und J. Hohlenberg, S. K. (1949), Kap. 5.

Bei aller Untersuchung der Kritik K.s an H. muß das eigentliche Ziel, angelegt in der Konzeption, von der Methode, die zu diesem Ziel führen soll, getrennt betrachtet werden. Dies ist übrigens K.s Art, andere zu interpretieren und zu kritisieren.

I

Material der Kritik Kierkegaards

Kierkegaard hätte niemals der Kritik und Opposition gegen Hegel ein solches Gewicht beigemessen, wenn er nicht bei ihm seine eigenen Fragestellungen gefunden und ähnliche Zielsetzungen erkannt hätte. Wohl war die dänische Kirche fast ganz hegelisch gestimmt[1], und dies Moment ist nicht zu gering zu achten, aber es war doch H. selber, den K. im Auge hatte, den er schon früh gelesen[2] und sehr gut gekannt hatte[3].

K. besaß in seiner Bibliothek die sämtlichen Hauptwerke H.s., Kants, Trendelenburgs, Spinozas. Er konnte deutsch lesen, aber weniger gut sprechen. Es scheint aber festzustehen, daß K. vornehmlich aus der ›Kleinen Logik‹ der *Enzyklopädie* Kenntnis von H.s Logik gewonnen hat. An der Fassung ihres Inhalts setzt nämlich die Kritik des ›Anfangs‹ an, die zunächst allerdings so stark auf Trendelenburg fußt, daß zu fragen wäre, welche Ausgabe T. benutzt hat.

---

[1] Es ist eindeutig, daß die dänische Kirche zur Zeit K.s so stark von H. beeinflußt war, daß es letztlich unwesentlich bleibt, ob K. gegen die Kirche oder H. polemisiert. Martensen als Normal-Dogmatiker trennte wenig von Hegel (vielleicht etwa „die Gabe von Oben": aller intellectus activus ist durch intellectus passivus, durch Empfänglichkeit, bedingt). H. spekuliert auf dem Boden der Vernunft mit der Vernunft über die Vernunft, Martensen spekuliert auf dem Boden des vernünftigen Glaubens mit dem Glauben über den vernünftigen Glauben. Z. B.: „die sind zu Schanden geworden … welche meinten, ein für alle Mal die Grenzen für alles menschliche Begreifen abstecken, ein non plus ultra feststellen zu können, wobei es sein Verbleiben haben sollte. Denn hinterher zeigt es sich beständig, daß es doch ein plus ultra gäbe … jeder Abschluß im Begriff wird daher stets nur relativ sein können" (Dogm. § 33, v. 1849, deutsch, Kiel 1850). Gerade das ist es, das Weiterstecken der Grenzen (die Totaleinsicht), das K. zuinnerst zuwider ist, das – alles in einem – das ganze Objekt seiner Kritik ist. „Alles dozieren kann Martensen" (S. Kierkegaard, Papirer, X, 1, A, 616).

[2] Dies zeigt an Beispielen E. Hirsch, K.-Studien, 2 (1935), S. 145.

[3] H. Reuter, K.s rel.-phil. Ged. z. H.s rel.-phil. System (1913), S. 8, Anm. 4.

1. Der ›Anfang‹ der Logik und ihr Weg. – Bei H.s Beschreibung des großen, aufsteigenden Kreises der Selbstentäußerung des absoluten Geistes bildet die Logik die erste Stufe. In der Logik hat das göttliche Leben noch im Bereich des Fürsich-Seins die erste Form. Die Logik ist göttliche Logik. Was für das ganze System gilt, gilt auch für die Logik: die Realität Gottes nimmt im Verlauf der spekulativen Lebensweise fortlaufend zu. Die spekulative Entwicklung ist eine Realisierung der Gottheit – nicht in dem Sinne, daß Gott vom Nichtsein zum Sein überginge, sondern in der Weise, daß Gott immer aktueller, wesentlicher, gegenwärtiger wird. Der kosmogenetisch-theogenetische Prozeß ist ein Weg der dauernden Anwesenheit Gottes. Die Gottheit in der Substanz ist in der Substanz immanent anwesend. So ist die Logik „also die erste, die wahre Selbstoffenbarung Gottes im Elemente des reinen Gedankens"[4].

Die Logik als Grundwissenschaft, als System (vgl. dazu H.s Enzykl., § 7) des reinen Gedankens, der Wahrheit an sich, der Einheit von Subjektivität und Objektivität bestimmt H. als die „Darstellung Gottes, wie er in seinem ewigen Wesen vor Erschaffung der Natur und eines endlichen Geistes ist" (Logik, ed. Glockner, I, 36). Die Logik als die Wissenschaft des Begriffs ist so die Lehre des Begriffes Gott.

„Die Idee als die subjektive und die objektive Idee ist der Begriff, dem der Begriff als solcher der Gegenstand, oder dem das Objekt der Begriff ist" (Enzykl., § 183). Sofern aber die Natur als „ein System von Stufen zu betrachten ist" (§ 194), „deren eine aus der anderen notwendig hervorgeht, und die nächste Wahrheit derjenigen ist, aus welcher sie resultiert" – muß für H. der Übergang von der Logik, der Grundwissenschaft, zu den konkreten Wissenschaften nicht in der Form eines Sprunges, wohl aber in der Art eines Schöpfungsvorganges gefaßt werden, zumal H. die Logik als die Wissenschaft begreift, welche es „nicht mit Anschauungen, nicht einmal – ... wie die Geometrie mit abstrakten, – oder sonst mit sinnlichen Vorstellungen, sondern mit reinen Abstraktionen zu tun hat" (§ 12). Dagegen ist die Natur als die „Idee in der Form des Andersseins" (§ 192) gegeben, in der Form des Negativen, dessen Bestimmung die Äußerlichkeit ist. Die Natur an sich wäre (ist) in der Idee göttlich, *wie* sie aber ist, ist diese Bestimmung aufgehoben. Ihr Sein entspricht ihrem Begriffe nicht, „ihre existierende Wirklichkeit hat daher keine Wahrheit". Dieser Übergang in die eigentliche

---

[4] J. Iljin, Die Philosophie H.s als kontemplative Gotteslehre (1946), S. 209.

Negativität ist der Schöpfungsakt Gottes, der als Schöpfungsakt im *Übergang* K.s Kritik gefunden hat.

Die Logik als die „Wissenschaft der absoluten Form" ist nicht als Dialektik Metaphysik, sondern die Logik „in der wesentlichen Bedeutung spekulativer Philosophie tritt an die Stelle dessen, was sonst Metaphysik genannt wird und als eine von ihr abgesonderte Wissenschaft abgehandelt wurde" (§ 18). H.s Logik ersetzt. Sie bezieht nicht nur Neues in ihren Rahmen mit ein. So wird die aristotelische und scholastische Logik einer völligen Umgestaltung unterzogen. Sie ist nun Grundwissenschaft des Systems als Wissenschaft vom Logos, von der Gültigkeitsbegründung schlechthin, in welcher sich werdender, produktiver Geist erschließt. Sie ist nicht Wissenschaft der Relationen. Der Logik gehört die Ontologie an, sie ersetzt die alte Ontologie aber. Sie fällt – dem Prinzip der Identität zufolge – mit der alten Ontologie zusammen. – Was aber in H.s Augen ein Zusammenfallen, An-die-Stelle-Treten ist, ist vom „gewöhnlichen" Standpunkt aus ein Gleich*setzen*. Für H. ist die Logik die Darstellung Gottes; vom nicht-spekulativen Gesichtspunkt aus aber die Darstellung der Gottesvorstellung H.s.

Das Denken der Spekulation ist für H. höchste, absolute Realität. Für K. aber [5] erscheint die spekulative Methode innerhalb der Logik als unerlaubte Anleihe der Logik bei der Existenz. Im Zusammenhang mit der Kritik des ›Anfangs‹ trifft K.s Polemik vor allem den Inhalt des Teiles ›Die Wirklichkeit‹ in der Enzyklopädie, der mit den Worten beginnt: „Die Wirklichkeit ist die unmittelbar gewordene Einheit des Wesens und der Existenz, oder des Innern und des Äußeren" (§ 91). „Existenz ist unmittelbare Einheit des Seins und der Reflexion, sie ist daher Erscheinung, kommt aus dem Grunde und geht zu Grunde" (ib.). Noch klarer ist folgender Satz, den K. schon früh bestritten hatte: „Das Äußere hat daher vors erste den selben Inhalt als das Innere, was innerlich ist, ist auch äußerlich vorhanden und umgekehrt, die Erscheinung zeigt nichts, was nicht im Wesen ist, und im Wesen ist nichts, was sich nicht manifestiert" (§ 86/7).

Noch aufregender fand K. das Darauffolgende, H.s Begriff von Quantität–Qualität und Maß. Die Quantität bestimmt H. zunächst

---

[5] So formuliert Hirsch, a. a. O., S. 681.

als „das reine Sein, an dem die Bestimmtheit nicht mehr als eins mit ihm selbst, sondern als aufgehoben oder gleichgiltig gesetzt ist" (§ 52). (Der Acker bleibt nach wie vor Acker, wenn er seine quantitative Begrenzung ändert.) Zunächst können wir die Quantität auch noch nicht als Quantum verstehen, sondern als reine, unbestimmte Quantität, aufgehobenes Für-sich-Sein, während das Quantum seine „vollkommene Bestimmtheit in der Zahl hat" (§ 55), „weil deren Element das Eins ausmacht". Das Quantum ist so die aufgehobene Qualität. Nach dem Momente der Diskretion ist die Zahl Anzahl, nach dem der Kontinuität aber Einheit, „dieser ihr qualitativer Unterschied ist im Eins aufgehoben, welches die ganze Zahl, die Anzahl und die Einheit ist, das mit seiner Grenze identische Wesen des Quantums". Zunächst wird nun das Maß als die spezifische Quantität bestimmt. Es hat „als qualitativ" das äußere Quantum an sich. Das Maß ist so das „qualitative Quantum" (§ 60), „zunächst als unmittelbares, ein Quantum, an welches ein Dasein oder eine Qualität gebunden ist". Der Übergang des Quantitativen ins Qualitative hebt sich auf (§ 63). Veränderungen des Seins sind Übergehen vom Qualitativen ins Quantitative und umgekehrt.

Hier liegen die Bausteine für K.s Schriften gegen H., die ihre Auswirkungen bis in unsere heutigen Gemeindepredigten reichen lassen. Es waren nicht K.s philosophische Überzeugungen, noch weniger seine Lust zur Opposition, die ihn hier zur Kritik an „der Vermittlung" veranlaßten. Vielmehr war es seine subjektiv-ethische Leidenschaft, sein – wie er es nennt – „religiöser Ernst", der ihm die Annahme einer Qualitätsnivellierung verbot.

K. kommt auf rückwärtsgerichtetem Wege von hier aus zur Betrachtung über den ›Anfang‹ der Logik. Er sieht den Inhalt des Daseins „hinterlistig in die Logik hineingeschmuggelt" (S. Kierkegaard, Ges. Werke, ed. Gottsched & Schrempf, VI, S. 187).

K. geht bewußt an H.s Anliegen vorbei: der Ontologie im System der Logik nicht nur einen Platz anweisen zu wollen, sondern die Ontologie gar Logik werden zu lassen. Für K. kann die Logik – wenn auch dialektisch – nur kontrollierenden, konstruierenden Charakter haben. Sie kann keinen Inhalt konstruieren, kontrollieren kann sie mit nicht mehr Befugnissen, als es eben einer Logik der Relation entspricht.

H. formuliert so: „Das Absolute ist das Sein" (es ist die [im Gedanken] schlechthin anfängliche, abstrakteste und dürftigste Realität) „. . . zugleich auch das Bekannte, daß Gott der Inbegriff aller Realität ist" (Kl. Logik, ed. Bolland, § 86). Da nun das reine Sein die reine Abstraktion ist, ist es das absolut Negative – als das völlig Bestimmungslose –, das nun, gleich wie bei der Charakterisierung des reinen Seins, unmittelbar genommen bei H. auch das reine Nichts ist. Die zweite Definition des reinen Seins ist die Folgerung: daß es also das Nichts ist (§ 40, Bolland § 88). Die Negativität kann so als die Unmöglichkeit einer Bestimmung eines Positiven gefaßt werden. Die Unbestimmtheit des Seins macht es aus, daß es das Nichts ist. Die höchste Form des Nichts für sich ist „die Freiheit, aber sie ist die Negativität, insofern sie sich zur höchsten Intensität in sich vertieft und selbst auch Affirmation ist" (§ 40). Da nun ebenso das Nichts wie das Sein als das Unmittelbare gefaßt ist, kann H. sagen, daß es, als „das sich selbst gleiche, ebenso umgekehrt das selbe ist, was das Sein ist" (§ 41).

H. sagt weiter, man könne diese Einheit von Sein und Nichts nicht begreifen, nur „auffassen". Das Nicht-Begreifen erklärt H. als ein bloßes Nicht-vorstellen-Können. Das Vorstellungsvermögen soll aber bald sein Recht bekommen: *als Einheit des Seins und des Nichts ist das Werden gesetzt.* „Jedermann hat eine Vorstellung vom Werden." So soll nun rückwärts – analytisch-deduktiv – von der Synthese, vom Werden aus, die Einheit des Seins und des Nichts begriffen werden. Beide sind im Werden „enthalten".

Der ›Anfang‹, K.s Anstoß zur Kritik, der nicht vorgestellt werden kann, wohl aber begriffen werden soll, „drückt schon die Rücksicht auf das weitere Fortgehen aus". Das Ergebnis ist das Geworden-Sein, das Dasein. Das Dasein ist als ein Sein mit einer Bestimmung definiert, Bestimmung aber „ist als unmittelbare oder seiende Bestimmtheit die Qualität". Das Nicht-Sein enthaltende Dasein – denn das Nichts war bei seinem Werden wesentlich – wird zum Anderssein gesetzt, denn die Qualität ist nur in Beziehung auf Anderes. In einem Satz ist die *Notwendigkeit* dieses Fortgangs der Philosophie gezeigt: *etwas wird ein Anderes, aber das Andere ist selbst ein etwas, so wird es gleichfalls ein Anderes, und so fort ins Unendliche* (*§ 46*).

Hiermit mußte sich K. auseinandersetzen, um seine „existentielle Einsprache" und die „Annäherungen des Gedankens an den Glauben" beginnen zu können.

2. *Die Identität und die Methode der Dialektik.* Entgegen der hergebrachten abendländischen Tradition sieht das Prinzip der Dialektik H.s in einem Widerspruch keine fatale Schranke für das Weiterdenken, sondern im Gegenteil eine Entwicklungsmöglichkeit und Notwendigkeit für eine neue, um so positivere Entstehung. Die Position ist einmal gesetzt (sie ist bei H. bekanntlich nicht mit dem „Empirisch Konkreten" gleichzusetzen, sondern Empirisch-Konkretes wird so „gesetzt", daß es Position sein kann, es wird nicht „genommen", es wird gefügt, vgl. Marxismus) und schlägt mit (metaphysischer) Notwendigkeit in sein Gegenteil um. Es wird so die Negation. Die Synthese, die nun werden kann, trägt nur den Charakter der vorläufigen Vollendung bis zur letzten Synthese im *Absoluten.*

Der Akt des menschlichen Denkens ist identisch mit dem Ereignis der menschlichen Vernunft. Der Gott H.s ist Ereignis, nur Ereignis. Es wäre unmöglich, ihn mit diesem oder jenem Ding gleichzusetzen, das ihm auf dem Wege seiner Selbstentäußerung begegnet, das durch ihn wird. Es begegnet ihm zwar nicht als „Anderes", aber es begegnet ihm als sein eigenes Selbst in der Form des noch-nicht oder nur teilweise Entwickelten, und deshalb kann es nicht mit ihm identifiziert werden (z. B. der Mensch). Wenn sich auch das Ding aus dem Absoluten, aus der „Wahrheit, wie sie ohne Hülle an und für sich selbst ist", entwickelt und wiederum zu dem Absoluten hinstrebt auf dem Wege durch die Endlichkeit, so ist es wohl *Gleiches* wie das Absolute, aber nicht *das Gleiche.* Es ist Gleiches („Ur"-Gleiches) im Anderssein.

Die Andersheit ist aber (nur) quantitativ, nicht qualitativ! Falls man sagen wolle, es sei doch eine qualitative Andersheit, so kann nur gesagt werden, es sei dies dann im Sinne einer „angehäuften" Quantitätsdifferenz. Dies gilt nun sozusagen als „Lehrsatz": Qualität kann gesetzt werden durch eine Quantitätssumme. Es gibt bei H. nur quantitative Differenzen, keine qualitativen. Die Folgerung ist: Denken und Sein ist identisch, wohl aber nicht gleich, Gott und Mensch sind identisch, quantitativ aber nicht gleich.

Was diesem System zugrunde liegt, ist in K.s Augen ein auf die Spitze getriebener Anthropomorphismus – trotz der proklamierten absoluten Theonomie – und ganz und gar Immanenzphilosophie – trotz der ersten und letzten Synthese: dem Absoluten und der These des „Inhaltes, der die Darstellung Gottes ist, wie er in seinem ewigen Wesen vor Erschaffung der Natur und eines endlichen Geistes ist" (Logik, Vorrede) [6].

Man muß an H. *glauben,* so wie man an jedes System glauben muß. Es schien zu H.s Zeiten, als sei man plötzlich auf die sich selbst entwickelnde Welt gestoßen, die man nur zu betrachten habe und in deren Entwicklungsgang man sich selber befände, was aber von jedem einzelnen – unter dem Gesichtspunkt des „Nicht-Einzelnen", der Allgemeinheit – noch zu verstehen die Aufgabe sei. K.s Verdienst ist es, die Zustimmung zu einem System als „Glauben" zu entlarven. Es wird in einem System auch immer der Platz für eine Ethik der Entscheidung fehlen.

Im Anschluß an das oben Bemerkte über das Anderssein kann so zusammengefaßt werden: *Religion ist Verhältnis im Werden zu einem Andern in sich selbst.* Das Gewicht, das auf dem „Werden" liegt, gestattet nicht die Anwendung der Bezeichnung Pantheismus für H.s logisch-theologisches System. Das hat K. – im Unterschied zu anderen christlichen Kritikern H.s – deutlich gesehen.

Weil dem „Werden" als Entwicklungsprinzip eine solche entscheidende Bedeutung in H.s System zukommt, sah K. gerade hier den Ansatz für eine falsche Darstellung der – für uns theologisch interessanten – Begriffe der Geschichte, des Einzelnen und der Allgemeinheit und der Stellung des Menschen zu Gott oder zu dem Sohn Gottes in der Geschichte. Darum kommt die Frage nach der Beziehung von H.s dialektischem Prinzip zum Dasein (zur Realität des Lebens) in den Mittelpunkt der Diskussion in den philosophischen Schriften K.s [7].

---

[6] Vgl. Iljin (Anm. 4), S. 305 ff.

[7] Reuter (Anm. 3), S. 27, sagt, K. habe mit H. die Annahme einer Lebensdialektik gemeinsam. Dies kann mit Recht aber nur dann gesagt werden, wenn zwischen subjektiver und objektiver Dialektik unterschieden wird. Der Unterschied wird klar, wo Iljin z. B. H. Leisegang zitiert (a. a. O. S. 399, lit. Anhang): „Der Philosoph (Hegel) ... läßt den Denkprozeß

Wenn eines an K.s Kritik unangreifbar ist, so ist es dieses: ein logisches System kann es geben, aber ein System des Daseins kann es nicht geben (Ges. Werke VI, 185). Ein logisches System ist nur Systematik, ein System selbst aber ist immer ein System des Daseins. Zum System des Daseins sagt K. (VI, 192): „Ein System des Daseins kann nicht gegeben werden. Also gibt es ein solches nicht? Keineswegs! Das liegt auch nicht in dieser These. Das Dasein ist ein System – für Gott. Aber für einen existierenden Geist kann es ein System nicht sein. System und Abgeschlossenheit entsprechen einander. Dasein ist aber gerade das Entgegengesetzte." Wer möchte das bestreiten?

II

Ausformung der Kritik Kierkegaards

Kierkegaards Kritik am ›Anfang‹, am Begriff der Identität, am Begriff des Werdens und der Notwendigkeit gibt weitgehend die Grundlage zur Ausarbeitung seiner eigenen Gedanken. Es kann eine Linie gesehen werden von den philosophischen Schriften über den Kirchenkampf Kierkegaards bis hin zur Beeinflussung unserer heutigen Dogmatik, die von dieser Kritik an Hegel nicht losgelöst betrachtet werden kann.

1. Der Unterschied der Dialektik bei Kierkegaard und Hegel.
K. setzt sich im Laufe seiner Schriften gegen die platonische Dialektik ab, dann erst gegen H. Das Deckungsverhältnis von Logik und Ontologie bei H. wird ihm immer deutlicher. K. selbst trennt scharf zwischen Logik und Ontologie. Logik ist für ihn in Form gefaßtes menschlich immanentes Denken – kurz, weitgehend die alte Logik. Ontologie aber ist K.s Wissenschaft schlechthin, aber mit dem Stempel der Existenz versehen. Verkürzt kann man sagen, K. sei Exi-

laufen, nicht wie er, sondern wie die Sache will." Das ist ein Bekenntnis zur objektiven Dialektik, der die H.sche kongruent sein sollte. Es ist genau das Gegenteil der K.schen, Trendelenburgschen und Schellingschen Kritik (Schelling: Die dialektische Methode „ist nur ein leeres, selbstgemachtes Schema ihres Urhebers").

stenzontologe. Dies ist schon deutlich bei K.s Skepsis gegenüber Platos Verständnis des Verhältnisses von Denken und Sein, das ihm H.s Identität zu ähneln schien [8].

K. selbst möchte die Unterscheidung zu H.s dialektischem Prinzip an der Auffassung des Kontradiktionsprinzips klarmachen. Die Stellung zu diesem Prinzip ist bei K. genau umgekehrt wie bei H. K. erinnert an die Bemerkung des Aristoteles, der die Haltbarkeit des Kontradiktionsprinzipes dadurch zeigen wollte, daß er feststellte, die Aufhebung dieses Prinzips beruhe selbst auf diesem Prinzip, „da sonst der entgegengesetzte Satz, es sei nicht aufgehoben, ebenso wahr ist" (VI 99). Nach K.s Meinung war es also der logische Fehler H.s, das Kontradiktionsprinzip aufzuheben. Hier erscheint K.s Kritik an der spekulativen Logik als rein logische Kritik, während doch seine eigene dialektische Synthese logisch gar nicht genügend beschrieben werden kann: die Synthese ist der existierende subjektive Geist (VI 163).

K. gibt seiner eigenen Sicht auf die Formen der Dialektik und die Forderungen, die sich daraus ergeben, folgendermaßen Ausdruck: „Alles dreht sich darum, den Unterschied absolut zu machen zwischen der quantitativen und der qualitativen Dialektik. Die ganze Logik ist quantitative Logik oder modale Dialektik, denn alles ist, und das Ganze ist beständig ein und dasselbe. Im Dasein ist dagegen die qualitative Dialektik zu Hause" (Pap.

[8] Bense, H. und K. (1948), S. 80, bezeichnet die Art der H.schen Dialektik als dialektischen Schluß auf die Synthese hin, die K.sche Dialektik aber als einen Schluß aus der Thesis des Denkens und der Antithesis des Seins auf den Sprung, die Nichtidentität, genauer die Kinesis der Existenz. Er faßt so zusammen: „H.s Dialektik setzt Thesis und Antithesis, und der dialektische Schluß ist der Schluß auf die Synthese, die zu einer neuen Bestimmung führt, zu der es wieder eine Antithesis gibt usw., derart, daß bei dem ganzen Verfahren die Identität von Denken und Sein festgehalten wird ... K.s existentielle Dialektik ist das Verfahren eines Schlusses aus der Thesis des Denkens und der Antithesis des Seins auf den Sprung ... derart, daß bei dem Verfahren die Verschiedenheit von Denken und Sein festgehalten wird, also eine H.sche Synthese nicht erreicht wird." Dieser Vergleich ist zwar nur dann eine treffende Charakteristik, wenn als bekannt vorausgesetzt wird, daß K. unter „Denken" und „Sein" etwas anderes versteht als H. Sicher richtig ist die Folgerung, daß „also eine H.sche Synthese nicht erreicht wird", sondern statt dessen der Sprung zum „Anderen" führt.

VII, A. 84). Diese qualitative Dialektik ist K. wesentlich. Als sich bestreitende Widerparte birgt sie Sein und Nichtsein in sich. Das Analogon zu H.s Synthese ist kein Übergang, sondern der „unendliche qualitative Sprung". Dieser Sprung ist „das Existieren eben selbst", ein Gedanke, der in der Existenzphilosophie bedeutend ist. – K. kennt aber auch die quantitative Dialektik. In ihr bewegt sich Sein verschiedener Quantität gegeneinander. Diese Dialektik gehört in den Bereich „ein logisches System kann es geben". Das ist aber für K. uninteressant, denn er sieht es da und dort schon verwirklicht.[9]

2. Kierkegaards Kritik am ›Anfang‹.

– K.s Kritik ist Kritik im Sinne der allerhöchsten Leidenschaft. Der Einsatz seiner ganzen Person zu dieser Kritik ist Ersatz für die angebliche Sicht und das angebliche Totalwissen über das Ganze, das H. zu haben und zu lehren glaubt. Die leidenschaftliche Kritik K.s geht aber auf Kosten der Nüchternheit, die ihm bei der Arbeit des Widerlegens wohl größeren Erfolg gebracht hätte.

H.s Logik, als die sich durch den Widerspruch selbst erhaltende und selbst fortpflanzende Logik, scheint K., dem „Lebensdialektiker", in keiner Weise mit der lebendigen Tatsächlichkeit und wirklichen Existenz in Beziehung zu stehen. Die Vernachlässigung der Existenz findet sich am Anfang der Logik und muß dort kritisiert werden. Zu solcher Kritik hatte H. bereits Vorbilder: I. H. Fichte, Schelling, Trendelenburg.

K.s Pseudonym Climacus ähnelt I. H. Fichtes Wirklichkeitsauffassung und Kampf gegen H.s Gotteslehre. Die Ansichten des Climacus und Fichte können auf die abstrakt logische Sphäre zurückprojiziert werden und ergeben nichts weiter als die klare Meinung, daß Logik und Ontologie als

---

[9] Diem, Philosophie und Christentum bei S. K. (1929), S. 107 ff., faßt diese doppelte Schau K.s auf die Dialektik zusammen: „Wir können die hier geübte Dialektik zweigleisig oder zweilinig nennen, im Gegensatz zu der einlinigen spekulativen Dialektik H.s und des späteren Plato. Das Doppelverhältnis des Fragenden zum Gegenstand einerseits und zum Gesprächspartner andrerseits führt zu einer doppelten dialektischen Bewegung." Die Doppelschau der Dialektik könnte dann wohl im Zusammenhang mit K.s Doppelreflexion gesehen werden (ob Diem im Recht ist mit „... und des späteren Plato", bleibt zu fragen).

grundverschieden angesehen werden müssen. Biographisch ist der Einfluß I. H. Fichtes auf K. nicht schwer zu verfolgen. Fichte ist aber nicht der eigentliche Anstoß für K.s Kritik am Anfang. Climacus ist als Pseudonym nur der „Vorposten" K.s. K. benützt mit Climacus Fichte zum Beginn der Kritik auf der Stufe der „Religiosität A".

Schwerwiegender ist der Einfluß Schellings. Nach dem Bruch mit Regine war K. im Winter 1841/42 in Berlin und hörte Schelling. Es war die Zeit seiner eigentümlichen verstockten Offenheit. Vorzeitig kehrte er nach einem halben Jahr nach Kopenhagen zurück. Schellings in gewisser Weise irrationaler Gottesbegriff scheint K. eine starke Stütze seiner philosophischen Weise der konzentrierten Äußerung seiner persönlichen Glaubensinhalte geboten zu haben. Schellings Kritik betrifft „die Verwechslung von Gedanke und Begriff". Er expliziert dies folgendermaßen: die Anfänge des Denkens im Denker können nur von der Anschauung stammen, können nur Beobachtung und Erfahrung sein. Das Denken der Abstraktion ist Denken nach bereits gedachtem Konkretem und nach Denken der Wirklichkeit. Die Abstraktion ist ein Zurückschrauben alles möglichen Denkens auf das Abstrakte. Es ist darum nicht der Anfang. Die H.sche Entfaltung ist also nicht mehr als nachträgliche Rückentfaltung von vorher „Zusammengefaltetem". Das Ich ist also nicht unbeteiligt an der Bildung des Abstrakten, sondern es ist wesentlich – von der Naturanschauung aus – der Baumeister des Abstrakten. H.s Ausgang, das Sein oder Nichts, ist nicht einfach da, sondern es ist erst gedacht da, also nicht anfänglich. So kritisiert Schelling den Anfang.

K. war glücklich, als er bei Schelling anfänglich die Lösung gefunden zu haben glaubte. Schon das Wort Wirklichkeit, Existenz, ließ die „Gedankenfrucht in mir vor Freude wie in Elisabeth hüpfen". Er sollte aber bald enttäuscht werden, ebenso auch von Trendelenburg, bei dem er den „Sprung" vermißte.

Trendelenburg bestreitet die Voraussetzungslosigkeit des H.schen Denkens genauso, wie es alle Kritiker H.s im ganzen gesehen tun. Zunächst bestreitet er immanent die Voraussetzungslosigkeit, dann stellt er dem ganzen Anfang die Wirklichkeit gegenüber. Er sucht H.s Logizismus durch gegenübergestellten Realismus zu ersetzen. Wieder ist die „wirkliche Konkretheit" die Fallgrube H.s. Trendelenburgs Waffe ist die aristotelische Kategorie der Bewegung. Er versteht das Sein und das Nichts als zwei „ruhende Vorstellungen", die Frage ist einfach: wie soll daraus das Werden kommen? Es kann nicht anders sein, als daß H.s leeres Sein schon die Bewegung, die Voraussetzung für alle Naturgeschehnisse und Naturerkenntnis (Aristoteles) als Voraussetzung *vor* sich hat. „Hiernach ist die Bewegung von der Dialektik, die nichts voraussetzen will, unerörtert vorausgesetzt . . . Wohin wir uns wenden, es bleibt die Bewegung das vorausgesetzte Vehikel des dialektisch erzeugenden Gedankens" (Trendelenburg, Log. Untersuch., 1840, S. 26; dies kann fast wörtlich in K.s Schriften wiederkehren). Ohne Bewegung kommt man nicht aus, aber der Bewegung kann keine statische Voraussetzung gegeben werden. H.s Versuch, die Negativität als Motor des Systems zu benutzen, kann nicht möglich sein.

Logisch gesagt geht H. vom abstraktesten aller Gedanken aus, K. vom konkretesten. So liegt der Unterschied bereits im ersten Ausgang. Während der Beginn mit dem Abstrakten für Trendelenburg ein Beginn ist, der bereits eine Abstraktion voraussetzt, für Schelling ein Beginn, der ein Subjekt voraussetzt, so ist er für Kierkegaard eine *Anfangsreflexion, die eine Reflexion voraussetzt.*

In ›De omnibus dubitandum est‹ (Pap. IV, B 1–17, Winter 1842/43, nach dem Studium von H.s Vorlesungen über die Geschichte der Philosophie) hat K. schon deutliche Meinungen über das Verhältnis von Denken und Sein entwickelt. Seither ist immer dies wesentlich: auch wenn die subjektive Existenz von H.s Sein völlig abstrahiert werden könnte, so wäre der Rest doch kein reines Sein, sondern gedachtes Sein. K. setzt – von den oben Genannten ausgehend – mit der Kritik ebenfalls am Anfang des Systems ein. Seine Forderung ist fürs erste, daß in der Logik keine Bewegung sein dürfe (V, S. 6). „Die Logik ist, und alles Logische ist nur." Das Pseudonym Haufniensis beschreibt die Steigerung der Prädikate, die von H. dem Nichts beigelegt werden. Das Nichts muß schließlich das notwendige „Andere" werden, sonst kann es die Bewegung nicht in Gang bringen. Die Synthese hat die Eigenschaft und die Wirkung der Mediation (V, 4/5). „Was im Werden die Alternation zwischen Sein und Nichtsein ist (eine jedoch etwas undeutliche Bestimmung, insofern als das Sein selbst zugleich das Kontinuierliche in der Alternation ist), das ist später das Negative und das Positive" (VI, 187). Es wird deutlich, daß K. – auf H. bezogen – die Ausdrücke positiv-negativ im umgekehrten Sinne wie Schelling anwendet. K. fragt nun gleich wie Trendelenburg nach der Voraussetzungslosigkeit – er nennt es wie H. Unmittelbarkeit. An gleicher Stelle, die auch die Kritik des ›Anfangs‹ bietet (VI, 160 ff.), bezieht er sich auf Trendelenburg, dessen Verdienst er darin sieht, „daß er die Bewegung als die unerklärliche Voraussetzung, als das Gemeinsame erfaßt, worin das Sein und Denken sich vereinigt".

Die Frage ist, wie der Anfang beschaffen sei. H. sagt (Enzykl. § 39), das System begänne mit dem Unmittelbaren. K. fragt gründlicher: wie beginnt es mit dem Unmittelbaren? Beginnt es damit unmittelbar? Die Antwort ist eindeutig Nein. „Das Beginnen des Systems, das mit dem Unmittelbaren beginnt, ist also selbst durch eine Reflexion erreicht" (VI, 188). Die von H. selbst gegebene Definition, das Unmittelbare sei das nach einer erschöpfenden Abstraktion zurückgebliebene Abstrakteste, liefert K. – in ganz ähnlicher Weise wie Schelling – den Beweis für das nichtunmittelbare Beginnen. Gleich wie die Reflexion, die wahre Voraussetzung des Beginnens, unendlich ist, ist auch die Abstraktion in K.s Augen unendlich. Die Frage ist also, wie man sie zum Stehen bringen kann (trotz allem Spott über die „schlechte Unendlichkeit"). K. zeigt, daß diese letzte Abstraktion gar nicht möglich ist, und legt auf diese Behauptung das größere Gewicht, im Unterschied zu Schelling.

Der Erfolg dieser Gedanken kann so zusammengefaßt werden: Das Denken kann keine Existenz ergeben, denn es hat mit dem Dasein nichts zu tun, es ist durch eine Kluft von ihm getrennt. Der Anfang muß mit einem Sprung gemacht werden. K. verharrt so im Dualismus, er läßt eine Antinomie bestehen (vielleicht als ein Erbe Kants), die kaum von vornherein theologische Gründe gehabt haben dürfte. – Es geht K. nicht nur um die Existenzvergewisserung, sondern um die „Existenzwerdung", d. h. aber um die Existenz „vor Gott".

3. Kierkegaards Kritik an der Identität. – K. sieht das Denken gegen das Sein in gleicher Weise abgegrenzt wie gegen Gott (ein gewisser Anschluß an Kant). Daß aber H.s System gegen die Existenz abgegrenzt ist, ist für ihn ein unmöglicher Gedanke, „hinten, statt vorne angefangen".

„Jede Bestimmung, für welche Sein eine wesentliche Bestimmung ist, liegt außerhalb des immanenten Denkens, also außerhalb der Logik" (Pap. IV, C, 88). Daran knüpft sich der wesentliche „Grundsatz" K.s, daß Dasein weder definiert noch bewiesen werden kann. Logik und Ontologie sind grundverschieden. Mit Trendelenburg, den K. als den reinen und ehrlichen Interpreten griechisch-aristotelischen Geistes bezeichnet, wendet er sich auch von Kant ab. Kants Logik erscheint ihm nicht als „formale" Logik, wie er sie wünscht, sondern es spukt in ihr Ontologisches. Denn Trendelenburg zeigt (Log. Untersuch., S. 18 f.), daß die formale Logik sich zu Unrecht aristotelisch nenne. K. übernimmt diese Behauptung.

Wie sieht nun K. die Beziehung zwischen Denken und Sein? Er bietet einen existentiellen Ersatz für H.s gesetzte Identität, in gewissem Sinne eine Korrektur in der Form des Sprungs. Diese Bewegung über einen die Quantitäten und Qualitäten trennenden Graben ist die Herstellung der Beziehung zwischen Denken und Sein. Der Sprung ist als Analogon zu H.s Identität zu verstehen, aber im Sinne einer Antithese. Er trennt und verbindet. Mit den Worten Quantität und Qualität im H.schen Sinn kann K. das Sein als solches nicht bestimmen. Das Sein hat für K. nur eine Eigenschaft, die Charakteristik und Bezeichnung zugleich ist: seiend. Das ist zwar eine qualitative Aussage. Es ist damit aber nicht gesagt, daß es selber Qualität sei. Es ist es nicht selbst, aber es ist Bestimmtheit dieser Begriffe. Sein ist also qualitative Bestimmtheit. Das Sein läßt sich aber auch quantitativ bestimmen: nämlich das mögliche Sein, nicht *das* Sein. Das ist eine niedere Bestimmung. Die höhere, die qualitative Bestimmtheit wird erst durch die Kinesis. *Man muß deutlich sehen, daß diese schwierigen und nur umständlich zu hantierenden Begriffe von der H.schen Philosophie oder ihren frühen Kritikern kommen.* So wird etwa die Kinesis im aristotelischen oder Trendelenburgschen Sinne zunächst einfach aufgenommen, dann aber krasser angewendet: Trendelenburgs Kinesis wird zu K.s Sprung. Entsprechend setzt dann K.s Kritik an Trendelenburg ein (vgl. etwa Pap. V, C, 12).

Als Ergebnis kann nun soviel formuliert werden: Der Sprung ist keine logische Operation, keine Denkarbeit. (Die Anwendung in „Religiosität B" ist diese: Glaube kann nicht durch Logik, christliches Zeugnis nicht durch Denkarbeit erarbeitet werden!) Der Sprung ist das Existieren selbst. Er ist Sache des existierenden Individuums in der Entscheidung. Es gibt keine Approximation, nur ein „Entweder – Oder". Jedes „Quantitieren" zu etwas ist unmöglich. Für dieses Axiom (denn als ein Beweis kann es nicht angesehen werden) gibt es keinen anderen Grund als K.s Frage: wie werde ich ein

Christ? So sagt er, „daß auf diesem Wege (Approximation) sich in den Glauben hineinquantitieren zu wollen ein Mißverständnis ist, eine Sinnestäuschung, daß es eine Anfechtung für den Glaubenden ist, sich um solche Erwägungen zu bekümmern" (VI, 109). Und an anderer Stelle: „Was hier angedeutet worden ist, haben die ›Brocken‹ oft genug eingeschärft, nämlich, daß es keinen direkten und unmittelbaren Übergang zum Christentum gibt, und daß deshalb alle, die einen auf diese Weise ins Christentum rhetorisch hineinschieben oder gar hineinprügeln wollen, Betrüger sind. Doch nein, sie wissen nur nicht, was sie tun" (VI, 139).

Das „Hineinquantitieren" drückt sich vor der „inneren Not", umgeht die Krisis (das „Scheitern" in der Existenzphilosophie). Ganz abgesehen von den möglichen philosophischen Begründungen ist diese Erkenntnis ein wahrheitsgetreues Abbild der biblischen Botschaft.

4. Kierkegaards Begriff des Werdens und der Notwendigkeit als Ergebnis seiner Kritik. Mit der Frage nach K.s Begriff des Werdens und der Notwendigkeit (beides kann in keinem Denken getrennt betrachtet werden) ist das Problem der ›Philosophischen Brocken‹ berührt.

K. hatte für seine ›Brocken‹ einen anderen Titel vorgesehen, den er aber wieder fallenließ: „Die apologetischen Voraussetzungen der Dogmatik oder Annäherung des Gedankens an den Glauben". Dieser Satz ist sehr aufschlußreich und faßt das Thema der ›Brocken‹ und weitgehend aller philosophischen Schriften zusammen.[10]

K. sieht alles Werden als in Freiheit Werdendes. Werden geschieht nicht aus Notwendigkeit. „Nichts, das wird, wird aus einem Grunde, alles aus einer Ursache. Jede Ursache endet in einer freiwirkenden Ursache" (VI, S. 69). Diese schwerwiegenden Sätze grenzen K. scharf gegen H. ab. Bei H. ist das Zustandekommen des Begreifens, die Erkenntnis, eine Sache des Werdens, das in der Logik beschrieben, resp. begriffen wird. Für K. gehört die Bewegung nicht in die Logik.

---

[10] Die ›Brocken‹ liegen bereits in der von E. Hirsch besorgten Übersetzung und Ausgabe vor. Der Einheitlichkeit halber wird Schrempfs Übersetzung weiter zitiert (VI). Schärfste Kritik mit Beispielen äußert L. Richter an Hirschs Übersetzung, ThLZ 1952, 3, Sp. 143 ff.

Wenn also K. fragt: „wie verändert sich das, was wird? oder worin besteht die Veränderung (alloiosis) des Werdens?" (S. 67), so gibt gleichsam Trendelenburg K. die Antwort und spricht mit Aristoteles' Worten: „Wer die Bewegung nicht kennt, kennt die Natur nicht" (Log. Untersuch., S. 121). „Wir nehmen die Bewegung als eine Tatsache der Natur, und wenn wir sie zugleich als eine Tatsache des Denkens anerkennen, fragen wir, wie weit sie im Geiste greife und wie viel sie trage." Aristoteles wird zitiert von Trendelenburg: „Nach seiner Ansicht (Phys. III, 2) soll die Bewegung die Verwirklichung (Entelechie) dessen sein, was der Möglichkeit nach ist, inwiefern es ein solches ist, sie ist ihm nach einem anderen Ausdruck eine unvollendete Energie." K. übernimmt dies trotz aller Unterschiede. Aristoteles begreift die Veränderung als eine Art qualitativer Bewegung. Das gleiche tut K.: „Denn wenn der Werdende nicht in der Veränderung des Werdens in sich selbst unverändert verbleibt, so ist das Werdende nicht dieses Werdende, sondern ein anderes, und die Frage verschuldet eine ‚metabasis eis allo genos' ... dagegen erhält der Werdende unverändert Dasein, welches ist dann die Veränderung im Werden?" *Die Frage wird dadurch gelöst, daß K. die Veränderung als nicht im Wesen, sondern im Sein erkennt.* Die Veränderung „ist die Bewegung vom Nicht-Dasein zum Dasein". Das Nicht-Dasein kann, das geht aus seiner Funktion hervor, nicht ein Nichts-Sein sein, es muß auch da-sein, in der Form des Nicht-Daseins, sonst könnte das Werdende von ihm nicht ausgehen. Nicht ein Nichts-Sein, sondern ein Nicht-Sein ist der Grund der Veränderung, „denn jede Veränderung hat allezeit ein Etwas zur Voraussetzung". So kommt K. zu der *wichtigen Definition, daß dies Sein, das als Nicht-Sein den Ausgang für das Werden bildet, die Möglichkeit sei.* Ein Sein dagegen, das nicht Nicht-Sein ist, sondern seiendes Sein, ist das wirkliche Sein oder die Wirklichkeit: die Veränderung des Werdens ist der Übergang von der Möglichkeit zur Wirklichkeit. Die anfängliche Frage: wie verändert sich das, was wird?, ist damit also beantwortet, daß die Veränderung eine Veränderung im Sein, nicht im Wesen ist.

Die Kinesis kann nicht unter dem Zeichen der Notwendigkeit stehen, aus folgenden Gründen:

a) Veränderung ist eine Möglichkeit zur Definition, daß Sein und Wesen verschieden sind, d. h.: Möglichkeit und Wirklichkeit sind im Sein verschieden, im Wesen gleich. In der Notwendigkeit fällt aber Wesen und Sein in eins zusammen. Ergebnis: „Es wird schlechthin nichts aus Notwendigkeit" (VI, 68).

b) Alles Werden versteht K. als ein Leiden, „und das Notwendige kann nicht leiden, nicht das Leiden der Wirklichkeit leiden". Oder anders: Das Mögliche wird durch die Wirklichkeit zunichte gemacht, weil es in dem Augenblick, wo es wird, nicht mehr Möglichkeit, sondern Wirklichkeit ist, da das Werden als der Übergang von der Möglichkeit zur Wirklichkeit verstanden ist. Deutlicher: damit etwas werden kann, muß der Ausgang des Werdens durch das Werden zum Nichts werden (Reue!). Das ist beim Notwendigen nicht möglich, denn es ist, weil es notwendig ist. Als Ausgang zum Werden dürfte es aber nicht *sein*. Notwendigkeit ist Seinsbestimmung, ist selbst Sein.

Dies alles ist darum so scharf bestimmt, weil H. die Notwendigkeit ganz anders definiert hatte: sie ist die „Identität der Möglichkeit und der Wirklichkeit" (Enzykl. § 96). Die Identität wird inhaltsvoll verstanden, Zufälligkeit, Möglichkeit und Wirklichkeit sind Fragen des Inhalts. Die aus einer Ursache gefolgte Wirkung setzt die Wirklichkeit (vgl. Enzykl. § 101, auch § 108, 3: „der Übergang von der Notwendigkeit zur Freiheit, oder vom Wirklichen in den Begriff, ist der härteste" – darum macht der Begriff der Freiheit H. überhaupt Schwierigkeiten). Die Substantialität und Akzidentialität bieten die Verhältnisbestimmung der Notwendigkeit, wobei Substantialität wesentlich als Kausalität verstanden ist. Dazu fragt K., wie das zu verstehen sei, daß die Notwendigkeit eine solche Einheit sei. Er argumentiert so: der Fehler liegt darin, daß Möglichkeit und Wirklichkeit seinsverschieden sind, sie können also keine Einheit bilden, zumal ja die H.sche Einheit, die Notwendigkeit, wesensbestimmt ist. „Das ist ebenso unmöglich wie widerspruchsvoll", denn Möglichkeit und Wirklichkeit würden, wenn sie in der Notwendigkeit ihre Einheit fänden, zu einem absolut anderen Wesen, und „das ist keine Veränderung". Ergebnis: Das Werden geschieht durch Freiheit.

Was K. so über das freie Werden sagt, findet seine Konkretheit in der Betrachtung des Geschichtlichen. Die Unveränderlichung des Notwendigen sieht K. darin, daß „es sich beständig zu sich selbst und zu sich selbst auf die selbe Weise verhält, daß es jede Veränderung ausläßt" (VI, 70). Das ist die Unveränderlichkeit des Notwendigen. Dieser Satz ist aber irreversibel. Man kann nicht umgekehrt sagen, daß das Unveränderliche notwendig sei. Das verhindert die Zeit, in der Werdendes nachträglich Gewordenes ist. So ist das historisch Vergangene unveränderlich, weil es Gewesenes ist, aber es ist als solches nicht notwendig (Sündenfall!). Unter Geschichtlichem versteht K. zunächst nicht mehr als etwas einfach Vergangenes, Gewesenes. „Die Unveränderlichkeit des Vergangenen besteht darin, daß dessen wirkliches So nicht anders werden kann." Daraus folgt aber nicht, daß das mögliche Wie nicht anders hätte werden können (Schuld).

Das Werden kann aber in „sich eine Verdoppelung enthalten: eine Möglichkeit des Werdens innerhalb seines eigenen Werdens" – *das ist das eigentlich Historische*, wie es K. versteht, *das „in Beziehung auf die Zeit dialektisch ist"*. Da nun das Gewordene nicht als notwendig Gewordenes begriffen wird, kann das Zukünftige zu dieser Bestimmung nicht im Widerspruch stehen. Damit es werden kann, darf es nicht notwendig sein. Da die Notwendigkeit das Werden unterbindet, könnte vom Zukünftigen und auch vom Vergangenen gar nicht die Rede sein, wenn es unter dem Zeichen der Notwendigkeit stünde. Die Freiheit darf nicht zur Illusion werden. Eben die Freiheit möchte K. in ihrer reinen Form retten, sonst wäre keine Entscheidung möglich. Die Entscheidung ist aber das, worauf es ankommt.

Umgekehrt: die Unveränderlichkeit des Vergangenen, als nicht notwendig Gewordenes, ist die einzige Basis für die Erkenntnis einer Rechtfertigung des Begriffes der Sünde und der Schuld. Die Wahl, die Erkenntnis der Sünde, die Reue, die Existenz vor Gott, die Verantwortung, ist für K. mit einem notwendigen Werden nicht zu vereinbaren. Daher sieht er diese Begriffe oder Existenzformen des Menschen bei H. verunmöglicht.

III

Aktuelle Begriffe, die aus der Hegel-Kritik Kierkegaards herausgewachsen sind

1. Der Begriff der Existenz. Existenz, wie sie K. versteht, hat keine Beständigkeit. Sie ist nie in sich geschlossen und abgeschlossen oder sich selbst genug. Sie ist beständig im Werden. Das Werden ist als

Streben zu verstehen. Das Streben aber kennt kein endliches Ziel in dem Sinne, daß man denken könnte, sie strebe auf ein sichtbares Ziel zu. Das Streben ist nicht „Hin-Streben-zu-Etwas", denn es liegt im Wesen des Strebens-im-Werden, daß es nie fertig sein kann. Solange also etwas existiert, ist es im Werden. „Das Werden ist die Existenz des Denkers selbst" (VI, S. 171). Das Werden aber ist Sache des Subjekts. Das denkende Subjekt ist, indem es existiert, beständig im Streben. Existenz ist ausschließlich Sache des Einzelnen. Das nach dem Unendlichen strebende einzelne Subjekt ist beständig im Werden. K. liebte diesen Gedanken so sehr, daß für ihn der Begriff einer Gemeinde ganz bedeutungslos war.

K. handelt nicht vom seienden Subjekt, er redet vom denkenden Subjekt. Er gesteht zwar H. die Realität des objektiven Denkens ohne weiteres zu, sie ist „selbstverständlich". Aber was ist damit erreicht? Nichts, meint K., denn es handelt sich um den Einzelnen, der denkt. Das objektive Denken mitsamt der Gewißheit seiner Realität kann als Beschäftigung dienen, aber es bleibt außerhalb des Einzelnen. Auf wen denn, als auf das Ich kommt es an? – Die Erklärung des Daseins ist die Aufgabe, auch wenn eingeräumt wird, daß das Dasein als solches nicht „erklärt" werden kann. Wie sollte aber ein Denker, „der bei seinem Denken das mitzudenken vergessen kann, daß er ein Existierender ist", das Dasein erklären? Beim Vergessen des Existierend-seins kann weder erkannt noch gehandelt werden. Denn die Existenz ist das, daß man existiert.

Die Allgemeinheit, und also das objektive Denken, wird von K. als Flucht vor sich selber verstanden. Diese Flucht ist ein Weg aus dem Bereich weniger Möglichkeiten – aber möglicher Möglichkeiten – in den Raum unendlicher, unmöglicher Möglichkeiten. Der Existierende geht auf der Flucht sich selbst verloren, oder besser: er geht Gott verloren, oder genauer: Gott geht ihm verloren.

Die wenigen möglichen Möglichkeiten sind sinngebende und mit Sinn ausfüllbare Möglichkeiten. Das Sein des Existierenden, also der Existierende selber, ist der permanenten Möglichkeit gegenwärtig, durch seine Beziehung zur Transzendenz eine sinnvolle Weisung zu sehen, oder mit anderen Worten: von Gott einen Auftrag zu hören, der ihm dann die Gewißheit der gesuchten Beziehung gibt. Das ist die eine Seite, diese sinngebende und beglückende Möglichkeit steht ihm offen. Andererseits ist dem Existierenden, und nur ihm, nicht nur als Möglichkeit, sondern als sein eigentliches Wesen, das Werden eigen. Das Werden erst führt ihn zur Entscheidung, zum Entweder-Oder.

Diese beiden Möglichkeiten sind „nötig". Der Mensch muß sich als Existierender wissen, sonst kann er sie nicht eingehen. Diese „Bestimmung des Menschen" statuiert K. nicht einfach, er wertet sie als Interpretation des Evangeliums, erlebt sie selbst und konfrontiert sie gegen H. „Der wirkliche existierende subjektive Denker bildet beständig im Denken diese seine eigene Existenz nach und versetzt sein ganzes Denken ins Werden" (VII, S. 67).

Das Nach-Bilden der Existenz im Denken führt die Existenz auf mich selbst zurück und läßt sie als im Ich seiend und *als* Ich seiend erscheinen. Dies Ich, nur bezogen auf die Welt der Allgemeinheit, den Kosmos, den Mitmenschen, sieht nur Dunkles um sich. Solche Setzung ist sinnlos. Weil es sich aber als Gesetztes versteht (passiv), da es sich als Ich begreift, also als mit dem Wert des Einzelnen versehen, muß die Setzung durch eine „Instanz" vorgenommen worden sein. Sofern man diese Setzung glaubt und sich die setzende Instanz zu vergegenwärtigen sucht, kann über diese Instanz eine Aussage gemacht werden: sie kann nämlich, da sie ein höchst individuelles Ich gesetzt hat, nicht ein bloßes Etwas sein, nicht ein Unpersönliches. Sie muß auch das Wesen eines Ichs haben, sonst wäre ihr die Setzung nicht möglich. Diese Instanz ist für K. der persönliche Gott [11].

Diese Existenz „vor Gott" ist bei K. aber keine beständige Existenz. Der eben genannte Gedankengang soll auch kein Beweis Gottes sein. K.s Glaubensgewißheit ist immer an bangende Ungewißheit gebunden. Das liegt im Wesen jeglicher Existenz, die „vor der Transzendenz" begriffen wird (wie die Existenzphilosophie sagt).[12]

Es wird hier noch deutlicher, warum K. sagt, es könne kein System des Daseins geben. Nur der existentielle Denker hat die Wahrheit. Die Wahr-

---

[11] Diese theologisch problematische Argumentation findet sich fast wörtlich bei K. Heim wieder, Chr. Gottesgl. u. d. Naturwiss., 1 (1949), S. 222 f.

[12] So sagt K. Jaspers das gleiche, wenn er schreibt: „Existenz gewinnt eine nie objektive, daher ständig auch in Frage bleibende Gewißheit vor der Transzendenz, erwirkt ein Leben im Darauf-hin-wagen, daß Transzendenz ist", V. d. Wahrheit (1947), S. 81, und an anderer Stelle: „Denn der Existenz, und nur ihr, nicht für das Bewußtsein überhaupt, erscheint als ein höheres die Transzendenz, ohne die sich Existenz ihrer selbst nicht gewiß wird", Philosophie[2] (1948), S. 420.

heit ist aber nur für den Einzelnen. Die Aufgabe des Einzelnen ist es, „sich selbst in Existenz zu verstehen" (VII, 48), oder „sich selbst in ein Instrument zu verwandeln, welches das Menschliche deutlich und bestimmt in Existenz ausdrückt". Weil die objektive Wahrheit nur für Gott, nicht aber für den Einzelnen zu erkennen ist, bleibt nichts anderes übrig, als die Beschäftigung in der Subjektivität mit der Subjektivität.

Allerdings liegt damit, abstrakt gesehen, in der Existenz ein Widerspruch. Dem gibt K. auch Ausdruck, wenn er sagt: „So lange ich lebe, lebe ich im Widerspruch. Auf der einen Seite habe ich die ewige Wahrheit, auf der anderen Seite das mannigfaltige Dasein, welches der Mensch als solcher nicht durchdringen kann, denn sonst müßte er allwissend sein" (Pap. V, A, 68). Denn es ist „die Identität von Denken und Sein nur eine Sehnsucht der Kreatur" (VI, 253).

Das ist aber das Wesentlichste, was zur Rettung des Individuums H.s mediierendem System gegenübergestellt wird: die dem Einzelnen im Streben eigene, auf Gott bezogene Existenz.

2. Der Begriff des Einzelnen und der Subjektivität. – Nach „oben" bleibt der Existierende nicht isoliert, er findet dort seine Gegenständlichkeit, welche ihn objektiviert. Und umgekehrt: der Gegenstand des Oben verleiht dem Individuum Gegenständlichkeit, weil Es, das Unendliche (in der Religiosität A), das Transzendente, Gott (in der Religiosität B) in die erste Dimension eingeht und Beziehung und Bindung zum Einzelnen schafft. Das Paradoxe geschieht, die Unendlichkeit tritt in die Endlichkeit ein. Das subjektive Individuum wird erst durch sein eigenes Unendlichwerden subjektives Individuum. Der Begriff des Einzelnen ist also unlöslich verbunden mit dem Begriff „vor Gott", der uns in K.s Schriften so häufig begegnet. „Du hast wesentlich nur mit dir selbst vor Gott zu tun" (Erbauliche Reden 3, 394). Es ist mit diesem „vor Gott" nicht das Gegenüber einer anderen Gegenständlichkeit gemeint, sondern immer ein „unter Gott" – immer die „qualitative Disjunktion der Qualitäten" (VIII, 73). Es ist nach K.s Auffassung so, daß der Einzelne die Kategorie ist, ohne die das Christwerden und das Christentum gar nicht möglich ist (K. grenzt sich hier bewußt von einem ästhetisch-reservierten Begriff des Einzelnen ab, wie er z. B. bei J. L. Heiberg in seiner Zeit zu finden ist). Vom Begriff des Einzelnen „vor Gott" gehen K.s weitere Begriffe in Abhängigkeit aus: die Entscheidung, der Sündenbegriff, die Innerlichkeit, die Leidenschaft und die Aneignung. Dieser Begriff des Einzelnen aber ist als Antithese gegen H.s Begriff des Einzelnen als „in-der-Gattung-seiend" zu verstehen.

Die Eigenschaft des subjektiv Existierenden ist die Innerlichkeit als Selbstreflexion, die Selbstbeobachtung als Vertiefung in das wahrhaft Subjektive, so daß gesagt werden kann: die Subjektivität ist die Wahrheit. Die Wahrheit Gottes kann nicht einer Menge mitgeteilt werden. „Die Menge ist die Unwahrheit" (X, Beilage ›Der Einzelne‹, S. 77 f.). Die Wahrheit kann nur vom Einzelnen empfangen und mitgeteilt werden: „der persönliche Gott kann nicht Mittelbestimmung in einem unpersönlichen Verhältnis sein", „Gott ist die Wahrheit und deren Mittelbestimmung" (X, 85).

Die Innerlichkeit ist K.s eigenstes Leben, sein Ernst. Das Ich in der Isolierung, das aber durch die Offenheit gegen Gott „existentiell" wird, erfährt seine Fähigkeit zum Glauben und zum Handeln nur durch „die unendliche Leidenschaft". Diese wichtigsten Begriffe K.s fügen sich am „Einzelnen" zu einer unzerreißbaren Kette zusammen und sind auch nur von dorther zu verstehen. Dies, vielleicht eine lutherische Fragestellung in der Grundform, ist zusammengefaßt in der Frage: wie werde ich ein Christ? Etwa: „Ich, Johannes Climacus (also nur die „Vorstufe", zunächst nicht K. selber), hier aus der Stadt gebürtig, jetzt dreißig Jahre ist, ein Mensch, eben wie die Leute meist sind, nehme an, daß für mich, ebensowohl wie für ein Dienstmädchen und einen Professor, ein höchstes Gut zu erwarten ist, das eine ewige Seligkeit genannt wird. Ich habe gehört, daß das Christentum einem dieses Gut bedingt; nun frage ich: wie komme ich in ein Verhältnis zu dieser Lehre?" (VI, 113). Dies, als die „echte" Frage, stemmt sich gegen H.s zweckerfülltes Individuum, das danach strebt, Träger der Idee der Allgemeinheit zu sein.

Von hier aus ist die Frage der Subjektivität als solcher gestellt. Der „subjektiv existentielle Denker" wird fortlaufend allem Hegelischen gegenübergestellt. Das Problem ist nicht die *Sache* selber, sondern die Subjektivität. Nur „objektiv" redet man von der Sache, subjektiv redet man vom Subjekt und von der Subjektivität, und „siehe, eben die Subjektivität ist die Sache" (VI, 198). Was ist nun diese Subjektivität? Sie ist vor allem nicht Objektivität, nicht Distanz, nicht das Allgemeine, nicht eine Lehre. Sie ist Innerlichkeit. Die Entscheidung „geschieht" in der Innerlichkeit, und eben die Entscheidung ist das Problem, nicht die „Sache". Sie kann nicht nur nicht bewiesen werden, sondern schon die Frage nach einem Beweis ist falsch. Die Subjektivität redet nicht über die Sache, sondern über die Beziehung des Subjekts zur Sache.

Die Entscheidung ist vor allem die Entscheidung um die Annahme des „Christentums" durch das Subjekt. Nicht nach der Wahrheit des Christentums wird gefragt, diese Frage ist genauso unmöglich wie die theologische Apologetik. Das Problem ist der Übergang von einem objektiven Wissen (Ich habe gehört daß diese Lehre . . .) über die christliche Wahrheit zu einem subjektiven Leben in dieser christlichen Wahrheit. „So protestiert das Christentum gegen alle Objektivität, und will, daß das Subjekt sich unendlich um sich selbst bekümmere" (VI, 199). K. wendet sich gegen die „Wissenschaft", die lehren möchte, was der Weg des Christseins sei, „während das Christentum lehrt, die Wahrheit sei die Subjektivität" (VI, 200). „Objektiv ist die Wahrheit des Christentums gar nicht vorhanden. Wenn sie nur in einem einzigen Subjekt ist, ist sie nur in ihm vorhanden!" Diese zu gefährlichen Konsequenzen führende Aussage hat wesentlich zur Schärfe des Kampfes mit der dänischen Kirche beigetragen. Glaube ist Subjektivität, diese aber ist Leidenschaft, so ist der Glaube Leidenschaft.

Für den „Beobachter" in der Objektivität gibt es keine Leidenschaft. K. sah im System der „allgemeinen weltgeschichtlichen Denkweise" den Ursprung der Mißstände in der dänischen Kirche. Beide Schwerpunkte von K.s Kritik: die Philosophie und die Kirche der Zeit, sind kaum voneinander zu trennen. Allerdings setzt mit seiner Dissertation nur Kritik an der Philosophie ein, erst später Kritik an der Kirche [13]. „Es ist ein Nonsens, daß ein Apostel Lehrer in einer bestehenden Staatskirche sein will" (Pap. VII, B, 235).

Als das Paradox erscheint nun folgendes: Der subjektiv Existierende ist beständig vor der objektiven Ungewißheit. Das einzige Gewisse ist die Unendlichkeit. Existieren ist zeitlich, das existierende

[13] P. A. Heiberg, S. K.s religiøse Udvikling (1925).

Subjekt aber ewig. So tritt das Ewige ins Dasein. Das Ewige wird, es entsteht, das ist der Widerspruch. Dies bezeichnet K. als den „Trug" (VI, 163). Wenn dieser Trug in direkter, objektivierender Aussage berichtet wird, erscheint er naturgemäß als etwas Unwahres. Dies ist der Beweis für die Unerläßlichkeit der Doppelreflexion, der indirekten Mitteilung. Der Widerspruch ist in einem Worte der: das Ewige wird. Das ist aber zugleich der Mittelpunkt der christozentrischen Theologie, und diese allgemeine Beschreibung des Paradoxes meint letztlich nichts anderes als eben dies Wunder: Weihnacht.

3. *Der Begriff des Augenblicks, Christus in der Zeit.* – „Hegel erinnert trotz seiner ausgezeichneten Eigenschaften und seiner kolossalen Gelehrsamkeit doch immer wieder daran, daß er im deutschen Sinne ein Philosophieprofessor großen Stils war, denn er erklärt à tout prix alles" (V, 13/14). Dies trifft für das verborgene Geheimnis zu, das die Zeit in unerklärbarer Weise dem Menschen bieten kann. Der Augenblick ist nicht ein Moment, er ist ein Konzentrat, Plattform der Entscheidung. Der Augenblick ist Meisterstück, Meisterschaft (vgl. III, 73: die direkte Mitteilung des Augenblicks ist das Kennzeichen des unechten Glaubensritters). Der „Augenblick ist erfüllt vom Ewigen", er ist „die Fülle der Zeit" (VI, 16). Gott, der im brennenden Busch erscheint, das ist der Augenblick. Augenblick und Offenbarung gehören zusammen. Bei H. aber gibt es keine „geschehene" Offenbarung, nur „getätigte" Offenbarung, die sich selbst ausschließt. Der Augenblick ist die letzte Fallgrube für den Spekulanten. Von ihm aus „ergibt sich alles von selbst" (VI, 47). Augenblick und Paradox gehören zusammen, weil die Offenbarung das Paradox ist. „Das Paradox in unendlicher Abbreviatur kann man den Augenblick nennen." H. kennt keine unendliche Transzendenz, die ins Endliche eingeht, sagt K., weil er nicht vom Augenblick weiß.

Es ergibt sich nun eine ganze Reihe von „Identitäten". Das Paradox ist der Augenblick. Der Sprung ist das Paradox, und also als im Augenblick *der* Augenblick. Das Paradox aber ist das Ärgernis. Die Offenbarung Gottes ist das Paradox im Augenblick, „alles Ärgernis ist seinem Wesen nach ein Mißverständnis des Augenblicks, da es ja ein Ärgernis am Paradox und das Paradox wiederum der

Augenblick ist" (VI, 47). „Der Ausdruck des Ärgernisses ist, daß der Augenblick die Torheit, das Paradox die Torheit ist."

K. läßt für den Begriff „Augenblick" mancherlei Modifikationen zu. An der „begrifflichen Bestimmung des Vergangenen, des Zukünftigen, des Ewigen" kann man sehen, wie man den Augenblick zu bestimmen hat (V, 87). Der Augenblick kann als das Ewige verstanden werden, aber das Ewige zugleich als das Zukünftige (Eschatologie) *und* das Vergangene (Protologie): ›Begriff der Angst‹. Letzten Endes ist der Augenblick identisch mit der Auferstehung. – Anders ist es in den ›Brocken‹. Da ist der Augenblick vornehmlich als das Zeitkonzentrat gefaßt, in welchem das Werden geschieht. Weiterhin aber auch – das nähert sich wieder ›Begriff der Angst‹ – als das Wunder der Gottmenschheit Christi. K. läßt jedenfalls im Augenblick Gott und Mensch zur Einheit werden (vgl. IX, 70, 110), im Gegensatz zu H.s „Einheit" von Gott und Mensch. Was H. in der Weltgeschichte geschehen läßt, läßt K. im Augenblick vor sich gehen. Diese Einheit von Gott und Mensch im unendlichen Augenblick (der Entscheidung) ist die bewußte Gegenüberstellung zu H.s Synthese in der Geschichte.

Dieser Begriff des Augenblicks, in dem Gott und Mensch sich zusammensehen, kann nur in Verbindung mit der biblischen Offenbarung verstanden werden. Entsprechend der indirekten Mitteilung, dem Schüler–Lehrer–Problem und der Isolierung des Glaubensritters, muß Gott in der Zeit, Christus, als Incognito verstanden werden. K. sah im System H.s genug Ansporn und im N.T. genug Material, diesen Gedanken ausbauen zu können. Christus lebte und lebt wirklich, für K. ist das geschichtliche Dasein Christi von großer Bedeutung – ähnlich wie für H. Aber das unerläßliche Charakteristikum seiner Person ist das Incognito. Incognito und Knechtsgestalt ist letztlich das gleiche. Beides ist notwendig für das Heilswerk: dem Geringsten gleich zu sein. Das ist der Anfang des Heilswerkes (wohl wieder eine lutherische Grundkonzeption). „Aber diese Knechtsgestalt ist nicht nur umgehängt wie des Königs Bettlermantel, der darum auch lose flatterte und den König verriet; sie ist nicht nur umgeworfen wie der leichte sokratische Sommermantel" – also mehr als Ironie –, „der, obschon aus nichts gewoben, doch zugleich verbarg und verriet, sie ist seine wahre Gestalt" (IX, 112 f.). „Denn dies ist die Unergründlichkeit der Liebe . . ." Die Versuchung für Christus ist die, die Incognito-Knechtsgestalt aufzugeben.

H. sagt von dem Christus als Gott in Knechtsgestalt der Verborgenheit, ihn gäbe es nicht. Die Person Christi unterliegt in H.s Philosophie der gleichen nivellierenden Darstellung wie der Begriff der Wirklichkeit Gottes. Die historische Betrachtung von Christus ist die „geistlose" Betrachtung. Sie ist eine äußere Betrachtung, und als solche „für den Inhalt an und für sich gleichgiltig, indem die Person nicht der Inhalt der Lehre ist" (XIII, S. 87 f.). Und dann die bekannte Stelle (Phil. d. Gesch., 392/96): „Für die Apostel war Christus als lebend nicht das, was er ihnen später als Geist der Gemeinde war ... Ebensowenig ist es das rechte Verständnis, wenn wir uns Christi als einer gewesenen historischen Person erinnern ..." – K. aber interpretiert die Konsequenzen des sich in Christus offenbarenden Gottes so: „... man dichtet Christus im Grunde um. Man macht ihn zu einem Menschen, der sich das Außerordentliche zu sein bewußt war, worauf aber seine Zeit nicht aufmerksam wurde. Das kann wohl wahr sein. Aber man dichtet weiter, man dichtet, daß Christus im Grunde gern direkt als das Außerordentliche kenntlich gewesen wäre, daß ihn aber die Verblendung seiner Zeit ungerechterweise nicht verstehen wollte" (Martensen?). „Das heißt, man verrät, daß man gar nicht versteht, was ein Incognito sagen will. Es war Christi freier Beschluß von Ewigkeit her, incognito sein zu wollen" (IX, 115). Es ist der Wille Gottes, unkenntlich gewesen zu sein. Es ist das gleiche, wie wenn „ein Polizeibeamter in Zivil geht" (IX, 114). Das Incognito ist indirekte Mitteilung. Christus könnte das Incognito aufheben, aber er tut es nicht. „Er ist Gott, aber er wählt, dieser einzelne Mensch zu werden. Das ist wie gesagt das tiefste Incognito oder die undurchdringlichste Unkenntlichkeit, die möglich ist, denn der Widerspruch zwischen Gott sein und ein einzelner Mensch sein, ist der größtmöglichste, der unendlich qualitative" (IX, 118).

Wenn K. sagt, einen Standpunkt zu haben, das sei ihm beides, viel zu wenig und zu viel, so hat er doch eine Grundintention, die all sein Suchen und Sagen begleitet: das Sokratische. Wenn auch die Ironie das „Konfinium" (VII, 187: „Es gibt drei Existenzsphären ... diesen entsprechen zwei Konfinien") zwischen ästhetischem und ethischem Stadium ist, so kommt K. letzten Endes doch nicht über die Ironie hinaus. Diese erste Form der Kritik an H. bleibt Grundeigenschaft und Eigentümlichkeit K.s und letztlich sein Geheimnis [14].

[14] H. Diem sagt, K. „habe keine Theologie", Zw. d. Zeiten, 6 (1928), S. 140, 144, 151, 165; an anderer Stelle sagt Diem ganz sicher das Richtige,

Vom Einfluß auf die Theologie späterer Zeit sind vor allem noch folgende gegen H. gerichtete Äußerungen K.s gewesen: „Beweisen zu wollen, daß dies Unbekannte – Gott – sei, fällt dem Verstande kaum ein. Wenn Gott nämlich nicht Dasein hat, so ist es ja eine Unmöglichkeit, dies zu beweisen, hat er aber Dasein, so ist es eine Torheit, das beweisen zu wollen. Denn in dem Augenblick, da ich den Beweis beginne, habe ich es vorausgesetzt, und zwar nicht als zweifelhaft (was ja eine Voraussetzung nicht sein kann, da sie eine Voraussetzung ist), sondern als abgemacht" (VI, 36). Und weiter: „Zwischen Gott und seinen Taten ist ein absolutes Verhältnis, Gott ist nicht ein Name, sondern ein Begriff (Hegel?), vielleicht gilt deshalb von ihm doch: essentia involvit existentiam" (vgl. Sartre: l'existence précède l'essence); aber: „Taten, aus welchen ich sein Dasein beweisen will, existieren durchaus nicht" (VI, 37/38). Der erste Satz richtet sich unausgesprochen gegen Anselm (ausgesprochen in Efterladte Papirer, 1851, 70), der zweite gegen Spinoza, beide gegen H., vor allem der zweite.[15]

Gott zu beweisen ist ein Gedanke, der K. geradezu lächerlich erscheint (VII, 228). Weil Dasein überhaupt nicht zum Gegenstand der Beweisführung gemacht werden kann (Pap. V, A, 7), sagt K. über die Frage des Daseins Gottes: „Es ist eigentlich das Vertrauen auf ihn, das mir ermöglicht, zu beginnen", nicht eine Beweisführung. Es gilt: „daß nämlich der Mensch von Gott nichts in Wahrheit wissen kann, ehe er von ihm zu wissen bekommen hat, er sei von ihm verschieden, absolut verschieden" (VI, 42).

4. Der Begriff der Sünde. Die Garantie der Sündhaftigkeit ist das „vor Gott" (VIII, 70 f.). Zwischen dem Ärgernis und dem Glauben ist der Ort der Sünde. Die Sünde „ruft den Einzelnen als den Einzelnen" (V, 95). Dem Sündenbegriff Martensens (Dogmatik 2, S. 170. 183. 209 f.) stellt K. die Sünde als Position entgegen. K.s Sündenbegriff ist aber nicht nur These, sondern seine Sünde selber.

Phil. u. Chr.tum bei S. K., S. 346: „K. denkt nicht einmal als Theologe und einmal als Philosoph, sondern er denkt immer als Christ." Es geht wohl weniger um die Frage, ob K. „Theologie habe", denn tatsächlich hat er sich entscheidend zur Theologie geäußert, sonst wäre auch keine Kritik an seinen oben zusammengefaßten Meinungen möglich. Vielmehr wäre zu fragen, was – trotz Kritik an K.s Meinungen – später Theologie geworden ist.

[15] Über H.s Gottesbeweise vgl. K. Domke, Das Problem der metaphysischen Gottesbeweise in der Philosophie H.s (1940), und Erik Schmidt, H.s Lehre von Gott (1952).

Das ist der grundsätzliche Unterschied zu H. Wenn irgendwo, so
kann hier am wenigsten das Werk K.s von seinem Leben getrennt
betrachtet werden. H. wußte sich selbst nicht schuldig oder sündig,
er begriff nur das „Geschlecht", wie K. es ausdrückt, als sündig. K.s
Sündenbegriff hingegen ist ein „Existentialbegriff", die Sünde wird
erst durch Gott erhellt, Gott erst durch die Sünde. H.s Sündenbegriff
ist ein Kollektivbegriff (vgl. H., Phänomenologie, ed. Lasson, S. 560,
und K. VIII, 94), der die einzelne Person nur als Teilglied der
sündigen Summe ansieht.

Es ergibt sich aus dem Prinzip der Identität, daß der Einzelne auf die
Allgemeinheit bezogen ist, dies gibt aber nach K.s Kritik dem Einzelnen
keine Antwort auf seine Frage, weil das System nur Antworten auf die
allgemeine Wirklichkeit gibt (vgl. VII, S. 28). Wenn der Mensch in H.s
System von der Sünde weiß, so berührt diese Sünde nur sein Wissen. Seine
Existenz wird nicht angegriffen. Der Mensch als in der Sünde gedacht fordert logisch die Versöhnung. Die Versöhnung geht aus dem Zustand der
Sündhaftigkeit hervor. Aber existentiell ergibt sich daraus nichts. Existentiell führt das Wissen der Sünde nicht zu Versöhnung. Der Mensch bliebe
auf eine Gnade, die ihm selbst immanent ist, angewiesen. Der Glaube ist
bei H. im Wissen aufgehoben.

K.s Sündenbegriff wird zwar auch logisch betrachtet. Die Frage
ist aber die: Konnte Adam, bevor er von dem Baum der Erkenntnis genommen hatte, überhaupt beurteilen, ob das Überschreiten des Verbotes gut oder böse sei? K.s Antwort ist eindeutig
Nein. Auf diesem Wege kommt K. zu der sokratischen Unwissenheit zurück. – Zweifellos ist aber durch den Fall Adams die
Sünde in die Welt gekommen, weil Adam sie aber unwissend
tat, ist sie durch Unwissenheit entstanden. Daraus könnte folgende
Konsequenz gezogen werden: „Wie also Adam die Unschuld durch
die Schuld verlor, ebenso verliert sie jeder Mensch. Geschah es
nicht durch Schuld, daß er sie verlor, so war es auch nicht die
Unschuld, die er verlor, und war er nicht schuldig, bevor er
schuldig wurde, so wurde er nie schuldig" (V, 30). Die richtige
Lösung ist aber diese: Da Unmittelbarkeit nicht durch Mittelbar-
keit aufgehoben werden kann, ist Unschuld etwas, das durch „ein
Transzendentes" aufgehoben wird, weil eben die Unschuld etwas
ist, und nicht erst durch ihr Aufgehobensein Dasein gewinnt. K. fügt

dann bei: Der richtige Ausdruck für die Unmittelbarkeit sei der, den H. für das reine Sein gegeben habe, wenn er es als Nichts bezeichne. So ist also auch der Inhalt des Verbotes für Adam ein Nichts. Dennoch hat er ein Schaudern davor: Angst (so kann der bekannte Unterschied K.s zwischen Angst und Furcht bestimmt werden). Angst ist „Schwindel der Freiheit" (V, 57), und Freiheit ist Bedingung für die Sünde. Wie das Ärgernis zum Glauben, so steht Angst zur Sünde, sie ist Voraussetzung, Durchgangsstadium.

Eigentlich kann K. nicht von „Erbsünde" sprechen. Sie ist für ihn wohl das Problem des Verhältnisses von Sünde und Geschichte. Durch Adam ist die Sünde zur Position geworden, zum Positiven, weil sie das „vor Gott" erhellte. Aber jeder zeitlich spätere Mensch muß seine Beziehung zur Sünde im gleichen Verhältnis sehen wie Adam. Wesentlich ist darum vor allem dies – als Konfrontation gegen H. –: der Sündenfall ist in Gottes Augen täglich neu (Efterladte Papirer, 1854, 134; auch 324). Jeder Mensch bringt durch seine Sünde täglich neue Sünde in die Welt. Das Individuum beginnt „beständig von vorn". Denn „des Individuums Vollendung in sich selbst ist somit die vollkommene Participation am Ganzen" (V, 23). So kommt K. zu dem allerorts so oft zitierten Satz: „Jeden Augenblick hat es seine Gültigkeit, daß das Individuum es selbst ist und das Geschlecht. Dies ist die Vollkommenheit des Menschen als Zustand gesehen" (ebd.). Das ist des Menschen Würde, daß sein Abfall vom Geschlecht das Geschlecht selber anders bestimmen würde, während es bei einem Tier, das von der Art abfiele, für die Art „ganz gleichgültig sein" würde. *Da das Individuum es selber ist und das Geschlecht zugleich, so beginnt es auch als es selbst die Geschichte des Geschlechts von vorne.* – Damit ist – weniger auf theologischem als auf geschichtsphilosophischem Wege – die Trennung von H. endgültig vollzogen.

Was K. über seine eigenen philosophischen Prolegomena zu einer Dogmatik, die aus Antithesen gegen H.s Logik herausgewachsen sind, selbst dachte, formuliert er gegen Ende der ›Nachschrift‹ (VII, 241): „Vorliegende Schrift hat es schwer gemacht, ein Christ zu werden: so schwer, daß die Anzahl der Christen unter den Gebildeten in der Christenheit vielleicht doch nicht so groß wird. (Vielleicht!

Denn wissen kann man es nicht.) Ob dieses Unternehmen christlich ist, entscheide ich nicht."

Abschließend wird man sagen können, die Behauptung sei nicht zu einseitig oder zu hoch gegriffen, daß gerade solche Anregungen K.s, die in den Anfangsjahren der heutigen Theologie freudig aufgegriffen worden sind, ihren Ursprung in der Kritik an H. haben und somit also von der Auseinandersetzung mit einem System her kommen. Es liegt auch heute nahe, in der Diskussion um Systeme – etwa Thomismus oder Marxismus – ähnliche Wege zu gehen, wie sie K. damals als notwendig und richtig erschienen. Zu K.s Zeiten gab es auch noch andere Kritiker H.s und Skeptiker gegenüber der dänischen Staatskirche. Aber keiner von ihnen ist uns heute so wertvoll wie der Kritiker des ›Anfangs‹ am System. Und einem System, das Totalerkenntnis vorgibt und allgemeines Heil verspricht, kann nur durch Prüfung des Anfangs entgegengetreten werden.

Die enge Beziehung zwischen K.s Schriften im Ganzen und dieser komplizierten Kritik am Anfang verbietet andrerseits ein vorschnelles Hantieren mit vermeintlich theologischen Gedanken und Ausdrücken K.s. Es verdient diese Beziehung und daher wohl auch die Abhängigkeit K.s von H. die erste Untersuchung, bevor geurteilt oder zitiert wird.

Nachtrag

Die vorstehende Arbeit, die ich 1949 – mit zwanzig Jahren – als philosophische Dissertation schrieb und einige Jahre später unter Berücksichtigung inzwischen erschienener Bücher in das Format eines Aufsatzes zwängte, würde freilich heute anders ausfallen. Nicht nur neuere Arbeiten über Hegel (z. B. von H. Schmitz, E. Heintel, H. G. Gadamer, W. Albrecht, J. Habermas und E. L. Fackenheim) und über Kierkegaard (z. B. von W. Anz, W. Lowrie, H. Schweppenhäuser und E. Hirschs zahllosen gelehrten Anmerkungen zu seinen Übersetzungen) müßten mein Vorgehen bestimmen, sondern vor allem würde das neue Interesse, das Hegels Philosophie heute bei Theologen sowie Marxisten gefunden hat, den ganzen Rahmen meiner Fragestellung verschieben. Der Schwerpunkt läge weniger beim Formalen als beim

Ausziehen der Ansätze H.s und K.s auf mögliche theologische Applikationen. Das wäre heute um so aufschlußreicher, als ja die neuerlichen Vertreter einer Hegel-Renaissance unter deutschen Theologen offensichtlich nicht ausreichend von K.s und auch Trendelenburgs Kritik an H. profitiert haben (vgl. W. Pannenberg, Grundfr. System. Theol. S. 41). Andrerseits ist das fehlende Interesse an dieser Art von Hegel-Kritik auch verständlich, weil wir uns heute in der Theologie gerade darum bemühen, von der einseitigen – und eben von K. beeinflußten – Konzentration auf die „Existenz des Einzelnen" loszukommen.

Zu den mehr historischen Aspekten der vorstehenden Arbeit muß noch korrigierend erwähnt werden, daß mich Niels Thulstrup („Kierkegaards Verhältnis zu Hegel", Basler Theol. Zeitschr. Jahrg. 13, 1957, S. 200–226), damals offenbar in verteidigender Haltung gegenüber der dänischen Staatskirche, recht scharf kritisierte, weil ich die Kirche zur Zeit K.s als zu hegelisch gesehen hätte. Das mag durchaus wahr sein, und ich war und bin freilich kein Kenner der dänischen Kirchengeschichte, möchte aber dreierlei zu Thulstrups Kritik bemerken: 1. hat K. die Kirche sicher für hegelischer angesehen als Thulstrup und wohl auch als sie wirklich war; 2. habe ich Bischof H. Martensens ›Dogmatik‹ und den 1. Bd. der ›Christl. Ethik‹ nochmals durchgesehen und kann K.s Eindruck „Alles dozieren kann Martensen" nur bestätigt finden, Thulstrup sieht selbst bei Martensen „eine bedeutsame Beeinflussung von Hegel, vor allem in der Methode" (S. 206), und beschreibt auch K.s Auffassung der Philosophie H.s als durch Hegelianer und Antihegelianer bedingt und vorgebildet (S. 215), so daß es also letztlich für das Verständnis K.s nicht mehr wesentlich ist, daß der Philosoph J. L. Heiberg damals im fachlichen Sinne der einzige „Hegelianer" war (Thulstrup sagt: „von den gewöhnlichen Parteigängern und unselbständigen Epigonen natürlich abgesehen", S. 201); und 3. hat Thulstrup mehrfach meine Ansicht bestritten (S. 200, 215 f., 225 f.), K. hätte bei H. ihm vertraute und ihn beeinflussende Themen gefunden, und er vermißt bei mir (mit einigen ungenauen Seitenangaben und Zitaten) eine Unterscheidung zwischen K.s Intention und Ergebnis, auf die es mir ja gerade ankam (s. o. S. 240, Par. 4); mehrere kritische Passagen in Thulstrups Arbeit beziehen sich nur scheinbar auf meine Interpretation, wie dann auch unsere Endergebnisse, über die wir zudem im Juli 1957 Briefe wechselten, sehr ähnlich ausfielen (K. hätte „wenigstens teilweise dieselbe Problematik wie Hegel" gehabt, S. 216), jedenfalls im Bezug auf K., (Thulstrups Interpretation Hegels als „Mystiker", S. 225, kann ich nicht ohne weiteres zustimmen).

z. Z. Union Seminary, New York 1969   D. R.

Hermann Diem, Sine vi – sed verbo. Aufsätze – Vorträge – Voten. Aus Anlaß der Vollendung seines 65. Lebensjahres am 2. Februar 1965 hrsg. v. Andreas Wolf. (= Theologische Bücherei, Band 25.) München: Chr. Kaiser Verlag 1965, S. 216–237.

KIERKEGAARDS HINTERLASSENSCHAFT AN DIE THEOLOGIE

1956

Von HERMANN DIEM

Kierkegaard war sich seiner Bedeutung für die Nachwelt durchaus bewußt. Aber er, der unter der Verständnislosigkeit seiner Mitwelt so tief litt, hat keineswegs erwartet, besser verstanden zu werden von einer Nachwelt, „wo bewundernde Professorenschlingel und Pfaffenpack das Leben und Wirken des Verstorbenen zum Profit für sich und Familie machen" [1]. Man wird, wenn man schon als Pfarrer und Theologieprofessor etwas über seine Hinterlassenschaft gerade an die Theologie sagen will, solche Warnungen nicht überhören dürfen. Und es wäre auch nicht wohlgetan, wenn man sich bloß darüber ärgerte, daß Kierkegaard einmal den Einfall hatte, folgende Einladung in die Zeitung zu setzen: „Wenn sich fünf oder sechs Gleichgesinnte finden sollten, die mit mir ohne alle feierlichen Zeremonien sich verpflichten würden, einfältig das Neue Testament verstehen zu wollen und einfältig darnach zu streben, seine Forderungen in der Tat auszudrücken, so beabsichtige ich, gottesdienstliche Versammlungen zu halten, in denen ich das Neue Testament auslegen will. Der Eintritt wird für jedermann frei sein, mit Ausnahme der Geistlichkeit. Für einen Geistlichen würde der Eintritt jedesmal mit 10 Talern zu bezahlen sein, die unter die Armen verteilt würden. Mir scheint, daß sie, die der Nachfolge den Abschied gegeben und Christus zu Geld gemacht haben, etwas bezahlen müssen, um zwischenhinein einmal eine wirkliche Predigt zu hören. Wollte es der Zufall, daß irgendein theologischer Professor diesen Versammlungen beiwohnen wollte, so hätte er jedesmal 20 Taler zu bezahlen. Das scheint mir nicht unbillig,

[1] Papirer (Pap.) XI 2, A 32.

wenn man bedenkt, was das heißen will, ‚ordentlicher' Professor
darin zu sein, daß Christus gekreuzigt wurde, oder ‚außerordentlicher' Professor darin, daß Petrus und Paulus gesteinigt wurden"[2].
Wir werden uns als Theologen dem Verdacht nicht entziehen können, daß wir Kierkegaard gegenüber zu den Söhnen gehören, welche
der Propheten Gräber schmücken, die durch ihre Väter getötet worden sind. Darum werden wir, ehe wir die in unserem Thema gestellte
Frage zu beantworten suchen, auf alle Fälle erst bedenken müssen,
daß hier jeder von uns als Theologe *persönlich* gestellt ist. Nun hat
Kierkegaard es immerhin für möglich gehalten, daß vielleicht ein
einzelner in der nächsten Generation von seinem Leben „begeistert
wird, auch seines Lebens Examen zu machen". Und es könnte ja auch
für den Theologen gelten, wenn er hinzufügt: „Ihm wird es ganz
und gar gehen wie dir – das Examen kann und soll nicht verhindert
werden, aber das wird vielleicht in einem Augenblick ihn ermuntern,
an dich zu denken, wie du es erfahren hast im Verhältnis zu dem
einen oder anderen Verstorbenen"[3]. Man wird also über die Hinterlassenschaft Kierkegaards an die Theologie nur in dieser Examens-
situation richtig reden können, in welche das Leben selbst den Theologen stellt.

Kierkegaard hat den Pfarrer und den Theologieprofessor durchaus
zusammengenommen, womit wir schon mitten in der von ihm vertre-
tenen Sache selbst sind. Er hat es als einen sehr gewichtigen Einwand
gegen die Pfarrer angesehen, daß diese sich „zu einer Art von Küstern
für die Professoren hergeben, die auch der Wissenschaft dienen und
es unter ihrer Würde finden, zu predigen. Darum ist es kein Wunder,
daß das Predigen für eine sehr ärmliche Kunst gehalten wird. Predigen ist indessen die schwierigste von allen Künsten und ist eigentlich
die Kunst, die Sokrates anpreist: sich unterreden zu können. Selbstverständlich braucht man deshalb in der Gemeinde keineswegs einen,
der antwortet, oder würde es etwas helfen, beständig einen als Re-
denden einzuführen. Das, was Sokrates eigentlich bei den Sophisten
tadelte unter der Distinktion, daß sie wohl reden konnten, aber nicht
sich unterreden, das war, daß sie über alles viel sagen konnten, aber

---

[2] Pap. X 3, A 121.
[3] Pap. X 5, A 18.

das Moment der Zueignung fehlte. Die Zueignung ist eigentlich das Geheimnis des Sichunterredens" [4]. Und wir fügen gleich hinzu, weil es in derselben Linie liegt, was Kierkegaard über die im Jahre 1849 erschienene Dogmatik von Martensen schrieb: „In der ganzen Dogmatik Martensens ist, jedenfalls in dem Teil, den ich gelesen habe, nicht ein einziger Satz, der ein redliches Ja oder Nein ist. Es ist das alte Sophistische, reden zu können – aber nicht sich unterreden. Denn eine Unterredung setzt sofort: Du und Ich, und solche Fragen, die fordern: Ja oder Nein. Aber ein Redner entwickelt: auf der einen Seite – auf der anderen Seite; und inzwischen werden Lehrer und Zuhörer zerstreut, so daß sie gar nicht merken, daß sie eigentlich nichts zu wissen bekommen" [5].

Bei diesem Vorwurf des Sich-nicht-unterreden-Könnens, den Kierkegaard hier sowohl gegen die Predigt als auch gegen die Dogmatik erhebt, geht es um die mangelnde *Aneignung* des Gesagten. Damit ist schon eines der wichtigsten Stichworte in der Auseinandersetzung mit Kierkegaard gefallen. Für den Theologen ist das zunächst noch nichts Neues. Daß zur Lehre das Leben kommen müsse, zum Denken das Glauben und zum Glauben das Tun, das hat man immer gewußt; und wenn es die Theologen in ihrer Sorge um die „reine Lehre" einmal vergessen zu haben schienen, dann ist darauf noch immer in der Kirchengeschichte eine Reaktion in irgendeiner Form von „Erweckung" gefolgt. Kierkegaard hat sich hier im Einverständnis mit Luther gewußt und schreibt 1847 in sein Tagebuch: „Wunderbar. Die Kategorie ‚für dich' (die Subjektivität, die Innerlichkeit), womit Entweder – Oder schloß (nur die Wahrheit die erbaut, ist Wahrheit für dich), ist just die Luthers. Ich habe eigentlich nie etwas von Luther gelesen. Aber als ich jetzt seine Postille aufschlage – sofort im Evangelium auf den ersten Sonntag im Advent sagt er ‚für dich', das ist es, worauf es ankommt" [6]. So spielt dieses „für mich" auch in der gegenwärtigen deutschen Theologie, in der Berufung sowohl auf Luther als auf Kierkegaard, eine entscheidende Rolle. Auch darin hat Kierkegaard in der Kirchengeschichte viele

---

[4] Samlede Værker (SV), Kjøbenhavn 1901/1906, IV 288.
[5] Pap. X 1, A 566.
[6] Pap. VIII 2, A 465.

Vorgänger und Nachfolger, daß vor diesem „für mich" die Sorge um die rechte Lehre in den Hintergrund tritt, so daß er sogar sagen konnte: „Die Lehre, wie sie vorgetragen wird, ist im ganzen genommen ganz richtig. Also streite ich darüber nicht. Ich streite darum, daß etwas daraus gemacht wird"[7].

Daß Kierkegaard sich an der dogmatischen Auseinandersetzung nicht beteiligte, bedeutete aber keineswegs eine Gleichgültigkeit gegen die dogmatische Kirchenlehre. Wir brauchen nur darauf zu verweisen, daß er zum Beispiel von den ›Philosophischen Brosamen‹ sagt, „daß Anstrengungen gemacht werden, als sollte etwas ganz Außerordentliches, und zwar Neues kommen, während beständig die alltägliche Orthodoxie in gebührender Strenge kommt"[8], oder welchen Nachdruck er in der ›Krankheit zum Tode‹ darauf legt, daß die Sünde nicht eine Negation, sondern eine Position sei und dazu sagt: „Deshalb schärft die Orthodoxie ein, daß es eine Offenbarung von Gott braucht, um den gefallenen Menschen zu lehren, was Sünde ist, welche Mitteilung dann ganz konsequent geglaubt werden muß, da sie ein Dogma ist"[9], oder wie er in der einleitenden Wissenschaftslehre zum ›Begriff der Angst‹ die Dogmatik von aller Metaphysik unterscheidet und sagt: „Der Glaube ist das Organ für die dogmatischen Probleme"[10]. Kierkegaard hat von der dogmatischen Arbeit so wesentlichen Gebrauch gemacht, daß ohne stete Bezugnahme auf sie seine pseudonymen Werke gar nicht denkbar wären.

Dabei ist aber zu beachten, daß Kierkegaard trotz seiner wiederholten Berufung auf die „Orthodoxie" das Wesen einer dogmatischen Aussage ganz anders versteht als jene. Für ihn ist das Dogma eine *Mitteilung*, durch welche der geoffenbarte Wille Gottes für die Menschen fest und verbindlich gemacht wird, eine Mitteilung also, die, weil sie aus der Offenbarung stammt, eine Erkenntnis vermittelt, die dem Menschen von sich aus auf keine Weise zugänglich ist, sondern gegen die Vernunft geglaubt werden muß. *Ist das Dogma also eine*

---

[7] Pap. X 3, A 635.

[8] SV VII 233, Anm.

[9] SV XI 207.

[10] SV IV 290. Vgl. dazu Herm. Diem, Dogmatik und Existenzdialektik bei Sören Kierkegaard, EvTh XV, 1955, S. 408 ff.

*Mitteilung von dem historischen Geschehen der Offenbarung und nicht
irgendeine, wenn auch geoffenbarte, metaphysische oder ontologische
Wahrheit, so muß es seinem Wesen nach weiterhin mitgeteilt werden.*
Von hier aus ist es zu verstehen, wenn Kierkegaard sagt, es komme
ihm bei der Lehre nur darauf an, „daß etwas daraus gemacht wird":
das Dogma muß *mitgeteilt* werden, damit seine Wahrheit *angeeignet*
werden kann. Damit konzentriert sich für Kierkegaard alles auf das
Problem der Mitteilung. Das ist das gegenüber der früheren Dogmatik Neue und Eigenartige an seinem Werk. Man kommt hier mit
dem üblichen Schema der subjektiven Aneignung einer objektiv feststehenden Lehre nicht durch, denn einmal ist schon die „objektive"
Lehre eine die Existenz qualifizierende Mitteilung, und weiterhin
besteht die „subjektive" Aneignung eben ausschließlich in der richtigen Entgegennahme dieser Mitteilung. *Die Lehre fällt hier ebenso
wie die Predigt unter die Dialektik der Mitteilung,* mit der sich
Kierkegaard in einem „Vorlesungsentwurf" von 1847 eingehend
befaßt hat [11], wo er sagt: „Der Mensch ist Gott gegenüber verpflichtet, die Wahrheit in der wahrsten Form darzustellen" [12].

Die Lehre wird damit von vornherein – und nicht erst nachträglich bei der Frage nach ihrer „Aneignung" – zu einem Problem der
Verkündigung. Nun gebraucht aber Kierkegaard in diesem Zusammenhang diesen Begriff nicht, sondern redet von der „christlichen
Mitteilung"; und diese behandelt er als einen *Spezialfall der allgemeinen Mitteilung.* Ob das möglich ist und ob er damit dem Wesen
der christlichen Verkündigung in Lehre und Predigt gerecht werden
kann, wird sich zeigen müssen. Er unterscheidet von der bloßen
„Wissensmitteilung" die „Könnensmitteilung" bzw. die Mitteilung
von „Sollen–Können", die als ethische Mitteilung allen anderen Formen übergeordnet ist, wie er das von Sokrates gelernt hat. Innerhalb
der ethischen Könnensmitteilung ist nun wieder die sokratische von
der christlichen zu unterscheiden. Bei der sokratischen Dialektik der
Mitteilung verhelfen sich die Gesprächspartner gegenseitig dazu, sich
in sich selbst zu vertiefen, um die Wahrheit in sich selbst zu finden,
wobei der Lehrer und die Veranlassung des Lehrens prinzipiell

---

[11] Pap. VIII 2, B 79–89.
[12] A. a. O. 88.

gleichgültig werden, weil jeder Mensch die Wahrheit in sich selbst finden kann und muß. In diese sokratische Form der Mitteilung muß nun die christliche eingebaut werden. Kierkegaard sagt dazu: „Der Unterschied zwischen der Erziehung im Verhältnis zum Ethischen und zum Ethisch-Religiösen ist bloß der, daß das Ethische ohne weiteres das Allgemein-Menschliche ist, aber die religiöse (christliche) Erziehung erst ein Wissen enthalten muß. Ethisch ist der Mensch als solcher wissend um das Ethische, aber christlich ist der Mensch nicht als solcher wissend um das Religiöse; hier braucht es zuerst eine kleine Wissensmitteilung, aber dann tritt wieder dasselbe Verhältnis ein wie im Ethischen. Die Unterweisung, die Mitteilung darf nicht ein Wissen betreffen, sondern Erziehung, Einübung, Kunst-Unterweisung. – Hier liegt mein Verdienst mit den Pseudonymen, innerhalb des Christlichen das Maieutische entdeckt zu haben" [13]. Nun soll diese Wissensmitteilung aber „bloß ein Vorläufiges sein" [14]. Das könnte so verstanden werden, als ob bei dieser Wissensmitteilung ihre Kontingenz im eigentlichen Sinn wieder gleichgültig würde und es sich nur um jene uneigentliche Kontingenz handelte, mit welcher jede allgemeine Wahrheit irgendwo und irgendwann einmal zum erstenmal historisch auftritt. Es würde dann nach erfolgter Mitteilung zwischen Mitteiler und Empfänger wieder das sokratische Verhältnis eintreten, nur mit dem Unterschied, daß der Empfänger das Wissensmoment zwar nicht in seiner „Erinnerung" finden konnte, es aber jetzt, nachdem er es durch die Mitteilung erhalten hat, im sokratischen Verfahren durch seine Existenz als wahr zu beglaubigen hat.

In diesem Sinne ist Kierkegaard weithin in der modernen Existenzphilosophie, aber auch in der Theologie verstanden worden. Hat die Kontingenz der Mitteilung nur vorübergehende Bedeutung, dann kann der Philosoph davon absehen, daß es die christliche Existenz des Glaubenden ist, die Kierkegaard einüben wollte. Nachdem durch die Geschichte des Christentums die Mitteilung einmal erfolgt ist und in ihrer Auswirkung die Bestimmungen der menschlichen Existenz aufgehellt worden sind, braucht man zwischen christlicher

[13] A. a. O. 82, 13.
[14] A. a. O. 85, 29.

und humaner Existenz nicht mehr zu unterscheiden, sondern hat es nur noch mit den Strukturverhältnissen des menschlichen Daseins als solchem zu tun [15]. Für den Theologen besteht dann die Möglichkeit, mit Hilfe dieser Existenzanalyse der Philosophie für die Glaubensaussagen nicht nur deren „Sitz im Leben" aufzuweisen, sondern in diesem Aufweis auch einen kritischen Maßstab für die Beurteilung derselben zu finden. Kierkegaard ist gewiß nicht unschuldig daran, daß er so verstanden werden konnte. Nicht wenige seiner einzelnen Äußerungen weisen tatsächlich in diese Richtung [16], wobei man sich freilich schon dadurch hätte fragen lassen müssen, ob man sich hier nicht auf einem Irrweg befindet, daß auf diese Weise offenkundig das ganze Ethos und Pathos seines Drängens auf das wirkliche Existieren des Denkenden verlorengegangen und an die Stelle des selbst existierenden Denkers der *über* die Existenz Nachdenkende getreten ist [17]. Der Theologe könnte jedenfalls auf diesem Wege kaum in Versuchung kommen oder sich gezwungen sehen, einen Angriff auf die Kirche im Stile Kierkegaards zu führen, sondern er bekommt durch jene Kriterien die Möglichkeit, die ganze Lehrtradition der Kirche einfach neu zu *interpretieren* und ihre Aussagen auf den ihnen zugrunde liegenden existentiellen und existentialen Gehalt zurückzuführen [18]. Damit scheint dann auch das „für mich", um das es Kierkegaard geht, gewahrt zu sein, wobei dann freilich wiederum gefragt werden müßte, ob das von Kierkegaard aus gesehen nicht eine völlige Verharmlosung bedeutet, indem aus seiner Sorge um den

[15] Vgl. dazu besonders K. E. Løgstrup, Kierkegaards und Heideggers Existenzanalyse und ihr Verhältnis zur Verkündigung. Berlin 1950.

[16] Vgl. dazu Wilhelm Anz, Fragen der Kierkegaardinterpretation I, ThR 20, 1952, S. 26 ff.; derselbe: Philosophie und Glaube bei Sören Kierkegaard. Über die Bedeutung der Existenzdialektik für die Theologie, ZThK 51, 1954, S. 50 ff.

[17] Vgl. zu dem Unterschied zwischen der existentiellen Problematik bei Kierkegaard und der *existentialen* Problematik bei Heidegger dessen Hinweis in „Sein und Zeit", Tübingen 1927, S. 235, Anm. 1; dazu Herm. Diem, Dogmatik, München 1955, S. 23 ff.

[18] Schule gemacht hat in dieser Richtung besonders Hans Jonas, Die hermeneutische Struktur des Dogmas, in: Augustin und das paulinische Freiheitsproblem, Göttingen 1930; dazu Herm. Diem, Dogmatik, S. 27 ff.

rechten *Vollzug* der Zueignung und Aneignung, um den es ihm bei seiner Dialektik der Mitteilung geht, nun eine Lehre *über* die Aneignung wird.

Man wird diesen Weg für ein Mißverständnis Kierkegaards halten müssen, das dadurch entstand, daß man seiner Dialektik zu früh entlaufen ist. In jener Untersuchung über die Dialektik der Mitteilung bringt Kierkegaard nämlich noch einen ganz neuen Gesichtspunkt in die Problematik, indem er betont, daß die christliche Mitteilung im Unterschied von der ethischen mit *Autorität* erfolgen müsse, und zwar sagt er: „Der Mitteiler hat Autorität in Hinsicht auf die Mitteilung, die hier ein Erstes ist" [19]. Inwiefern muß diese Mitteilung mit Autorität erfolgen? Es handelt sich hier nicht, jedenfalls nicht primär, um eine solche Autorität, auf welche hin die Wahrheit einer Lehre angenommen werden müßte, sondern vielmehr um das *Geltendmachen und Geltenlassen eines historischen Faktums:* der Offenbarung Gottes in dem Menschen Jesus von Nazareth und allen daraus zu ziehenden Folgerungen. *Dieses Faktum in seiner Kontingenz muß alle christliche Mitteilung bestimmen.* Das gilt aber nicht nur in dem Sinn, daß die Kontingenz dieses historischen Faktums und seiner Auswirkungen der *Gegenstand* der Mitteilung sein muß – sonst wäre das Zurückfallen in die bloß sokratische Dialektik, wie wir sahen, nicht zu verhindern –, sondern diese Kontingenz muß auch die *Art und Weise* der Mitteilung bestimmen.

Die christliche Mitteilung will den Empfänger vor die Entscheidung zwischen Ärgernis und Glauben stellen, wobei das Ärgernis nicht nur an dem paradoxen Inhalt der Mitteilung entsteht, sondern zugleich daran, daß dieser Inhalt ihm paradoxerweise als historisches Faktum begegnet und ihn dadurch überhaupt erst vor diese Entscheidung stellt. Beides gehört untrennbar zusammen, denn würde das zweite fehlen, dann käme es gar nicht zum Ärgernis. Der Empfänger könnte entweder die Mitteilung annehmen, weil sie vielleicht seinen Bedürfnissen und Wünschen entgegenkommt und er darum ein sacrificium intellectus zu bringen bereit ist, oder er würde sie als unzumutbaren Unsinn ablehnen, wobei es in beiden Fällen nicht zum Ärgernis käme. Begegnet ihm dagegen diese paradoxe Wahrheit

---

[19] Pap. VIII 2, B 83.

in der kontingenten Gestalt eines historischen Faktums, und zwar mit dem Anspruch des Mitteilers: „Du sollst das glauben", so wird seine ganze Existenz herausgefordert, sich zu ärgern – wenn er es nicht glaubt. Darum muß alle christliche Mitteilung dem paradoxen Faktum der Offenbarung gleichgeartet sein. So wie Christus in seiner Verkündigung dem Hörer als das absolute Paradox begegnet, da er als der menschgewordene Gott ein ewiges und ein historisches Faktum zugleich ist, ebenso begegnet dem späteren Hörer in der bevollmächtigten Verkündigung durch den beauftragten Apostel und weiterhin durch den ordinierten Pfarrer das entsprechende paradoxe Faktum, da die apostolische Berufung bzw. die Ordination aus dem Mitteiler zugleich etwas anderes macht, als was er seiner menschlichen Geschichte nach ist. Wer an der oben genannten Stelle der Dialektik Kierkegaards zu früh entlaufen ist, muß diesen Gesichtspunkt freilich als einen völlig unverständlichen Fremdkörper im Denken Kierkegaards eliminieren [20]. Aber dieser hat sicher genau gewußt, warum er der Ordination solche Bedeutung beilegt und sagt: „Die Ordination ist die paradoxe Verwandlung eines Lehrers in der Zeit, wodurch er in der Zeit etwas anderes wird, als was die immanente Entwicklung von Genie, Talent, Gabe usw. sein würde. Von Ewigkeit her ist doch wohl keiner ordiniert oder, sobald er geboren wird, imstande, sich seiner als ordiniert zu erinnern. Auf der anderen Seite ist die Ordination ein character indelebilis. Was soll das anderes bedeuten, als daß hier wieder die Zeit für das Ewige entscheidend ist, wodurch das immanente Zurücknehmen ins Ewige verhindert wird. Bei der Ordination steht wieder das christliche Notabene" [21]. Und von der apostolischen Beauftragung sagt Kierkegaard: „Durch dieses paradoxe Faktum ist der Apostel in alle Ewigkeit von allen anderen Menschen verschieden", was ihn von aller weltlichen Autorität unterscheidet, die nur eine „vorläufige", eine „transitorische Bestimmung" ist [22].

[20] Ein Beispiel dafür ist K. E. Løgstrup, Die Kategorie und das Amt der Verkündigung im Hinblick auf Luther und Kierkegaard, EvTh IX, 1949/50, S. 249 ff.; vgl. dazu Herm. Diem, Die Existenzdialektik von Sören Kierkegaard, München 1950, S. 135, Anm. 18.

[21] SV VII 232.

[22] SV XI 97.

Diese Akzentuierung der Mitteilung durch den paradoxen Charakter des Mitteilers also ist es, was der christlichen Mitteilung die Autorität gibt, vor die Entscheidung zwischen Ärgernis und Glauben zu stellen, wobei festzuhalten ist, daß diese Autorität ein bleibendes und nicht nur ein „transitorisches" Moment in der Mitteilung ist. Jetzt wird aber auch verständlich, warum Kierkegaard im Unterschied davon das Wissensmoment nur als etwas „Vorläufiges" in der Mitteilung verstanden haben will. Glaubt der Hörer dieser Mitteilung, ob sie nun durch das paradoxe Faktum des Apostels oder der Heiligen Schrift oder des ordinierten Predigers erfolgt, so ist sie aus einer bloßen Wissensmitteilung zu einer Könnens-Sollens-Mitteilung geworden, die seine Existenz neu qualifiziert. Damit es aber zu dieser Könnens-Sollens-Mitteilung kommen *muß* und nicht bei der bloßen Wissensmitteilung bleiben *kann*, muß diese Mitteilung als etwas „Vorläufiges" erfolgen, das jederzeit der Dialektik ausgesetzt ist. Die Dialektik fragt den Mitteiler, womit er sich ausweisen kann für die Wahrheit seiner Mitteilung und für seine Vollmacht, von ihm die Entscheidung für diese zu verlangen. Darauf konnte schon Jesus selbst nichts anderes antworten als: „Ich bin der Weg, die Wahrheit und das Leben" (Joh. 14, 6) und: „Meine Lehre ist nicht mein, sondern des, der mich gesandt hat. So jemand will des Willen tun, der wird innewerden, ob diese Lehre von Gott sei oder ob ich von mir selbst rede" (7, 16 ff.) oder: „Wer Ohren hat zu hören, der höre" (Matth. 11, 15) und hinzufügen: „Selig ist, der sich nicht an mir ärgert" (11, 6). Damit schiebt er dem Hörer die Entscheidung zu, denn „selbst das Gewisseste von allem, eine Offenbarung, wird eo ipso dialektisch, sobald ich sie mir aneignen soll ... Sobald ich das Dialektische wegnehme, bin ich abergläubisch und betrüge Gott um das in jedem Augenblick angestrengte Erwerben des einmal Erworbenen"[23]. Entsprechend verhält es sich zwischen dem späteren Mitteiler und seinem Hörer. Der Mitteiler kann seine Autorität nicht beweisen. Es gilt für ihn in jeder seiner Formen, was Kierkegaard von dem Apostel sagt: „Könnte er das *sinnlich* beweisen, so wäre er eben kein Apostel. Er hat keinen andern Beweis als seine Aussage. Und so muß es gerade sein, sonst käme ja der Glaubende in ein direktes

---

[23] SV VII 24, Anm.

Verhältnis zu ihm, nicht in ein paradoxes[24]. Man darf hier nicht irgendwelche Autorität einsetzen, die sich als solche unmittelbar ausweisen kann, um damit die Ungewißheit des stets vom Ärgernis bedrohten Glaubens in einer unmittelbaren Gewißheit aufzuheben. Dazu sagt Kierkegaard: „Die Schutzwehr der katholischen Kirche gegen das Eindringen der Dialektik, wie sie diese in der sinnlichen Gegenwart des Papstes hat, wollen wir hier gar nicht besprechen"[25]. Aber auch die entsprechenden Versuche des Protestantismus, die Glaubwürdigkeit der Verkündigung undialektisch mit der Autorität der Bibel oder der Kirche oder ihres Predigtamtes zu begründen, können faktisch die Dialektik nicht beendigen. „Denn die Dialektik wendet sich bloß und fragt, d. h. dialektisiert mit ihm darüber, was denn Autorität sei und warum er diese als Autorität ansehe. Sie dialektisiert also mit ihm nicht über den Glauben, den er *im Vertrauen auf jene* hat, sondern über den *Glauben*, den er *an jene* hat"[26]. Ebenso wie die Historie Jesu selbst für den Augenzeugen diese Dialektik nicht beendigen kann, so wenig kann das irgendein Faktum der späteren Geschichte des Christentums tun. Von hier aus kommt Kierkegaard zu seiner in der gegenwärtigen theologischen Diskussion so berühmt und berüchtigt gewordenen Beantwortung der historischen Tatsachenfrage in bezug auf die Offenbarung: „Hätte die gleichzeitige Generation nichts hinterlassen als die Worte: ‚Wir haben geglaubt, daß anno soundsoviel Gott sich in geringer Knechtsgestalt unter uns gezeigt, unter uns gelebt und gelehrt hat und darauf gestorben ist' – das wäre mehr als genug. Das gleichzeitige Geschlecht hat das Nötige getan: Denn dies kleine Avertissement, dies welthistorische Notabene reicht hin, für den Späteren Veranlassung zu werden; und der weitläufigste Bericht kann für den Späteren nicht mehr werden." Oder kurz gesagt: „Der Spätere glaubt vermittels der (Veranlassung durch die) Nachricht des Gleichzeitigen in Kraft der Bedingung, die er selbst von Gott in Empfang nimmt"[27]. So ist auch die bei der christlichen Mitteilung eingesetzte Autorität von

[24] SV IX 106.
[25] SV VII 23 f.
[26] SV VII 14, Anm. 1.
[27] SV IV 266.

Apostel, Heiliger Schrift und ordiniertem Pfarrer nur jenes „welthistorische Notabene", das hinreicht, um für den Empfänger der Mitteilung Veranlassung zum Glauben zu werden. *Er soll durchaus „im Vertrauen auf jene" glauben, aber er soll nicht „an jene" glauben.* Die Dialektik kann und darf nicht anders beendigt werden als in der Autopsie des Glaubenden selbst.

Kierkegaard meinte, auf diese Weise die Schwierigkeiten lösen zu können, vor welche sich die Theologie besonders seit dem Einbruch der historischen Wissenschaften in ihr Gebiet gestellt sah. Insbesondere ist hier die Antwort zu beachten, die er auf die alte Frage Lessings gibt, welche die Theologie seit langem so sehr in Atem hielt. Es handelt sich bei dieser Frage erstens darum, wie die Offenbarung als singuläres historisches Ereignis für den Glauben entscheidende Bedeutung bekommen kann, und zweitens, wie der historische Abstand zu überwinden ist, damit dem Späteren diese Mitteilung von dem historischen Ereignis nicht mehr bloß als ein historisches Wissen, sondern in der Situation der Gleichzeitigkeit begegnet. Kierkegaards Antwort besteht darin, daß er den Späteren so vor das Ärgernis der christlichen Botschaft stellt, daß dieser in der Entscheidung zwischen Ärgernis und Glauben mit dem Augenzeugen gleichzeitig wird. Damit werden beide Fragen Lessings zugleich beantwortet.

Diese Lösung erscheint fast zu einfach, um richtig zu sein. Die oben angeführten Theologen, welche Kierkegaards Dialektik zu früh entlaufen sind, haben sich mit Vorliebe gerade auf diese Lösung der Lessing-Frage gestürzt und haben sich mit ihrer Hilfe freie Hand verschafft für den ganzen Radikalismus der historisch-kritischen Forschung in bezug auf die Bibel, weil ja auch die radikalsten Ergebnisse dieser Forschung irrelevant werden gegenüber der Tatsache der Verkündigung von dem Offenbarungsgeschehen, auf welche der Glaube nach Kierkegaard allein angewiesen ist. Vielleicht hat man sich dabei aber die Beantwortung der schwierigen historischen Tatsachenfrage *noch* einfacher gemacht als Kierkegaard, eben weil man das Moment der Autorität in der Mitteilung nicht beachtet hat. Es erscheint nämlich durchaus fraglich, ob hier der Glaube noch das kontingente Faktum der Offenbarung in seinem Geschehensein braucht oder ob sich die bei Kierkegaard nur durch die Offenbarung enthüllte Existenzweise der Angst und der Verzweiflung nicht auch durch eine bloße existentiale Analyse des Daseins aufweisen läßt. Diese Wahrheit über die menschliche Existenz erscheint zwar – wenigstens nach der von den Theologen aufgestellten, aber gegenüber den Philosophen nur mit Mühe zu begründenden Behauptung – nur auf dem Weg über das historische Faktum der christlichen Offenbarung, die auch einer historischen Vermittlung zu ihrer Vergegenwärtigung bedürfen soll. Aber ihre den Menschen verpflichtende Wahrheit und Gültigkeit bekommt die Offenbarung nicht mehr allein durch die paradoxe Kontingenz ihres Geschehenseins, das in den ebenfalls paradoxen historischen Zwischenbestimmungen von Kirche, Lehre, Apostolat und Predigtamt vergegenwärtigt wird, sondern mindestens zusätzlich – und das heißt in diesem Fall immer letztlich – dadurch, daß sie sich vor der existentialen Strukturanalyse des menschlichen Daseins als berechtigt und gültig ausweist. Jene historischen Zwischenbestimmungen verlieren damit ihre „autoritative", und d. h. für Kierkegaard ihre in die Entscheidung zwischen Ärgernis und Glaube stellende Bedeutung. Das Offenbarungsgeschehen entspricht in seiner Bedeutung dem Befund der Strukturanalyse der menschlichen Existenz. Es erweist sich sogar als notwendig, um das menschliche Existieren in Gang zu bringen, indem es dieses aus seiner von der philosophischen Analyse aufgezeigten bloßen Möglichkeit in die Wirklichkeit oder – wie wir heute sagen – aus dem Existentialen in das Existentielle übersetzt. Aber die Wissensmitteilung braucht nun nicht mehr mit Autorität zu erfolgen, da sie jetzt an das dem Menschen mögliche Existenzverständnis appellieren kann. Sie bedarf nur noch des gewöhnlichen historischen Tradiertwerdens, das ja, nachdem die Mitteilung von der Offenbarung in die Kirchengeschichte eingegangen ist, ohnehin erfolgt. Und als mißverstandener Rest von Kierkegaards Ärgernis an dem Offenbarungsgeschehen bleibt nur noch übrig, daß die Zustimmung zu dieser Mitteilung völlig grundlos erfolgen müsse, womit aus dem „Ärgernis" in der spezifischen Bedeutung, den dieser Begriff bei Kierkegaard hat als der Anstoß an dem historisch gewordenen Ewigen, ein völlig willkürliches sacrificium intellectus geworden ist. Alle jene historischen Zwischenbestimmungen haben damit ihre spezifisch dogmatische Bedeutung verloren. Es bleibt wohl faktisch dabei, daß die Erkenntnis der christlichen Wahrheit über die menschliche Existenz durch sie veranlaßt wird, aber nachdem das geschehen ist, kann diese Erkenntnis von ihrer Veranlassung abgelöst werden, weil sie ihre Legitimierung durch die existentiale Strukturanalyse bekommt, was nach Kierkegaard heißen würde, durch den Rückgang auf die menschliche „Erinnerung". Jene historischen Zwischenbestimmungen werden damit aber nicht nur prinzipiell bedeutungslos, sondern sie sind sogar in dem Maße gefährlich, als sie für den Glaubenden nicht existential ausweisbar und in ihrem Anspruch existentiell nachvollziehbar sind und damit Anlaß zu einem „obskuren Aberglauben" [28] werden können.

Hätte Kierkegaard an jener Stelle seiner Dialektik der Mitteilung, wo jene Theologen abgesprungen sind, ebenfalls mit der Dialektik aufgehört, so hätte er sich eine Menge von Schwierigkeiten erspart. Er hätte dann freilich dabei stehenbleiben müssen, das Existenzproblem als existentiales zu beschreiben, und hätte nicht dazu übergehen dürfen, es als existentielles anzufassen. Und in bezug auf die Theologie hätte das bedeutet, daß er nie zu jenem Konflikt mit der Lehre und Verkündigung der Kirche gekommen wäre. Er hat jenen Konflikt allerdings nicht gewollt, sondern ist ihm mit Furcht und Zittern entgegengegangen. Aber auch das hätte er sich sparen können, wenn es ihm möglich gewesen wäre, die 1800 Jahre Christentum mit ihrer ganzen belastenden Tradition in der Weise jener Theologen durch eine bloße akademische Neuinterpretation beiseite zu schaffen und irrelevant zu machen, indem man auf sie das paulinische ὡς μή von 1. Kor. 7, 29 ff. anwendet, das „haben, als hätte man nicht". Das konnte Kierkegaard schon deshalb nicht, weil er die Geschichte der bestehenden Christenheit als seine eigene Geschichte erkannte und deshalb nicht mehr in der Lage war, sie aus dem für die Theologen üblichen Abstand zu betrachten. Er sah allzu deutlich, wie die Autorität der christlichen Mitteilung abhanden gekommen war, und deshalb mußte er hier einsetzen.

Aber nun ist es freilich aufs höchste überraschend, daß eben der Mann, dem es um die Wiederherstellung des Momentes der Autorität in der christlichen Mitteilung zu tun war, in seinem ganzen schriftstellerischen Werk versuchte, ganz bewußt *ohne* diese Autorität aus-

---

[28] Vgl. K. E. Løgstrup, Kierkegaards und Heideggers Existenzanalyse..., a. a. O. S. 108.

zukommen. Man muß das von daher verstehen, daß er in einer Situation lebte, in welcher diese Autorität in falscher Weise gebraucht und durch diesen Mißbrauch völlig korrumpiert worden war. In dieser Lage hielt er es nur noch dadurch für möglich, auf diese Autorität aufmerksam zu machen und ihre Bedeutung herauszustellen, daß er selbst sie in solch betonter Weise *nicht* gebrauchte. In dieser indirekten dialektischen Weise hat er in seinem ganzen pseudonymen Werk von der Autorität der christlichen Mitteilung in der Tat auch den denkbar stärksten Gebrauch gemacht. Wir verweisen dazu als Beispiel nur auf den ›Begriff der Angst‹, von dem das Pseudonym sagt: „Vorliegende Schrift hat es sich zur Aufgabe gesetzt, den Begriff ‚Angst' psychologisch so abzuhandeln, daß sie das Dogma von der Erbsünde in mente und vor Augen hat" [29]. Und in dem einleitenden kurzen Abriß einer Wissenschaftslehre zeigt der Verfasser, wie die Sünde als eine über das Individuum hinausgehende Voraussetzung von keiner Wissenschaft mehr erfaßt, sondern von der Dogmatik als die Erbsünde bezeichnet wird. Dabei soll die Dogmatik die Erbsünde „nicht erklären, sondern sie erklärt sie, indem sie sie voraussetzt" [30]. Es kommt dem Verfasser alles darauf an, daß die „heterogene Ursprünglichkeit der Dogmatik" im Gegensatz zur Metaphysik, der „wissenschaftlichen Totalität, die man die ethische nennen könnte" [31], erkannt und nicht verwischt wird, wie das die Theologen meist tun. Woher die Dogmatik die von ihr vorausgesetzten Aussagen nimmt, wird nicht explizit gesagt, sondern nur implizit durch das, was der Verfasser tut, indem er die Aussagen über die Erbsünde der lutherischen Kirchenlehre entnimmt, um sie dann an der Erzählung von Genesis 3 kritisch zu prüfen. Wohl läßt der Verfasser das Daseinsphänomen der Angst sich über sich selbst aussprechen, aber das Entscheidende in seiner Argumentation ist, daß diese sich gar nicht selbst verstehen kann, sondern mit Hilfe der außerhalb seiner selbst liegenden dogmatischen Voraussetzung als die Sünde erklärt wird.

Kierkegaard hat sonst nirgends so wie in dieser Schrift zugleich methodologisch Rechenschaft gegeben über sein Vorgehen; aber das

[29] SV IV 286.
[30] SV IV 292.
[31] SV IV 293.

hier entwickelte und zugleich angewandte Verfahren der „Einübung"
der christlich-dogmatischen Aussagen hat er in allen seinen pseudonymen Schriften gleicherweise angewandt. Auf diese Weise hat er,
ohne selbst Autorität zu gebrauchen, die Autorität dieser Aussagen
weit stärker herausgestellt, als es die schwachmütigen Theologen
seiner Zeit zu tun wagten, und hat damit wiederum indirekt einen
erheblichen Beitrag zur Besinnung auf das Wesen und die Aufgabe
der Dogmatik geleistet. Dabei hat er freilich die Aufgabe der Dialektik der Mitteilung nie aus den Augen verloren. Aber die dogmatischen Aussagen werden in dieser Dialektik keineswegs, wie man irr-
tümlicherweise gemeint hat [32], selbst zu Existenzkategorien oder
Existentialien; vielmehr bestimmen sie die Existenz des Empfängers,
um diesen zum rechten Existieren zu veranlassen, was etwas funda-
mental anderes ist. So hat Kierkegaard es verstanden, wenn er sagt,
das Verdienst seiner Pseudonyme sei, „innerhalb des Christlichen das
Maieutische entdeckt zu haben" [33], wobei er sowohl das Wissensmoment als auch das Moment der Autorität in der Dialektik der
Mitteilung festgehalten hat.

Zu der christlichen Mitteilung gehört aber nun vor allem die
Predigt, für welche dieselben Bestimmungen der Mitteilung gelten,
wie wir sie bisher fanden. Dem Vorwurf, daß die Theologen die
„heterogene Ursprünglichkeit" der Dogmatik verleugnen, entspricht
in bezug auf die Prediger, daß sie nicht mehr wagen, mit Autorität
das „Du sollst" zu gebrauchen. Beide Fehler bedingen sich gegenseitig; aber die Predigt ist der Ort, wo der Schaden letztlich ans
Licht kommt, weil hier die eigentliche Entscheidung fällt. Kierkegaard sagt ja auch im ›Begriff der Angst‹: „Eigentlich ist die Sünde
in gar keiner Wissenschaft heimatberechtigt. Sie ist Gegenstand der
Predigt, wo der Einzelne als Einzelner zum Einzelnen spricht" [34].
Nur hier kann dem Rechnung getragen werden, daß die Sünde bei
all ihrer Positivität nicht ein Zustand, sondern etwas zu Überwindendes ist, weil hier mit dem Menschen nicht *über* seine Sünde geredet, sondern ihm mit Vollmacht gesagt wird, daß gerade *er* ein

[32] Z. B. Wilhelm Anz, a. a. O.
[33] Vgl. oben Anm. 13.
[34] SV IV 288.

Sünder ist und daß gerade *ihm* die Vergebung seiner Sünden verkündigt wird. Die Predigt ist nicht eine bloße Wahrheitsmitteilung,
sondern sie ist ein *Geschehen* zwischen Gott und dem Menschen, das
dem Offenbarungsgeschehen selbst entspricht. Die Predigt argumentiert deshalb nicht mit der in ihr enthaltenen Wahrheit und wendet
sich zu ihrer Beglaubigung nicht an die Einsicht des Hörers, sondern
sie gebraucht diesem gegenüber Autorität. „Autorität ist eine spezifische Qualität: dem Apostel verliehen durch Berufung, dem Pfarrer
verliehen durch die Ordination. Eben dadurch, daß Autorität gebraucht wird, wird die Rede zur ‚Predigt‘; und daß nun so gepredigt
wird, eben das hat man in unserer Zeit ganz und gar vergessen" [35].
Aber dieselben Pfarrer, die es nicht wagen, die Autorität ihres Amtes
in der Predigt geltend zu machen, was sie ja dann auch in erster Linie
gegen sich selbst, als Frage an ihre eigene Existenz, tun müßten, sie
verschanzen sich dafür in falscher Weise hinter dieser Autorität dort,
wo sie nach ihrer eigenen Existenz gefragt sind. Der Einwand
Kierkegaards gegen die Existenz, oder genauer sagt: gegen die fehlende Existenz des Pfarrers hat nichts zu tun mit der üblichen Forderung der moralischen Vorbildlichkeit oder auch der „Gläubigkeit"
des Pfarrers. Es handelt sich vielmehr darum, daß der Pfarrer gar
kein menschliches Ich mehr ist und darum auch nicht merkt, daß in
dem Unsinn, den er predigt, kein wirklicher Mensch existieren kann.
Allerdings fällt das, soweit es nicht nur komisch ist, auch unter
moralische Kategorien; denn die hier zutage tretende Faulheit und
Gedankenlosigkeit, die jegliches Berufsethos vermissen läßt und sich
darum dessen nicht bewußt wird, daß das Ich sich selbst beim Predigen einzusetzen hat, ist zutiefst Unredlichkeit.

Kierkegaard wendet die Sache aber nun nicht so, daß er eine Beglaubigung der Autorität der Verkündigung durch die persönliche
Existenz des Pfarrers verlangt. Damit hätte er ja sein durchaus
orthodoxes Verständnis von der Ordination widerrufen. Wohl aber
wehrt er sich gegen den umgekehrten Fall, „daß der Redner so ge-
wissermaßen aufhörte, ein Ich zu sein, und (wenn das möglich wäre)
zur Sache würde" [36]. Denn hat der Pfarrer nur eine Sache zu ver-

---

[35] SV XI 101, Anm.
[36] SV XII 215.

treten, über die man ihn nach seiner eigenen Existenz gar nicht mehr
fragen darf, dann kann er auch keinen andern mehr als existierendes
Ich anreden: „So ging das Ich aus, das der Redende war; der Redende ist nicht Ich, ist die Sache, ist Betrachtung. Und indem das Ich
ausging, wurde selbstverständlich auch das ‚Du' abgeschafft, daß du,
der da sitzt, es bist, zu dem geredet wird. Ja, man ist bald so weit
gekommen, daß man es für ‚Persönlich-werden' ansieht, auf diese
Weise zu andern Menschen zu reden. Ich, der Redende, bin es nicht,
über den geredet wird (kaum bin ich es, der redet) – es ist Betrachtung. Ob ich tue, was ich sage, geht dich nichts an – wenn nur die
Betrachtung richtig ist, kaum geht es mich selbst an, da ich mir ja
dieselbe Rücksicht schuldig bin wie jedem anderen, mir keine Anzüg-
lichkeiten zu erlauben. Ob du tust, was gesagt wird, geht mich nichts
an, kaum dich selbst, es ist Betrachtung, und es handelt sich höchstens
darum, ob die Betrachtung dich befriedigt hat"[37].

Daß solche „Predigten" ohne Autorität keine Predigten sind, hat
Kierkegaard dem Leser der Pseudonyme mit zunehmender Deutlichkeit und Schärfe gesagt. Aber dabei ist er nicht stehengeblieben, sondern hat zugleich das Nächstliegende getan und selbst gepredigt
durch seine neben den Pseudonymen hergehenden ›Reden‹, die im
Fortschreiten des Werkes immer mehr alle Anforderungen erfüllen,
die er an die richtige Predigt stellt, und die er zum Teil selbst in der
Kirche gehalten hat. In diesen Reden, deren Bedeutung für Kierkegaards Werk meist übersehen wird, gibt er gleichsam mit der rechten
Hand, was er in den Pseudonymen nur mit der linken Hand, also
nur in indirekter Mitteilung und auf den Abstand der Ironie gegeben hat. Daß hier eigentlich sein Herz schlägt, zeigt schon jenes
immer wiederholte Vorwort „an jenen einzelnen Menschen, den ich
mit Freude und Dankbarkeit meinen Leser nenne".

Aber nun hat Kierkegaard selbst immer wieder mit Nachdruck
betont, daß diese ›Reden‹ keine „Predigten" seien, weil zur Predigt
ein Pfarrer gehöre und der Verfasser keine Autorität zum Predigen
habe[38]. Tatsächlich hat er jedoch auch hier genau wie bei den Pseudonymen das Moment der Autorität in der christlichen Mitteilung

---

[37] SV XII 216.
[38] SV XII 232.

ganz eindeutig in Anspruch genommen – dort durch die Berufung auf das Dogma, hier auf den biblischen Text und die Art, wie er mit ihm argumentiert – und ist damit in der Linie seiner Dialektik der christlichen Mitteilung geblieben. Warum hat er dann aber so großen Wert darauf gelegt, daß die ›Reden‹ nicht als „Predigten" angesehen werden sollen? Man wird das auch hier wieder entsprechend verstehen können wie bei der autoritätslosen Inanspruchnahme der Autorität des Dogmas durch die Pseudonyme: Kierkegaard will angesichts des Mißbrauchs der Predigt durch die Pfarrer seine „Reden" nicht „Predigten" genannt haben, um eben damit eine indirekte Kritik an der kirchlichen Predigt zu üben, die für den Verstehenden im Grunde viel schärfer und vernichtender ist als alles, was er später direkt gegen die Predigt der Pfarrer gesagt hat. So münden die pseudonymen Werke in die ›Reden‹ ein, wie Kierkegaard selbst es in den ›Reden beim Altargang am Freitag‹ von 1851 gesagt hat: „Eine stufenweise fortschreitende schriftstellerische Wirksamkeit, die ihren Anfang nahm mit ›Entweder – Oder‹, sucht hier ihren entscheidenden Ruhepunkt am Fuße des Altars, wo der Verfasser, seiner persönlichen Schuld und Unvollkommenheit sich selbst am besten bewußt, keineswegs sich einen Wahrheitszeugen nennt, sondern nur eine eigene Art Dichter und Denker, der ‚ohne Vollmacht‘ nichts Neues zu bringen gehabt hat, sondern die ‚Urschrift der individuellen humanen Existenzverhältnisse, das Alte, Bekannte und von den Vätern Überlieferte noch einmal, wenn möglich auf eine innerlichere Weise, durchlesen gewollt hat‘ " [39].

Aber nun haben wir in dieser Dialektik noch einen letzten und für Kierkegaard immer bedeutsamer werdenden Schritt weiterzugehen. Dieser Schritt hängt mit der in dieser Dialektik enthaltenen Wissensmitteilung zusammen. Kierkegaard ist ja nicht Heidenmissionar, sondern muß das Christentum in die Christenheit einführen, wo jene Wissensmitteilung längst erfolgt ist, es aber durch den Mißbrauch der Autorität nicht mehr möglich erscheint, durch diese Wissensmitteilung vor die Entscheidung zwischen Ärgernis und Glaube zu stellen. Kierkegaards ganzes Bemühen geht nun dahin, diese Wissensmitteilung, da sie nicht mehr rückgängig gemacht werden

[39] SV XII 267.

kann, soweit das irgend geht, dialektisch aufzuarbeiten und damit zugleich die falsche Autorität, durch welche sie gedeckt wird, in Frage zu stellen, um so die echte Autorität wieder herzustellen. Es ist also keineswegs bloß Taktik, wenn Kierkegaard seine ›Reden‹ nicht als „Predigten" verstanden haben will, sondern er stellt allen Ernstes die Frage, ob man dieser korrumpierten Christenheit überhaupt noch predigen kann und darf, oder ob man in ihr nicht *gegen* das Christentum predigen muß, um wieder die echte Situation zwischen Ärgernis und Glaube zu schaffen. So gibt er einem ›Christlichen Vortrag‹ von 1848 den Titel: ›Gedanken, die von hinten verwunden – zur Erbauung‹ und sagt im Vorwort: „Das Christliche bedarf keiner *Verteidigung*, mit einer Verteidigung ist ihm nicht gedient. Es greift an." „Aber", fährt er fort, „in der Christenheit greift es selbstverständlich von hinten an" [40].

Zu diesem Angriff von hinten ist nicht nur das pseudonyme Werk immer mehr geworden, sondern Kierkegaard hat auch seine Anforderung an die Dialektik der Mitteilung in bezug auf die Predigt in dieser Richtung noch einmal potenziert. Worum es ihm dabei geht, wird besonders deutlich an seiner Kritik Luthers, die immer wieder darauf hinausläuft: „Luther war eben kein Dialektiker, sah beständig nur eine Seite der Sache" [41]. Er sieht speziell in Luthers Predigten das „Undialektische" darin, daß dieser an einem Sonntag zum demütigen Leiden auffordere und am andern Sonntag tröste, anstatt beides zugleich zu tun. Dabei verweist er auf einen Passus in ›Taten der Liebe‹, wo er diese Schwierigkeit behandelt habe, das dialektisch Entgegengesetzte zugleich zu sagen, und fügt hinzu: „Aber ich kann es nicht genug hervorheben: Das ist keine leichte Sache. Nun habe ich mich unaufhörlich darin geübt, und doch kann ich mich auch öfter dabei ertappen, daß ich unchristlich abspringe" [42]. Er sagt an jener Stelle in ›Taten der Liebe‹ [43], die christliche Rede solle so sein, „wie wenn jemand einem anderen ein ungeheuer scharf geschliffenes zweischneidiges Schwert überreichen würde". Das heißt, daß die

---

[40] SV X 164.
[41] Pap. X 4, A 394.
[42] Pap. X 1, A 651.
[43] SV IX 182 ff.

Rede „beständig die Möglichkeit des Ärgernisses offenhalten muß",
und zwar muß man dabei den Unterschied beachten, daß man jetzt
innerhalb der „im Zauber der Sinnestäuschung" versunkenen Christenheit redet, wo man nicht mehr in der Situation ist, in welcher das
Christentum in die Welt kam und von selbst als das Ärgernis erkannt werden konnte. Jetzt genügt es nicht mehr, daß die Möglichkeit des Ärgernisses nur in der Form der Darstellung implizit enthalten ist und seine Entdeckung dem Hörer überlassen wird, sondern
sie muß direkt und explizit mitgeteilt werden als stete Warnung,
daß der Hörer das Gesagte nicht unmittelbar annehmen und damit
die Gnade ergreifen kann, ohne in die Nachfolge geführt zu werden.
Die ideale Forderung an die christliche Rede, von der Kirkegaard
selbst sagt, daß er sie trotz jahrelanger Übung nicht erreicht habe,
besteht also darin, daß sie zugleich mit dem Angebot des Christlichen
auch alle Schwierigkeiten und Folgen der Aneignung des Gesagten
und damit die Möglichkeit des Ärgernisses direkt explizieren muß.
Sie darf also nicht nur *über* die Situation des Hörers zwischen Ärgernis und Glauben reden, sondern sie muß diesen in diese Situation
selbst stellen – und nicht nur das, sondern sie muß dazuhin diese
Situation auch noch erst schaffen.

Es ist offenkundig, daß es sich hier um weit mehr handelt als nur
um eine homiletisch-technische Frage der praktischen Theologie. Die
Anforderungen an die Predigt sind hier in einer Weise dialektisch
potenziert, daß sich sachliche Schwierigkeiten ergeben, welchen auch
das hohe Maß dialektischer Fähigkeiten eines Kierkegaard nicht
mehr gewachsen ist. Man beachte, daß er diese ideale Forderung an
die christliche Rede nicht bloß durch solche Reden selbst zu verwirklichen sucht, sondern sie wiederum in Form einer Rede vorträgt, in
der er *über* die richtige Rede redet. Damit hat er ungewollt seine
Forderung selbst ad absurdum geführt und ist in der Spitzenleistung
seiner Dialektik gerade bei dem angelangt, was er überwinden
wollte: bei der Rede über das Ärgernis. Da aber bei der Dialektik
die Methode alles ist, muß dieser methodische Mangel einen Fehler
in der Sache selbst anzeigen. Diesen wird man darin suchen müssen,
daß Kierkegaard in dem Versuch, die autoritative christliche Mittei-
lung in der Predigt durch die maieutische Rede zu überbieten, das
für ihn bisher entscheidende Moment der Autorität preisgeben

muß, durch welches das Geschehensein der Offenbarung als histori-
sches Faktum bezeugt wird. Es bleibt dann nichts anderes mehr übrig,
als daß zu der dialektischen Reduplikation der mitgeteilten Wahrheit in der Form der Mitteilung auch noch die weitere Reduplikation
derselben in der *Person* des Mitteilers tritt. Der „Redner" muß also
dadurch vor die Entscheidung zwischen Ärgernis und Glauben zwingen, daß er selbst die mitgeteilte Wahrheit existierend ausdrückt.
Das hat weiter zur Folge, daß *mit dem Moment der Autorität auch
die „Wissensmitteilung" ausfällt.* Zwischen dem Mitteiler und dem
Empfänger befindet sich nichts mehr, was außerhalb der Existenz
der beiden und abgesehen von dieser wahr und gültig wäre. Die
Wahrheit auf seiten des Mitteilers ist eine Existenzweise, die zwar
nach dessen Aussage ihre Wirklichkeit dem Ereignis der Offenbarung
verdankt. Aber jenes „historische Notabene" ist nicht mehr da, das
die Offenbarung davor schützt, zu einer allgemeinen, ewigen Wahrheit zu werden, und den Empfänger verhindert, diese Wahrheit in
seiner „Erinnerung" zu suchen. Sofern er die Mitteilung im Glauben
entgegennimmt, ist die Wahrheit für ihn seine eigene richtige Existenz, die der des Mitteilers und durch diesen wiederum derjenigen
Christi selbst entspricht. So wird der Glaubende in einer Weise mit
Christus „gleichzeitig", bei der alle historischen Zwischenbestimmungen wie Kirche, Lehre, Apostel, Predigtamt usw. ihre Bedeutung verlieren. Und der notwendige nächste Schritt ist dann die radikale
Forderung: „Es gilt weder mehr noch weniger als eine Revision des
Christentums, es gilt, die 1800 Jahre wegzuschaffen, als hätte es sie
nie gegeben" [44]; denn alles, was sie gebracht haben, ist für den Glauben nicht bloß irrelevant, sondern ein diesen ständig bedrohendes
Hindernis. Damit ist *formal*-methodisch von der Dialektik der Mitteilung her der Weg zu Kierkegaards letztem großem Angriff auf
die Christenheit frei.

　　Aber das alles hat nun zugleich seine *inhaltliche* Seite. Wir erinnern uns noch einmal an Kierkegaards Kritik an Luthers „undialektischer" Predigt. Was Luther nicht zugleich verkündigen kann, ist
die Forderung der Nachfolge und das Angebot der Gnade. Und
Kierkegaard versucht ihn zu überbieten und richtigzustellen durch

---

[44] Pap. IX, A 72.

eine Mitteilung des Christlichen, welche es dem Empfänger unmöglich machen soll, die Gnade zu ergreifen, ohne zugleich in die Nachfolge geführt zu werden. Dabei weiß Kierkegaard selbstverständlich um die richtige Reihenfolge von Gnade und Nachfolge: „Heterodox muß man sagen: die Bekehrung geht voraus und bedingt die Sündenvergebung; orthodox muß man sagen: die Sündenvergebung geht voraus und stärkt den Menschen, sich in Wahrheit zu bekehren"[45]. Aber weil er das dialektisch Unmögliche versucht, beides zugleich anzubringen, und zwar so, daß der Mensch die Gnade gar nicht mehr mißbrauchen *kann*, ist er praktisch gezwungen, die Reihenfolge umzukehren. Deshalb ist auch die vieldiskutierte Frage nach dem rechten Verhältnis von Gnade und Nachfolge bei Kierkegaard so schwer oder vielmehr überhaupt nicht zu beantworten. Soweit er darüber Lehraussagen macht, stimmt alles. Nur ist mit dieser Feststellung im Zusammenhang von Kierkegaards Dialektik der Mitteilung gar nichts gesagt. Und wenn wir an das für Kierkegaard so überaus wichtige und dreimal feierlich wiederholte Vorwort zur ›Einübung im Christentum‹ denken, mit dem Zugeständnis des Herausgebers, daß er nur von der „Gnade" leben könne, so wird niemand bezweifeln, daß das auch für Kierkegaards persönliche Existenz zutrifft. Aber zu der zweiten Auflage des Werkes, die während seines Kampfes mit der Kirche erschien, hat er gesagt, daß dieses Vorwort jetzt besser weggeblieben wäre[46]. Daß er diese Möglichkeit überhaupt erwägen konnte, ist überaus charakteristisch für die unlösbare Problematik, in die er sich dialektisch verwickelt hatte: Für ihn selbst gilt die Zuflucht zur Gnade nach wie vor. Aber soll sie den andern abgeschnitten werden, weil sie nicht zu jenem Zugeständnis in der von Kierkegaard geforderten Weise bereit sind? Und wenn sie dieses Zugeständnis machen würden, was könnte sie dann hindern, gerade daraus die raffinierteste Form der Selbstrechtfertigung zu machen? Wenn es bei Kierkegaards früheren Aussagen bleiben soll, daß der „Ritter des Glaubens" aussehen kann wie ein Spießbürger, dann wird es schwerlich zu verhindern sein, daß ein Spießbürger das umdreht und sich für einen Ritter des Glaubens ausgibt.

[45] Pap. VII, A 167.
[46] SV XIV 80 f.

Und es könnte sogar sein, daß er es ist. Will Kierkegaard den Mißbrauch der Gnade verhindern, dann bleibt ihm nichts anderes übrig,
als nun eben doch äußerlich feststellbare Kriterien für die Nachfolge,
vor allem für das Fehlen derselben einzuführen, die dann von selbst
wieder zu Bedingungen für die Gnade werden, und so das Verhältnis von Gnade und Nachfolge umzukehren.

So findet das formal-methodische Überschlagen von Kierkegaards
Dialektik der Mitteilung seine inhaltliche Entsprechung in einer
unlösbaren Verwirrung des Verhältnisses von Nachfolge und Gnade.
Die Beseitigung der 1800 Jahre mit all den historischen Zwischenbestimmungen für Lehre und Verkündigung der Kirche führt zu
einer solchen „Gleichzeitigkeit" mit Christus, in welcher es nicht
mehr bloß um die Überwindung des historischen Abstandes geht,
sondern *in der jeder einzelne Christ selbst zu einem Christus werden
muß*.

Rückblickend drängt sich die Frage auf, ob nicht dieses letzte Sich-
Überschlagen von Kierkegaards Dialektik der Mitteilung auf einen
Fehler schon in ihrem Ansatz zurückgeht. Kierkegaard behandelt –
wie wir sahen – die christliche Verkündigung als einen Spezialfall
der allgemeinen Dialektik der Mitteilung und geht dabei aus von
dem grundlegenden Unterschied zwischen Wissensmitteilung und
Könnensmitteilung, wobei er die christliche Mitteilung in die letzte
einordnet. Nun sagt er von der Könnensmitteilung nur beiläufig und
fast wie selbstverständlich, daß man sie auch als eine Mitteilung von
„Sollen–Können" bezeichnen könne [47]. Dabei liegt in dieser Differenz zwischen Können und Sollen–Können die ganze Problematik
des Verhältnisses von Nachfolge und Gnade, von Gesetz und Evangelium, um die Kierkegaard freilich sehr wohl weiß und um die es
im Grunde nicht nur in seinem ganzen Werk, sondern in seinem eigenen Leben geht. Aber die Frage ist, ob Kierkegaard nicht dadurch,
daß er die christliche Mitteilung nur als einen Spezialfall der allgemeinen Dialektik der Mitteilung von Wissen und Können behandelt,
jene für die christliche Verkündigung entscheidende Differenz nicht
mehr fassen kann und darum bei dieser Aporie in bezug auf Predigt
und Lehre der Kirche endigen muß.

---

[47] Pap. VIII, B 83 und 85, 29.

Walter Schulz, Sören Kierkegaard. Existenz und System. (opuscula aus wissenschaft und dichtung. 34.) Pfullingen: Verlag Günther Neske 1967. (Erstmals veröffentlicht in: Wesen und Wirklichkeit des Menschen. Festschrift für Helmuth Plessner. Göttingen, 1957.)

SÖREN KIERKEGAARD

Existenz und System

Von WALTER SCHULZ

Philosophie vollzieht sich jeweilig als die Grundlegung ihrer selbst, die Selbstbegründung gehört ihr, insofern sie eine „fundamentale" Besinnung ist, wesenhaft zu. Dieses Strukturgesetz allen ursprünglichen Philosophierens weist dem Interpreten philosophischer Werke eine bestimmte Aufgabe zu. Er muß beides, den Grund und das von ihm Abhängende, reflektierend zu umgreifen suchen. Ja, er muß auch da, wo eine Philosophie in einem Grunde gründet, den sie selbst nicht mehr begründet hat, ihn zu ergreifen suchen, um diese Philosophie von ihm her abzuleiten. Der nachfolgende Ausleger kann diese Aufgabe leisten, insofern er auf Grund des geschichtlichen „Fortschrittes" das Ganze des ihm vorliegenden Werkes zu verstehen vermag. Dieses Verstehen aber ist von ihm gefordert, wenn anders er zu einer echten Auseinandersetzung gelangen will, denn eine wahrhaft philosophische Auseinandersetzung kann sich nicht damit begnügen, über einzelne Teile des geschichtlichen Werkes subjektiv zu räsonnieren, sondern muß dieses als Ganzes umfassen. Grundsätzlich gesagt: Eine philosophische Auslegung eines philosophischen Werkes ist wesenhaft *systematisch*, insofern sie die in diesem Werk liegenden und es leitenden Bezüge von ihrem Grunde her „zusammenstellt".

Die Behauptung, daß eine philosophische Auslegung geschichtlich vorliegender philosophischer Texte wesenhaft systematisch sei, reizt zum Widerspruch. Man wird sie gelten lassen bei den Denkern, die ihrerseits selbst ein System konstruierten. In solchen Fällen kann die Deutung sich sogar weitgehend an diese Systeme anlehnen. So findet – um nur ein Beispiel zu geben – der Ausleger, der Hegel im ganzen in den Blick bringen will, in Hegels Werk selbst schon weithin eine

Antwort auf die Frage nach dem Grund des Systems und seines Zusammenhanges mit dem Begründeten, denn Hegel hat seinen Grundsatz „Was vernünftig ist, das ist wirklich" nicht nur umgekehrt, sondern er hat es auch unternommen, diesen Grundsatz in dem von ihm
her Begründeten nachzuweisen. Es scheint jedoch Denker zu geben,
die von vornherein eine solche systematische Auslegung ihres Werkes
verbieten, weil sie selbst die Möglichkeit, daß die Philosophie sich in
einem System abschließen könne, grundsätzlich verneinen. Es ist
Sören Kierkegaard gewesen, der diese Verneinung zum eigentlichen
Anliegen seines Philosophierens machte, denn Kierkegaard hat immer wieder betont, daß nur für Gott ein abgeschlossenes System möglich sei, nicht aber für den werdenden und existierenden Menschen.
Gegen das systematische Denken stellt Kierkegaard daher bewußt als
die einzig legitime Form des Philosophierens die „indirekte Mitteilung". Kierkegaard erscheint also geradezu als das Musterbeispiel
eines Philosophierens, das, weil es selbst das System ablehnt, nicht
systematisch ausgelegt werden kann und darf. An ihm findet offenbar die Behauptung, daß philosophische Auslegung systematisch sein
müsse, ihre Grenze.

Die Kierkegaard-Auslegung ist Kierkegaards Ansatz weitgehend
gefolgt. Sie hat seinen Grundsatz, daß es kein System für den Menschen gebe, eben ihrerseits zum Anlaß genommen, Kierkegaard selbst
nicht systematisch zu interpretieren. Eine solche Auslegung, mag sie in
vielem noch so großartig sein, ist als unsystematische aber gezwungen,
aus Kierkegaards Schriften bestimmte Gedankengänge und Kategorien auszuwählen, und steht immer in der Gefahr, vorschnell über
ihn zu räsonieren. Sie vermag nicht, Kierkegaards Werk als Ganzes
in den Blick zu bekommen, und das besagt, sie vermag nicht, Kierkegaards von ihm selbst nicht diskutierten Grundsatz als Grundansatz
in Zusammenhang mit dem von ihm Abhängenden zu setzen. Eine
systematische Auslegung aber muß unternommen werden, wenn anders eine Auseinandersetzung mit Kierkegaards Werk im ganzen
gelingen soll, denn nur durch eine zusammenstellende Interpretation
kann die geschichtliche Tragweite Kierkegaards wirklich begriffen
werden. Als Vorarbeit für eine solche Auseinandersetzung soll daher
im Folgenden gezeigt werden, daß Kierkegaards Existenzauslegung
sich als ein in sich einstimmiges Ganzes, ein System, darstellen und

interpretieren läßt. Die leitende Absicht ist dabei eine doppelte: erstens – das ist die konkrete Aufgabe innerhalb der Kierkegaardforschung – soll dazu beigetragen werden, die Ansicht, daß Kierkegaards Werk unsystematisch sei, zu negieren, und zweitens – das ist das allgemeinere methodische Anliegen – soll gerade an Kierkegaard als einem scheinbaren Gegenbeispiel zur systematischen Auslegung die Möglichkeit einer Interpretation, die Grund und Begründetes in Zusammenhang bringt, zur Diskussion gestellt werden.

Der von Kierkegaard selbst nicht mehr begründete Grund seines Denkens ist die christliche Existenzdeutung. Diese kann von ihm, sofern sie tragender Grund ist, nicht mehr diskutiert werden; gleichwohl zeigt Kierkegaard diese Existenzdeutung in ihrem Grundsein auf, indem er zu ihr hinführt und sie solchermaßen als Grund sichtbar macht. Wir versuchen daher, in einem ersten Teil durch eine „Binneninterpretation" des Entwicklungsweges, den die pseudonymen Schriften darstellen, die Hinführung auszulegen; in einem zweiten, kürzeren Teil soll dann in ausdrücklicher Weise dieser Grund selbst als solcher in den Blick gebracht werden.

Daß die pseudonymen Schriften Kierkegaards einen Zusammenhang bilden, ist von der Kierkegaardforschung durchaus bemerkt worden, aber dieser Zusammenhang ist nicht eigentlich philosophisch interpretiert worden – die philosophische Interpretation stützt sich zumeist auf den ›Begriff Angst‹ und die ›Abschließende unwissenschaftliche Nachschrift‹, der Entwicklungsweg der pseudonymen Schriften dagegen wird als der zwar verstehbare, aber doch eigentlich nicht notwendige eigene Weg Kierkegaards angesehen. Es ist sicher richtig, daß Kierkegaard nicht nur durch sein eigenes Schicksal – vor allem durch die Trennung von seiner Braut Regine Olsen – zu der Abfassung dieser Schriften veranlaßt wurde, sondern daß er diese Schriften zum Teil auch für Regine geschrieben hat, um indirekt auf sie zu wirken; aber das Wesentliche ist es, daß Kierkegaard beides, persönliche Veranlassung und persönliches Wirkenwollen, umgesetzt hat in eine sachliche Darlegung der großen Möglichkeiten menschlichen Selbstverständnisses. Kierkegaard hat sein eigenes Schicksal im negativen und im positiven Sinne aufgehoben in eine innere Systematik, die für sich bestehen bleibt und – nach Kierkegaard – bestehen bleiben soll, auch abgesehen von dem persönlichen Geschick ihres Verfassers. Kierkegaard selbst hat sich im letzten Werk der pseudonymen Schriftenreihe, in der ›Abschließenden unwissenschaftlichen Nachschrift‹, die von Johannes Climacus verfaßt und, wie ausdrücklich angegeben, von S. Kierkegaard herausgegeben ist, über den sachlichen Gang seiner Schriften geäußert. Unter dem Titel ›Blick auf eine gleichzeitige Bestrebung in der dänischen Literatur‹ interpretiert Climacus den Zusammenhang der pseudonymen Schriften. Diese Beilage zeigt das Problem der möglichen Einheit der Existenz als den roten Faden auf, der sich durch das Ganze dieser Schriftenreihe hinzieht.

Um diese Frage nach der Einheit der Existenz vorläufig in ihrem Richtungssinn anzudeuten, sei darauf hingewiesen, daß Kierkegaard die Existenz als eine Synthese bestimmt, und zwar als eine Synthese von Unendlichem und Endlichem, Ewigem und Zeitlichem. Climacus fragt in der ›Abschließenden unwissenschaftlichen Nachschrift‹: „Was ist Existenz?" Er antwortet: „Das ist jenes Kind, das vom Unendlichen und Endlichen, vom Ewigen und Zeitlichen erzeugt und daher beständig strebend ist" (7,73 = 6,179)[1]. Er erklärt entsprechend, daß die Wirklichkeit des wirklichen Menschen, der aus Unendlichkeit und Endlichkeit zusammengesetzt ist, darin bestehe, diese beiden Bestimmungen zusammenzuhalten (7,259 = 7,2). Die parallelen Bestimmungen begegnen in der ›Krankheit zum Tode‹. Kierkegaard definiert dort den Menschen als Geist, und das heißt als selbsthafte Synthese. Die Frage nach der Möglichkeit dieser Synthese ist das grundlegende Problem aller Stufen. Sie wird auf der untersten, der ästhetischen Stufe vom Ästhetiker selbst noch nicht als Problem begriffen und ergriffen. Auf der ethischen Stufe dagegen wird sie nicht nur ausdrücklich diskutiert, sondern bereits gelöst. Jedoch diese Lösung erweist sich als nicht haltbar und wird daher überboten durch die christliche Existenzdeutung. Wir interpretieren diese Stufenordnung im Folgenden, und zwar unter dem Gesichtspunkt der jeweiligen Übergänge.

[1] Wir zitieren zuerst die dänische Ausgabe (Samlede Værker, 1. Auflage, Kopenhagen 1901 ff.), dann die deutsche (Gesammelte Werke, übersetzt von Chr. Schrempf). Für eine Überprüfung der Übersetzung bin ich meinem Tübinger Kollegen Hermann Diem zu Dank verpflichtet.

Kierkegaard entwickelt die ästhetische Stufe vor allem im ersten Teil der ersten pseudonymen Schrift ›Entweder – Oder‹. Dies Werk stellt sich als ein Schriftenkomplex dar, den der Herausgeber, Viktor Eremita, auf eine absonderliche Weise fand. Viktor erkannte beim Studium, daß diese Schriften auf zwei Menschen von je verschiedener Lebensanschauung zurückzuführen seien. Dementsprechend teilte er sie an einen A und einen B auf. A bringt das ästhetische, B dagegen das ethische Lebensverständnis zur Darstellung.

Man könnte A einen unglücklichen oder vielleicht sogar einen verunglückten Dichter nennen. Das beweist gleich der Anfang des ihm zugeteilten Schriftenkomplexes, der Aphorismen an sich selbst bringt. Diese Aphorismen zeigen einen starken Einschlag von Reflexion. Die meisten handeln vom Dichter, aber in der Weise, daß über den Dichter auf eine seltsam lyrisch-dialektische Weise gesprochen wird. Gleich zu Beginn wird der Dichter als ein unglücklicher Mensch bestimmt. Er bringt sein Inneres, das heißt sein Seufzen und Schreien, in schöne Musik verwandelt dar, aber er selbst bleibt in Qualen gebunden. Diese Qualen gründen in einer depressiven Gesamtstimmung. A ist kleinlaut, schwach, nichtig und eigentümlich unfruchtbar. Er windet sich in Wehen und gebiert doch nicht. Dieses Nichtgebären gründet in der Selbstreflexion, mit der dieser Dichter des Dichters sich selbst in seiner unmittelbaren dichterischen Produktion lähmt. So sagt A, er habe nur einen Freund, und dieser Freund sei das Echo. Das Echo sei ihm Freund, weil er seinen Kummer liebe, und das Echo diesen Kummer nicht nehme.

A zeigt sich als ein Mensch, der sich fortdauernd beobachtet und im Zirkel dieser Beobachtung verfangen bleibt. Aber A nimmt sich in diesem Beobachten, in dem ihm alles sinnentleert erscheint, nicht ernst, sondern ironisiert diese seine Betrachtung der Welt und seiner selbst. Diese Ironie, in der sein Lebensinhalt eigentlich besteht, ist zugleich der Genuß seiner selbst als eines wirklichen oder vermeintlichen Genies. Aber A wird seiner selbst in diesem Genuß nicht froh, weil er alle nur möglichen Erlebnisse im vorhinein schon überholt hat. Sehr deutlich tritt diese eigentümliche Leere des Selbstgenusses im ›Tagebuch des Verführers‹ hervor, von dem A nicht der Verfasser, sondern nur der Herausgeber ist. Johannes, der Verführer dieses Tagebuches, liebt das Mädchen Cordelia nicht, wenn man unter

Liebe das sich öffnende Hingezogensein zu einem Du versteht. Johannes liebt den Rausch der eigenen Macht. Er legt alles nur auf den einen Moment an, in dem sich Cordelia hingeben wird. Das ist der Höhepunkt, auf dem man abbrechen muß. Johannes weiß im voraus, daß es dann nur noch darauf ankommt, sich wieder aus dem Mädchen, in das man sich hineindichtete, herauszudichten.

A – und das ist der entscheidende Einwand – handelt nie, sein Leben vollzieht sich pathisch als genießendes Wahrnehmen seiner selbst. Wenn A in diesem pathischen Erleben äußerst reflektiert ist, so ist diese Selbstreflexion noch unmittelbar; A ist zwar nicht unmittelbar in der Weise reiner Naivität, diese liegt seinem Raffinement völlig fern, aber er ist unmittelbar in der Sucht seiner passiven Selbstbeobachtung. Er durchbricht deren Kreis nicht und kommt nie zu einem auf sich selbst handelnden Entschluß. Deswegen sagt B, A habe sich als Selbst noch nicht ergriffen.

Es ist nun das Anliegen des B, diesen A aus der Verlorenheit seiner selbst herauszuführen und ihn damit überhaupt vor die Problematik der Existenz zu stellen. Kierkegaard hat den Übergang vom Ästhetischen zum Ethischen anschaulich dargestellt, indem er B an A in Briefform abgefaßte Ermahnungsschreiben absenden läßt. So wird A zu B in Bezug gesetzt, und zwar in der Weise, daß er über sich selbst Klarheit gewinnen kann. Von sich aus ist A dazu gar nicht in der Lage, weil er auf Grund der Unmittelbarkeit seines passiven Sichhinnehmens zu seinem Leben keinen Abstand zu gewinnen vermag. B dagegen hat das Ästhetische unter sich. Er ist ihm nicht verhaftet, und darum kann er über es urteilen.

B sucht den A nun zu stellen, indem er ihm seine Verzweiflung vor Augen führt. Er rät ihm: „Verzweifle". Das besagt: gestehe dir deine verborgene Verzweiflung offen ein, sage ja zu ihr, dann erkennst du deine Verzweiflung als Selbstverlorenheit, und dadurch kommst du bereits zu dir selbst.

B redet von diesem Zu-sich-selbst-kommen als einer Selbstgeburt und einer Selbstwahl. Er nimmt diese Selbstwahl vor allem ins Thema in einem sehr langen Brief, der den Titel trägt: ›Das Gleichgewicht des Ästhetischen und des Ethischen in der Ausarbeitung der Persönlichkeit‹. Die Formulierung dieses Titels enthält bereits das eigentliche Programm, besser die innerste Überzeugung des B. B ist des festen Glaubens, daß das ethische Sich-wählen nicht im Widerspruch zum Ästhetischen steht, sondern daß die ethische Selbstwahl das ästhetische Hinnehmen des konkreten Mannigfaltigen im positiven Sinne aufhebt, insofern durch das Ethische das Ästhetische in innere Ordnung gebracht werden kann. Es ist daher das Grundanliegen des B, dem A das Ethische nicht als weltfremden Rigorismus zu zeigen, sondern als den eigentlichen Weg zum glücklichen Dasein, das in der Ausgewogenheit von Ästhetischem und Ethischem besteht.

Von dieser Einheit des Ästhetischen und des Ethischen her ist nun auch das Wesen der Selbstwahl in seiner eigentümlich dialektischen Struktur zu erfassen. B erklärt: in der Selbstwahl wähle ich nicht dies oder das, das heißt, ich wähle nichts Endliches. Ich wähle absolut oder ich wähle das Absolute. Was aber ist das Absolute? B antwortet: „Das bin ich selbst in meiner ewigen Gültigkeit. Etwas anderes als mich selbst kann ich nie als das Absolute wählen; denn wähle ich etwas anderes, so wähle ich etwas Endliches und wähle nicht absolut" (2,192 = 2,182). Dieses Selbst als das Absolute wird nun weiter bestimmt als Freiheit. Freiheit besteht darin, daß ich dieses oder jenes wählen, zwischen diesem oder jenem mich entscheiden kann. Das besagt, wenn man das Ganze dieses Gedankenganges zusammenfaßt: ich wähle mich als Wählenkönnenden. Dieses Sich-wählen als Wählen-könnenden, so erklärt B, muß jeder konkreten Wahl von diesem oder jenem Endlichen vorausgehen, denn erst diese absolute Wahl meiner selbst macht eine konkrete Wahl von Bestimmtem möglich. Dieser Akt des Sich-selbst-ergreifens aber ist das eigentliche Wesen des Ethischen. Das Ethische wird von B nicht durch Angabe bestimmter inhaltlicher Normen oder Ordnungen definiert, sondern als Gegensatz zum Ästhetischen. B sagt: „Das Ästhetische im Menschen ist das, wodurch er unmittelbar ist, was er ist; das Ethische ist das, wodurch er wird, was er wird" (2,161 = 2,149). Zusammengefaßt: die Selbstwahl ist das Sich-ergreifen als Freiheit, der Sprung in die Freiheit, der aus der Freiheit geschieht. Dieser Sprung aber, das bin ich selbst, insofern ich absolut, ewig und unendlich bin.

Nun aber erhebt sich eine weitere Frage: wie verhält sich eigentlich das ewige, absolute, unendliche Selbst zu dem konkreten Menschen, etwa zu diesem B, der sich als einen glücklichen Familienvater

und einen zufriedenen Beamten darstellt? Ist dies ewige Selbst ein
anderes als dieser konkrete B, oder ist es dasselbe?

B sagt einerseits: das ewige Selbst war vor der Wahl nicht da, es
wurde erst durch die Wahl. Und er führt dies näher aus, indem er
erklärt: „Als unmittelbare Persönlichkeit bin ich zwar erschaffen aus
dem Nichts, aber als freier Geist bin ich geboren aus dem Grundsatz
des Widerspruches oder dadurch, daß ich mich selbst wählte" (2,193 =
2,183).

Die Selbstwahl scheint sich also als ein Erschaffen des Selbstes als
ewiger Persönlichkeit zu vollziehen. B erklärt nun aber gerade: Wählen ist nie und nimmer ein Erschaffen, was gewählt wird, muß vor
der Wahl doch da sein, sonst könnte es ja gar nicht gewählt werden.
Konkret: was gewählt wird, das ist ja kein abstraktes Selbst, sondern das bin ich selbst, dieser B. Ich wähle mich und nicht einen anderen, mich mit meiner bestimmten Veranlagung und meiner bestimmten individuellen Geschichte. Dieses konkrete Selbst aber wurde nicht
erst durch die Wahl, wenn man „werden" im Sinne eines Erschaffens
aus dem Nichts versteht. Aber B sagt weiterhin, in einem anderen
Sinn wurde dieses Selbst allerdings erst durch die Wahl, nämlich als
das in der Wahl als solches von mir übernommene, durch mich mir
zugeeignete Selbst. In der Wahl, so sagt B, schließe ich mich mit mir
als konkrete Persönlichkeit zusammen. Das geschieht vor allem in der
Reue: in der Reue wähle ich ja mein früheres Selbst, aber als gewähltes ist es nicht mehr das alte Selbst, sondern als mir durch mich
zugeeignetes steht es nun in der Einheit mit mir selbst als wählendem.
Wählendes und gewähltes Selbst sind derselbe sich einheitlich verstehende Mensch.

Sich-wählen als Wählen-könnenden heißt also nicht, sich in eine
abstrakte Unwirklichkeit seiner selbst verlieren, sondern sich als konkretes, wählendes und gewähltes Selbst in einem einzigen Akt ergreifen. B drückt diesen Sachverhalt so dialektisch aus, daß man meint,
er habe bei Hegel Kolleg gehört. Er weist auf die hier vorherr-
schende Identität hin und erklärt: „Was ich wähle, das setze ich
nicht, denn wenn es nicht gesetzt wäre, so könnte ich es nicht wählen,
und doch, wenn ich es nicht dadurch gesetzt hätte, daß ich es
wählte, so wählte ich es nicht; das heißt, wenn es nicht wäre, könnte
ich es nicht wählen, daß heißt nicht, daß es erst dadurch würde, daß

ich es wähle, sonst wäre meine Wahl eine Illusion" (2,191 = 2,181 f.).
B erläutert diese Dialektik, indem er sagt: die Wahl vollzieht in
einem Akt zwei dialektische Bewegungen. Die eine Bewegung ist
das Sich-losreißen, das Sich-freimachen und Sich-konstituieren als
unendliches Selbst, die andere Bewegung ist das Zurückkehren und
Sich-binden, in dem man sich als endliches Selbst in Freiheit übernimmt.

Beziehen wir nun diese Dialektik der Selbstwahl, in der B die
Identität des wählenden und des gewählten Selbstes entwickelt, auf
das Versprechen zurück, das B dem A gab. Dieses Versprechen be-
sagte: Durch die Selbstwahl verlierst du deine von dir so hoch-
geschätzte individuelle Veranlagung keineswegs, sondern bekommst
du sie in einem neuen Sinn zurück. Nun erläutert B dies, indem er zu A
sagt: Zwar verlierst du durch die Selbstwahl dein ästhetisches unmittelbares Sein, das heißt deinen passiven Hang zum Genuß, aber du
durchbrichst den Zirkel deiner Selbstbeobachtung und kommst in
die aktive Möglichkeit, deine so reichen Gaben in innerer Ordnung
und Harmonie zu entfalten und so ein Mensch in Einheit und Ganzheit zu sein.

Überblickt man diese beiden Stufen, so ergibt sich ein durchaus
geschlossenes Ganzes, besser: ein bestimmter zielhafter Weg. Dieser
Weg führt vom selbstverlorenen Daseinsgefühl zum sich sammeln-
den existentiellen Selbstbewußtsein, das sich als die Einheit von
unendlicher Freiheit und endlicher Gegebenheit vollzieht. Existenz,
so muß man nach B formulieren, *ist* diese Einheit von Unendlichkeit
und Endlichkeit. Existenz ist dieses Sich-halten im Gleichgewicht,
insofern sie durch die Selbstwahl Unendliches und Endliches zusammenschließt.

Kierkegaard ist nun über diesen Standort hinausgeschritten. Die
innere Notwendigkeit dieses Fortschrittes zeigen innerhalb der pseudonymen Schriften die beiden auf ›Entweder – Oder‹ folgenden Werke
›Furcht und Zittern‹ und ›Begriff Angst‹.

Der Verfasser von ›Furcht und Zittern‹, Johannes de silentio, bestreitet die von B proklamierte Einheit der Existenz, indem er an
der Geschichte von der Opferung Isaaks durch Abraham zeigt, daß
der Fall eintreten kann, wo eine klaffende Diskrepanz von Unendlichkeit und Endlichkeit aufbricht und die Bewegungen des Aufstie-

ges zur Unendlichkeit und der Rückkehr zur Endlichkeit auseinandertreten.

Abraham wird von Gott aus seinem vertrauten Leben herausgerissen, indem an ihn die unerklärliche und unnatürliche Forderung er-
geht: Opfere deinen eigenen Sohn. Die unmittelbare Antwort des
Abraham ist die heroische Preisgabe des Isaak. Johannes nennt diese
Preisgabe die Bewegung der Unendlichkeit. Abraham transzendiert
seine Lebenseinheit in einer unendlichen Resignation. Johannes erläutert diese Resignation: „Zum Resignieren gehört kein Glaube,
denn was ich in der Resignation gewinne, ist mein ewiges Bewußtsein, und das ist eine rein philosophische Bewegung ... Diese Bewegung mache ich aus mir selbst, und was ich dafür gewinne, bin ich
selbst in meinem ewigen Bewußtsein in seligem Einverständnis meiner Liebe zu dem ewigen Wesen" (3,98 = 3,53 f.).

Diese Worte erinnern an bestimmte Sätze des B. B definierte den
ersten Schritt der Selbstwahl als das Sich-losreißen aus der ästhetischen Unmittelbarkeit und erklärte: In dieser Absage gewinne ich
mich selbst als ewige Persönlichkeit. Hier in ›Furcht und Zittern‹ ist
die Absprungbasis zwar nicht mehr das Ästhetisch-Unmittelbare,
sondern bereits die Einheit von Ästhetischem und Ethischem, in der
Abraham als glücklicher Familienvater lebt. Aber die Bewegung des
Losreißens, ob es sich (wie bei B) um das Losreißen aus der ästhetischen Unmittelbarkeit oder (wie bei Abraham) um das Losreißen
aus der glückhaften Einheit des Lebens handelt, ist formal die
gleiche. In beiden Fällen verzichte ich auf etwas: hier pater familias
zu sein, dort ästhetisch unmittelbar zu leben; und in beiden Fällen
gewinne ich, wie ausdrücklich gesagt wird, mein ewiges Selbst, und
zwar durch eigene Kraft.

Der Unterschied bricht erst auf, wenn man die Möglichkeit der
zweiten Bewegung, nämlich der Bewegung der Rückkehr bedenkt.
B erklärte dem A: Du bekommst dich durch die Selbstwahl wieder.
Anders steht es bei Abraham. Johannes weist immer wieder darauf
hin: die Bewegung der Unendlichkeit, das Sich-losreißen, ist aus
eigener Kraft zu vollbringen, aber die zweite Bewegung, die Rückkehr, steht nicht in des Menschen Macht. Im Beispiel des Abraham:
Die Hingabe des Isaak erfordert ungeheure Willensanstrengung,
aber sie ist vollziehbar; die Wiedergewinnung des Isaak kann Abra-

ham nicht bewerkstelligen. Hierzu bedarf es der Kraft des Glaubens an das Absurde, der gegen alle Wahrscheinlichkeit daran festhält, daß Gott den Sohn wiedergeben wird. Johannes sagt nun immer wieder: die zweite Bewegung ist die eigentlich wesentliche, die Bewegung zur Endlichkeit. Die Endlichkeit ist es, um die sich hier alles dreht, und der Glaube macht nicht die Bewegung der Unendlichkeit, sondern die der Endlichkeit. Wiederum an Abraham illustriert: Abraham glaubt, daß es in diesem endlichen Leben zukünftig so wird, wie es zuvor war: ich werde wieder pater familias.

Dieser Gott, der Abraham aus seinem Leben herausreißt, erscheint als der schlechthin Unverstehbare, ja als der Unethische. Er fordert wider alle gültige Ordnung ein Unnatürliches. Johannes hat nun aber keinen Anstand genommen, diesen Gott durch Beispiele des Lebens zu illustrieren. Genauso wie Abraham ohne Schuld geschlagen wird, genauso kann jeder Mensch durch Schicksalsschläge schuldlos getroffen werden. Er kann in seinem körperlichen Sein verunstaltet werden – Johannes verweist auf Gestalten aus den Dramen Shakespeares. Er kann aber auch in seinem Inneren zum Unglück bestimmt sein – Johannes gibt in diesem Zusammenhang eine ausführliche Schilderung der sogenannten dämonischen Naturen. In allen diesen Fällen, es handle sich um Äußeres oder Inneres, um Anlage oder Widerfahrnis, tritt ein Bruch ein, durch den der Mensch ausgesondert wird. Diese Hinweise haben einen guten Sinn. Sie übersetzen den uns scheinbar so fremden Gott Abrahams in die uns erfahrbare Wirklichkeit, und der Sinn dieser Übersetzung ist es zu zeigen: es kann eine unheimliche Macht in mein Leben einbrechen, die es von Grund aus verändert.

Dieses Kann bedroht einen jeden. Deswegen hilft es nicht, darauf hinzuweisen, daß Abraham ja eine Ausnahme sei, denn was die Ausnahme kennzeichnet, ist keine merkwürdige oder gar pathologische Sonderheit, sondern etwas, was in jedes Leben hereinsteht. Jeder kann in das Geschick der Ausnahme gezwungen werden. Das aber besagt: die Angst um diese Möglichkeit gehört zum Leben als solchem dazu.

Gerade von dieser Angst aber geht Kierkegaard in ›Furcht und Zittern‹ aus und weist nun rückläufig die im Ansatz des B verborgene Problematik auf. Der leitende Gedankengang ist der folgende: wenn

diese Möglichkeit der Aussonderung jeden bedroht, dann ist die
Einheit der Existenz mir nie verfügbar und nie durch mich zu garantieren. Das heißt grundsätzlich: die Einheit der Existenz steht überhaupt nicht in der Macht des Menschen. Streng und genau besehen
kann auch der Ethiker B nur die Bewegung zur Unendlichkeit als
Absage an die Endlichkeit vollziehen, aber er kann nicht über die
Rückkehr und die Einheit von Ästhetischem und Ethischem verfügen.

Es ist nicht unwesentlich, daß Climacus in der anfangs erwähnten
Beilage zu der Schrift ›Abschließende unwissenschaftliche Nach-
schrift‹ bei der Kommentierung von ›Entweder – Oder‹ gerade diese
Behauptung der Einheit der Existenz als den Grundmangel der
Haltung des Ethikers B herausstellt. Climacus erklärt dort: „Der
Ethiker in ›Entweder – Oder‹ hatte sich selbst durch Verzweiflung
gerettet. Aber hier lag in meinem Gedanken eine Mißlichkeit. Die
Mißlichkeit besteht darin, daß das ethische Selbst immanent in der
Verzweiflung gefunden werden sollte, daß das Individuum, indem
es die Verzweiflung aushielt, sich selbst gewinnen sollte. Der Ethiker
hat wohl eine Bestimmung der Freiheit ‚sich selbst wählen‘ gebraucht,
welche die Schwierigkeit zu entfernen scheint, die vermutlich nicht
vielen aufgefallen ist. Doch hilft das nichts. Indem ich verzweifle,
gebrauche ich zum Verzweifeln mich selbst, und daher kann ich wohl
durch mich selbst an allem verzweifeln, aber nicht, wenn ich dies
getan habe, durch mich selbst zurückkehren. In diesem Augenblick
der Entscheidung braucht das Individuum einen göttlichen Beistand"
(7,217 f. = 6,330).

Der entscheidende Satz – ich kann an allem verzweifeln, aber
nicht durch mich selbst zurückkehren – hat seine genaue Parallele in
›Furcht und Zittern‹. Dort heißt es: aus eigener Kraft kann man
resignieren, aber zurückkommen und die Wirklichkeit ergreifen
durch sich selbst, das ist unmöglich. Nehmen wir beide Sätze zusammen, dann läßt sich das Ganze folgendermaßen formulieren: die
Aufstiegsbewegung ist dem Menschen durch sich in jeder Form möglich – sei es der Aufstieg im Sinne des B oder des Johannes de silentio –, die Abstiegsbewegung dagegen ist dem Menschen immer unmöglich. Wenn dem B die Rückkehr zur Einheit glückt, dann ist dies
nicht durch eigene Kraft geschehen, sondern ist bereits göttliche
Gnade. Anders – und untheologisch formuliert –: auch die Einheit,

in der B als pater familias lebt, ist Zufall, denn B kann sie als solche nicht garantieren. Die Möglichkeit des Herausgerissenwerdens ist auch für ihn eine offene Möglichkeit.

Das Anliegen, diese Diskrepanz, die in ›Furcht und Zittern‹ zunächst nur an den Ausnahmenaturen sichtbar wurde, als Grundproblem des menschlichen Seins philosophisch herauszuarbeiten, ist das eigentliche Thema des Werkes ›Begriff Angst‹. Dies Buch hat weder die Absicht, eine allgemein existential-ontologische Analyse der Angst zu geben, noch, eine Deutung des christlichen Sündenbegriffs zu erbringen. Die Angst ist weder Angst vor dem In-der-Welt-sein als solchem, noch eine Angst vor der Sünde als einer Verschuldung gegen Gott, sondern die Angst ist die Angst vor der Freiheit. Warum aber hat der Mensch Angst vor der Freiheit? Weil die Freiheit ihn mit der eigentlichen Aufgabe seines Menschseins belastet, die Gegensätze seines eigenen Seins zu synthetisieren. Vigilius Haufniensis, der Verfasser dieses Werkes, zeigt, daß diese Synthese nie glückt und nie so glücken kann, daß die Angst verschwände. Deswegen ist der eigentliche Inhalt des ganzes Werkes, die verschiedenen Erscheinungen dieser Angst, die die Existenz immer und überall bedroht, aufzuweisen.

Die Angst ist Angst vor dem Sprung der Freiheit in die Freiheit. Die Freiheit aber ist das Wesen des Geistes. Vor dem Sprung ist der Geist, so heißt es, nur als träumender da, er projiziert seine eigene Wirklichkeit voraus, und gerade diese Wirklichkeit macht ihm Angst. Der Geist hat also Angst vor sich selbst, das heißt vor der ihm durch den Sprung aufklaffenden Wirklichkeit seiner selbst, die darin besteht, sich selbst synthetisieren zu müssen.

Vigilius bestimmt den Menschen als eine Synthese von Leiblichem und Seelischem. Diese Synthese ist vor dem Sprung noch gar keine echte Synthese. Seele und Leib sind hier in einer unmittelbaren Einheit verbunden. Erst im Sprung zertrennt der Geist diese unmittelbare Einheit, um beides, Seele und Leib, nun durch sich selbst zu verbinden. Im Sprung geschieht also ein Zweifaches, das doch eine Einheit ist: das Scheiden, das heißt das Auseinanderreißen des vor dem Sprung noch Ungetrennten zu Entgegengesetztem, und das Verbinden dieses Entgegengesetzten. Der Geist als Freiheit vollzieht beides zugleich, denn indem er die Gegensätze als solche setzt, bringt er sie je schon in ein bestimmtes Verhältnis. Vigilius setzt also – echt idealistisch – die Synthese als Verbindung von selbst gesetzten Unterschieden. Er erläutert dies in bezug auf die Dialektik von Ewigkeit und Zeit. Indem der trennend-scheidende Geist die Gegensätze aufreißt, erkennt er allererst, daß er sich als ewiges *und* zeitliches Wesen zu vollziehen hat. Erst durch die Trennung wird der Gegensatz von ewig und zeitlich gesetzt. Aber zugleich wird in dieser Trennung je schon eine bestimmte Verbindung von Ewigem und Zeitlichem vollzogen. Vigilius nennt diese Verbindung den Augenblick. Im Augenblick kommen Ewiges und Zeitliches zusammen, jedoch als Gegensätze, und das besagt: sie stellen den Menschen in die Entscheidung.

Der Geist ist als Synthetisierendes also nicht ein neutrales Drittes, das über den beiden Extremen steht, sondern er ist selbst die Möglichkeit, als trennend-verbindend den Menschen je festzulegen. Der Geist ist selbst in diese Möglichkeit hineingesprungen und kann ihr nicht mehr entrinnen. Seine Synthese ist je schon eine Entscheidung für die Ewigkeit gegen die Zeitlichkeit oder umgekehrt. Aber eben diese Entscheidung kann das Andere nie absolut negieren und bleibt darum immer vorläufig.

Vigilius hat dieses Nichtneutralsein des Geistes sehr anschaulich am Phänomen der Sinnlichkeit entwickelt. Im Scheiden bricht die leib-seelische Einheit auseinander. Das Sinnliche wird zum Sexuellen, das Seelische zu dessen Gegensatz, dem „rein" Geistigen. Der Geist sieht erschreckend, daß er in dieser Synthese selbst auf die eine Seite zu stehen kommt, nämlich als Gegensatz zum Sexuellen, das doch erst durch ihn von der natürlichen Sinnlichkeit umgesetzt wurde zum Sexuellen. Der Geist ist als Synthetisierendes immer mit im Spiel, und das besagt nun gerade: er ist eben nicht reiner Geist. Vigilius sagt in diesem Zusammenhang das tiefe Wort, daß der Geist auf dem Höhepunkt der Differenz Scham empfinde, Scham darüber, daß er zugleich zum Leib, und zwar zum Leib in geschlechtlicher Differenz gehöre. Vigilius kennt die Abgründigkeit der Existenz, daß sie nie reiner, ewiger und unendlicher, sondern zutiefst immer schon leiblich-geschlechtlich gebundener Geist ist.

Überblickt man diese Gedankengänge des Vigilius und setzt sie in Bezug zu den vorausgehenden pseudonymen Schriften, so erkennt man, daß im Entwicklungsgang dieser Schriften eine von Kierkegaard bewußt eingetragene Ironie waltet. Vigilius behauptet wie B die Einheit des Menschen, aber gerade mit umgekehrten Vorzeichen. B war beglückt, daß der Mensch nicht reines Geistwesen ist, sondern das Erotische mit dem Geist verbinden kann. Vigilius erschrickt, weil der Mensch als Geistwesen mit geistfremden Komponenten belastet ist. Der Grund dieser verschiedenen Bewertung wird deutlich, wenn man die Differenz in der philosophischen Bestimmung der Synthese bedenkt. B setzte eine Bewegung an, die doch in zwei dialektische Schritte zu trennen war, die Aufstiegsbewegung zur Unendlichkeit und die Abstiegsbewegung zur Endlichkeit, und erst in diesem zweiten Schritt, so meinte B, werden das Unendliche und das Endliche wirklich zur Einheit verbunden. Johannes de silentio bewegte sich in dem gleichen Schema. Er erklärte aber, daß die Rückkehr zur Endlichkeit nur durch Gott geschenkt werden könne, aber auch er war der Meinung, daß sich hier auxilio dei am Ende die Synthese ergebe. Beide also setzen die Synthese erst als den Schluß der zweiten Bewegung an, nur mit dem Unterschied, daß für B dieser synthetische Schluß durch den Menschen, für Johannes de silentio dagegen allein durch Gott zu bewerkstelligen sei. Für Vigilius dagegen ist die Synthese nicht der am Ende stehende Schluß, denn der Mensch kann sich nicht *erst* von seiner Endlichkeit entfernen und *dann* – sei es durch sich oder Gott – zu dieser zurückkehren, sondern der Mensch ist schon immer in seiner Zweiheit, in seiner Zwiespältigkeit unentrinnbar verfangen. Das ist ja der Sinn der Synthese, die Vigilius ansetzt, Trennung und Verbindung in unauflöslichem Zusammenhang zu sein.

Kierkegaard hat diese Analyse der Existenz, die Vigilius gibt, in seinem reifsten Werk ›Die Krankheit zum Tode‹ aufgenommen. Dort hat er die Angst weitergetrieben zur Verzweiflung hin. Auch ›Die Krankheit zum Tode‹ bestimmt den Menschen als Synthese. Ihr Verfasser, Anticlimacus, stellt eindeutig heraus, daß die Synthese nicht etwas ist, worüber der Mensch verfügt, sondern daß sie das Sein des Menschen als solches ist. Das aber besagt: der Mensch ist als Mensch schon immer in der Gefahr des Mißverhältnisses seiner selbst. Das Mißverhältnis ist keine Ausnahme, sondern gerade die Regel, weil das rechte Verhältnis herzustellen ja nur möglich wäre, wenn der

Mensch sich derart übersteigen könnte, daß er *von außen her* die Gegensätze, die er ist, ins Gleichgewicht brächte und in diesem erhielte.

›Die Krankheit zum Tode‹ gibt eine umfassende Analyse der möglichen Mißverhältnisse. Der Mensch hat das eine Mal zuviel Unendlichkeitssinn, dann vergißt er sich als endliches Wesen. Er bessert dies aus, und gerade dadurch verliert er nun die Unendlichkeit und verfestigt sich im Endlichen. Der Mensch hat das andere Mal zuviel Sinn für das Überschwengliche, er wird zur Phantasieexistenz; um dies zu ändern, wendet er sich dem Realen zu und verliert allen Schwung. Grundsätzlich gesagt: das Gleichgewicht des Lebens ist dem Menschen nie geglückt, und es kann ihm nie glücken, weil er in den Zwiespalt seiner selbst schon eingesetzt ist. So *muß* er in die Verzweiflung geraten. Er versucht entweder verzweifelt er selbst zu sein, das heißt, trotzig dieses sein Sein zu übernehmen, oder er versucht verzweifelt nicht er selbst zu sein, das heißt, schwächlich der Qual seines Seins zu entrinnen. Beide Formen der Verzweiflung gehören dialektisch zusammen, denn ob man sich in seiner Verzweiflung behaupten, oder ob man sich in ihr loswerden will, das sind nur zwei nie zu Ende gehende Auswege aus dem Verhängnis, das das menschliche Dasein in sich selbst ist.

Kierkegaard kennt nun aber durchaus eine Lösung für dieses problematische Sein, das der Mensch wesenhaft ist. Genauer: Kierkegaard legt einen möglichen *Ausweg* aus der Problematik der Existenz dar, der diese Problematik letzthin negiert: das ist der Weg des Sokrates, und er bringt eine *Lösung* dieser Problematik vor, eine Lösung, die gerade in diese Zwiespältigkeit der Existenz hineinführt und sie dennoch tragbar macht: das ist die Möglichkeit des paradoxen Glaubens.

Das Wesen des sokratischen Philosophierens hat Kierkegaard am lichtvollsten zu deuten gesucht durch die Explikation eines von ihm selbst aufgestellten Grundsatzes. Dieser Grundsatz heißt: „Die Subjektivität ist die Wahrheit". Indem wir uns den Sinn dieses Satzes, den Climacus im ersten Teil von ›Abschließende unwissenschaftliche Nachschrift‹ aufstellt, verdeutlichen, bereiten wir den Nachweis vor, daß Kierkegaard der Ansicht ist, daß der Ansatz des Sokrates im Grunde nicht der Existenz angemessen ist.

Wir fragen zunächst: was heißt Wahrheit für Climacus? Climacus bestimmt ganz traditionell die Wahrheit als Übereinstimmung von Denken und Sein. Aber er fragt sich sofort: ist eine solche Übereinstimmung überhaupt möglich? Er antwortet: sie ist nur dort möglich, wo das Sein ein abstraktes Sein ist. Hegel konnte eine solche Übereinstimmung, ja sogar eine Identität von Denken und Sein behaupten, weil sein Seinsbegriff völlig losgelöst von der Existenz und ihrer Wirklichkeit war. Kierkegaard nennt einen solchen Bezug zur Wahrheit einen objektiven Bezug zu einer selbst objektiven, das heißt gegenständlich gefaßten Wahrheit. Er erklärt: „Wenn objektiv nach der Wahrheit gefragt wird, so wird objektiv auf die Wahrheit als einen Gegenstand reflektiert, zu dem der Erkennende sich verhält. Es wird nicht auf das Verhältnis reflektiert, sondern darauf, daß es die Wahrheit, das Wahre, ist, wozu man sich verhält" (7,166 = 7,274). Der Denkende sieht hier ganz von sich ab, er ist gleichsam in der Objektivität verschwunden. Diese Definition trifft in der Tat auf Hegel zu, denn Hegel wollte, daß man von sich selbst als beurteilendem, räsonierendem Ich absehe und zur „Sache selbst" käme, das heißt dem einen und einzigen Denken des absoluten Geistes, in dem überhaupt nicht mehr der empirisch Denkende als solcher thematisiert ist. Die Wahrheit als Gegenstand sehen, das heißt also idealiter, nicht ein realistisches Verhältnis zwischen der Wahrheit und dem sie Suchenden ansetzen. Täte man dies, dann würde ja eo ipso die Frage nach dem Verhältnis selbst wach, die Frage also, wie sich der empirisch Denkende zur Wahrheit verhält. Climacus sagt sehr genau: „Wenn das, wozu der Denkende sich verhält, nur die Wahrheit ist, so ist das Subjekt in der Wahrheit" (7,166 = 7,279). Der der objektiven Wahrheit Hingegebene ist bereits durch diese Hingabe in der Wahrheit. Es *soll* gar keinen Unterschied zwischen ihm und dem Wahren geben.

Gegen diese objektive Wahrheit hebt Climacus die subjektive Wahrheit ab. Der subjektive Denker reflektiert doppelt, erstens auf das Objektive und zweitens auf sich als den, der nach diesem Objektiven fragt. Es ist eine arge Fehlinterpretation, Kierkegaard die Meinung unterzuschieben, der subjektive Denker sei relativistisch in sich verfangen und kümmere sich nicht um das Objektive. Der subjektive Denker ist durchaus auf das Objektive aus, aber er reflektiert sich selbst im Bezug auf dies objektive Sein. Und hier erkennt er eine Diskrepanz. Er sieht die Nichtübereinstimmung, er sieht, daß er das Objektive nie erreicht, und aus keinem anderen Grunde, als weil er als subjektives, das heißt für Climacus als empirisches Wesen, nie zum Objektiven, das heißt zum Absoluten und Unendlichen, kommen *kann*.

Angesichts dieser prekären Situation bleibt dem subjektiven Denker nur übrig, nach der objektiven Wahrheit zu *streben*. Die für den empirischen Menschen allein mögliche Wahrheit ist ein Approximieren, ein Approximieren natürlich nach dem Objektiven hin. Und hier bringt nun Climacus eine wesentliche Einsicht vor. Wenn die einzig erreichbare Wahrheit für den Existierenden wirklich nur im Streben ist, dann darf die objektive Wahrheit gar nicht mehr das *unmittelbare* Ziel sein, sondern das unmittelbare Ziel muß es sein, sich als Strebenden zu konstituieren. Es kommt zuerst und wesentlich auf das Wie des Verhältnisses, das heißt des Strebens an. Climacus erklärt: „Wenn subjektiv nach der Wahrheit gefragt wird, so wird subjektiv auf das Verhältnis des Individuums reflektiert, wenn nur das Wie dieses Verhältnisses in Wahrheit ist, so ist das Individuum in der Wahrheit, selbst wenn es sich so zur Unwahrheit verhält" (7,166 = 7,274). Das Streben als Streben ist also die einzige Möglichkeit, wie ein Mensch in der Wahrheit ist.

Climacus gibt für diesen Unterschied von objektiver und subjektiver Wahrheit selbst ein Beispiel: die Erkenntnis Gottes. Der objektiv Erkennende sieht ganz von sich ab und intendiert allein eine abstrakte Sachbestimmung Gottes. Der subjektive Denker reflektiert über sich als den, der Gott erkennen will. Er fragt sich: kann ich endliches Wesen überhaupt Gott erkennen? Und er antwortet: Nein! Ich kann nur nach dieser Erkenntnis streben. Also, so folgert er, ist mein Streben die mir einzig mögliche Gottesbezogenheit, und das besagt wiederum: ich muß mich als strebende Subjektivität in mir selbst ergreifen. Climacus erklärt: „Die Leidenschaft zur Unendlichkeit ist das Entscheidende, nicht ihr Inhalt, denn ihr Inhalt ist gerade sie selbst. Also ist das subjektive Wie und die Subjektivität die Wahrheit" (7,170 = 7,278). Das eigentlich zu Erstrebende ist nicht das inhaltlich feststehende Objektive, sondern das Streben selbst: das Streben wird sich selbst zum Inhalt der menschlichen Existenz, der als solcher von ihr und durch sie anzueignen ist.

Sokrates nun, so erklärt Climacus, hat dieses Streben als den Sinn seines philosophischen Lebens angesehen. Er wußte, daß er als Mensch nie bei der objektiven Wahrheit ankäme, ohne sich als Mensch zu vergessen, und darum ergriff er das Sich-um-sich-bekümmern als die eigentliche Aufgabe. Im Wissen um sein objektives Nichtwissen siedelte er sich in diesem Niemandsland zwischen wissendem Gott und nicht-wissendem Tier an. Das ist das Große an der Sokrates-gestalt – Kierkegaard blieb sein Leben lang davon fasziniert.

Aber Kierkegaards Liebe zu Sokrates ist zwiespältig. Er weiß, daß Sokrates zwar gegenüber der in Hegel kulminierenden Ontologie den Menschen unendlich betont, aber er weiß zugleich, daß Sokrates der Vorbereiter dieser spekulativen Ontologie ist, die von Plato bis Hegel herrscht. Daß Sokrates vor dieser Ontologie haltmachte, das ist seine Einzigartigkeit. Aber dieses Haltmachen ist nicht notwendig, denn an sich ist Sokrates bereits auf dem Wege zur Spekulation, indem er den Weg des Transzendierens auf das Ewige hin einschlägt. Sokrates und die spekulative Ontologie sind sich darin durchaus einig, daß sie meinen, daß der Mensch „eigentlich" nur im Ewigen und Unendlichen sich erfülle. Der Unterschied liegt nur im je ver-schiedenen Bezug zu dieser ewigen, unendlichen, objektiven Wahr-heit. Für die spekulative Ontologie eines Hegel ist der Mensch in ihr aufgehoben und mit ihr identisch; für Sokrates bleibt das Ewige etwas, was nie erreichbar ist. Aber die *Richtung* auf das Ewige über den Menschen hinaus haben Sokrates und die Spekulation gemein-sam.

Climacus hat diesen Sachverhalt durch den Rückgriff auf die sokratisch-platonische Lehre von der Wiedererinnerung zu illustrie-ren gesucht. Diese Lehre besagt: die Wahrheit ist dem Menschen ursprünglich zu eigen, und diese Ursprünglichkeit gilt es wiederher-zustellen, indem man sich auf dem Weg der Wiedererinnerung in das Ewige zurücknimmt. Dieses Sich-erinnern aber ist zweideutig. Es kann einmal als Aufgabe auf sich genommen werden, ohne daß man je in den Zustand des Habens gelangt. Die Aufgabe ist dann unend-lich. So versteht es Sokrates. Das Sich-erinnern kann jedoch auch als ein bloßer Weg angesehen werden, auf dem am Ende der Besitz der objektiven Wahrheit erreicht wird. So versteht es Plato und die ihm nachfolgende Ontologie. Climacus erklärt: „Der Satz: alles Erkennen ist ein Sicherinnern, deutet den Anfang der Spekulation an, aber Sokrates verfolgte ihn daher auch nicht, er wurde wesentlich platonisch. Hier biegt der Weg ab. Sokrates betonte wesentlich das Existieren, während sich Plato, dies vergessend, in Spekulation verliert« (7,172 = 7,280).

Sokrates widersteht der Verlockung zur Spekulation, aber an sich stand auch für ihn dieser Weg offen. Aus dieser Einsicht zieht Climacus die Konsequenz: wenn das Begehen dieses Weges für Sokrates nur durch seinen Takt, mit dem er das Menschliche nicht vergaß, ausgeschlossen ist, so besagt dies: das Sokratische ist keine sachlich wahrhafte und echte Lösung. Eine solche kann nur darin bestehen, daß der Ausweg in die Spekulation *grundsätzlich* verschlossen wird. Dies aber geschieht im Paradox des christlichen Glaubens.

Es bezeugt nun die denkerische Größe Kierkegaards, daß er innerhalb der pseudonymen Schriften diese Sicht des christlichen Glaubens weder dogmatisch behauptet noch rein erwecklich verkündet hat. Es ist eine viel zu wenig beachtete Tatsache, daß Climacus, der Verfasser von ›Philosophische Brocken‹ und ›Abschließende unwissenschaftliche Nachschrift‹, wesentlich auf das Christentum hinweist, ohne sich selbst als einen Christen auszugeben. Climacus stellt Sokrates die christliche Glaubenssicht rein als ›Denkprojekt‹ entgegen. Kierkegaard will also das Christentum gerade nicht in die Sphäre privater und persönlicher Entscheidung stellen, sondern denkerisch zeigen, wie es sich zu den vorausgehenden Stufen verhält. Unsere Aufgabe ist es daher zu zeigen, wie Kierkegaard den Übergang zum Paradox des Christlichen darstellt.

Climacus legt sich die Frage vor, woran es eigentlich liege, daß Sokrates sich nur durch seinen Takt vor der Spekulation bewahrte. Er antwortet: Sokrates hat ja den gleichen Wahrheitsbegriff wie die Spekulation, demzufolge die Wahrheit das Objektive ist. Der Unterschied zwischen ihm und Plato liegt nur darin, daß sich Sokrates, das Menschliche beachtend, indirekt zu dieser Wahrheit verhalten wollte. Um ein mögliches Ableiten in die Spekulation *sachlich* zu verhindern, genügt der Ansatz des Sokrates also nicht. Ein solches Ableiten wird nur dann verhindert, so meditiert Climacus in seinem Denkprojekt, wenn die Wahrheit an sich selbst jeden Zugang zu sich – sei er direkt oder indirekt – unmöglich macht, das heißt wenn sie selbst nicht mehr objektiv, allgemeingültig und einsichtig ist, sondern wenn sie sich als Wahrheit dem Menschen verschließt. Was sich dem Menschen verschließt, das ist paradox. Wenn also die Wahrheit selbst paradox wird, dann verwehrt sie jeden ontologisch-spekulativen Zugang zu ihr. Climacus sagt: Der Betrug der Spekulation ist dann unmöglich gemacht. „Die Existenz kann schärfer nicht betont werden" (7,175 = 7,283). Dieser Satz besagt: im Gegensatz zur Spekulation soll dem Menschen die Möglichkeit des Transzendierens genommen werden, *damit* der Mensch ganz in den wesenhaften Zwiespalt seiner Existenz verhaftet wird. Es *darf* keinen Ausweg geben, denn jeder Ausweg ist eo ipso ein Nichternstnehmen der Wahrheit der Existenz, ein Zwiespalt zu sein.

Climacus folgert nun weiter: wenn die Wahrheit an sich selbst sich als paradoxe dem Menschen verschließt, und der Mensch nicht mehr zu ihr transzendieren *kann*, dann ist er ja gar nicht in der Wahrheit. Folglich muß der sokratische Satz „Die Subjektivität ist die Wahrheit" umgekehrt werden in den Satz: „Die Subjektivität ist die Unwahrheit". Dieser Satz besagt also: die Subjektivität ist nicht mehr zur Wahrheit hinstrebend und sich in diesem Streben konstituierend, und das kann sie gar nicht sein, weil die Wahrheit an ihr selbst diesen strebenden Zugang zu ihr verschlossen hat.

Es ist ein nachdenkliches Phänomen, daß die Kierkegaardforschung zwar den ersten Satz – Die Subjektivität ist die Wahrheit – eifrig diskutiert, den zweiten Satz – Die Subjektivität ist die Unwahrheit – dagegen entweder überhaupt nicht beachtet oder nur als christlich gedachte Erläuterung des ersten Satzes diskutiert. Aber Kierkegaard erreicht erst in diesem zweiten Satz sein eigentliches Ziel, nämlich dem Menschen die Transzendenzbewegung *unmöglich* zu machen. Es ist für ein Verständnis, das Kierkegaard wirklich im ganzen erfassen will, unumgänglich zu erkennen, daß Kierkegaard tatsächlich der Ansicht ist, daß der Grundzug der gesamten Tradition, das Transzendieren zum Unendlichen hin, ein Verhängnis ist, denn das Transzendieren *ist* das Vergessen der Existenz. Das gilt es im einzelnen zu erhellen.

Climacus führt den Satz „Die Subjektivität ist die Unwahrheit" äußerst dialektisch ein. Er fragt: Gibt es für den Satz „Die Subjektivität ist die Wahrheit" einen „innerlicheren Ausdruck"? Und er antwortet: „Ja, wenn die Rede: die Subjektivität, die Innerlichkeit ist die Wahrheit, so beginnt: die Subjektivität ist die Unwahrheit" (7,174 = 7,281). Warum ist der Gegensatz ein innerlicherer Ausdruck für den Satz „Die Subjektivität ist die Wahrheit"? Weil erst in diesem Gegensatz die Existenz ganz innerlich geworden ist, *das heißt* ganz abgeschnitten vom Bezug zur Transzendenz. Bereits des Sokrates Anliegen war es, den Menschen zu verinnerlichen, aber diese Verinnerlichung blieb gefährdet, weil der transzendierende Ausweg zur Spekulation an sich offenstand. Das Anliegen des Sokrates kommt gerade erst dort zur Erfüllung, wo dieser Ausweg verbaut wird, wo der Mensch sich selbst diesen Ausweg verschlossen hat, und das heißt, wo er sich selbst von der Wahrheit abgeschnitten hat und in der Unwahrheit ist.

Climacus erklärt nun in den ›Philosophischen Brocken‹: Nennen wir diese Unwahrheit „Sünde". Was heißt, so fragen wir, hier Sünde? Sünde ist die radikalste Innerlichkeit, das besagt: die radikalste Abgeschnittenheit von der ewigen transzendenten Wahrheit. Climacus sagt völlig unmißverständlich: „Aber je schwieriger es dem Menschen gemacht ist, sich erinnernd aus der Existenz zu ziehen, desto innerlicher kann sein Existieren in der Existenz werden, und wenn es ihm unmöglich gemacht wird, wenn er so in der Existenz steckt, daß die Hintertür der Erinnerung für ewig verschlossen ist, so wird die Innerlichkeit am tiefsten" (7,175 = 7,283).

Sünde, insofern sie Innerlichkeit ist, kann nicht angeboren sein. Das ist wesenhaft unmöglich, denn Innerlichkeit ist kein Faktum am Menschen, sondern seine eigene in und durch das Existieren zu leistende Tat. Sünde als Innerlichkeit ist also selbst verschuldet. Um diesen Schuldbegriff zu verstehen, muß man vorerst die übliche dogmatische Sündenlehre beiseite lassen. Climacus bleibt auch hier beim Denkprojekt, das heißt, er stellt alles darauf ab, wie die Existenz ihre höchste Möglichkeit, also ihre höchste Innerlichkeit erreiche. Und dies geschieht, indem sie sich selbst *als Verinnerlichung* von der ewigen Wahrheit abschneidet. Dieses Sich-abschneiden von der ewigen Wahrheit ist der Sündenfall des Menschen als der Eintritt in die Existenz und ihre Zwiespältigkeit.

Climacus ist sich völlig im klaren, daß die so bestimmte Sünde eigentlich unfaßbar ist. Sie ist ja nicht das Verfehlen von diesem oder jenem Gebotenen, sondern das Sein des Menschen als Existenz im ganzen. Um sich als Sünder zu erkennen, müßte der Mensch sich also im ganzen überschreiten, aber dies ist ihm wesenhaft unmöglich. Nicht der Mensch, sondern Gott selbst zeigt dem Menschen seine Abgeschnittenheit vom Ewigen als seine Sünde. Dieses Zeigen ist eine Tat. Es ist die Tat, in der die ewige Wahrheit selbst zeitlich wird. Diese Tat ist dialektisch: sie offenbart dem Menschen seine Sünde und hebt diese Sünde auf. Gott schafft den Menschen weder realiter um, noch entnimmt er ihn dem Zwiespalt der Existenz. Gott eröffnet dem Menschen allererst seine Zwiespältigkeit, und er tut dies, indem er selbst in diesen Zwiespalt eingeht, das heißt ein existierendes Wesen wird.

Dieses Auf-sich-nehmen des Zwiespaltes ist für einen unendlichen Gott eine völlig paradoxe Tat. Es ist ja nicht so, daß Christus wie ein griechischer Gott gelegentlich menschliche Gestalt annimmt, um in die menschlichen Geschäfte einzugreifen oder gar im eigenen Interesse eine schöne Frau zu gewinnen. Christus geht in das Leiden der Existenz ein. Der einzige Unterschied zum Menschen liegt darin, daß Christus nicht Sünder wird. Christus kann in die Existenz eingehen, ohne Sünder zu werden, weil er ja ontologisch von Haus aus ewiger Gott ist und bleibt. Christus kann sich gar nicht absolut vom Ewigen abschneiden, welches Abschneiden per definitionem das Sündersein ist.

Die eigentliche und wesentliche Paradoxie der Menschwerdung Gottes liegt darin, daß dem Menschen durch den existent gewordenen Gott das Transzendieren sinnlos gemacht wird. Das Transzendieren geschieht ja in der Absicht, den Menschen zum Ewigen zu bringen. Wenn das Ewige aber gerade nicht im Ewigen, sondern im Zeitlichen ist, dann wird dieser Transzendenzbezug sinnentleert. Um das Ewige zu erlangen, darf der Mensch nicht die Zeit überschreiten, sondern muß gerade in die Zeit hineingehen, weil in ihr allein das Ewige zu finden ist. Christus verhindert das Transzendieren, indem er es zu einer zwecklosen Unternehmung macht. Hier schließt sich das Denkprojekt, von dem Climacus anfänglich sagte, sein Sinn sei, den Ausweg in die Spekulation *unmöglich* zu machen. In Christus geschieht die Ausschließung der Spekulation, aber in dialektischer Form. Indem Christus dem Menschen die objektive Wahrheit *ver*schließt, die der Mensch über sich hinausgehend sucht, *erschließt* er ihm die in das Paradox gewandelte Wahrheit, die den Menschen gerade nicht von sich weg treibt, sondern in die Existenz hineinweist.

Die Dialektik der christlichen Existenzdeutung führt Gott und Mensch zusammen, und zwar in der Ebene der Existenz. Dies Zusammentreffen ist vom Menschen her ermöglicht durch seinen selbstverschuldeten Eintritt in die Existenz, von Gott her durch seinen nicht verschuldeten Eintritt in eben dieselbe Existenz. Beides, daß der Mensch sich als Existenz vom Ewigen abschneidet *und* daß Gott als Existenz in die Zeit eingeht, gehört zusammen. Kierkegaard stößt hier auf ein Grundproblem christlicher Dogmatik, auf die Frage, ob nicht die Schuld wesenhaft eine felix culpa sein muß, insofern sie die glückliche Situation schafft, in der die Menschwerdung Gottes einen Sinn hat, nämlich den Sinn, die Sünde zu vergeben.

Auch bei der Erklärung der Sündenvergebung muß man behutsam vorgehen, wenn man Kierkegaards Meinung treffen will. Sündenvergebung heißt nichts anderes als das Menschsein getrost übernehmen dürfen. Hat die Existenz ohne Christus sich in der Verzweiflung verfangen, so nimmt sie sich in Christus nun hin. Es ist in beiden Fällen dieselbe Existenz. Auch die „neue" Existenz bleibt wie die „alte" sündig, das heißt schneidet sich wesenhaft durch sich selbst vom Ewigen ab. Aber sie ist als sündige nun gerechtfertigt. Diese Rechtfertigung betrifft die Existenz im ganzen. Indem Gott Mensch wird, rechtfertigt er das Menschsein als solches in seiner Zwiespältigkeit. Er bestätigt es, indem er es selbst auf sich nimmt. Die Existenz aber, die von dieser Tat weiß, kann nun das Hiesige, in dem sie als Existenz zu stehen hat, vollziehen.

Das Wissen um diese Rechtfertigung ist der Glaube. Kierkegaard definiert den Glauben in zwei verschiedenen Formeln, die, scheinbar entgegengesetzt, doch zusammengehören. Glaube ist nach Climacus, dem Verfasser von „Philosophische Brocken" und „Abschließende unwissenschaftliche Nachschrift", Leidenschaft für das Absurde und das Paradox. Glaube ist das ungeheure Risiko, gegen die Objektivität in Ungewißheit zu glauben, daß durch die Menschwerdung eines Gottes der Mensch gerechtfertigt ist.

So definiert Climacus, der nach der Angabe Kierkegaards von unten her, von der strandenden Spekulation auf das Christentum zukommt. Der Anti-Climacus, der Verfasser der ›Krankheit zum Tode‹, der das Christliche in einer übermenschlichen Weise darstellt, definiert den Glauben dagegen als die Durchsichtigkeit der Existenz, die über die Verzweiflung hinaus ist. Seine Formel heißt: „Glaube ist, daß das Selbst, indem es sich zu sich verhält und darin es selbst ist, sich selbst durchsichtig gründet in der Macht, die es setzte" (11,161 = 8,46). Die Wahrheit der Existenz, das heißt der Glaube, ist Durchsichtigkeit, und zwar die Durchsichtigkeit einer Gründung, die im Selbstverhalten des Menschen geschieht. Dieses Sich-gründen aber ist nur möglich, wenn es seinerseits bereits begründet ist, nämlich in der Menschwerdung Gottes. Darum ist es die Ruhe des einfachen Seins, in der nichts mehr von Verzweiflung ist.

Wir haben in einer „Binneninterpretation" Kierkegaards Denken als ein systematisches, das heißt als ein einheitliches Ganzes zu verstehen gesucht, indem wir in der „Nachfolge Kierkegaards" auf den Grund seines Systems, die christliche Existenzdeutung, hinführten. Indem nun aber der Grund von dem Begründeten her an ihm selbst sichtbar wird, stellt sich dem Interpreten die Aufgabe, diesen Grund als solchen zu bedenken. Eine solche Aufgabe scheint im Falle Kierkegaards insbesondere den Theologen anzugehen. Die Theologie, die ja in nicht geringem Maß an der Wiederentdeckung Kierkegaards in Deutschland beteiligt war, hat diese Aufgabe in recht verschiedener Weise zu erfüllen gesucht. Kierkegaard wurde als Erwecker zum eigentlichen Christentum gegen den modernen Liberalismus, ja die Philosophie überhaupt ins Feld geführt, aber er wurde auch getadelt, weil er die Wirklichkeit der Kirche übersprungen habe, und es fehlt auch nicht an kritischen Stimmen, die zu zeigen suchen, daß seine Deutung des Christentums doch vom modernen Denken, insbesondere vom Denken Hegels, abhängig blieb. Der philosophische Interpret wird sich in diese Deutungen nicht einmischen, insofern er nicht in der Lage ist, das „wahre" Christentum als solches herauszustellen und von ihm her Kierkegaards Christlichkeit (die, wie insbesondere ›Die erbaulichen Schriften‹ zeigen, ja außer Zweifel steht) in ihrem sachlichen Recht oder Unrecht zu bemessen. Für den philosophischen Interpreten kommt es darauf an, gerade Kierkegaards christliche Existenzdeutung in ihrer geschichtlichen Bedeutsamkeit innerhalb der philosophischen Entwicklung zu ermessen. Unterzieht man sich dieser Aufgabe, dann zeigt sich, daß Kierkegaard zwar die traditionelle christliche Existenzdeutung übernimmt, sie jedoch wesentlich verändert.

Die traditionelle christliche Existenzdeutung bestimmt den Menschen als Ebenbild Gottes. Diese Ebenbildlichkeit ist zwar durch den Sündenfall korrumpiert, aber nicht gänzlich zerstört, und durch Christus ist dem Menschen der Zugang und der Aufstieg zu Gott wieder eröffnet. Philosophisch gesehen fügt sich diese Deutung in den Grundzug der abendländischen Metaphysik ein, der von Plato an durch die Idee der Transzendenz bestimmt ist. Kierkegaard hat bei vielen Mängeln im einzelnen einen genialen Blick dafür gehabt, daß Platonismus, Hegelianismus und die von ihm bekämpfte Christenheit wesenhaft zusammengehören. Plato lehrt, daß der Mensch zusammengesetzt sei aus Sterblichem und Unsterblichem und danach strebe, sich vom Sterblich–Endlichen zu lösen; der Mensch kann dies, weil er wesenhaft unsterblich ist. Die christliche Lehre bestreitet zwar dies Können, aber auch für sie bleibt der Grundsatz geltend, daß der Mensch eigentlich in dieser Welt nicht zu Hause ist, sondern daß er, im Glauben schon jetzt über diese Welt hinaus, am Ende der Tage bei Gott sein wird. Und Hegel bleibt im philosophischen Verstande der legitime Vollender des Christentums, wenn er Gott als den absoluten Geist bestimmt und den Menschen in seinem Wesentlichen in diesen Geist hinein „aufhebt".

Das heißt: die Tradition setzt den Menschen zwar als ein Wesen an, das nicht wie Gott reine Unendlichkeit ist, sondern das aus Unendlichkeit und Endlichkeit zusammengesetzt ist, aber diese Zusammensetzung ist aufhebbar, weil der bessere Teil, eben der göttlich-unendliche, abgelöst werden kann, sei es durch eigene Kraft oder auxilio dei. Diese Ablösung aber vollzieht sich als die Bewegung des Transzendierens.

Daß Kierkegaard diese Bewegung leidenschaftlich bekämpft, gründet darin, daß er zwar die traditionelle Bestimmung des Menschen als einer Zusammensetzung aus Endlichem und Unendlichem übernimmt, aber sie nicht mehr äußerlich, das heißt als zertrennbar ansetzt, sondern als die Aufgabe des Menschseins versteht. Indem aber der Mensch als Zusammensetzung sich selbst zur Aufgabe wird, indem dies gerade als sein *Wesen* angesetzt wird, geschieht die entscheidende Ablösung von der Tradition, denn nun ist das Problem nicht mehr der Aufstieg des Transzendierens, sondern das Wie des Sich-verhaltens der Existenz *in* ihrer Zwiespältigkeit, der man, wenn anders sie das Wesen des Menschen ist, gar nicht entrinnen kann[2].

Kierkegaard löst die Frage dieser Zwiespältigkeit, indem er sich das Christentum wieder holt. Der menschgewordene Gott macht den Zwiespalt ertragbar, weil er ihn auf sich nimmt. Diese Lösung bleibt philosophisch bedeutsam, auch wenn man ihren dogmatischen Gehalt nicht übernimmt, denn sie erst ist der letzte Schritt zur eigentlichen Aneignung der Existenz als Existenz. Hier wird die Bewegung zur Transzendenz radikal negiert, das heißt von ihrer Wurzel der Jenseitigkeit selbst her: das Ewige ist nicht im Ewigen, sondern hier und jetzt. Durch diese Einsicht ist der Blick vom „Jenseits" zum „Diesseits" gewendet. Aber – und das ist die letzte, von Kierkegaard selbst nicht mehr gesehene Konsequenz – dies „Diesseits" ist kein bloßes Diesseits mehr als Gegensatz zu einem absoluten Jenseits, sondern es hat das Jenseits in sich aufgenommen.

---

[2] In diesem Sinne kann Kierkegaard als der Inaugurator der „Existenzphilosophie" gelten: er brachte in den Blick, daß das Existieren nur von der Existenz selbst zu leisten sei. Hier gründen Kategorien wie Geworfenheit, Situation, Sprung und Entscheidung. Es bleibt aber immer zu beachten, daß Kierkegaards Existenzbegriff sich nicht mit dem Existenzbegriff von Jaspers und Heidegger deckt – Heideggers Bestimmung des Daseins als eines entsubstantialisierten Sich-zu-sich-verhaltens steht jenseits der Kategorien „Zusammensetzung aus Unendlichkeit und Endlichkeit".

Deutsche Vierteljahrsschrift für Literaturwissenschaft und Geistesgeschichte, 32 (1958),
S. 576–612.

DAS KIERKEGAARDBILD
IN DER NEUEREN FORSCHUNG
UND DEUTUNG

(1945–1957)

Von Michael Theunissen

Wenn wir unseren Bericht über die neuere Kierkegaardforschung
und -deutung auf die seit Kriegsende erschienene Literatur beschränken, so sind es vor allem zwei Umstände, welche die Willkür, die
einer zeitlichen Abgrenzung fast immer anhaftet, mildern. Einmal
wird dadurch dem kundigen Leser der Vergleich des „Neuen" mit
dem „Alten" erleichtert, mit jener ersten Rezeptionsbewegung nämlich, die in ähnlicher und doch wieder grundverschiedener Lage nach
1918 stattfand. Zum andern wurden nach dem deutschen Zusam-
menbruch die ersten Zeichen einer internationalen Zusammenarbeit
sichtbar, die im Kierkegaard-Gedenkjahr 1955 ihren Höhepunkt
erreichte[1]. Die Fülle der Beiträge, die zwischen 1945 und 1957 nicht
zuletzt im Blick auf das Zentenarium veröffentlicht wurden, zwingt
den Berichterstatter zu einer Auswahl, die selbst wieder einer keineswegs verbindlichen Deutung entspringt. Zur Ergänzung sei ver-

---

[1] Über den internationalen Kongreß für Kierkegaardforschung, der vom
10. bis 17. August 1955 in Kopenhagen stattfand, vgl.: Kierkegaardiana II.
Kopenhagen: Munksgaard 1957 (93 S.), S. 86 f.; Pierre Mesnard, Spigo-
lame filosofico al Congresso kierkegaardiano di Copenaghen, in: Studi
Kierkegaardiani. Con un inedito di Soeren Kierkegaard. A cura di Cornelio Fabro, Brescia: Morcelliana 1957 (433 S.), S. 267–282. – Beiträge
skandinavischer, deutscher, angelsächsischer, französischer, italienischer und
japanischer Autoren in: Symposion Kierkegaardianum. Orbis Litterarum
X, 1–2. Kopenhagen: Munksgaard 1955, 318 S. Vgl. ferner: Theology Today XII, 3 (Okt. 1955); La Table Ronde, 95 (Nov. 1955).

wiesen auf die beiden Bücher von A. *Kabell* [2] und A. *Henriksen* [3], in denen die Geschichte des skandinavischen Kierkegaardstudiums bis in die neuere Zeit hinein verfolgt wird. Bietet Kabell besonders aus den Anfängen vielfältiges Material, so hat die in englischer Sprache vorliegende Abhandlung von Henriksen den Vorzug größerer Übersichtlichkeit und adäquaterer Kritik, die stets an der Aufgabe bemessen wird, die der jeweilige Autor sich selber gestellt hat. Ausführliche Inhaltsangaben einiger dänischer Schriften, die in den von uns abgesteckten Zeitraum fallen, finden sich im Sammelreferat von B. *Delfgaauw* [4]. Hingewiesen sei auch auf die informativen Aufsätze, in denen N. *Thulstrup* [5] das methodische Problem der Kierkegaardforschung [6] sowie deren neuere Entwicklung inner- und außerhalb Skandinaviens [7] kritisch beleuchtet. Thulstrup hat auch mitgewirkt bei der Ausarbeitung einer von E. *Ortmann Nielsen* zusammengestellten und Ende 1950 abgeschlossenen Bibliographie [8].

[2] Aage Kabell, Kierkegaardstudiet i Norden. Kopenhagen: Hagerup 1948, 329 S.

[3] Aage Henriksen, Methods and results of Kierkegaard studies in Scandinavia. Kopenhagen: Munksgaard 1951. 160 S.

[4] Bernard Delfgaauw, De Kierkegaard-studie in Scandinavie. Tijdschrift voor Philosophie XVII, 3 (Sept. 1955), S. 523–530; XVII, 4 (Dez. 1955), S. 699–710; XVIII, 1 (März 1956), S. 121–129.

[5] Niels Thulstrup, dem Sekretär der Kopenhagener Kierkegaard-Gesellschaft, sei an dieser Stelle gedankt für seine wertvollen Literaturhinweise, die er dem Referenten freundlicherweise gegeben hat. Seinen Dank möchte der Referent auch den Angestellten der Freiburger Universitätsbibliothek für ihre bereitwillige Hilfe aussprechen.

[6] Niels Thulstrup, Problemkomplekset Kierkegaard. Det danske Magasin III, 6 (1955), S. 369–380; vgl. Symposion Kierkegaardianum, S. 280 bis 318.

[7] Niels Thulstrup, Theological and philosophical Kierkegaardian Studies in Scandinavia, 1945–1953. Theology Today XII, 3 (Okt. 1955), S. 297 bis 311; ders., Kierkegaardstudiet i Skandinavien 1945–1952, en kritisk oversigt. Edda 1954, S. 79–96, 97–122; ders., Studiet af Kierkegaard udenfor Skandinavien. En kritisk skitse. 1945–1952. Dansk teologisk Tidsskrift XVI, 2 (1953), S. 65–80.

[8] Søren Kierkegaard. Bidrag til en bibliografi. Udarbejdet af Edith Ortmann Nielsen, under medvirken af Niels Thulstrup. Kopenhagen: Munks-

Hauptsächlich in- und ausländische Ausgaben, selbständig erschienene Sekundärliteratur, die skandinavischen Zeitschriftenaufsätze der wichtigsten Jahre und dänische Zeitungsartikel aus den Jahren 1940–1949 sind darin aus dem Bestand der dänischen Bibliotheken verzeichnet.

I. Ausgaben

Während die von 1901 bis 1906 erstmals erschienenen 'Samlede Værker' zwischen 1920 und 1936 bereits in zweiter Auflage herausgekommen sind, konnte der letzte der zwanzig Bände, die Kierkegaards ›Papiere‹ – Tagebuchaufzeichnungen (A), Entwürfe (B) und Lektüre-Notizen (C) – enthalten, wegen der Auswirkungen der deutschen Besatzungszeit erst 1948, zehn Jahre nach dem Bekanntwerden des vorletzten Bandes, ediert werden [9]. Die in ihm abgedruckten B-Manuskripte von 1854/55 gewähren einen erschütternden Einblick in die angespannte „Reflexionsarbeit" der kämpferischen Schlußphase. Einen ganz anderen Eindruck von der persönlichen Eigenart des schillernden Dialektikers bekommt man beim Lesen der von N. *Thulstrup* im Auftrag der Kierkegaard-Gesellschaft herausgegebenen Briefe [10]. Vor allem Kierkegaards Zeilen an seine Nichten und Neffen bekunden die liebevolle, wenn auch zuweilen etwas herablassende Heiterkeit eines in der Tiefe „sympathetischen" Geistes. Nicht weniger aufschlußreich ist unter den hier gesammelten, zu einem Drittel vorher ungedruckten Briefen von und an Kierkegaard dessen Korrespondenz mit Rasmus Nielsen. Außer der Briefsammlung umfaßt der wertvolle Textband aus Kierkegaards Feder stammende Dedikationen und die wichtigsten Akten

gaard 1951. 96 S. Eine weniger ausführliche Bibliographie: Régis Jolivet, Kierkegaard. Bern: Francke 1948 (Bibliographische Einführungen in das Studium der Philosophie, hrsg. v. I. M. Bochenski, 4). 32 S.

[9] Søren Kierkegaards Papirer. Udgivne af P. A. Heiberg, V. Kuhr og E. Torsting. Bd.: XI, 3. Kopenhagen: Gyldendal 1948.

[10] Breve og Aktstykker vedrørende Søren Kierkegaard. Udgivne paa foranledning af Søren Kierkegaard Selskabet ved Niels Thulstrup. Bd. I: Tekst. Bd. II: Kommentar og Personregister. Kopenhagen: Munksgaard 1953/54. 344 + 139 S.

vom Taufschein bis zum Testament. Alle drei Gruppen sind, soweit das möglich war, in sich chronologisch geordnet und mustergültig kommentiert, jeweils mit Angabe der Fundstelle des Manuskripts sowie gegebenenfalls des Erstdrucks eines Briefes und mit sorgfältig belegten Auskünften über Einzelheiten des Textes und Daten nicht allgemein bekannter Empfänger oder Absender. Nachdem die Herausgabe der Werke und Papiere abgeschlossen war, wurde mit dieser Publikation der letzte Schritt zur Veröffentlichung alles heute zugänglichen auf Kierkegaard bezüglichen Materials getan. Die nach Vollendung solcher Arbeit verbleibende Aufgabe, nun einzelne Schriften genauer als in den Gesamtausgaben zu erläutern, hat N. *Thulstrup* zu erfüllen begonnen. Einleitung und Kommentar seiner ›Philosophischen Brocken‹ haben für die internationale Kierkegaardforschung paradigmatischen Wert [11]. Sie füllen gegenüber den 106 Seiten Text zusammen etwa 140 Seiten, ohne daß man je das Gefühl hätte, mit unnötigem Ballast beschwert zu werden. In klaren und knappen Zügen entwirft Thulstrup zunächst die geistesgeschichtliche Situation, um dann den Leser mit Kierkegaards religionsphilosophischen Studien, der inneren Struktur der ›Brocken‹ und dem Pseudonymitätsproblem vertraut zu machen. Das Hauptgewicht des Kommentars liegt auf dem Nachweis der Zitate und Anspielungen, auf der Angabe der von Kierkegaard benutzten Quellen und der Klärung der Beziehungen zum deutschen Idealismus. Von gleich hohem Rang wie diese Einzelausgabe ist die ebenfalls mit Einleitungen und Texterläuterungen versehene Werkauswahl, an der – wenn man W. *Lowrie* [12] glauben darf – neben dem offiziellen Herausgeber F. J. *Billeskov Jansen* abermals Thulstrup wesentlich beteiligt ist [13]. Inner-

[11] Søren Kierkegaard, Philosophiske Smuler. Udgivet med indledning og kommentar af Niels Thulstrup. Kopenhagen: Munksgaard 1955. XLIV + 216 S.

[12] Walter Lowrie, Translators and interpreters of S. K. Theology Today XII, 3 (Okt. 1955), S. 312–327.

[13] Søren Kierkegaard, Værker i Udvalg. Med indledninger og tekstforklaringer ved F. J. Billeskov Jansen. Kopenhagen: Gyldendal 1950. Bd. I: Digteren og Kunstkritikeren. XXIV + 428 S. Bd. II: Filosoffen og Teologen. 337 S. Bd. III: Prædikanten, Kirkestormeren og Autobiografen. 336 S. Bd. IV: Indledninger og Tekstforklaringer. 238 S.

halb der drei Gruppen, in denen Kierkegaard sich erst als Dichter und Kunstkritiker, darauf als Philosoph und Theologe und schließlich als erbaulicher Seelsorger, Kirchenstürmer und Autobiograph vorstellt, tritt der konsequent aufgeführte Gedankenbau der ineinander verzahnten Schriften vielleicht noch plastischer hervor als in einer Gesamtausgabe. Nach dem Modell der dänischen Auswahl hat *Billeskov Jansen* die schwedische geformt, die ungefähr auf die Hälfte des Umfangs reduziert ist, im übrigen aber bei gleicher Gruppeneinteilung denselben Prinzipien folgt [14]. Auch hier will der Herausgeber die ursprüngliche Ganzheit dadurch hervorkommen lassen, daß er den Kern sowohl der „Verfasserschaft" wie der einzelnen Schriften herausschält. Dagegen geht es P. *Lønning* darum, durch kleine Proben aus den verschiedenartigsten Produkten dem norwegischen Leser die verwirrende Mannigfaltigkeit des Kierkegaardschen Schaffens vor Augen zu führen und so in ihm statt harmonischer Befriedigung jene Unruhe zu wecken, in die Kierkegaard den Einzelnen versetzen wollte [15].

Wir müssen es uns versagen, die englischen, amerikanischen, holländischen, französischen, italienischen, spanischen und japanischen Übersetzungen einzeln aufzuzählen. Nur die erstaunliche Tatsache, daß Italien und jetzt auch Frankreich dank der Initiative des Pater C. *Fabro* [16] und der Tätigkeit von K. *Ferlov* und J.-J. *Gateau* [17] Tagebuchselektionen besitzen, die die bisherigen deutschen an Umfang bei weitem übertreffen, mag zur Ermunterung hiesiger Verleger

[14] Sören Kierkegaard, Skrifter i Urval. Med inledningar och textförklaringar av F. J. Billeskov Jansen. Översättning av Stig Ahlgren och Nils Kjellström. Stockholm: Wahlström & Widstrand 1954–57. Bd. I: De stora diktverken. 392 S. Bd. II: Filosofi och teologi, uppbyggelse och polemik. 425 S.

[15] Søren Kierkegaard. Et utvalg ved Per Lønning. Oslo: Land og Kirke 1955. 186 S.

[16] Soeren Kierkegaard, Diario. Introduzione, traduzione, note e indici di Cornelio Fabro. Brescia: Morcelliana 1948–52. Bd. I: CXL + 450 S. Bd. II: XXIV + 628 S. Bd. III: XX + 568 S.

[17] Sören Kierkegaard, Journal (Extraits). Traduit du danois par Knud Ferlov et Jean-J. Gateau. Bisher: Bd. II (1846–49). 405 S. Bd. III (1849/50). 422 S. Bd. IV (1850–53). 480 S. Paris: Gallimard 1954–57.

vermerkt werden. In Deutschland selbst richtet sich das Hauptinteresse naturgemäß auf die beiden großen Unternehmen des Eugen Diederichs und des Jakob Hegner Verlags. Bei Diederichs sind seit 1950 etwa zwei Drittel der auf 24 einzeln käufliche Bände berechneten Gesamtausgabe erschienen [18]. Außer der im ersten Teil vorliegenden ›Nachschrift‹, die H. M. *Junghans* übersetzt und kommentiert hat, konnten bis jetzt noch alle Bände von E. *Hirsch* besorgt werden. Etwas weniger rasch ist die Erscheinensfolge der Hegnerschen Jubiläumsausgabe, die W. *Rest* und H. *Diem* unter Mitwirkung der Kopenhagener Kierkegaard-Gesellschaft veranstalten. 1951 kam hier der erste Band der Philosophisch-Theologischen Schriften heraus, mit der von H. *Winkler* verdeutschten ›Einübung‹, den von W. *Rest* übertragenen ethisch-religiösen Kurzabhandlungen und dem ›Buch Adler‹, das man in der alten Übersetzung von Th. *Haecker* aufgenommen hat [19]. Fünf Jahre später folgte ein ebenso umfangreicher Sammelband, der die ›Krankheit zum Tode‹, ›Furcht und Zittern‹, die ›Wiederholung‹ und den ›Begriff der Angst‹ enthält, die mittleren Schriften in der Übersetzung von G. *Jungbluth*, die erste in der von W. *Rest* und die letzte in der von Rosemarie *Løgstrup* [20]. Beiden ebenfalls gesondert beziehbaren Bänden ist neben den Einleitungen von Rest (zum ersten Band) und Diem (zum zweiten Band)

---

[18] Abt. 1: Entweder – Oder I; Abt. 2: Entweder – Oder II; Abt. 4: Furcht und Zittern; Abt. 5/6: Die Wiederholung. Drei erbauliche Reden 1843; Abt. 7/9: Erbauliche Reden 1843/1844; Abt. 10: Philosophische Brocken; Abt. 11/12: Der Begriff Angst. Vorworte; Abt. 13/14: Vier erbauliche Reden 1844. Drei Reden bei gedachten Gelegenheiten 1845; Abt. 15: Stadien auf des Lebens Weg; Abt. 16: Abschließende unwissenschaftliche Nachschrift; Abt. 17: Eine literarische Anzeige; Abt. 24/25: Die Krankheit zum Tode; Abt. 26: Einübung im Christentum; Abt. 27/29: Erbauliche Reden 1850/51. Zur Selbstprüfung der Gegenwart anbefohlen. Urteilt selbst; Abt. 33: Die Schriften über sich selbst.

[19] Sören Kierkegaard, Einübung im Christentum und Anderes. Köln u. Olten: Hegner 1951. 733 S.

[20] Sören Kierkegaard, Die Krankheit zum Tode und Anderes. Köln u. Olten: Hegner 1956. 767 S. Ein weiterer, wiederum von Thulstrup kommentierter Band mit den ›Philosophischen Brocken‹ und der ›Nachschrift‹ erscheint im Herbst 1958.

ein fortlaufender Kommentar von N. *Thulstrup* beigegeben. Dieser Kommentar ist im ganzen wohl ein wenig ausführlicher als die Anmerkungen von Hirsch, die sich sehr oft auf Übersetzungsprobleme beziehen. Vor allem entdeckt Thulstrup mehr Anspielungen auf stilistisch angedeutete oder zart variierte Bibelstellen. Obwohl auch Thulstrup eine sichere Kenntnis aller Texte verrät, in denen bestimmte Aussagen vorgebildet sind oder wiederkehren, überblickt freilich der durch seine „Kierkegaard-Studien" [21] geschulte Hirsch noch müheloser die problematische Koordination der Werkteile. Der Gleichwertigkeit der Anmerkungen entspricht die Gleichwertigkeit der Ausstattung, an der hier wie dort nichts gespart ist.

Umstrittener ist die Güte der Übersetzungen, die teils sehr gelobt, teils schwer getadelt wurden. Einseitig ist Liselotte *Richters* restlose Verwerfung der ersten von Hirsch bearbeiteten Bände, und zwar nicht nur der Übersetzung, sondern auch des wissenschaftlichen Apparats [22]. Immerhin ist der Vorwurf „extremer Verdeutschungssucht" und altertümelnder, übertrieben danisierender Manieren berechtigt. Der Gewinn an Lesbarkeit, den Hirschs Sprachpurismus einbringt, wird jedenfalls dort zunichte gemacht, wo die bisweilen sogar sinnentstellende Eindeutschung die terminologische Substanz angreift. Schlimmer ist, daß Hirschs antiquierte Ausdrucksweise dem Original jene feierliche, aber nichtssagende Note gibt, von der Kierkegaard sich im Vorwort zur ›Krankheit‹ ausdrücklich distanziert. Wenn der bürgerlich solide Gerichtsrat sich mit dem höchst alltäglichen „som" begnügt, so ist der sakrale Ton von „sintemal" fehl am Platze. Falsch ist auch meist der feierliche Eindruck, den die allzu sklavische Nachbildung des dänischen Wort- und Satzgefüges hervorruft, z. B. die Vorsetzung des abhängigen Genitivs vor das leitende Substantiv, im Dänischen eine grammatische Notwendigkeit, im Deutschen aber so außergewöhnlich und vornehm, daß zumindest die pseudonymen Kritiker sonntäglicher Wohlredenheit

[21] Emanuel Hirsch, Kierkegaard-Studien. Gütersloh: Bertelsmann 1930–33. Bd. I: XII + 128, 318 S. Bd. II: IX + 156, 359 S.
[22] Liselotte Richter, Konstruktives und Destruktives in der neuesten Kierkegaard-Forschung. Theologische Literaturzeitung LXXVII, 3 (1952), Sp. 141–148.

kaum auf ihre Kosten kommen. Bei der Lektüre einer so scharfen Rezension wie der von W. *Boehlich* [23] muß man sich indessen vergegenwärtigen, daß über die Qualität einer Kierkegaard-Übersetzung letztlich nur das Ganze des Entwurfs entscheidet. Vom Ganzen her geben sich aber viele Verschrobenheiten Hirschs als die Schatten eines Lichtes zu erkennen, das zugleich weite Striche der Kierkegaardschen Geisteslandschaft erhellt, als das partielle Mißlingen des an sich positiven Versuchs, die Sprache eines im Worte lebenden Denkers denkend, d. h. deutend, ernst zu nehmen. Daß Hirsch sich in die Denkbewegungen der Kierkegaardschen Sprache einzufühlen vermag, bezeugt die sichere Imitation des Sprachflusses der erbaulichen Reden, in deren Rhythmus Hirsch sich mit großer Meisterschaft einschwingt. Demgegenüber wirkt die Übertragung der ›Nachschrift‹ schwerfälliger, wenn es auch zu begrüßen ist, daß Junghans, der in den Anmerkungen ausgiebiger von modernen dänischen Kommentaren Gebrauch macht, den Ausrottungsfeldzug gegen Fremdwörter abgebrochen hat.

Überlegen ist Hirschs Verfahren, die grammatischen Unebenheiten, die eine unbedingte Wörtlichkeit mit sich bringt, für die Erfassung des vollen Gedankengehalts in Kauf zu nehmen, gegenüber der Art, in der Rest vor der Aufgabe, den ganzen Gedanken adäquat auszudrücken, durch Hinzufügungen oder Auslassungen resigniert und eben damit das sachliche Problem verfälscht. Von dem „menschlichen Geist", der sich nicht bewußt sein soll, ein Selbst zu haben, ist im dänischen Original des Anfangs der ›Krankheit‹ überhaupt nicht die Rede und kann gar nicht die Rede sein, weil kurz darauf gesagt wird, Geist sei das Selbst, das er also nicht „haben" kann. Daß Hirsch das dänische „Det er saa langt som muligt fra" einfach in „Es ist so weit wie möglich davon" umsetzt, ist grammatisch unbefriedigend; doch wenn Rest einmal „Es ist weit entfernt davon" und dann „Es ist völlig unmöglich" sagt, so macht er sich's an beiden Stellen zu leicht. Der Mangel an Sinn für die Eigengesetzlichkeit der Sprache Kierkegaards ist bei Rest auch schuld an der Zerstörung der gerade für die ›Krankheit‹ so charakteristischen Monotonie, in der

---

[23] Walter Boehlich, Kierkegaard als Verführer. Merkur VII, 11 (1953), S. 1075–1088.

Kierkegaard die Kreisbewegung des Denkens durch Wiederholungen desselben Wortes versinnbildlicht. Nach Kierkegaard ist die Krankheit zum Tode die, „bei der das Letzte der Tod und der Tod das Letzte ist", aber nicht wie für Rest eine, „bei der das Ende der Tod ist, deren Tod das letzte ist". Wer auf solche Weise der Dialektik die Spitze abbricht, entkleidet Kierkegaards Geist seiner wesentlichen Leiblichkeit. Günther Jungbluth ist gewandter als Hirsch, wo er statt wörtlicher Wiedergabe einer Redeweise einen sinnidentischen, gleich schlagenden deutschen Ausdruck wählt. Dankbar darf man ihm natürlich auch dafür sein, daß er Hirschs „Belegstück" wieder ein Exemplar und den „Durchgangspunkt" nach guter Kierkegaardscher Tradition ein Stadium sein läßt. Doch bleibt auch Jungbluth hinter Hirsch in der Rhythmik längerer Perioden zurück. So lesen wir bei ihm: „Ich kann den großen Trampolinsprung machen, womit ich in die Unendlichkeit übergehe; mein Rücken ist wie der eines Seiltänzers, in meiner Kindheit verrenkt; deshalb fällt es mir leicht; ich kann im Dasein eins, zwei, drei auf dem Kopf gehen, aber das nächste vermag ich nicht; denn das Wunderbare kann ich nicht vollbringen; sondern mich nur dadurch in Erstaunen setzen lassen" (Furcht und Zittern, ed. Rest, S. 213). Jeder weiß, daß der Seiltänzer, überhaupt der Tänzer Kierkegaards beliebteste Metapher für die „Bewegungen" des Geistes ist; und ebenso weiß man, daß es Kierkegaard um die „Form-Reduplikation des Inhalts" geht, also darum, in einem Satz, der vom Seiltänzer spricht, dessen Bewegungen rhythmisch zu reproduzieren. Dabei kommt aber alles auf die Eleganz des Schlusses an, der so kurz sein muß wie das Zum-Stehen-Kommen des guten Artisten. Statt „sondern mich nur dadurch in Erstaunen setzen lassen" steht deshalb im Dänischen: „men kun forbauses ved", was Hirsch präzise übersetzt: „sondern bloß drüber staunen". Im Blick auf die Konkordanz von Kürze und denkerischer Schlagkraft ist es auch nicht gleichgültig, ob es wie bei Rosemarie Løgstrup in der Gefolgschaft Schrempfs ›Der Begriff *der* Angst‹ heißt oder ob man mit Hirsch Kierkegaards eigenem Sprachgebrauch folgt und ›Der Begriff Angst‹ betitelt, zumal Kierkegaard (anläßlich des Ernstbegriffs) sich über die Gründe der knapperen Schreibweise ausgesprochen hat. In alledem zeigt sich, daß bereits eine Übersetzung Kierkegaards im höchsten Maße nachvollziehende Interpretation ist – eine Einsicht übrigens, auf die sich auch Liselotte Richter zurückgezogen hat, nachdem der dänische Germanist W. *Wolf* nachgewiesen hatte, daß ihr eigener Übersetzungsversuch ebenso grobe Fehler enthält wie derjenige Hirschs [24].

Auf deutsche Einzelausgaben von Schriften, die bereits in einer der beiden oder in beiden Gesamtausgaben erschienen sind, kann an dieser Stelle nicht hingewiesen werden. Aufmerksam gemacht sei nur auf einige Bändchen mit sonst unzugänglichen Reden, vor allem auf die von W. *Kütemeyer* besorgte Auswahl der Kleinen Vandenhoeck-Reihe [25] und auf den von R. *Dollinger* übersetzten ersten Teil der Rede ›Was wir lernen von den Lilien . . .‹ [26]. Auch die übrigen Redensammlungen Dollingers in der Furche-Bücherei [27] und im Freimund-Verlag [28] lassen den Leser, der angesichts der pseudonymen Verwirrung um einen Kierkegaard von innen bittet, tief in das Herz des Dänen blicken. Ein echter Forschungsbeitrag ist die Briefauswahl von E. *Hirsch* [29]. Obwohl Hirsch sich auf Thulstrups Edition stützt, deren Numerierung angegeben wird, vermitteln die Einleitungen und Anmerkungen, von denen hier jeder Brief umrahmt ist, wichtige Auskünfte, nach denen man in der dänischen Ausgabe vergeblich sucht. Hirschs originellste Leistung aber ist die Neudatierung vieler Briefe, besonders die chronologische Ordnung der Brautbriefe, die vollständig abgedruckt sind. Selektionsprinzip ist weder die Neu-

---

[24] Werner Wolf, Zur Übersetzung Kierkegaards. Theologische Literaturzeitung LXXVIII, 7 (1953), Sp. 443–446; Liselotte Richter, Schlußwort. Ebd., Sp. 446–448.

[25] Sören Kierkegaard, Christliche Reden. Übers. u. mit einem Nachwort hrsg. v. Wilhelm Kütemeyer. Göttingen: Vandenhoeck & Ruprecht 1955. Kleine Vandenhoeck-Reihe 16. 102 S.

[26] Sören Kierkegaard, Was wir lernen von den Lilien auf dem Felde und den Vögeln unter dem Himmel. Hamburg: Furche 1956 (21.–25. Tsd). Furche-Bücherei Nr. 6. 45 S.

[27] Bes.: Sören Kierkegaard, Gott ist größer als unser Herz. Vier Beichtreden. Hamburg: Furche, 2. Aufl. 1956. Furche-Bücherei Nr. 97. 45 S.

[28] Sören Kierkegaard, Die Liebe deckt auch der Sünden Menge. Neuendettelsau: Freimund 1955. 72 S.

[29] Sören Kierkegaard, Briefe. Ausgewählt, neugeordnet u. übersetzt v. Emanuel Hirsch. Düsseldorf: Diederichs 1955 (Ges. Werke, 35. Abt.). 279 S.

heit noch die Vollständigkeit der persönlichen Aspekte, sondern einzig die Bedeutsamkeit für die Erhellung von Kierkegaards Lebensgeschichte. Deshalb fällt es Hirsch offenbar nicht allzu schwer, aus Anstand auf die Wiedergabe der von Thulstrup entdeckten Briefe zu verzichten, deren Reiz ja doch zumindest weniger im biographischen Gewicht als vielmehr in der liebenswürdigen Belanglosigkeit des Privaten liegt. Da es W. *Boehlich* in Hegners Briefauswahl [30] gerade auf das bisher Unbekannte und auf die möglichst vielseitige Beleuchtung von Kierkegaards persönlicher, in den verschiedenen Korrespondenzen je anders offenbarter Eigenart ankommt, greift er auch zu den von Thulstrup erstmals edierten Briefen. Doch wiegt die Bekanntschaft damit nicht die Fülle des von Hirsch Gebotenen auf, zumal unter den 38 Briefen, die Boehlich bringt, außer den 7 Entdeckungen Thulstrups sich nur 2 befinden, die in der 134 Nummern enthaltenden Ausgabe Hirschs fehlen. Ein schöneres Geschenk hat der Hegner-Verlag dem Kierkegaardfreund mit der von W. *Rest* feinsinnig eingeleiteten und durch die Rede vom rechten Beter abgeschlossenen Sammlung der Gebete Kierkegaards gemacht [31]. Ebenso wertvoll ist Friedrich *Hansen-Löves* Zusammenstellung der Tagebuchbemerkungen zu einzelnen Stellen des Neuen Testaments [32]. Über den erbaulichen Nutzen hinaus stellt das schmucke Bändchen auch für den Interpreten eine unentbehrliche Hilfe dar, weil die gegenwärtige Diskussion um Kierkegaards neutestamentlichen Anspruch sich eben auf seinen Umgang mit der Bibel konzentriert. Im Gegensatz zu diesen thematisch begrenzten Ausschnitten versucht H. *Diem* in der Fischer-Bücherei durch Komposition größerer zusammenhängender Texte einen Querschnitt durch das öffentliche Werk zu legen [33]. Die Mitte bildet eine zur Einführung gut geeignete

[30] Sören Kierkegaard, Briefe. Ausgewählt, übers. u. mit einem Nachwort versehen v. Walter Boehlich. Köln u. Olten: Hegner 1955. 163 S.

[31] Sören Kierkegaard, Gebete. Hrsg. v. Walter Rest. Köln u. Olten: Hegner 1952. 112 S.

[32] Sören Kierkegaard, Randbemerkungen zum Evangelium. Aus den nachgelassenen Schriften ausgew. u. übers. v. Friedrich Hansen-Löve. München: Kösel 1956. 122 S.

[33] Kierkegaard. Ausgew. u. eingeleitet v. Hermann Diem. Frankfurt/M.–Hamburg: Fischer-Bücherei 1956. 209 S.

Passage der ›Nachschrift‹, in der Kierkegaard auf dem Hintergrund einer autobiographisch fundierten Szene seine Aufgabe selber bestimmt. Während Diem die philosophische und theologische Seite der pseudonymen Periode stark abblendet, gibt er durch die Hiob-Rede von 1843 und durch Auszüge aus der ›Einübung‹ und ›Krankheit‹ eine deutliche Vorstellung vom religiösen Gefälle der „Verfasserschaft". Auch in der von H. *Küpper* übersetzten und von L. *Richter* eingeleiteten Reclam-Auswahl wird die religiöse Problematik der Schriften und Tagebücher lebendig [34]. Dagegen werden Kierkegaards religiöse Intentionen verdunkelt im letzten Abschnitt des von P. *Schäfer* und M. *Bense* verantworteten Insel-Breviers [35], wo man die reife Kritik an der Christenheit mit der jugendlichen Empörung gegen das Christentum zusammenwirft und das Ganze unter dem irreführenden Titel ›Kritik der Zeit und des Christentums‹ vereinigt. Wenn Bense nicht wissen sollte, daß das Christentum und die Christenheit für Kierkegaard auseinanderfallen, so könnte er das jetzt von Eva *Schlechta* lernen, die Journaleintragungen unter dem Gesichtspunkt dieses Gegensatzes ausgewählt hat [36]. Am schönsten ergänzt E. Schlechtas begrüßenswerte Arbeit die älteren Selektionen der späten Aufzeichnungen, aus deren Fülle Th. *Haecker* [37] und E. *Feuersenger* [38] einen nur geringen Teil herausgreifen.

[34] Sören Kierkegaard, Die Leidenschaft des Religiösen. Eine Auswahl aus Schriften u. Tagebüchern. Stuttgart: Reclam 1953. Univ.-Bibliothek Nr. 7783/84. 184 S.

[35] Kierkegaard-Brevier. Hrsg. v. Peter Schäfer u. Max Bense. Wiesbaden: Insel, Insel-Bücherei Nr. 519. Wiederholte Aufl. 1955. 78 S.

[36] Sören Kierkegaard, Christentum und Christenheit. Aus Kierkegaards Tagebüchern ausgew. u. übers. v. Eva Schlechta. München: Kösel 1957. 438 S.

[37] Sören Kierkegaard, Tagebücher 1834–1855. Ausgew. u. übertragen v. Theodor Haecker. München: Kösel 1953 (4. Aufl.). 664 S.

[38] Sören Kierkegaard, Tagebücher. Eine Auswahl. Ausgew. u. übers. v. Elisabeth Feuersenger. Wiesbaden: Metopen 1947. 207 S.

II. Einführende und ausführliche Gesamtdarstellungen

Wer unter den deutschen Lesern nach der Lektüre eines einzelnen
Textes sich einen ersten Überblick über Kierkegaards Gesamtwerk
verschaffen möchte, wird von H. *Diems* Tübinger Vorlesungen nicht
enttäuscht [39]. Diem interpretiert Kierkegaards Schaffen als den Versuch, in der Abhebung von den revolutionären und im Kampf
gegen die das „Bestehende" sanktionierenden Zeittendenzen das
ursprüngliche Christentum in die illusionär gewordene Christenheit
einzuführen. Vor allem an der Verschärfung des Sündenproblems
veranschaulicht Diem, wie Kierkegaard auf seinem Wege die christliche Voraussetzung expliziert, aus der er auch schon das Humane
denkt. Die Etappen dieses Weges schildert ausführlich Anna *Paulsen,*
die den von Diem aus der sokratischen Dialektik hergeleiteten
Dialogcharakter des Kierkegaardschen Werkes zum Aufbauprinzip
ihres Buches macht [40]. Dies geschieht in dreifacher Weise. Einmal
läßt sich die Verfasserin teilnehmend selber in das Gespräch ein, das
Kierkegaard mit seinem Leser führen wollte. Sodann faßt sie die
Werkstufen in sich schon als Gespräche mit jeweils anderen Partnern
auf, und zwar die dichterischen Schriften von ›Entweder – Oder‹ bis
zu den ›Stadien‹ als Gespräch mit Regine und der Romantik, die
philosophischen Schriften vom ›Begriff Angst‹ bis zur ›Literarischen
Anzeige‹ als Gespräch mit der Zeit und das nachfolgende Werk als
Gespräch mit der Kirche. Indem sie drittens auch die Textgruppen
sowie die einzelnen Texte jeder Gruppe miteinander ins Gespräch
bringt, erscheint Kierkegaards Gesamtwerk als eine vom Leser zu
realisierende Ganzheit aus unselbständigen Texten, die unterein-
ander in der Spannung von Frage und Antwort stehen. Daß Kierkegaard nicht weniger als Hegel auf eine geschichtlich bewegte Ganzheit zielt, das ist der leitende, obzwar nicht voll thematisierte Gedanke der anregenden Einführung von G. *Malantschuk* [41]. In ihr
wird Kierkegaards Weg aus der Perspektive der Stadientheorie ver-

---

[39] Hermann Diem, Sören Kierkegaard. Spion im Dienste Gottes. Frank-
furt/M.: S. Fischer 1957. 117 S.

[40] Anna Paulsen, Sören Kierkegaard. Deuter unserer Existenz. Hamburg: Wittig 1955. 463 S.

[41] G. Malantschuk, Indførelse i Søren Kierkegaards Forfatterskab. Ko-

folgt. Die Einheit der Stadien aber wird als das Ganze der einzel-
menschlichen und welthistorisch konkretisierten Möglichkeiten verstanden. Das Strukturgesetz dieser Ganzheit ist nach Malantschuk
das Sein des Menschen selber als Synthese von Zeit und Ewigkeit,
und der Gang durch die Stadien ist die bereits von Sokrates, Hiob
und Abraham angekündigte Verwandlung der heidnisch-ästheti-
schen Vorherrschaft des Zeitlichen in den christlichen Sieg der Ewigkeit. Während Malantschuk der in dieser Systematik implizierten
Tendenz, das Christentum in die Kontinuität menschlicher Wesens-
entfaltung aufgehen zu lassen, dadurch zu steuern vermag, daß er
wie Diem von Kierkegaards zeitkritischem Anliegen einer Restitu-
tion des ursprünglichen Christentums ausgeht, macht J. *Hohlenberg* [42] aus Kierkegaard bewußt einen humanitären Persönlichkeits-
apostel, dessen Christlichkeit lediglich ein biographisch und psychologisch bedingtes Akzidens gewesen ist. Was da übrigbleibt, ist ein
bißchen kantische Autonomie (vgl. S. 277, 287) und eine verhegelte
Subjektivität als „Bewußtsein des Universums von sich selbst"
(S. 311). Immerhin darf der Leser dankbar dafür sein, daß Hohlenberg sich diese Überraschungen bis zum Ende aufgespart hat, seine
Darstellung der nach ihrem pseudonymen, anonymen, direkt-na-
mentlichen oder tagebuchmäßigen Charakter gegliederten Schriften
also im ganzen durchaus textgetreu ist. Besonders wertvoll sind die
darin eingestreuten Stilanalysen (z. B. S. 45 ff., 177 ff.). Die letztlich
nur von Dänen zu bewältigende stilkritische Arbeit hat F. J. *Billeskov Jansen* in einer Untersuchung über Stil und Kompositionstech-
nik der Frühschriften, ›Romane‹ (›Entweder – Oder‹ und ›Stadien‹) [43], der philosophisch-theologischen Hauptwerke, der religiösen
Reden und Streitschriften fortgesetzt [44]. Die in allen diesen Gattun-

---

penhagen: Munksgaard 1953 (Søren Kierkegaard Selskabets Populære
Skrifter IV). 83 S.

[42] Johannes Hohlenberg, Den ensomme vej. En Fremstilling af Søren
Kierkegaards værk. Kopenhagen: Hagerup 1948. 324 S.

[43] Vgl. auch: F. J. Billeskov Jansen, Essai sur l'art de Kierkegaard. Symposion Kierkegaardianum, S. 18–27; ders., I grandi romanzi filosofici di
Kierkegaard. Studi Kierkegaardiani, S. 67–92.

[44] F. J. Billeskov Jansen, Studier i Søren Kierkegaards litterære kunst.
Kopenhagen: Rosenkilde og Bagger 1951. 83 S.

gen angewandten Ausdrucksmittel sind vor allem der Kontrast und die typisierende Verdichtung abstrakter Ideen in konkreten Gestalten. Liegt bei den Typen der dichterischen Schriften das Gewicht auf dem Individuellen, so sind die Gestalten der denkerischen Werke bloß Illustrationen der Theorie. Wie aber in ›Entweder – Oder‹ die Einheit der von A repräsentierten Idee der Willkür und der von B repräsentierten Idee der Ordnung sich im literarischen Kontrast von Chaos und Kosmos ausdrückt, so ersteht die Ganzheit des theoretischen Werkes in der spannungsvollen Korrespondenz der in den einzelnen Schriften thematisierten Zentralbegriffe.

Für den schwedischen Leser hat F. *Brandt* eine Einführung geschrieben, die sich vorzugsweise den Pseudonymen widmet[45]. Diesem Bändchen, in dem der erfahrene Kierkegaardforscher das Referat des Werkes und die Erzählung der biographischen Hauptereignisse zusammenfließen läßt, stellt sich auf norwegischer Seite F. *Jors* umfangreicheres, aber ebenfalls zur Einführung bestimmtes Buch gegenüber, dessen biographischer Teil zum besseren Verständnis des Kierkegaardschen Werkes dienen soll[46]. Brandt bestimmt Kierkegaards Denken als existentielle Lebensphilosophie, Jor als „Existenztheologie", d. h. als ein Denken, das zwar auf existentielle Realisation zielt, aber erst von der Offenbarung seinen Sinn empfängt. Wie Malantschuk hängt Jor seine Darstellung von Kierkegaards schriftstellerischer Entwicklung am Gerüst der Stadien auf, wobei er jedoch klarer als jener den Bruch zwischen dem Humanen und dem Christlichen akzentuiert. Daß Jor ohne weiteres Kierkegaards im ›Gesichtspunkt‹ expliziertem Selbstverständnis folgen zu dürfen glaubt, verbindet ihn mit T. H. *Croxall,* der in seinem – von den 'Studies'[47] vorbereiteten – 'Commentary'[48] dem englischen Leser eine "clarification of Kierkegaard's actual text" bieten möchte.

[45] Frithiof Brandt, Søren Kierkegaard. Stockholm: Natur och Kultur 1955. 95 S.

[46] Finn Jor, Søren Kierkegaard. Den eksisterende tenker. Oslo: Land og Kirke 1954. 176 S.

[47] T. H. Croxall, Kierkegaard Studies. London: Lutterworth 1948. 227 S.

[48] T. H. Croxall, Kierkegaard Commentary. London: Nisbet 1956. XIX + 263 S.

Gegenüber R. *Jolivet's* 'Introduction' [49] hat Croxall's Arbeit den Vorzug nüchterner Konzentration auf das Werk. Leider schlägt diese Nüchternheit nur allzuoft in eine leere Begriffskrämerei um, deren scheinwissenschaftlicher Aufwand in keinem rechten Verhältnis zum Resultat steht. Der Franzose hingegen befindet sich von Anfang bis Ende seines Buches mit Kierkegaard in einer Auseinandersetzung, deren Leidenschaftlichkeit nach seiner Auffassung von der dialogisch-dramatischen Wesensart des Kierkegaardschen Werkes gefordert wird. Intensität der Leidenschaft prägt nach Jolivet auch da noch das Denken des Dänen, wo es sich in den unauflöslichen Widerspruch von Paradoxie und Vermittlung, Fideismus und Rationalismus, romantischer Melancholie und christlicher Glaubenskraft verfängt. Von der religiösen Unruhe her, in der Jolivet Kierkegaards Größe sieht, versucht auch R. *Cantoni* die Gestalt des Denkers zu erfassen [50]. Im Vergleich mit Cantonis breitangelegtem Werk, in dem sich lebendige Kraft der Vergegenwärtigung mit begrifflicher Sauberkeit paart, ist das Schriftchen von S. *Armieri* nur eine stichwortartige Skizze [51]. Gewichtiger ist die sachlich sehr gut fundierte, Kierkegaards Schriften in chronologischer Folge referierende Gesamtdarstellung, die V. *Leemans* in flämischer Sprache vorlegt [52]. Im Mittelpunkt des Interesses steht hier der Kämpfer und Nonkonformist. Leemans' Buch rückt damit in die Nähe einer Reihe amerikanischer Publikationen, die Kierkegaards Schaffen von seiner zeitkritischen Seite her beleuchten. Von ihnen sei W. *Hubben's* schon in zweiter Auflage vorliegender Abriß genannt, der die aus der Diagnose erwachsene Prophetie Kierkegaards neben den aktuellen Anspruch Dostojewskys, Nietzsches und Kafkas stellt [53]. Wider die durch den

[49] Régis Jolivet, Introduction à Kierkegaard. Paris: Éditions de Fontenelle 1946 (2. Aufl.). XVII + 251 S.

[50] Remo Cantoni, La coscienza inquieta: Soeren Kierkegaard. Verona: Mondadori 1949. 430 S.

[51] Salvatore Armieri, Soren Kierkegaard e il cristianesimo. Lugano: Cenobio 1956 (Quaderno del Cenobio 12). 71 S.

[52] Victor Leemans, Sören Kierkegaard. Met een inleiding van A. de Waelhens. Antwerpen–Amsterdam: N.V. Standaard 1956. 177 S.

[53] William Hubben, Four Prophets of Our Destiny. Kierkegaard,

Titel erweckte Erwartung enthüllt sich auch die sorgfältig belegte
Arbeit von R. *Thomte* als eine Einführung in Kierkegaards ganzes,
durchweg religiös bestimmtes Denken [54]. Wie viele andere entwickelt
Thomte die Perioden der Verfasserschaft im Schema der Stadien aus
der Zeitdiagnose und dem durch sie gesichteten Problem des ursprünglichen Christwerdens, das sich nach Thomte mehr im Bruch mit
dem Ästhetischen als mit dem sich in der Religiosität A vollendenden
Humanen schlechthin ereignet. Hierin stimmt Thomte mit J. *Collins*
überein, der nun aber im Gegensatz zu den simplifizierenden Einführungen, die in Amerika das Feld der Kierkegaardliteratur beherrschen, eine eingehende Würdigung des Gesamtwerks erstrebt [55]. Den
Maßstab seiner Kritik entnimmt er der augustinisch-thomistischen
Tradition, die ihm denkerische Prägnanz und echten Scharfsinn verbürgt. Wenn Collins aber den Dänen im Dienste des Aquinaten als
Spürhund anstellt, der die Irrtümer der neuzeitlichen Philosophie,
besonders der kantischen Ethik und der hegelschen Ontologie, auf-
decken soll, ohne zum Lohne für dieses negative Geschäft in den
Genuß der letzten Gründe thomistischer Doktrin zu kommen, so
wird das manch einen Leser bei aller Achtung vor Collins verstim-
men. Freilich würde es dem Kierkegaardliebhaber zum eigenen
Schaden gereichen, wenn er darüber die Lust verlöre, sich mit den –
durch die Aktivität der romanischen Länder seit 1945 erheblich
vermehrten – Autoren katholischer Provenienz zu beschäftigen.
Denn durchaus nicht jeder von diesen hört wie E. *Przywara* aus
Kierkegaards Denken den Ruf „zurück zum Katholischen" heraus [56].
Th. *Kampmann* weiß in seiner gerecht abwägenden Einführung
sehr wohl, wo der Däne den katholischen Boden verläßt [57], und an

Dostoevsky, Nietzsche, Kafka. New York: Macmillan 1954 (2. Aufl.).
VIII + 170 S.

[54] Reidar Thomte, Kierkegaard's Philosophy of Religion. Princeton:
University Press 1949 (2. Aufl.). VIII + 228 S.

[55] James Collins, The Mind of Kierkegaard. Chicago: Regnery 1953.
XIV + 304 S.

[56] Erich Przywara, Humanitas. Nürnberg: Glock & Lutz 1952 (903 S.),
S. 302.

[57] Th. Kampmann, Kierkegaard als religiöser Erzieher. Paderborn:
Schöningh 1949. 64 S.

Th. *Haeckers* Nachlaßbändchen [58] ist nicht der unmittelbare Anlaß
– R. *Magnussens* Entdeckung des Buckels [59] –, sondern die von Sympathie getragene Kritik an Kierkegaards protestantisch begründeter Überbetonung des Ethischen und des Absurden interessant. Mit Recht macht der Katholik W. *Rest* sowohl gegen Przywara als auch gegen Barth und Brunner geltend, daß Kierkegaards existenzdialektischer, an den einzelnen Christen jeder Konfession gerichteter Appell keine Lehre ist und darum weder von der katholischen noch von der evangelischen Theologie doktrinär beansprucht werden darf [60]. Dieser „Ambivalenz" entspricht die doppeldeutige Dialektik, die dem Jesuiten H. *Roos* zufolge Kierkegaards Verhältnis zum Katholizismus kennzeichnet [61]. Kierkegaard ist danach zwar über die Polemik gegen den lutherischen Protestantismus hinaus durch viele positive Züge, so durch die Hervorhebung des Werkprinzips, der apostolischen Autorität und der analogia entis, mit dem ihm quellenmäßig durch Möhler und Görres zugekommenen Katholizismus verbunden, aber ebenso ursprünglich durch seinen Antiintellektualismus, Subjektivismus und Individualismus von ihm geschieden [62].

[58] Theodor Haecker, Der Buckel Kierkegaards. Geleitwort v. Richard Seewald. Zürich: Thomas 1947. 103 S.

[59] Rikard Magnussen, Søren Kierkegaard set udefra. Kopenhagen: Munksgaard 1942. 288 S.; ders., Det særlige kors. Efterskriftet til bogen: Søren Kierkegaard set udefra. Kopenhagen: Munksgaard 1942. 213 S.

[60] Walter Rest, Die kontroverstheologische Relevanz Sören Kierkegaards. Catholica, Jahrbuch für Kontroverstheologie IX, 2. Teil (1953), S. 81–94 [in diesem Band S. 155–172].

[61] H. Roos S.J., Søren Kierkegaard og katolicismen. Kopenhagen: Munksgaard 1952 (Søren Kierkegaard Selskabets Populære Skrifter III). 58 S.

[62] Vgl. dazu: Virgilio Melchiorre, Il principio di analogia come categoria metafisica nella filosofia di Kierkegaard. Giornale Critico della Filosofia italiana IX (3. Reihe), 1 (Jan.–März 1955), S. 56–66; Cornelio Fabro, Kierkegaard e o catolicismo. Filosofia II, 8 (1956), S. 210–249; ders., Kierkegaard e S. Tommaso. Sapienza X, 4–5 (1956), S. 292–308.

III. Zentrale Deutungen

Die Übersicht über einführende und ausführliche Darstellungen stieß bereits an mehreren Stellen auf das Problem des Verhältnisses zwischen dem Humanen und dem Christlichen. Auf diese Mitte des Denkens Kierkegaards geht P. *Lønning* zu in einer tiefgrabenden Analyse des Gleichzeitigkeitsbegriffs, der gleicherweise im humanen und christlichen Bereich beheimatet ist [63]. Im Endergebnis offenbart sich der Bezug von Humanität und Christlichkeit als die dialektische Einheit von Kontinuität und Diskontinuität. Die Wege, auf denen Lønning zu diesem Resultat kommt, sind verschlungen und nicht immer gangbar. Außerdem führen sie – umrahmt von methodischen Erwägungen, die sich bisweilen über Selbstverständlichkeiten verbreiten, und von einer völlig unbrauchbaren deutschen Zusammenfassung – durch ein Dickicht ablenkender Auseinandersetzungen mit der Sekundärliteratur. Deutlicher als in der Besinnung auf Eros und Agape [64] spricht sich das Anliegen des Verfassers jedoch in dem Gedanken aus, die Situation der Gleichzeitigkeit sei der „verdichtete", in der christlichen Dialektik von Gesetz und Gnade unendlich potenzierte Ausdruck der Einheit von Freiheit und Angewiesenheit auf die Faktizität der geschichtlichen Lage. Man darf wohl sagen, daß die Spannung der in dieser Einheit zusammengehaltenen Momente nicht nur Kierkegaards eigenes Denken in Bewegung hält, sondern auch den gegenwärtigen Stand der Deutung dieses Denkens bestimmt. Im tiefsten nämlich scheiden sich die heute vorliegenden Interpretationen in die, welche die Freiheit als die Verzehrung, und in die, die sie als hinnehmende Übernahme der Faktizität auffassen. Wird dort die menschliche Einheit, die als Augenblick, Selbst oder Geist identisch ist mit der Synthese von Zeit (Faktizität) und Ewigkeit (Freiheit), von Endlichem und Unendlichem, von Leib und

---

[63] Per Lønning, „Samtidighedens Situation". En studie i Søren Kierkegaards kristendomsforståelse. Mit einer deutschen Zusammenfassung. Oslo: Land og Kirke 1954. 329 S.

[64] Vgl.: Valter Lindström, Eros och agape i Kierkegaards åskådning. Reflexioner kring Per Lønning, ›Samtidighedens Situation‹. Kierkegaardiana. Kopenhagen: Munksgaard 1955 (129 S.), S. 102–112.

Seele, auf die Freiheit hin ausgelegt, so wird hier als ihr tragender Grund die Faktizität verstanden. Ein bedeutendes Beispiel dieser „Richtung" ist die konsequente Studie über Kierkegaards Anthropologie von J. Sløk [65], der als das Thema der von Kierkegaard mit dem Leser geführten „Diskussion" jene Synthese betrachtet. Deren Momente sind nach Sløk keine Bereiche, in die der Mensch aufgeteilt würde; vielmehr geht der ganze Mensch in der „konkreten Faktizität" seiner situationsgebundenen, zeitlich-leiblichen Individualität auf, und das „Allgemeinmenschliche" der Ewigkeit ist nichts als die „Haltung", in der derselbe Mensch jenen „Inhalt" qualifiziert. Damit aber zielt Kierkegaard nicht auf etwas vom Endlichen Getrenntes, sondern einzig darauf, sich in der rechten Haltung beim „gewöhnlichen Leben" einzufinden. In dieser Modifikation der bis zu Hegel herrschenden Metaphysik Platos besteht auch nach W. Schulz die wesentliche Bedeutung Kierkegaards [66]. Durch eine die „interpretatorischen Hinweise" seines Schellingbuches [67] ausarbeitende „Binneninterpretation" des Entwicklungsweges der pseudonymen Schriften macht Schulz einsichtig, wie Kierkegaard sein Grundproblem – die mögliche Einheit der Existenz als endlich-unendlicher Synthese – aus der ästhetischen Vergessenheit über die ethische Scheinlösung und den sokratischen Ausweg hinaus der Lösung des Christentums entgegenführt. Die Lösung aber gründet in der Erkenntnis, daß die „Einheit von unendlicher Freiheit und endlicher Gegebenheit" (S. 113), deren Gleichgewicht der Ethiker im Transzendieren zum Ewigen und in der Rückkehr zum Endlichen aus eigener Kraft herstellen zu können glaubt, als das selbst schon vorgegebene Sein des Menschen diesem notwendig unverfügbar ist. So verlegt sich die Wahrheit der Existenz von der ethisch-spekulativen Transzendenzbewegung in die gläubige Hinnahme der unentrinn-

---

[65] Johannes Sløk, Die Anthropologie Kierkegaards. Kopenhagen: Rosenkilde und Bagger 1954. 144 S.

[66] Walter Schulz, Existenz und System bei Sören Kierkegaard. In: Wesen und Wirklichkeit des Menschen. Festschrift für Helmuth Plessner. Göttingen: Vandenhoeck & Ruprecht 1957 (403 S.), S. 107–128 [in diesem Band S. 297–323].

[67] Walter Schulz, Die Vollendung des deutschen Idealismus in der Spätphilosophie Schellings. Stuttgart: Kohlhammer 1955. 306 S.

baren Faktizität. Auf das hier philosophisch Explizierte schaut aus
theologischer Sicht V. *Lindström* [68], der sowohl gegen die subjek-
tivistische Deutung der Identität von Subjektivität und Wahrheit
wie auch gegen die mittlerweile gängig gewordene Apologie der
Objektivität Kierkegaards zentrale, freilich von der ihm überkom-
menen Begrifflichkeit verdeckte Intention, die Überwindung der
Subjekt-Objekt-Differenz, in der Thematisierung der situativ erfahrenen Geschöpflichkeit verwirklicht findet. Daß Kierkegaards Sub-
jektivitätsbegriff auf die Existenz des Schöpfergottes verweist, betont auch L. *Malevez* [69]. Die Existenz Gottes aber ist, wie J. *Heywood Thomas* ausführt [70], für Kierkegaard wiederum das schlechthin unvordenkliche Faktum, das nur im Sprung des Glaubens angenommen werden kann.

Wie tief die Kluft zwischen den beiden Hauptrichtungen der
Interpretation ist, läßt sich daran erkennen, daß S. *Holm* in seiner
Abhandlung über Kierkegaards Geschichtsphilosophie, in der das
Problem der Faktizität doch recht eigentlich zu Hause sein sollte,
das „absolute Faktum" des Climacus genauso wie die „heilige Geschichte" des Anti-Climacus als ein ungeschichtliches fictum betrachten kann, welches der Glaubende in einer Art Imagination hervorbringt [71]. Allerdings verdanken wir solch eine Auslegung, die ein
ausgezeichnetes Referat beschließt, nicht allein der Mehrdeutigkeit

[68] Valter Lindström, Problemet objektivt-subjektivt hos Kierkegaard.
In: Nordisk teologi. Till Ragnar Bring. Lund: CWK Gleerup 1955 (311 S.),
S. 85–101. Zur Problematik des Satzes „Die Subjektivität ist die Wahrheit"
vgl.: F. J. Billeskov Jansen, Hvordan skal vi studere Søren Kierkegaard? –
N. H. Søe, Subjektiviteten er Sandheden. Kopenhagen: Munksgaard 1952
(2. Aufl.) (Søren Kierkegaard Selskabets Populære Skrifter I–II). 65 S.

[69] Léopold Malevez S.J., Subjectivité et vérité chez Kierkegaard et dans
la théologie chrétienne. In: Mélanges Joseph Maréchal II. Bruxelles: L'Édi-
tion Universelle 1950 (426 S.), S. 408–423.

[70] J. Heywood Thomas, Kierkegaard on the existence of God. The
Review of Religion XVIII, 1–2 (Nov. 1953), S. 18–30.

[71] Søren Holm, Søren Kierkegaards historiefilosofi. Kopenhagen: Nyt
Nordisk Forlag 1952. 120 S. Deutsche Ausgabe: Søren Kierkegaards Geschichtsphilosophie. Stuttgart: Kohlhammer 1956 (Forschungen zur Kir-
chen- und Geistesgeschichte. Neue Folge Bd. IV). 120 S.

des Textes, sondern mindestens ebensosehr Holms manchmal unangemessenen Voraussetzungen. Wer von der „sinnlich wahrnehmbaren Wirklichkeitssphäre der gewöhnlichen oder 'profanen' Geschichte" spricht (dt. Ausg., S. 114 f.), muß natürlich von einem Denker, für den – eben weil er ein Denker ist – nichts Geschichtliches sinnlich wahrnehmbar ist, behaupten, er verstünde „nicht viel" von Geschichte (S. 6). Auch das leider gegen Ende trotz guter Vorsätze ins Psychologische abgleitende Buch von K. *Hansen*[72], das als erster Teil einer Gesamtdeutung Kierkegaards Werk bis zur Korsar-Affäre „ideengeschichtlich" auslegen will, zeigt, wie auf dem Boden einseitiger Voraussetzungen formaler Scharfsinn und bestechende Argumentation gedeihen können. Nach Hansen steigert sich in der Abfolge der Stadien die zugleich als Leidenschaft und Eingeschlossenheit verstandene Innerlichkeit, welche die Faktizität der äußeren Wirklichkeit in die zeitlose Idee aufhebt. Wie die Impersonalität der ästhetischen Liebe, die den immerhin noch als äußeren Anlaß gebrauchten Partner in der Idealität und Intensität ihrer eigenen Bewegung verschwinden läßt, vom Ethiker dadurch potenziert wird, daß er seine Ehefrau als Mittel zur freien Entfaltung seiner Persönlichkeit benutzt, so wird im allgemeinreligiösen Bereich der zweite Schritt der „Doppelbewegung", der schon in ›Furcht und Zittern‹ eine nur fingierte Endlichkeit wiederholt, auf dem Wege zur ›Nachschrift‹ vollends liquidiert und aufs Christliche verschoben. Sofern jedoch in der christlichen Doppelbewegung die Resignation des partiellen Verzichts zur totalen Negation der Endlichkeit wird, Gegenstand des Glaubens aber nicht mehr diese, sondern das absolute Paradox ist, wird hier das Endliche endgültig vernichtet. Und dieser Schwund der Faktizität ist der Sieg der selbstgenügsamen Innerlichkeit, deren Leidenschaft ja von sich aus das Paradox fordert, also kraft ihres eigenen Wesens „etabliert".

So zentral nun auch die Begriffe der Innerlichkeit oder Freiheit einerseits und der Faktizität andererseits in Kierkegaards Philosophie sein mögen, seine letzte Schärfe bekommt der Streit der Deutungen erst da, wo er Kierkegaards weltgeschichtliche Stellung im

[72] Knud Hansen, Søren Kierkegaard. Ideens Digter. Kopenhagen: Gyldendal 1954. 383 S.

ganzen betrifft, wo es also um die Frage geht, ob die Freiheit, die Kierkegaard sich gegenüber der ihm vorgegebenen, vom Christentum bestimmten Situation genommen hat, diese verinnerlichend aneignet oder in die von Hansen gemeinte Innerlichkeit auflöst. Das Grundproblem ist mithin Kierkegaards Stellung zur christlichen Tradition. Von denjenigen Werken, die es in Richtung auf einen Vorrang der Faktizität angehen, ist die Preisschrift von H. *Diem*[73] das einflußreichste. Diems bedeutsamer Konzeption zufolge ist es Kierkegaard um die Aneignung nicht nur des Faktums der Menschwerdung Gottes, sondern auch der damit gesetzten Kirche zu tun. Die Faktizität der Offenbarung anerkennt Kierkegaard dadurch, daß er sie weder aus der Vollendung noch aus der Not des Sokratischen deduziert. Die Faktizität der Kirche aber nimmt er hin, indem er dem Apostel ebenso wie dem ordinierten Pfarrer Autorität zuspricht. Dies tut er auch noch in den offiziellen Schriften des Kirchenkampfes, worin er gerade das nicht-autoritative Verhalten der Pfarrer angreift und den Gebrauch der Autorität verlangt. Nur in der Lutherkritik der Tagebücher, in denen Kierkegaard – von seinem weltgeschichtlichen Auftrag abfallend – gleichsam seiner psychischen Neigung nachgibt, macht sich eine Tendenz zur Absorption des „Bestehenden" bemerkbar; denn hiernach begründet sich die Autorität nicht mehr aus der Qualifikation durch das absolute Faktum, sondern aus der existentiellen Verwirklichung der Wahrheit, die nun tatsächlich ganz und gar in die „Subjektivität" der Nachfolge verlegt wird. Damit aber, daß es dem „öffentlichen", für uns allein relevanten Kierkegaard lediglich um die Aneignung der ihm vorgegebenen Faktizität geht, hängt aufs engste der von Diem seit dreißig Jahren betonte Methodencharakter des Kierkegaardschen Denkens zusammen. Während nämlich eine Lehre gegenüber dem anzueignenden Faktum bereits etwas Eigenständiges, also nicht mehr bloß Aneignung dessen wäre, was gerade nie das Eigene ist, stellt sich die Methode der „Existenzdialektik" als die Weise dar, in der Kierkegaard – sein Werk in die dialogische (nicht dialektische) Vermittlung aufhebend – die vorausgesetzte Sache des Christentums und nur diese dem

---

[73] Hermann Diem, Die Existenzdialektik von Sören Kierkegaard. Zürich: Ev. Verlag 1950. XI + 207 S.

Leser zur Aneignung nahebringt. Im Bewußtsein solcher Dienststellung spricht Kierkegaard die Autorität, die er der direkten Predigt des Pfarrers zuerkennt, seiner eigenen indirekten, aber das absolute Faktum „einarbeitenden" Existenzmitteilung ab; und aus derselben Haltung versteht er sich als das „Korrektiv", das ohne normativen Anspruch die Kategorien des Bestehenden existentialisiert und auf ihre Ursprünglichkeit befragt. Diese Rede vom Korrektiv wird heute von den meisten Auslegern mit Recht sehr ernst genommen; aber kaum einer hat daraus so klar wie Diem die Konsequenz gezogen, daß Kierkegaards Werk eben deshalb, weil es sich auf das Bestehende bezieht, nichts für sich Bestehendes ist.

Das Bestehende aber war für Kierkegaard neben dem kirchlich verkündigten Christentum ebensowohl die Philosophie des deutschen Idealismus. Auch auf diese ist also Kierkegaards Denken korrigierend bezogen, und zwar so, daß es die Existenzkategorien, mittels derer es die vorausliegenden Dogmen zur Aneignung vorgibt, durch eine existentialisierende Transformation der Hegelschen Grundbegriffe gewinnt. Diems Überzeugung, daß Kierkegaard sein Ziel, die existentielle Verinnerlichung des Christentums, auf diesem Wege erreicht, wird indessen erschüttert, sobald man wie W. *Anz* zwischen Modernität und Christlichkeit einen von keiner Existentialisierung überbrückbaren Gegensatz statuiert. Indem Anz jedoch in seiner wertvollen Kritik an Diems Buch [74] und seinen gleichgerichteten Publikationen [75] durchaus an der Voraussetzung festhält, der biographisch und psychologisch unerfaßbare Sinn von Kierkegaards Werk sei die auf geschichtliche Partner angewiesene Existenzdialektik, spitzt sich bei ihm das Hauptproblem der neueren Kierkegaarddeutung daraufhin zu, daß gerade Kierkegaards Anerkenntnis der

[74] Wilhelm Anz, Fragen der Kierkegaardinterpretation I. Kritische Bemerkungen zu dem Buche von Hermann Diem über Die Existenzdialektik von Sören Kierkegaard. Theolog. Rundschau, N. F. XX, 1 (1952), S. 26–72.

[75] Wilhelm Anz, Philosophie und Glaube bei S. Kierkegaard. Über die Bedeutung der Existenzdialektik für die Theologie. Zeitschrift für Theologie und Kirche LI (1954), S. 50–105 [in diesem Band S. 173–239]; ders., Kierkegaard und der deutsche Idealismus. Tübingen: Mohr 1956 (Sammlung gemeinverständlicher Vorträge und Schriften aus dem Gebiet der Theologie und Religionsgeschichte 210/211). 78 S.

geschichtlichen Faktizität, d. h. die existenzdialektische Auslegung der modernen Geistessituation, zur völligen Auflösung der Faktizität führt. Denn zu dieser Auflösung tendiert eben das philosophische Bewußtsein, das in der Aufklärung ausgebildet, in der Romantik gesteigert und in Hegel verfestigt wurde. Verschwanden die vorgegebenen und autoritativen Ordnungen durch den „theoretischen Atheismus" der Aufklärung in der kritischen Reflexion und durch die Romantik in der Subjektivität des Gefühls, so hob Hegel das an sich Seiende in die geschichtliche Setzung des absoluten Geistes auf. Trotz seiner Kritik des „Reflexionszeitalters", der Romantik und Hegels teilt Kierkegaard mit diesem denselben „Orientierungsraum". Kann er doch nach Anz den Glauben nur dadurch aus der Herrschaft des Verstandes, des Gefühls und der Geschichte erretten, daß er ihn in die radikal entweltlichte Sphäre der existierenden, alles in die Bewegung ihrer Freiheit hineinreißenden Subjektivität verlegt und die Welt im übrigen der verzehrenden Macht des modernen Bewußtseins überläßt. Ja, Kierkegaard übersteigert sogar Descartes' Dualismus nicht weniger als Hegels absolute Subjektivität, deren transzendentale Sinnschöpfung nun vom Einzelnen, einem Bruder des von Nietzsche verkündeten Übermenschen, zu leisten ist. Die neuzeitliche Metaphysik vollendend, schneidet sich Kierkegaard zugleich den Zugang zum antiken und mittelalterlichen Erfahrungsbereich ab. Ihm entzieht sich, so führt Anz in Übereinstimmung mit K. *Löwith*[76] aus, nicht nur der von sich her seiende Kosmos Platos, sondern auch Augustins oder Luthers vorgegebene Schöpfungs- und Gesetzesordnung. Schließlich wird sein Anliegen einer Aneignung des Christentums von seinen eigenen Mitteln verhindert, weil „Aneignung" hier selbst schon von der kritischen Reflexion durchsetzt ist und in der existentiellen Verkürzung des Dogmas das angeblich vorausgesetzte Was des Glaubens erst durch das Wie der Existenz konstituiert.

　　Diese Überlegungen stehen in einer gewissen Nähe zu der mehrere Jahre früher veröffentlichten Interpretation von W. *Struve*[77]. Struve

[76] Karl Löwith, Jener Einzelne: Kierkegaard. Merkur X, 2 (1956), S. 147–162.

[77] Wolfgang Struve, Die neuzeitliche Philosophie als Metaphysik der Subjektivität. Interpretationen zu Kierkegaard und Nietzsche. In: Symposion, Jahrbuch für Philosophie I (1949), S. 207–335.

begreift die Philosophie Kierkegaards neben derjenigen Nietzsches als eine der beiden Gestalten, in denen die Metaphysik der neuzeitlichen Subjektivität sich vollendet. Aber der geistesgeschichtliche, von Heidegger aus gedeutete Zusammenhang ist hier noch größer; zu ihm gehört die gesamte Geschichte des metaphysischen Wahrheitsbegriffs, von der platonisch-aristotelischen Verwandlung der Unverborgenheit in Richtigkeit über die in der Identität von Wahrheit und Gewißheit gegründete Humanisierung der Subjektivität bei Descartes bis hin zur ersten Stufe der Unbedingtheit, die die Subjektivität der Neuzeit im spekulativen Idealismus erreicht. Die idealistische Subjektivität des unbedingten Vorstellens aber schlägt bei Kierkegaard in die Subjektivität des unbedingten Wollens und bei Nietzsche in die unbedingte Subjektivität des Wollens um. Während bei Nietzsche jedoch die von ihm und Kierkegaard gleichermaßen als Unbedingtheit erfahrene Wahrheit an der Subjektivität zerbricht, geht bei Kierkegaard die Subjektivität eben in ihrer Vollendung an der Wahrheit zugrunde. Dieser Unterschied folgt nach Struve daraus, daß Kierkegaard im Gegensatz zu dem durch und durch metaphysisch denkenden Nietzsche von Anfang an auf das von der Metaphysik wesensverschiedene Christentum schaut. Indem aber Struve die dialektische Selbstentmächtigung der in der Religiosität A strandenden und sich im Glauben wiederholenden Subjektivität prinzipiell metaphysisch auslegt, orientiert er sich stärker an Nietzsche als an Kierkegaard. Das Gegenteil gilt sowohl für die dem Verhältnis dieser Denker gewidmeten Aufsätze von H.-H. *Schrey* [78] und G. *Malantschuk* [79] wie für C. *Bonifazis* Werk über Kierkegaards und Nietzsches Angriff auf die Christenheit [80]. Wie Struve bemerkt Schrey eine Identität, die von einer ursprünglicheren Differenz überholt wird. Das Gemeinsame liegt nach seiner Meinung in der romantischen, zur Einsamkeit führenden Emigration aus der bürgerlichen

[78] H. H. Schrey, Die Überwindung des Nihilismus bei Kierkegaard und Nietzsche. Zeitschrift für systematische Theologie XXI, 1 (1950), S. 50–68 [in diesem Band S. 90–109].

[79] G. Malantschuk, Kierkegaard og Nietzsche. Det danske Magasin III, 6 (1955), S. 381–395.

[80] Conrad Bonifazi, Christendom attacked. A comparison of Kierkegaard and Nietzsche. London: Rockliff 1953. XV + 190 S.

Zeit und in der Erkenntnis, diese treibe dem Nihilismus zu. Das aber, worin Kierkegaard die Rettung aus dem Nihilismus erblickt, nämlich der Gottesglaube, ist für Nietzsche der Nihilismus selber, und umgekehrt ist das Dionysisch-Tragische, das Nietzsche als Heil anpreist, für Kierkegaard gerade die Wurzel des Nihilismus. Dieser Gegensatz enthüllt sich nach Schrey als der Kampf zwischen unverfügbarer Transzendenz und sich autark vollendender Immanenz oder – im Verhältnis zur Tradition, der beide Denker zugewandt sind – zwischen Christentum und Griechentum. Daß Schrey selber auf der Seite Kierkegaards steht, bekundet sich in seiner Begrifflichkeit, die es ihm erlaubt, das Dionysisch-Tragische ohne weiteres mit Kierkegaards Begriff vom Ästhetischen gleichzusetzen. Auf dieselbe Weise erleichtert sich seine Arbeit Malantschuk, der Nietzsches Denken als ästhetische Verzweiflung des Trotzes mühelos in Kierkegaards Stadien- und Synthesentheorie unterbringt. Den auch von ihm betonten Kontrast von Transzendenz und Immanenz erläutert er wie Struve an einem Vergleich der „Wiederholung" und der „ewigen Wiederkunft des Gleichen", wobei er jedoch noch stärker die besonders im Verhältnis zum Ethischen liegende Antithetik hervorhebt. Dagegen ist Bonifazi bestrebt, gerade hinter dem scheinbar konträren Verhältnis zum Christentum die geheime Verbundenheit aufzuspüren, so freilich, daß auch er Nietzsche zu Kierkegaard herüberzieht, indem er in Nietzsches antichristlichem Schrei die Untertöne herauszuhören sucht, die das verborgene Bedürfnis nach echter Religiosität verraten.

Daß aber die Spannung zwischen griechischer Immanenz und christlicher Transzendenz, zwischen der sich selbstschöpferisch verabsolutierenden Freiheit kantisch-hegelscher Tradition und dem gläubigen Gehorsam gegenüber der Faktizität des absoluten Faktums Kierkegaards Christentumsverständnis selber zerreißt, verdeutlicht J. *Sperna-Weiland*[81], in dessen Sicht Kierkegaards Begriff des Absurden auf die im Bruch mit dem Humanen vollzogene Anerkenntnis des Offenbarungsfaktums verweist, sein idealistischer Freiheitsbegriff dagegen eine damit unvereinbare Tendenz impliziert, der

---

[81] Jan Sperna Weiland, Humanitas–Christianitas. A critical survey of Kierkegaard's and Jaspers' thoughts in connection with Christianity. Assen: van Gorcum o.J. (1951). 144 S.

zufolge sich die immanenten Stadien als Voraussetzung der christlichen Wahrheit darstellen und die Initiative von Gott an den Menschen übergeht. Wohl gehört nach L. *Schestow* [82] Kierkegaard neben Dostojewsky zu den ganz wenigen, die gegen die Wissensvergötterung der abendländischen Spekulation von Anaximander bis Hegel die biblische Sündenauffassung und gegen die Notwendigkeit der Vernunft und des Ethischen die liebende Allmacht des christlichen Gottes gesetzt haben. Sofern aber Kierkegaard gleichzeitig zu gewalttätigen Korrekturen der Bibel greift und das Christentum im Laufe seiner Entwicklung immer mehr in ethischer Strenge aufgehen läßt, fällt auch er in die Angst und Verzweiflung der griechisch bestimmten Tradition zurück. Im Unterschied von Schestow, der diesen Rückfall aus der Antinomie der europäischen Geistessituation und nicht aus Kierkegaards psychischer Schwäche erklärt, behandelt W. *Rehm* [83] den Zwiespalt zwischen Christlichkeit und romantischem Ästhetentum, in dem nach seiner Deutung der Däne sich lebenslang befand, vorwiegend unter personalen Gesichtspunkten. Im Mittelpunkt seines leidenschaftlich bewegten Buches steht die reich durchvariierte Einsicht, daß Kierkegaard sich im Angesicht Christi von dem ihm tief eingewurzelten Romantischen abzusetzen sucht, aber im Ergreifen des Christlichen selbst wieder den romantischen Kategorien erliegt. So ist die Gestalt des Verführers seine eigene Möglichkeit, von der er sich befreien möchte, aber zugleich die ihn selbst verführende Idee, nach der er in indirekter Mitteilung und interessanter Mystifikation ins Christliche hineinbetrügt. Den poetischen Ausdruck dieses unendlich zweideutigen „Zugleichs" findet Rehm in Kierkegaards Antigone [84], deren antikes Vorbild der Ästhetiker durch die berechnete Brechung in reflektiertem Schmerz und im

[82] Leo Schestow, Kierkegaard und die Existenzphilosophie. Die Stimme eines Rufenden in der Wüste. Deutsche Ausgabe Graz: Schmidt-Dengler 1949. 283 S.

[83] Walther Rehm, Kierkegaard und der Verführer. München: Rinn 1949. 620 S.

[84] Walther Rehm, Kierkegaards Antigone. Deutsche Vierteljahrsschrift für Literaturwissenschaft und Geistesgeschichte XXVIII, 1 (1954), S. 1–39. Abgedruckt in: Begegnungen und Probleme. Studien zur deutschen Literaturgeschichte. Bern: Francke 1957, S. 274–316.

Incognito des Geheimnisses eben in Richtung auf die Kategorie des Interessanten modifiziert, in der sich die Wesensart des Romantischen erfüllt.

Die Auseinandersetzung um Kierkegaards Christlichkeit erreicht dort ihren Höhepunkt, wo der im Namen des neutestamentlichen Christentums geführte Angriff auf die dänische Staatskirche zur Debatte steht. Während Diem den Kirchenkampf als Erprobung der zum Schutz des Bestehenden entwickelten Existenzdialektik betrachtet, versteht Anz ihn als den letzten, lange vorbereiteten Schritt zur Auflösung des Bestehenden und Rehm als das endgültige Scheitern des Versuchs, aus dem Ästhetischen zum Christlichen zu gelangen. Hier wie dort wird jedoch Kierkegaards Schlußphase als Konsequenz seiner anfänglichen Haltung gedeutet. In seinem fesselnden Buch über ›Prophetische Denker‹ [85], das unter Hinzufügung einer geistesgeschichtlichen Einleitung sowie einer Darstellung Newmans und unter Ausscheidung des van Gogh-Kapitels aus den ›Religiösen Denkern‹ [86] hervorgegangen ist, erblickt auch W. *Nigg* in dem – nach seiner Meinung allerdings gegen die institutionelle Orthodoxie gerichteten – Kirchenkampf den „krönenden Abschluß" (S. 323) des gesamten Kierkegaardschen Schaffens, und dies gerade hinsichtlich jener mit der Zeitkritik verschränkten Prophetie, die in Niggs Augen den Dichter und Büßer, den trotz aller Strenge liebevollen, von der „Weltlenkung" erzogenen Erzieher am tiefsten prägt. Wie aber da, wo man sich über die christliche Grundverfassung des früheren Werkes durchaus einig ist, die Frage, ob der Kirchenkampf die Folge oder die Verkehrung dieses Werkes darstellt, völlig verschieden beantwortet werden kann, zeigen die beiden Aufsätze von G. *Malantschuk* und N. H. *Søe*, welche die Kierkegaard-Gesellschaft im sechsten Band ihrer ergiebigen Schriftenreihe zusammengefaßt hat [87]. Spürt Malantschuk zum Erweis der Kontinuität einerseits den kritisch-negativen Zügen der vorausliegenden Schriften, andererseits der noch zur Zeit des Streites aufscheinenden Positivität nach, so

[85] Walter Nigg, Prophetische Denker. Zürich: Artemis 1957. 554 S.

[86] Walter Nigg, Religiöse Denker. Bern–Leipzig: Haupt 1942. 420 S.

[87] G. Malantschuk og N. H. Søe, Søren Kierkegaards kamp mod kirken. Kopenhagen: Munksgaard 1956 (Søren Kierkegaard Selskabets Populære Skrifter VI). 75 S.

konstatiert Søe bei der Beurteilung der Spätzeit einen radikalen
Bruch mit Kierkegaards ehemaliger Konzeption und ebenso mit
dem Neuen Testament. In der Erklärung dieses Wandels aus Kierkegaards sexueller Veranlagung, Brotneid und Ressentiment trifft sich
Søe mit Paul V. *Rubow* [88], der in ähnlich psychologisierender Manier
die Verhöhnung der priesterlichen Wohlredenheit auf Kierkegaards
Ärger über sein rhetorisches Unvermögen zurückführt. Wenn Rubow
freilich die ›Taten der Liebe‹ als ein „eiskaltes Buch" bezeichnet
(S. 8 f.) und in der ›Krankheit‹ nichts als „spitzfindige Logik" entdeckt (S. 13), so bezeugt er damit seine Abneigung nicht nur gegen
den späten, sondern gegen Kierkegaard überhaupt. Daß gleichermaßen K. *Hansens* Aufsatz über den „anderen" Kierkegaard [89] auch
auf den „eigentlichen", den früheren zielt, hebt Anna *Paulsen* in
ihrer Antwort hervor [90]. Hansen zweifelt zwar nicht an der Berechtigung der Polemik, wohl aber an der Richtigkeit von Kierkegaards
eigenem Christentumsverständnis. Dabei beruft sich Hansen auf die
unevangelische Verabsolutierung des Absterbens und die damit gegebene Einschränkung wahren Christseins auf den „Geistesmenschen",
den „heroischen Qualitätsmenschen", der wie Nietzsches Übermensch
das Maß des Allgemeinen zerbricht. Obzwar A. Paulsen, die in ihrer
oben erwähnten Gesamtdarstellung [91] selber die Aristokratie des
Geistesmenschen kritisiert, gegen Hansen die Evangelientreue der
Reden und pseudonymen Schriften verteidigt, gesteht sie die „tiefgehende Verschiedenheit" zwischen diesen und dem ›Augenblick‹.
Von dessen unbiblischen Zügen verzeichnet sie vor allem die Ver-
selbständigung des Leidens und die Verneinung des geschöpflichen
Daseins. Auf diese beiden Punkte konzentriert sich in den meisten
Deutungen die Charakteristik der Spätphase. Nach Lønning, der in
›Samtidighedens Situation‹ einzig die Dokumente des Kirchenkamp-

[88] Paul V. Rubow, Kierkegaard og kirken. Kopenhagen: Gyldendal
1955. 36 S.

[89] Knud Hansen, Der andere Kierkegaard. Zu Søren Kierkegaards Christentumsverständnis. Evangelische Theologie XI, 5 (1951/52), S. 209–224
[in diesem Band S. 120–140].

[90] Anna Paulsen, Noch einmal der andere Kierkegaard. Evangelische
Theologie XI, 12 (1951/52), S. 561–571 [in diesem Band S. 141–154].

[91] Siehe Anm. 40.

fes wegen ihrer Heterogenität von seiner im übrigen systematischen Darstellung isoliert, fällt der Gleichzeitigkeitsgedanke zuletzt in eine der christlichen Paradoxie entkleidete Leidensmetaphysik ab (S. 277 f.), und Malantschuk sieht im Kirchenkampf-Aufsatz den Unterschied zwischen Früh- und Spätwerk darin, daß Kierkegaard das erst als Ausnahmeschicksal erfahrene Leiden dann zum Maßstab für alle Christen macht (S. 13). Auch hier aber bekundet sich die Zweideutigkeit des Phänomens: Während J.-M. *Le Blond* [92] Kierkegaards Leidensbegriff als Ausdruck echter Christlichkeit auffaßt, interpretiert S. *Hansen* Kierkegaards dunkel gestimmtes Christusbild als die Projektion des eigenen Leidens [93]. Die von A. Paulsen skizzierte Entwicklung zur Versündigung der Geschöpflichkeit verfolgt M. *Thulstrup* an Hand eines Vergleichs der ›Christlichen Reden‹ und des ›Augenblicks‹ [94]. V. *Lindström* [95] schließlich bettet diese und die zur Leidensmetaphysik führende Linie in einen Gesamtvorgang ein, den er durch eine sorgfältige Analyse zentraler Begriffe wie „Gleichzeitigkeit", „Selbstverleugnung", „Absterben" usw. sichtbar macht. Beurteilte der hervorragende Kenner in seiner ›Theologie der Stadien‹ Kierkegaards Schaffen bis zur ›Nachschrift‹ im Blickwinkel der Sphärendialektik, so glaubt er nun im Gedanken der Nachfolge das Zentrum der sich anschließenden Periode erschlossen zu haben. Dabei richtet sich jedoch seine Aufmerksamkeit ungeachtet der beibehaltenen Methode, scheinbare Widersprüche einer Schrift oder Schriftengruppe in übergreifende Ganzheiten aufzulösen, stärker als im ersten Werk auf die zeitlichen Sinnveränderungen, deren Grundzug darin besteht, daß die „Theologie der Nachfolge" wie

[92] Jean-Marie Le Blond, Christianisme et souffrance. En souvenir de S. Kierkegaard. Études CCLXXXVIII, 3 (März 1956), S. 381–395.

[93] Siegfried Hansen, Die Bedeutung des Leidens für das Christusbild Sören Kierkegaards. Kerygma und Dogma II (1956), S. 1–28.

[94] Marie Thulstrup, Kierkegaards „onde verden". Kierkegaardiana 1955, S. 42–54.

[95] Valter Lindström, Efterföljelsens teologi hos Sören Kierkegaard. Stockholm: Svenska Kyrkans Diakonistyrelses Bokförlag 1956. 310 S. Vgl. vom selben Verfasser: La Théologie de l'imitation de Jésus-Christ chez Sören Kierkegaard. Revue d'Histoire et de Philosophie Religieuses XXXV, 4 (1955), S. 379–392.

auch schon die Stadientheologie anfangs noch am Gehorsam gegenüber der Schöpfungsordnung orientiert ist, aber gegen Ende hin unter die Herrschaft des verabsolutierten Leidensprinzips gerät. Weil dieses Aufbrechen pietistischer Imitatiofrömmigkeit von der freien Anerkenntnis der situativen Faktizität zur Eigenmächtigkeit der Leistung treibt und damit die extremen Pole umspannt, zwischen denen sich das Verständnis Kierkegaards bewegt, muß Lindström, der wie kaum ein anderer auf die Einheit des Werkes bedacht ist, von einem Umbruch sprechen, der sich nicht mehr aus früheren Ansätzen verstehen läßt (S. 298 f.).

IV. Interpretationen einzelner Werkteile und Begriffsanalysen

Vom Ende der Schaffenszeit Kierkegaards kehren wir zu ihrem Anfang zurück, um zunächst durch einen Blick in Deutungen einzelner Schriften unser Bild zu vervollständigen. Klärt uns C. *Weltzer* [96] über die äußeren Umstände auf, die die Annahme und Verteidigung der Magisterdissertation begleitet haben, so analysiert H. A. *van Munster* deren sachlichen Gehalt [97], mit dem Ergebnis, daß Kierkegaard darin seine eigene Position zwischen der exklusiven Negativität sokratisch-romantischer Ironie und der reinen Positivität Hegels als den Standpunkt beherrschter Ironie fixiert. Von den pseudonymen Verfassern ist neben Johannes de silentio, dessen Schrift J. *Langlois* [98] und E. *Paci* [99] ausführlich behandeln, vorzüglich Vigilius Haufniensis Gegenstand aufschlußreicher Untersuchungen. Außer *Paci's* knapper Würdigung [100] ist vor allem H. *Diems*

[96] Carl Weltzer, Omkring Kierkegaards Disputats. Kirkehistoriske Samlinger VI (6. Reihe) (1948–50), S. 284–311 u. 511–514.

[97] H. A. van Munster, Een analyse van Kierkegaards proefschrift. Tijdschrift voor Philosophie XVIII, 3 (Sept. 1956), S. 347–380.

[98] J. Langlois, Essai sur Crainte et tremblement de Sören Kierkegaard. Sciences ecclésiastiques VI, 1 (1954), S. 25–60.

[99] Enzo Paci, Kierkegaard e la dialettica della fede. In: Kierkegaard e Nietzsche. Archivio di Filosofia. Milano: Bocca 1953, S. 9–44.

[100] Enzo Paci, Il significato dell'introduzione kierkegaardiana al 'Concetto dell'angoscia'. Rivista di Filosofia XLV, 4 (Okt. 1954), S. 392–398.

Studie über die Einleitung zum ›Begriff Angst‹ zu nennen [101]. Dieser fundamentale Text gibt Diem Gelegenheit, gegen Anz und die existentiale Theologie der Gegenwart nochmals die Angewiesenheit der Existenzdialektik auf die in der Kontingenz des Offenbarungsfaktums gründende Dogmatik aufzuzeigen. Ins Innere des ›Begriffs Angst‹ führt A. *Christensens* Abhandlung über Kierkegaards, von Karl Rosenkranz und J. E. Erdmann beeinflußten, Begriff des Geistes, der als Individuationsprinzip die „zugleich" durchweg menschliche und tierische Synthese von Leib und Seele trennend und vereinend durchdringt [102]. Ein Zerrbild der im ›Begriff Angst‹ explizierten Anthropologie des geistig bestimmten Männlichen und des naturhaft Weiblichen findet A. *Henriksen* [103], dem wir auch einen Essay über Kierkegaards Buchbesprechungen verdanken [104], im ›Tagebuch des Verführers‹, wo Johannes die verabsolutierte Reflexion und Cordelia die ohnmächtig preisgegebene, vom Geistprinzip losgerissene Substanz darstellt. In detaillierter Textinterpretation versucht Henriksen, das ›Tagebuch‹, die ›Wiederholung‹ und ›Schuldig – Nicht Schuldig‹ mittels genauer Begriffsbestimmungen als ästhetische Ganzheiten zu erfassen und das Verhältnis zu den jeweiligen Pseudonymen freizulegen. Das Koordinatensystem, in das er den Standort der Figuren einzeichnet, ist die an Kleists ›Marionettentheater‹ erinnernde „Grundformel in Søren Kierkegaards Stadienphilosophie" (S. 25), die den Bewußtseinsprozeß ausdrückt als in sich zurücklaufende Bewegung von der naiven zur unendlich reflektierten Unmittelbarkeit. Solch ein Ansatz wäre sicherlich noch fruchtbarer geworden, wenn Henriksen nicht die ausgelegten Schriften als „Romane im traditionellen Sinne" (S. 8) mißverstünde und vor lauter ästhetischer Ganzheit bisweilen die gedankliche Einheit aus dem Auge verlöre. Diesen Vorwurf kann man D. H. *Goetz*, der die

[101] Hermann Diem, Dogmatik und Existenzdialektik bei Sören Kierkegaard. Evangelische Theologie XV, 11 (1955), S. 492–506.

[102] Arild Christensen, Søren Kierkegaards Individuationsprincip. Dansk teologisk Tidsskrift XVI, 4 (1953), S. 216–236.

[103] Aage Henrikson, Kierkegaards romaner, Kopenhagen: Gyldendal 1954. 194 S.

[104] Aage Henriksen, Kierkegaards Reviews of Literature. Symposion Kierkegaardianum, S. 75–83.

Liebes- und Eheauffassung des ersten und zweiten Teils der ›Stadien‹ mit Hölderlins ›Hyperion‹ und Claudels ›Seidenem Schuh‹ zusammenstellt [105], zumindest insofern nicht machen, als er die theoretische Aussage der Texte mit scholastischer Fertigkeit thesenhaft herausarbeitet. Wenn aber Goetz die Stellung Kierkegaards ein wenig unterbestimmt, so liegt das zweifellos daran, daß ihm das Gesamt der Dialektik, worin jene Schriften ihren Platz haben, nicht voll gegenwärtig ist.

Die bedeutende Anzahl von Publikationen, die sich mit Kierkegaards Begriff der erotischen und christlichen Liebe sowie überhaupt mit der Rolle des Mitmenschen und der Gemeinschaft im Denken des Dänen beschäftigen, bestätigt die Aktualität der Frage, ob Kierkegaard letztlich auf die Anerkenntnis der faktischen Situation und damit auch des aus ihr begegnenden Anderen zielt oder auf die selbstgenügsame Eingeschlossenheit, die nach Knud Hansen auch die kommunikativen Beziehungen in die ideelle Bewegung der Freiheit auflöst. Die ›Taten der Liebe‹, auf die sich die Diskussion sammelt, behandeln G. *Masi* [106] und V. *Lindström* [107], der dieses Werk ebenso in seiner ›Theologie der Nachfolge‹ als Dokumentation des an der Geschöpflichkeit orientierten Entwurfs betrachtet [108]. Diametral entgegengesetzt verhält sich hierzu der brillante Aufsatz, den Th. W. *Adorno* den ›Taten der Liebe‹ widmet [109]. Für ihn nämlich ist Kierkegaards Lehre von der Nächstenliebe der Erweis jener absoluten Innerlichkeit, die den Widerstand des Objekts und die Erwiderung des Partners auslöscht, indem sie die Vorliebe für eine bestimmte Person in die Allgemeinheit der Fernstenliebe verwandelt und ihre Autarkie in der Liebe zu den Toten bewährt. Dieser Deutung zufolge entspringt Kierkegaards Aufruf zur Hinnahme des einmal Gegebe-

[105] Diego Hanns Goetz OP, Das Vaterunser der Liebenden. Wien: Herold 1952. 344 S.

[106] Giuseppe Masi, Il significato cristiano dell'amore in Kierkegaard. Studi Kierkegaardiani, S. 203–242.

[107] Valter Lindström, A Contribution to the Interpretation of Kierkegaard's Book The Works of Love. Studia Theologica VI, 1 (Lund 1952).

[108] Siehe das Anm. 95 angegebene Buch, S. 263–297.

[109] Theodor W. Adorno, Kierkegaards Lehre von der Liebe. Zeitschrift für Religions- und Geistesgeschichte III, 1 (1951), S. 23–38.

nen keineswegs der Anerkenntnis der Situation, sondern der abstrakten Innerlichkeit, deren Idealität in das „abstrakte Einerlei
bloßer Naturverhältnisse" (S. 27) umschlägt. Adornos soziologische
Rettung von Kierkegaards liebloser Liebeslehre als einer Kritik der
bürgerlichen Gesellschaft, die jede freie Möglichkeit im schon Gewuß-
ten begräbt und Erwiderung nur noch als Tausch kennt, weist in die
durch den Begriff des Korrektivs bezeichnete Richtung, die P. *Wagndal* einschlägt, um die Bedeutsamkeit und Positivität des Gemein-
schaftsproblems bei Kierkegaard herauszufinden [110]. Doch auch über
die korrektive Bezogenheit auf die im 19. Jahrhundert überstark
betonte Sozialität hinaus eignet in den Augen Wagndals dem „Einzelnen", der sich lediglich im Gegensatz zum unselbständigen Mas-
senmenschen befindet, echte Gemeinschaftlichkeit. Wie darum in der
Theologie der Stadien, denen je verschiedene Haltungen gegenüber
dem Mitmenschen entsprechen, der Ethiker sich vom „verborgenen"
Ästhetiker durch seine kommunikative Offenbarkeit unterscheidet,
so bezeugen die ›Taten der Liebe‹, daß das Verhältnis zum Nächsten
wesentlich zum Sein des vor Gott stehenden Einzelnen gehört.

Wagndals Abhandlung lenkt unsere Aufmerksamkeit bereits auf
die Begriffsanalysen. Von ihnen seien nur diejenigen vermerkt, die
die Problematik der von uns für zentral gehaltenen Deutungen am
kleineren Modell demonstrieren. So möchten wir im italienischen
Bereich auf die Studie hinweisen, in der N. *Abbagnano* im ›Zwischenspiel‹ der ›Brocken‹, im ›Begriff Angst‹ und in der ›Krankheit‹
die Beziehungen der Möglichkeit zur Wirklichkeit und Notwendigkeit untersucht [111]. Denn in der Verschränkung dieser Begriffe spiegelt sich die Synthese des Endlichen und des Unendlichen, die der
Grund der Zweideutigkeit des Kierkegaardschen Denkens ist. G. *Malantschuk,* der die Relevanz der ungleichartig zusammengesetzten
Synthese für die Unterscheidung der humanen und der christlichen
Sphäre im Begriff Verdoppelung zu fassen sucht [112], beschäftigt sich

[110] Per Wagndal, Gemenskapsproblemet hos Sören Kierkegaard. Lund:
CWK Gleerup 1954 (Studia Theologica Lundensia 6). 264 S.

[111] Nicola Abbagnano, Kierkegaard e il sentiero della possibilità. Studi
Kierkegaardiani, S. 9–28.

[112] G. Malantschuk, Begrebet Fordoblelse hos Søren Kierkegaard. Kierkegaardiana II (1957), S. 43–53.

in mehreren Aufsätzen [113] mit dem Begriff der Wirklichkeit, die als Zugleich von Sein und Wesen, von Möglichkeit und Notwendigkeit die Kategorie jener polaren Einheit ist. Auf der Suche nach der Einheit gerät Malantschuk allerdings allzusehr unter die Herrschaft seines Themas, insofern nämlich, als ihm die genetischen Differenzen entschwinden. Abgesehen von den Schwierigkeiten, die sich einer geradlinigen Verbindung zwischen der Magisterarbeit und der Verfasserschaft entgegenstellen, geht es auch nicht an, den Wirklichkeitsbegriff der ›Brocken‹ und den der ›Krankheit‹ unter dasselbe Schema zu bringen. Ist nämlich dort die dem Wesen gleichgesetzte Notwendigkeit mit der Wirklichkeit und Möglichkeit durchaus nicht synthetisch vereint, so ist sie hier, wo sie tatsächlich samt der Möglichkeit in die Einheit der Wirklichkeit gehört, nicht mehr mit dem Wesen identisch [114]. Angesichts der Nivellierung solcher Unterschiede zeigt sich der Vorteil einer Beschränkung auf einzelne Schriften oder Schriftengruppen. Der Paradoxbegriff, den K. *Olesen Larsen* nach diesem Prinzip behandelt [115], steht im Zentrum der theologischen Auseinandersetzung über das Verhältnis von Metaphysik und Dogmatik, das sich je nach dem Vorrang des frei konstruierenden Verstandes oder des hinnehmenden Glaubens modifiziert. Während schon früher T. *Bohlin* das absolute Paradox als ein intellektuelles Gebilde begriff [116] und S. *Holm* in seinem oben besprochenen Buch [117]

[113] G. Malantschuk, Frihedens Dialektik hos Søren Kierkegaard. Dansk teologisk Tidsskrift XIII (1950), S. 193–207; ders., Søren Kierkegaards Teori om Springet og hans Virkelighedsbegreb. Kierkegaardiana 1955, S. 7–15; ders., Das Verhältnis zwischen Wahrheit und Wirklichkeit in Sören Kierkegaards existentiellem Denken. Symposion Kierk., S. 166–177.

[114] Vgl. dazu: Michael Theunissen, Der Begriff Ernst bei Søren Kierkegaard. Freiburg: Alber 1958 (Symposion. Philosophische Schriftenreihe, hrsg. v. Max Müller, Bernhard Welte, Erik Wolf. 1). XI + 187 S.

[115] K. Olesen Larsen, Zur Frage des Paradoxbegriffes in ›Philosophische Brocken‹ und ›Abschließende unwissenschaftliche Nachschrift‹. Symposion Kierk., S. 130–147.

[116] Vgl. bes.: Torsten Bohlin, Kierkegaards dogmatische Anschauung in ihrem geschichtlichen Zusammenhang. Deutsche Ausgabe Gütersloh: Bertelsmann 1927. XII + 592 S.

[117] Siehe Anm. 71.

den Fiktionalismus der Kierkegaardschen Christologie aus der metaphysischen Abstraktheit des angeblich punktuell eingeengten Christusparadoxes erweisen will, machen sowohl Larsen als auch N. H. *Søe* [118] – jener ohne, dieser mit Bezug auf Bohlin und Holm – geltend, daß das Paradox überhaupt nicht auf der Ebene intellektueller Bestimmungen liegt, sondern einzig die Existenz oder – in Søes biblischer Wendung – das Herz betrifft. Statt aus dem humanen Verstand hervorzugehen, ist das christliche Paradox nach der Überzeugung beider Autoren erst mit dem Offenbarungsfaktum gegeben, und zwar nicht als Antwort auf eine vom Menschen gestellte Frage, sondern wider alles Erwarten. Nach Søe bezieht es sich darum auf den vollen Bestand der biblischen, aus dem Horizont der orthodoxen Theologie gedeuteten Lehre und keineswegs bloß auf den abstrakten Augenblick der Inkarnation. So aber übersteigt es mit der Rationalität auch die immer noch intellektuell bemessene Irrationalität. Denn um eine unklare oder gar „theoretisch widerspruchsvolle" Vorstellung sein zu können, müßte das absolute Paradox eben doch eine Vorstellung sein und nicht das, was den Menschen unvorstellbar von außen überfällt. Gegen das fideistisch-irrationalistische Kierkegaardverständnis, wie es auf katholischer Seite etwa B. *Romeyer's* Vergleich mit Augustin zugrunde liegt [119], aber von C. *Fabro* [120], V. *Melchiorre* [121] und L. *Dupré* [122] ebenso energisch abgelehnt wird, verweist Søe auf die spezifische Verständlichkeit, die im Bereich der einmal gesetzten dogmatischen Wahrheiten waltet. Søe kommt so – im Unterschied zu Marie *Thulstrup*, nach deren kritischer Darstellung Kierkegaard dem Verstand als einem glaubensfeindlichen Element mißtraut [123] – zu

[118] N. H. Søe, Søren Kierkegaards lære om paradokset. In: Nordisk teologi. Till Ragnar Bring. Lund: CWK Gleerup 1955 (311 S.), S. 102–121.

[119] B. Romeyer S.J., La raison et la foi au service de la pensée. Kierkegaard devant Augustin. Archives de Philosophie XVIII, 2 (1952), S. 7–41.

[120] Cornelio Fabro, Foi et raison dans l'œuvre de Kierkegaard. Revue des Sciences Philosophiques et Théologiques XXXII (1948), S. 169–206.

[121] Virgilio Melchiorre, Kierkegaard e il fideismo. Rivista di Filosofia Neoscolastica XLV, 2 (März–April 1953), S. 143–176.

[122] Louis Dupré, La dialectique de l'acte de foi chez Soeren Kierkegaard. Revue philosophique de Louvain LIV (1956), S. 418–455.

[123] Marie Thulstrup, Forstanden contra troen? En bemærkning til

dem Schluß, Kierkegaards christliches Paradox gehe nicht gegen, sondern lediglich über die Vernunft. Daß es aber eben deshalb, weil es die ganze Existenz und nicht primär die ratio trifft, weder contra noch super rationem sein kann, das ist die letzte Konsequenz, die P. *Lønning* [124] aus der inneren Struktur der Existenzdialektik zieht.

V. Biographische Forschungen und psychologische Hypothesen

Der Tendenz, die sachliche Problematik des Werkes ohne Rücksicht auf dessen personalhistorische Bedingungen zu deuten, entspricht das heutige Bemühen, auch umgekehrt Kierkegaards Vita selbständig darzustellen. Als reine Biographien geben sich die ins Deutsche übertragenen Bücher von J. *Hohlenberg* [125] und W. *Lowrie* [126] aus. Lowrie bezeugt den biographischen Charakter seiner knappen Darstellung dadurch, daß er sich bei Kierkegaards vorliterarischer Periode ebenso lange aufhält wie bei der Zeit der schriftstellerischen Tätigkeit, deren Etappen er in spannender Folge und lockerer Zeichnung skizziert. Hohlenberg erzählt Kierkegaards Leben vor dem farbenreichen Hintergrund des damaligen Kopenhagen. Ohne den geschickt kombinierten Forschungsergebnissen, die ihm bereits vorlagen, neue hinzufügen zu wollen, geht es ihm darum, „dieses Leben als die Offenbarung einer Persönlichkeit zu verstehen, der es gelang, ihr Schicksal nach ihrem Bild zu formen" (S. 425). In ähnlicher Weise betrachtet T. *Norrby*, dessen nur kurz bei der Sachproblematik verweilendes Buch ebenfalls biographisch ausgerichtet ist, Kierkegaard in ehrfürchtiger Haltung als Anwalt eigentlicher

Kierkegaards problemstilling. Dansk teologisk Tidsskrift XVII, 2 (1954), S. 89–97.

[124] Per Lønning, Kierkegaard's „Paradox". Symposion Kierk., S. 156 bis 165.

[125] Johannes Hohlenberg, Søren Kierkegaard. Deutsche Ausgabe hrsg. v. Th. W. Bätscher, übers. v. Maria Bachmann-Isler. Basel: Schwabe 1949. 455 S.

[126] Walter Lowrie, Das Leben Sören Kierkegaards. Übers. v. Günther Sawatzki. Düsseldorf: Diederichs 1955. 238 S.

Menschlichkeit [127]. V. *Christensen* dagegen markiert die Stationen, die Kierkegaard auf dem Weg zum Christentum durchschritten hat [128]. In fünf Kapiteln verfolgt er diesen Weg von der Rebellion des Studenten bis zum Kirchenkampf. Die entscheidenden Ereignisse der Zwischenzeit lokalisiert er auf das – nach seiner Auffassung durch eine Beichte des Vaters veranlaßte – Freudeerlebnis vom 19. Mai 1838, das den Dandy zur ethischen Umkehr zwang, auf die Verlobungsgeschichte und schließlich auf den durch die Korsar-Affäre vorbereiteten „Durchbruch" vom 19. April 1848, in dem Kierkegaard der Glaube an die Sündenvergebung geschenkt wurde.

Neben den zusammenfassenden Lebensbeschreibungen liegen einige dänische Publikationen vor, die sich der Erforschung besonderer Perioden, Kierkegaards Verhältnis zu seinen Kopenhagener Zeitgenossen oder der Datierung autobiographischer Tagebuchnotizen widmen. Unter den Schriften der ersten Art steht an hervorragender Stelle die gut dokumentierte Kindheits- und Jugendbiographie von S. *Kühle* [129]. Auf früheren Arbeiten des Verfassers beruht darin die These, daß in Hertz' ›Stemninger og Tilstande‹ hinter der Figur Werners nicht der von F. *Brandt* [130] genannte P. L. Møller, sondern Edvard Collin steht und daß man auch den dort auftretenden Übersetzer nicht wie Brandt ohne weiteres mit Kierkegaard gleichsetzen kann. Eine Korrektur erfährt Brandts Werk ›Der junge Kierkegaard‹ auch in der Arbeit über Kierkegaard und P. L. Møller von K. *Bruun Andersen* [131]. Und zwar bezweifelt Andersen sowohl die von Brandt angenommene persönliche Bekanntschaft zwischen

[127] Tore Norrby, Sören Kierkegaard. Stockholm: Wahlström & Widstrand 1951. 192 S.

[128] Villads Christensen, Søren Kierkegaards vej til kristendommen. Kopenhagen: Munksgaard 1955 (Søren Kierkegaard Selskabets Populære Skrifter V). 78 S.

[129] Sejer Kühle, Søren Kierkegaards barndom og ungdom. Kopenhagen: Aschehoug 1950. 211 S.

[130] Frithiof Brandt, Den unge Søren Kierkegaard. Kopenhagen: 1929. 459 S.

[131] K. Bruun Andersen, Søren Kierkegaard og kritikeren P. L. Møller. Med særligt hensyn til Frithiof Brandt: Den unge Søren Kierkegaard 1929. Kopenhagen: Munksgaard 1950. 42 S.

den beiden Feinden wie auch die Identität Møllers und der Verführergestalt, in der Kierkegaard nach Andersen vielmehr eine Möglichkeit seiner selbst geformt hat. Denn auf Kierkegaards weltferne Erotik, nicht auf die unmittelbare Sexualität des Literaten paßt Johannes' Reflektiertheit. Dies wird dadurch bestätigt, daß Kierkegaard durch Heibergs Kritik an ›Entweder – Oder‹ verletzt wurde, wohingegen P. L. Møller sich von der Schilderung des Verführers überhaupt nicht getroffen fühlte. Statt auf eine vorausliegende Bekanntschaft, auf die in Kierkegaards Büchern, Papieren und Briefen nichts hindeutet, führt Andersen Møllers Attacke gegen Kierkegaard auf die Verschiedenheit der Lebensanschauungen zurück, wobei er jedoch im Gegensatz zur Schwarz-Weiß-Technik der bisherigen Literatur eine Lanze für P. L. Møllers Motive und für die intuitive Treffsicherheit seiner kritischen Äußerungen bricht und mit Genugtuung die relative Wirkungslosigkeit der nur scheinbar lauteren Antwort Kierkegaards feststellt. Was sich hier noch als Gerechtigkeit auslegen läßt, artet in dem Essay, den P. V. *Rubow* über Kierkegaards zeitgenössische Verbindungen geschrieben hat [132], zu der recht peinlich wirkenden Absicht aus, Kierkegaard zu einem kleinen Provinztalent und spitzfindigen Sophisten, seine Gegner aber wie P. L. Møller, Goldschmidt und Martensen zu wahren Helden zu machen. Demgegenüber tut die Ehrfurcht wohl, mit der C. *Weltzer* der gegensätzlichen und doch im Ja zum geistigen Abenteuer vereinten Wesensart Kierkegaards und Grundtvigs nachspürt [133]. Im Anschluß an eine Untersuchung über die Verhältnisse zwischen Grundtvigianern und Kierkegaards Familie gibt Weltzer erst Kierkegaards Vorstellung von Grundtvig als eines zwar naturhaft begabten, aber beschränkten Parteigängers wieder und dann Grundtvigs Urteil über Kierkegaards Kirchenkampf, der in den Augen des Greises ein dämonischer Versuch war, das Leben des Heiligen Geistes in der Gemeinde Christi zu leugnen und die Kraft der Sakramente zu verneinen. Die entgegengesetzten Kirchenanschauungen, die hinter

[132] Paul V. Rubow, Kierkegaard og hans samtidige. Kopenhagen: Gyldendal 1950. 67 S.

[133] Carl Weltzer, Grundtvig og Søren Kierkegaard. Kopenhagen: Gyldendal 1952 (Skrifter udgivet af Grundtvig-Selskabet V). 95 S.

Kierkegaards Angriff und Grundtvigs Verteidigung stehen, arbeitet
H. *Høirup* heraus [134], allerdings in der unerwiesenen Voraussetzung,
daß Kierkegaard auf die Negation der Kategorie Kirche schlechthin
ausging. Muß *Høirup* von hier aus jede Vermittlung für verfehlt
halten, so ist es S. *Holm* [135] gerade darum zu tun, neben der Differenz
auch das aufzusuchen, was den zwei mächtigsten Gestalten der dänischen Geistesgeschichte gemeinsam ist. Obwohl Kierkegaard nämlich
seine nur angedeutete Dogmatik mit den Mitteln philosophisch-
begrifflicher Dialektik behandelt, Grundtvig aber bei sehr viel größerer Naivität gegenüber dem Historischen in seiner reich ausgestal-
teten Dogmatik Geschichte und Metaphysik als Mythologie eins
werden läßt, obwohl jener immer strenger und einsamer, dieser aber
mit der wachsenden Zahl seiner Anhänger immer milder wurde,
huldigen beide einem – für Grundtvig freilich bereits im Ostermorgen
überwundenen – „Dualismus", der gegen Schellings und Hegels
„Pantheismus" die Urgegensätze von Leben und Tod, von Christus
und Satan ins Feld führt.

Sowohl die biographische Kierkegaardforschung als auch die psychologische Deutung des Werkes aus seelischen Anlagen und Erleb-
nissen seines Urhebers haben von jeher ihr ergiebigstes Arbeitsfeld
gefunden in den Journalnotizen II A 802–807, unter denen sich
(II A 805) die dunkle Aufzeichnung über das „große Erdbeben"
befindet. Zu deren Datierung liefert F. *Brandt* einen Beitrag [136], der
der Vermutung, terminus ante quem sei der Tod des Vaters am
8. August 1838 (Barfod, Brix) oder doch der Herbst dieses Jahres
(Heiberg–Kuhr), den Boden entzieht und V. Ammundsens Eingren-
zung auf die Zeit vom 9. September 1839 bis zum Sommer 1840
präzisiert. Das Lear-Zitat der Eintragung II A 804, die auf demselben Zettel steht, an dessen Ende II A 805 beginnt, ist nämlich dem

[134] Henning Høirup, Grundtvig and Kierkegaard: their views of the
Church. Theology Today XII, 3 (Okt. 1955), S. 328–342.

[135] Sören Holm, Grundtvig und Kierkegaard. Parallelen und Kontraste.
Zeitschrift für systematische Theologie XXIII, 2 (1954), S. 158–176; vgl.
Holms unter demselben Titel erschienenes Buch. Kopenhagen: Busck; Tü-
bingen: Katzmann 1956. 101 S.

[136] Frithiof Brandt, The great earthquake in Søren Kierkegaard's life.
Theoria XV (1949), S. 38–53.

dritten Band der Ortleppschen Shakespeare-Übersetzung entnommen, der – wie Brandt durch Einsicht in die erste Auflage dieser Ausgabe und in die ›Allgemeine Bibliographie für Deutschland‹ entdeckt hat – erst am 10. Mai 1839 erschienen ist. Falls Kierkegaard seine Ende September desselben Jahres ausgesprochene Absicht, das Tagebuch von nun an bis zum Examen ruhen zu lassen, verwirklicht hat, ist also die Erdbeben-Aufzeichnung zwischen dem 10. Mai und Ende September 1839 entstanden. Auf diese Datierung beruft sich K. *Bruun Andersen*, wenn er in seiner Untersuchung von II A 802– 807 [137] zwar die beiden ersten Stücke und die Altersangabe des dritten auf die Zeit um Kierkegaards 25. Geburtstag zurückverlegt, aber das Shakespeare-Zitat und die folgenden Eintragungen auf das Jahr 1839 fixiert. Der Gewinn des Buches, das Andersen dem Erdbebenkomplex widmet, liegt in der Kritik an früheren Hypothesen und an übereilten Schlüssen vom Text auf die Lebensgeschichte. Vorsichtig und nüchtern bleibt Andersen auch beim Bau der eleganten Brücke, die er zwischen II A 802 (unter dem Titel ›Kindheit‹ das Faust-Zitat: „Halb Kinderspiele, Halb Gott im Herzen") und dem Spruch vom Erdbeben spannt. Danach bezieht sich der „Kindheitseindruck", von dem Kierkegaard des öfteren spricht, auf die in der ›Nachschrift‹ variierte Situation, in der der zehnjährige Søren am Grabe seiner unehelichen Schwester Maren Kristine des Sündenbewußtseins seines Vaters innewurde, das Erdbeben aber auf die blitzhaft aufsteigende Erkenntnis Kierkegaards, daß er, der inzwischen selber gesündigt hat, mit dem Vater eins ist. Am allgemeinen Rätselraten über die Einzelheiten des sündigen Lebens, das Søren als Student geführt haben soll, beteiligt sich Andersen allerdings so eifrig, daß er seine Scheu vor den Grillen anderer Forscher bald ablegt. Das ist um so mehr zu bedauern, als die von ihm angenommene These Geismars, Kierkegaard habe (nach Andersen sogar noch 1849!) Onanie getrieben, nicht nur geschmacklos, sondern auch schlecht fundiert ist, mindestens ebenso schlecht jedenfalls wie Andersens Behauptung, die Folge des Bordellbesuches, den er mit P. A. Heiberg für eine Tatsache hält, sei eine psychisch bedingte Impotenz gewesen. Nach all

[137] K. Bruun Andersen, Søren Kierkegaards store jordrystelser. Kopenhagen: Hagerup 1953. 141 S.

der Mühe, die sich schon P. A. *Christensen* gegeben hat, um durch
die Erinnerungen von Henriette Lund und das 1852 von Kierkegaards Arzt geschriebene ›Haandbog i Therapien‹ die Annahme einer
geschlechtlichen Impotenz zu sichern [138], ist die von Andersen ange-
führte Aufzeichnung II A 584 nicht gerade geeignet, sie wahrschein-
licher zu machen. Wohl aber drängt sich angesichts der Art, wie hier
auch der ›Begriff Angst‹ als Indizienmaterial verwendet wird, die
prinzipielle Frage nach der wissenschaftlichen Ausweisbarkeit solcher Untersuchungen auf. Da es im Rahmen dieses Sammelberichts
nicht möglich ist, auf alle psychologischen und psychoanalytischen
Werke so tief einzugehen, wie die erschöpfende Beantwortung dieser Frage es erforderte, wählen wir zu genauerer Durchsicht ein
Beispiel aus dem deutschen Sprachbereich.

Der exemplarische Charakter des oft zitierten Buches von A.
Künzli [139], der sich wie Andersen auf den ›Begriff Angst‹ beruft und
wie jener in der Impotenz den Grund von Kierkegaards Ehelosigkeit
erblickt, liegt in der Ausdrücklichkeit, mit der es die typisch psychologische Richtung vom Werk weg auf die Person hin zum methodischen Prinzip erklärt. Was dabei – abgesehen von der völlig uninter-
essanten, von Kierkegaard selbst schon vorweggenommenen Feststellung, der Däne habe das von ihm beschriebene Christsein in seinem
eigenen Leben nicht verwirklicht – herauskommt, offenbart Künzlis
Reduktion der sachlichen Gehalte auf einen Mutter-, einen Vater-
und einen Ödipuskomplex. Schuld an Kierkegaards metaphysisch-
religiösem Dualismus ist danach vor allem die elterliche Ehe, insofern
nämlich, als Kierkegaard seinen intellektuell überkultivierten, finster
pietistischen Vater, unter dessen Obhut er stand, mit Gott, seine
heiter sinnliche, aber in der väterlichen Perspektive als böse betrach-
tete Mutter mit der Welt identifizierte. Weil er jedoch in alledem sich
selbst seinem Vater, also Gott gleichsetzte, verfiel er der abendländischen „Ursünde" des weltverachtenden, intellektualistisch-prome-
theischen Absolutismus, der die ihn bis zum Ende verfolgende Angst-

---

[138] P. A. Christensen, Søren Kierkegaards Kors. Orbis litterarum III,
2–3 (1945), S. 108–119.
[139] Arnold Künzli, Die Angst als abendländische Krankheit. Dargestellt
am Leben und Denken Sören Kierkegaards. Zürich: Rascher 1948. 292 S.

neurose gebar. Vorbildlich für die Art, wie man bei einer derartigen „Deutung" mit dem Text umgehen muß, ist die Großzügigkeit, mit der Künzli (S. 110 f.) den ethisch-religiösen Augenblick als Synthese des Zeitlichen und Ewigen und den ästhetischen Augenblick durcheinanderwirft, um dem Leser einreden zu können, Kierkegaard habe hier die Einheit von „Leib und Geist, Welt und Gott, Mutter und Vater" zwar im Denken anvisiert, aber im Leben nicht vollzogen und dieses Versagen nachträglich gerechtfertigt, indem er den Augenblick „als sündhaft tabuierte". An einer anderen Stelle (S. 226) legt Künzli Kierkegaards Bemerkung, lieber wolle er Regine ermorden als ihr die „furchtbaren Dinge" seiner Vergangenheit verschweigen, in völliger Sinnverkehrung mit den Worten aus, Kierkegaard wolle Regine lieber „ermorden als sein Schweigen brechen". Durch derlei Kunststücke wird es dann natürlich leicht, die im ›Begriff Angst‹ dargestellte Freiheit, die ausdrücklich als kommunikative Offenheit bestimmt wird, in selbstische Verschlossenheit zu verwandeln (S. 143) oder mit Gelassenheit festzustellen, Kierkegaards Paradox sei der „philosophisch umschriebene Konflikt seiner Eltern" (S. 92). Solche Behauptungen gehen ebenso wie die apodiktische Aberkennung des persönlichen Glaubens (u. a. S. 207) daraus hervor, daß Künzli bei der Ausweisung seiner Hypothesen ständig den Text auf eine Sphäre hin überschreiten muß, über die mit Sicherheit nichts auszumachen ist. Dieselbe Inadäquatheit von Hypothese und beigebrachtem Quellenmaterial kennzeichnet die psychoanalytische Studie von S. *Næsgaard* [140]. Auch Lina *Zeuthen*, die den „Pfahl im Fleisch" mit den Mitteln der Psychiatrie als psychophysisches Mißverhältnis enthüllen möchte [141], geht weit über die vom Text vorgeschriebenen Grenzen hinaus, wenn sie die sechs Einlagen im letzten Teil der ›Stadien‹ auf den Verlauf von Kierkegaards Kindheit und Jugend bezieht, nämlich das erste dieser Stücke auf die von früh an wirksame Vaterbindung, das zweite auf Kierkegaards Selbsterkenntnis während des Gilleleje-Aufenthalts, das dritte auf das Erdbeben,

---

[140] Sigurd Næsgaard, En Psykoanalyse af Søren Kierkegaard. Odense: Psykoanalytisk Forlag o. J. (1951).
[141] Lina Zeuthen, Søren Kierkegaards hemmelige Note. Kopenhagen: Gad 1951. 240 S.

das vierte auf den Bordellbesuch, das fünfte auf den darauf einset-
zenden Versuch einer Loslösung vom Vater und das sechste schließlich
auf das Ganze der „Leidensgeschichte" bis hin zum Verlobungsbruch.
So gewiß es ist, daß alle diese Erlebnisse und Episoden in den Einlagen verarbeitet sind, so wenig ist es doch zulässig, die untersuchten
Texte von vornherein lediglich als autobiographische Konfessionen
anzusprechen und die eigenständige Konsequenz des „Gedanken-
experiments" zu ignorieren. Ebenso fragwürdig ist die Identität,
die J. *Neumann* zwischen dem Quidam dieses Experiments und
Kierkegaard sowie zwischen der Quaedam und Regine voraussetzt,
um Regine als extrovertierten Fühltypus bei fließenden Gehalten,
heiterer Grundstimmung und stark vitaler, ungehemmter Aktivität,
Kierkegaard als introvertierten Denktypus mit entgegengesetzten
Qualitäten bestimmen zu können [142]. Mag eine derartige Typisierung
aber auch Kierkegaards psychische Struktur treffen, den „Schlüssel
zum Wesen Kierkegaards" (S. 327) bietet sie sicherlich nicht, jedenfalls nicht zum Wesen desjenigen Kierkegaard, mit dem wir es heute
allein zu tun haben, mit dem wir freilich auch nicht dadurch fertig
werden, daß wir seine Religiosität als Schutz vor der Hingabe an die
Frau abtun. In das Wesen des wirklichen, des im Werk verwirklich-
ten Kierkegaard dringt von denen, die sich der psychoanalytischen
Methode bedienen, P. *Mesnard* [143] ein, allerdings nicht deshalb, weil
er sich ihr hingäbe, sondern weil er sie auflöst in eine geistesgeschichtliche Analyse, die das Werk wohl von der Person her angeht, ohne
ihm aber seine denkerische Verbindlichkeit zu nehmen. Wenn näm-

---

[142] Johannes Neumann, Kierkegaards Liebeskonflikt. Nach Analyse der
›Stadien auf dem Lebensweg‹. Studien zur tiefenpsychologischen Typen-
lehre II. Psyche II, 3 (Febr. 1949), S. 327–370; vgl. vom selben Verfasser:
Sören Kierkegaards Individuationsprozeß nach seinen Tagebüchern. Zeit-
schrift für Psychotherapie und medizinische Psychologie II, 4 (Juli 1952),
S. 152–168.

[143] Pierre Mesnard, Le vrai visage de Kierkegaard. Paris: Beauchesne
1948. 494 S. Vgl. vom selben Verfasser: Comment définir la philosophie
de Kierkegaard? Revue d'Histoire et de Philosophie Religieuses XXXV, 4
(1955), S. 393–403; sowie die Textauswahl: Kierkegaard. Sa vie, son
œuvre. Avec un exposé de sa philosophie par P. Mesnard. Paris: Presses
Universitaires de France 1954. 100 S.

lich Mesnard im Ausgang vom Vater- und Regineverhältnis und im Durchgang durch die im ›Begriff Ironie‹ vorgebildeten Stadien als Kierkegaards Ort im Sphärengefüge den Humor bezeichnet, hinter dem sich die Unruhe einer angst- und schuldgestimmten Religiosität verbirgt, so haben wir das getreuliche Bild dessen vor uns, der zwischen dem dichterischen Anspruch der Romantik und der Forderung des Christentums sich selbst als den „Dichter des Religiösen" bestimmte.

VI. Untersuchungen über Kierkegaards Verhältnis zur Vor- und Mitwelt

Wo Kierkegaards Verhältnis zur christlichen Tradition untersucht oder Kierkegaard vergleichend in ein Verhältnis zur christlichen Tradition gebracht wird, richtet sich die Aufmerksamkeit in erster Linie auf die drei großen Christen, denen der Däne sich in besonderer Weise verbunden fühlte: auf Luther, Pascal und Hamann. Nach der von Diem kritisierten [144] Auffassung K. E. *Løgstrups* [145] kommt Luther der christlichen Wahrheit näher als der bloß in Mitteilungskategorien denkende Kierkegaard, weil er mit der von der Mitteilung verschiedenen Anredeform der Verkündigung arbeitet, in der sich Autorität und Kraft der Existenzverwandlung vereinen, zwei Bestimmungen, die nach Luther sowohl dem Apostolat wie dem Amt des Verkünders im allgemeinen eignen. Kierkegaard dagegen schreibt Autorität lediglich dem Apostel zu, dessen Eigenexistenz ganz im göttlichen Auftrag verschwindet, nicht den mittelbar berufenen Verkündern, die durch die Indirektheit ihrer Mitteilung zwar der christlichen Wahrheit existenzverwandelnde Kraft geben, selber jedoch keine Autorität gewinnen. Der metaphysische Grund dieses Gegensatzes liegt nach Løgstrup in der verschiedenen Stellung zu

---

[144] Siehe das Anm. 73 angegebene Buch, S. 121 Anm., 136 f. Anm., 156 f. Anm.

[145] K. E. Løgstrup, Die Kategorie und das Amt der Verkündigung im Hinblick auf Luther und Kierkegaard. Evangelische Theologie IX (1949/50), S. 249–269.

den weltlichen Ordnungen, die für Luther gottgesetzt, für Kierkegaard aber „lauter Immanenz und Relativität" sind. Hierin sieht
auch J. Sløk einen wesentlichen Unterschied [146]. Nach Sløk hat
Luther, der wie Kierkegaard nur aus seiner „polemischen Situation"
verstanden werden kann, wohl gegenüber der ständischen Differenzierung seiner Zeit im formalen Prinzip des vor aller Betätigung
geschenkten Glaubens die wesentliche Gleichheit der Menschen gesetzt, aber die konkrete Erfüllung jener Totalbestimmung in den
weltlichen, auf Grund der Identität von Schöpfungs- und Sozial-
ordnung stets am Nächsten ausgerichteten Handlungen gesucht. Weil
diese Identität für Kierkegaard nicht mehr gegeben ist, versammelt
er das eigentliche Geschehen viel radikaler auf den gleichmachenden,
nun in sich schon erfüllten Totalakt der ethischen Selbstbesinnung,
zu der zu verhelfen auch die entscheidende Aufgabe des Bezugs zum
Nächsten ist. H. Roos [147] zufolge knüpft freilich Kierkegaards Christologie nicht primär an Luther an, der bei aller Treue zum Dogma
des Konzils von Chalkedon dazu neigt, die Menschheit Christi zu
vergöttlichen, und auch nicht an die entgegengesetzte Tendenz der
altprotestantischen Orthodoxie, der Kryptiker und Kenosis-Theo-
logen, sondern an die Kenosis-Lehre in der Gestalt des 19. Jahrhunderts, d. h. an die Lehre von der sich in Freiheit bindenden Selbstentäußerung des Logos. Wie innig Kierkegaard indessen trotz aller
Differenzen mit der vom Neuen Testament geprägten Tradition der
lutherischen Theologie verbunden ist, zeigt Christa Müller [148] an der
Gewissensanalyse Pascals und Kierkegaards, die beide in Übereinstimmung mit Paulus und Luther und im Gegensatz zum modernen
Idealismus das weder autonome noch eindeutige Gewissen als Stätte
des Kampfes zwischen Gott und Satan von der Erbsünde her und
auf den Glauben hin denken. Während über das Verhältnis von
Kierkegaard und Pascal nach dem Kriege eine erste erschöpfende

[146] Johannes Sløk, Kierkegaard og Luther. Kierkegaardiana II (1957),
S. 7–24.

[147] H. Roos, Søren Kierkegaard und die Kenosis-Lehre. Kierkegaardiana II (1957), S. 54–60.

[148] Christa Müller, Vom Gewissen bei Pascal und Kierkegaard. Evangelische Theologie XV (1955), S. 115–128.

Untersuchung aus der Feder von D. G. H. *Patrick* erschienen ist[149], sind die früheren Forschungen über Kierkegaards Begegnung mit Hamann in dem hier besprochenen Zeitraum nur durch knappere, aber nichtsdestoweniger gewichtige Studien ergänzt worden. Neben dem informativen Aufsatz von N. *Thulstrup*[150], der auch über die bisherige Literatur zum Thema unterrichtet, steht die vorzügliche Skizze, die K. *Gründer* im ersten Band der sorgfältig kommentierten Ausgabe von Hamanns Hauptschriften entwirft[151]. Gründer stellt Kierkegaard in die Geschichte der literarischen, literaturgeschichtlichen, theologischen und philosophischen Hamann-Deutungen ein und erspürt in Kierkegaards Äußerungen über den „größten Humoristen" eine „intime Gegnerschaft, in der gerade die Solidarität zur Auseinandersetzung zwingt" (S. 51). Daß die Solidarität, die auch Kierkegaards anfängliches Verhältnis zu Goethe auszuzeichnen scheint, unendlich zweideutig eine recht unsolidarische Gegnerschaft ankündigt, belegt W. *Anz* aus dem Schlußabschnitt der Magisterarbeit, wo Kierkegaard die Persönlichkeit, deren harmonische Vollendung er Goethe nachrühmt, im Grunde gar nicht goethisch, sondern bereits religiös versteht[152]. Die unversöhnliche Gegensätzlichkeit der durch Kierkegaard und Goethe repräsentierten Glaubensweisen christlicher Transzendenz und naturfrommer Immanenz arbeitet klar und eindringlich C. *Roos* heraus[153], dessen Buch eine deutsche

[149] Denzil G. M. Patrick, Pascal and Kierkegaard. A study in the strategy of evangelism. Bd. I: Pascal. XVI + 234 S. Bd. II: Kierkegaard (S. 1–312); Pascal and Kierkegaard as christian strategists (S. 315–378); Epilogue: towards a strategy for evangelism to-day (S. 379–402). IX + 413 S. London: Lutterworth 1947.

[150] Niels Thulstrup, Incontro di Kierkegaard e Hamann. Studi Kierkegaardiani, S. 323–357.

[151] Johann Georg Hamanns Hauptschriften erklärt ... Hrsg. v. Fritz Blanke u. Lothar Schreiner. Bd. I: Die Hamann-Forschung. Einführung v. Fritz Blanke; Geschichte der Deutungen v. Karlfried Gründer; Bibliographie v. Lothar Schreiner. Gütersloh: Bertelsmann 1956. 184 S.

[152] Wilhelm Anz, Die religiöse Unterscheidung. Über das Verhältnis von Dichtung und Existenzdialektik bei Søren Kierkegaard. Symposion Kierk., S. 5–17.

[153] Carl Roos, Kierkegaard og Goethe. Kopenhagen: Gad 1955. 231 S.

Übersetzung verdiente, allein schon wegen der wertvollen Hinweise auf die für Kierkegaard wichtig gewordenen Goethe-Interpretationen von Sibbern, Heiberg, Molbech und Martensen. Das Recht zur typologischen Zuspitzung läßt Roos sich von Kierkegaards eigenem Verfahren geben, Goethe zum Vertreter des unethischen und irreligiösen Heidentums zu verallgemeinern, zum Anwalt jener privilegierten Genialität, die sich in der Sphäre humanisierter Natur, aber nicht in der des Geistes aufhält. Die Vergeistigung oder Ideierung ist denn auch das Ziel der „produktiven Kritik", die durch „kleine Veränderungen" Goethes Gestalten scheinbar nur modifiziert, in Wirklichkeit aber destruiert. So schafft Kierkegaard nach C. Roos im Hinblick auf die bloß natürlichen und darum uneigentlichen Leiden Werthers, der seine Geliebte „nicht bekommen konnte" (S. 32), alle seine eigenen Liebesnovellen, besonders die vergeistigte ›Leidensgeschichte‹ des Quidam, eines „Trutz-Werther", dessen Unglück in der Innerlichkeit des wesenhaften Mißverständnisses liegt. Und so konstruiert er schon früh gegen Goethes kategorial inkonsequenten Faust, der als Zeitdokument der religiösen Verflachung nicht in die christlichen Ursprünge der alten Sage reicht, die reine „Idee" des Faust als des personifizierten, in Verzweiflung umschlagenden Zweifels. Was aber der junge Kierkegaard an Goethes Faustdichtung tadelt, das wirft später der Ehemann der ›Stadien‹ Goethes Leben vor; Goethe selbst versündigt sich in Kierkegaards Augen an der Idee, weil er als ein „Kenner" in den Kategorien herumpfuscht, ohne sich etwas anzueignen.

Sowohl Anz wie Roos heben hier hervor, daß Kierkegaards Auseinandersetzung mit Goethe sich auf derselben Ebene vollzieht wie seine Kritik am deutschen Idealismus und insbesondere an Hegel. Näher als diesem stand Kierkegaard Schelling. Betont B. *Majoli* die Übereinstimmung in der Hegelkritik Kierkegaards und Schellings [154], so verweist W. *Struve* [155] über solch negative Gemeinsamkeit hinaus auf die positive Abhängigkeit, die sich in Kierkegaards erster Reak-

---

[154] Bruno Majoli, La critica ad Hegel in Schelling e Kierkegaard. Rivista di Filosofia Neoscolastica XLVI, 3 (Mai–Juni 1954), S. 232–263.

[155] Wolfgang Struve, Kierkegaard und Schelling. Symposion Kierk., S. 252–258.

tion auf Schellings Spätphilosophie und in dem auf die Freiheits-
abhandlung bezogenen ›Begriff Angst‹ bekundet, jedoch dort aufhört, wo Schelling in der Konsequenz des Idealismus spekulative
Theologie treibt, Kierkegaard aber die Existenz als die Seinsweise
des Menschen bestimmt und sich dem Ernst humanen Existierens
zuwendet. Wie tief aber die im Begriff des Korrektivs gedachte Einheit von Gegensätzlichkeit und Angewiesenheit auch Kierkegaards
Verhältnis zu Hegel prägt, hat M. *Bense* aufgezeigt [156]. Eben in den
prinzipiellen Gegensätzen von dozierender Systematik und maieu-
tischer Literatur, von vereinbarender Synthese und auseinanderset-
zender Alternative, von Vermittlung und Sprung, Lösung und Aporie, Identität und Differenz waltet nämlich nach Bense die komple-
mentäre Zusammengehörigkeit der beiden Grundweisen möglichen
Philosophierens. Daß freilich Bense die Radikalität der Kierkegaardschen Hegelkritik unterschätzt und mit dem Versuch einer Integration notwendig auf die Seite Hegels gerät, ist ein von W. *Joest*
rechtmäßig gemachter Einwand [157]. Obwohl auch R. *Kroner* [158] auf
eine Synthese des „säkularen" und „sakralen" Denkens ausgeht,
berücksichtigt er doch viel entschiedener als Bense die Heterogenität
der Ebenen, auf denen Hegels philosophische Ontologie und Kierkegaards religiöse Apologetik stehen. Und während Bense aus seiner
philosophiegeschichtlichen Perspektive die spezifisch christliche Seite
abblendet, gilt der Beifall, den Kroner Kierkegaards Hegelkritik
spendet, gerade dem religiösen Anliegen. Dem Versuch von M. G. M.
Sciacca, Hegels Ontologie und Kierkegaards existentielles Fragen
in der Dimension religiöser Erfahrung zu vergleichen [159], steht die
Bestimmung Kierkegaards als eines Existenzontologen gegenüber.

[156] Max Bense, Hegel und Kierkegaard. Köln u. Krefeld: Staufen o. J.
(1948). 84 S.

[157] Wilfried Joest, Hegel und Kierkegaard. Bemerkungen zu einer prinzipiellen Untersuchung. Theologische Literaturzeitung LXXV, 9 (1950),
Sp. 533–538 [in diesem Band S. 81–89].

[158] Richard Kroner, Kierkegaard ou Hegel? Revue internationale de
Philosophie VI, 1 (1952), S. 79–96.

[159] M. G. M. Sciacca, L'esperienza religiosa e l'io in Hegel e Kierkegaard. Palermo: Palumbo o. J. (1948). 60 S.

D. *Ritschl* [160], der damit Kierkegaards „Wissenschaft" wieder vom
Lehrmäßigen, also von Hegel her akzentuiert, referiert die Kritik
am Anfang der Hegelschen Logik sowie an Hegels Begriffen der
Identität, der Notwendigkeit und des Werdens, um sodann die
Bedeutung dieser Kritik für Kierkegaards eigenes Denken an den
existenzontologischen Begriffen des Einzelnen, der Existenz, des
Augenblicks und der Sünde zu demonstrieren. Spezialisiert sich
V. *Melchiorre* auf die Polemik gegen den Anfang [161], so geht U. *Johansen* von dem bei Hegel und Kierkegaard gleich zentralen Problem
des Werdens aus, das dort die Wirklichkeit der absoluten Subjektivität ausmacht und hier die existentielle Auslegung der Freiheit leitet [162]. Von der sachlichen Sympathie, mit der Johansen an die nach
seiner Auffassung berechtigte und systematisch gegründete Hegelkritik Kierkegaards herantritt, sticht die Weise ab, in der E. *Albrecht*
sie aus marxistischer Sicht angreift [163]. Im Gegensatz zur Hegelkritik
von Marx und Engels führt, so meint Albrecht, die Kierkegaards
nicht über Hegel hinaus, sondern hinter ihn zurück, und zwar deshalb, weil sie den „rationellen Kern" des Systems, die dialektische
Entwicklungslehre, verwirft und so im Irrationalismus und Individualismus der protestantischen Theologie versinkt, deren Verteidigung Kierkegaard zugleich zum reaktionär-antidemokratischen Apologeten des bürgerlichen Staates macht. Albrecht bedient sich da
desselben Schemas, in das G. *Lukács* Kierkegaard preßt, um ihn als
eine Station auf dem Wege des Irrationalismus von Schelling zu
Hitler zu begreifen [164]. Lukács hebt ebenfalls das Verdienst von
Marx, die zwielichtige, einerseits bewußtseinsunabhängige, anderer-

[160] Dietrich Ritschl, Kierkegaards Kritik an Hegels Logik. Theologische
Zeitschrift XI, 6 (1955), S. 437–465 [in diesem Band S. 240–272].

[161] Virgilio Melchiorre, Kierkegaard ed Hegel. La polemica sul »punto
di partenza«. Studi Kierkegaardiani, S. 243–266.

[162] Udo Johansen, Kierkegaard und Hegel. Zeitschrift für philosophische
Forschung VII, I (1953), S. 20–53.

[163] Erhard Albrecht, Marx' und Kierkegaards Hegelkritik. In: Festschrift
Ernst Bloch zum 70. Geburtstag. Hrsg. v. Rugard Otto Gropp. Berlin:
Deutscher Verlag der Wissenschaften 1955 (304 S.), S. 17–42.

[164] Georg Lukács, Die Zerstörung der Vernunft. Der Weg des Irrationalismus von Schelling zu Hitler. Berlin: Aufbau 1954 (692 S.), S. 198–243.

seits theologisch mystifizierte Dialektik Hegels eindeutig zur „objektiven" geklärt zu haben, von der „subjektivistischen Pseudodialektik" Kierkegaards ab, der durch die Leugnung des Umschlags von Quantität in Qualität seine konterrevolutionäre, geschichts- und gesellschaftsfeindliche Weltanschauung verrät. Mag diese Deutung auch ideologisch gebunden sein, unter den Schlagwörtern, mit denen Lukács arbeitet, finden sich durchaus solche, denen man gleichermaßen im Westen begegnen kann. Nicht nur für Lukács ist Kierkegaard der Repräsentant einer „entwurzelten, parasitär gewordenen bürgerlichen Intellektuellenschicht" (S. 237), auch Künzli spricht von „parasitärer Rentnerexistenz" [165] und ist mit Lukács darin einig, „daß von Kierkegaard eine gerade Linie bis zu Hitler führt" (ebd., S. 272). Ja selbst ein so profunder Kenner wie K. *Löwith* glaubt in seinem Kierkegaard-Gedenkaufsatz [166] angesichts des Kierkegaardschen Entscheidungsbegriffs auf die „unerbittlichen" Entscheidungen jener entsetzlichen Zeit (S. 150) und auf die „dezisionistische Legitimierung der nationalsozialistischen Diktatur durch Carl Schmitt" (S. 155) anspielen zu müssen. Von dieser abenteuerlichen Politisierung bleibt auch der Begriff des Einzelnen nicht verschont, dessen politischer Ursprung der Grund dafür sein soll, daß Kierkegaard, der sich bekanntlich bis an sein Lebensende für kirchenpolitische Bestrebungen überhaupt nicht interessierte, „zuletzt in die kirchliche Politik hineinsprang" (S. 155). Bei solcher Abstraktion von der christlichen Grundbedeutung kann dann Löwith freilich Kierkegaards Einzelnen mit Stirners Einzigem und Bruno Bauers Selbstbewußtsein zusammenstellen und Kierkegaard in der Auflösungsbewegung der in Hegel vollendeten bürgerlich-christlichen Welt die Rolle eines „Gegenspielers von Marx" zuteilen [167]. Auch C. *Fabro* [168] konstatiert die Verwandtschaft von Marx und Kierkegaard, die beide

[165] Siehe das Anm. 139 angegebene Buch, S. 255.

[166] Siehe Anm. 76.

[167] Vgl. außer dem genannten Aufsatz: Karl Löwith, Von Hegel zu Nietzsche. Der revolutionäre Bruch im Denken des neunzehnten Jahrhunderts. Marx und Kierkegaard. Stuttgart: Kohlhammer 1953 (3. Aufl.). 464 S.

[168] Cornelio Fabro, Tra Kierkegaard e Marx. Florenz: Vallecchi 1952. 238 S.

in der Abwendung von Hegel sich dem Problem des konkreten Menschen nähern, aber er weiß zugleich, daß die Gemeinsamkeit der Frage überholt wird von der Unvergleichlichkeit der Antwort, die dort aus spinozistischem Immanentismus kommt, hier dagegen aus der Gewißheit christlicher Transzendenz.

VII. Untersuchungen über das Verhältnis der Nachwelt zu Kierkegaard

Es wird den Leser neuerer Deutungsversuche seltsam berühren, daß schon in den von H. J. *Schoeps* [169] hervorgezogenen Zeugnissen des unmittelbaren Widerhalls, den Kierkegaard kurz vor und nach seinem Tode in Deutschland gefunden hat, Stimmen laut wurden, die auch heute noch nicht verklungen sind. Während die nüchternen und verständnisvollen Berichte, die ein deutscher Pfarrer namens Friedrich Beck am 22. September 1855 und am 31. Januar 1856 aus Kopenhagen für die Darmstädter Allgemeine Kirchenzeitung schrieb, die Klagen der Kirche über die Gefährdung des substantiellen Christentums einleiteten, benutzte der damalige preußische Generalkonsul in Dänemark den Kirchenkampf als erster zur Propagierung äußerer Reformen. Der Katholik J. E. Jörg aber eröffnete 1858 den Reigen derer, die Kierkegaards Polemik teils aus versteckter Sehnsucht nach dem Katholizismus, teils aus der absurden Übersteigerung des protestantischen Prinzips erklären. In Anbetracht dieses frühen Echos verwundert das Ergebnis, zu dem Helen M. *Mustard* auf Grund eines Studiums deutscher literarischer Zeitschriften zwischen 1860 und 1930 kommt [170]. Danach hat Deutschlands literarische Öffentlichkeit im Gegensatz zur philosophischen und theologischen Fachwelt selbst nach dem ersten Weltkrieg Kierkegaard nur wenig Aufmerksamkeit geschenkt. Schuld daran ist nach Meinung von Mustard die gleichzeitige Wirkung Nietzsches, der dem intellektuel-

[169] Hans Joachim Schoeps, Über das Frühecho Sören Kierkegaards in Deutschland. Zeitschrift für Religions- und Geistesgeschichte III, 2 (1951), S. 160–165.

[170] Helen M. Mustard, Sören Kierkegaard in German Literary Periodicals, 1860–1930. The Germanic Review XXVI, 2 (April 1951), S. 83–101.

len Publikum in negativer Hinsicht dasselbe bot wie Kierkegaard, nämlich die Destruktion der bürgerlichen Kultur, darüber hinaus aber positiv der literarischen Zeitströmung weit mehr entsprach als Kierkegaards damals in vielen Aufsätzen und Rezensionen kritisierte Orthodoxie. Stärkeres Interesse als bei Dichtern und Schriftstellern, von denen wohl so bedeutende wie Rilke und Kafka sich anregen ließen, aber nur wenige in der allgemeinen Debatte das Wort ergriffen, weckte Kierkegaard bei Literaturhistorikern wie R. M. Meyer und Herbert Cysarz. Über die kritisch beleuchteten Tendenzen, für die Horst Oppel und Fritz Dehn Kierkegaard in den dreißiger Jahren beanspruchten, unterrichtet E. *Lunding* im Anhang seines Stifterbuches [171] besser als über seine eigene Methode „existentieller Literaturwissenschaft", die er als die wahre an die Stelle jener falschen setzen möchte. Wie fruchtbar indessen eine Deutung dichterischer Erfahrungen mit Kierkegaardschen Kategorien sein kann, beweist die schöne Studie, die E. *Eilers* dem ›Geistlichen Jahr‹ der Droste widmet [172]. Sofern in der Dialektik dieser „Gebetsdichtung", die in den dunklen Farben von Angst, Verzweiflung und Sünde brennt, die „menschlich-dichterischen und die christlich-religiösen Kräfte" (S. 140) in der Stimmung unruhiger Gebrochenheit aufeinanderprallen, erscheint hier der Glaube in den extremen Positionen Kierkegaards, obwohl die Droste zugleich – und das unterscheidet sie nach Meinung des Verfassers von Kierkegaard – aus dem Bewußtsein gnadenhaften Umfangenseins nach Ausgeglichenheit strebt. Einen realen Einfluß übte Kierkegaard auf Rilke aus, dessen um 1910 vollzogene Wende vom Lobpreis ästhetischer Individualität zur Dichtung des Scheiterns und der Vergänglichkeit nach W. *Kohlschmidt* [173] wesentlich von der Lektüre Kierkegaards motiviert wurde. Ließ Rilke sich vor allem von der antiromantischen und antiidealistischen Sprache existentieller Unsicherheit bewegen, so verursachte

[171] Erik Lunding, Adalbert Stifter. Mit einem Anhang über Kierkegaard und die existentielle Literaturwissenschaft (S. 131–150). Kopenhagen: Nyt Nordisk Forlag 1946. 163 S.

[172] Edgar Eilers, Probleme religiöser Existenz im ›Geistlichen Jahr‹. Die Droste und Sören Kierkegaard. Werl: Coelde 1953. VIII + 155 S.

[173] Werner Kohlschmidt, Die entzweite Welt. Studien zum Menschenbild in der neueren Dichtung. Gladbeck: Freizeiten 1953 (196 S.), S. 88–97.

Kierkegaards Aufruf zu ideeller Konsequenz und redlichem Ernst in Schweden den „moralischen Rigorismus", der die gesamte nordische „Durchbruchsliteratur" etwa vom gleichzeitigen französischen Naturalismus abhebt. Unter diesem Gesichtspunkt erkundet N. A. *Sjöstedt* sehr gründlich und gewissenhaft die Wirkungen, die Kierkegaard auf seine schwedischen Zeitgenossen und insbesondere auf Fredrika Bremer, auf Viktor Rydberg, Wikner, Strindberg, Selma Lagerlöf und Söderberg ausgeübt hat [174].

Da es im Rahmen des vorliegenden Referats nicht möglich ist, Kierkegaards in zahlreichen Zeitschriftenaufsätzen durchforschten Wirkungskreis nach allen Seiten hin abzustecken, müssen wir uns im übrigen mit einem kurzen Blick in einige instruktive Arbeiten über die Haupteinflußgebiete des Dänen begnügen, die dialektische Theologie und die Existenzphilosophie. J. *Heywood Thomas* [175] will Karl Barths Christologie aus Kierkegaards Paradoxbegriff ableiten, und N. H. *Søe* [176] untersucht, was den Schweizer Theologen erst zu Kierkegaard hin- und später von ihm weggeführt hat. Nachdem Barth den Gedanken vom unendlichen qualitativen Unterschied zwischen Zeit und Ewigkeit fast zu einem metaphysischen Prinzip radikalisiert und mit der Bestimmung des vom Ärgernis begleiteten Glaubens als eines paradoxen Wunders bei sehr viel schärferer Verneinung alles Menschlichen das nichtchristliche Leben als Verzweiflung disqualifiziert hatte, fiel Kierkegaard, so meint Søe, Barths kritischer Selbstreinigung vom Verdacht der natürlichen, anthropologischen Theologie und des an Bultmann bekämpften „religiösen Existenzialismus" zum Opfer.

Viel diskutiert und recht verschieden beantwortet ist die Frage, inwieweit Kierkegaard auch den philosophischen „Existenzialismus" verschuldet habe. Das Resultat dieser Diskussion, die in den letzten Jahren besonders breit in romanischen und angelsächsischen Journalen geführt wurde, ist indessen außerordentlich kümmerlich. Von

---

[174] Nils Åke Sjöstedt, Søren Kierkegaard och svensk litteratur. Från Fredrika Bremer till Hjalmar Söderberg. Göteborg: Elanders 1950. 418 S.

[175] J. Heywood Thomas, The Christology of Søren Kierkegaard and Karl Barth. The Hibbert Journal LIII, 3 (April 1955), S. 280–288.

[176] N. H. Søe, Karl Barth og Søren Kierkegaard. Kierkegaardiana 1955, S. 55–64.

Beitrag zu Beitrag erben sich da dieselben Simplifikationen fort, und nur selten führt einmal eine detaillierte Problemanalyse oder ein konkreter Textvergleich hinter die Schlagwortkruste ins Innere der Sache. Die behutsame Abmessung der Nähe und der Ferne, die in schwer erfaßbarer Synthese das Verhältnis der modernen Existenzphilosophen zu Kierkegaard auszeichnen, kann jedenfalls nicht glücken, solange man über thematischen Ähnlichkeiten die Verschiedenheit der Intentionen vergißt oder umgekehrt jede Verbindung leugnet und das wie S. *Holm* im speziellen Falle Sartre's mit dem Gegensatz von Platonismus und Nominalismus begründet [177]. Nicht weniger unbefriedigend ist es, wenn man wie F. *Buri* [178] zwar die im gemeinsamen Interesse am konkret-geschichtlichen Menschen liegende Identität und die im Christlichen aufbrechende Differenz gegeneinander abwägt, aber bei alledem die „Existenzphilosophie" als eine einheitliche Größe voraussetzt. Unter denen, die Kierkegaard selbst schon in eine Gesamtdarstellung der Existenzphilosophie einbeziehen, ist K. F. *Reinhardt* [179] einer der wenigen, die trotz Offenheit für allgemeine Zusammenhänge die fundamentalen Unterschiede zwischen den einzelnen Denkansätzen gebührend berücksichtigen. Den Vorzug, die moderne Bewegung in die – hier katholisch gedeutete – Geschichte abendländischer Philosophie einzustellen, teilt Reinhardts Buch mit L. *Gabriels* Interpretation der Existenzphilosophie als einer dem Ansatz Descartes' folgenden Form des „Urgrunddenkens", d. h. der nichtgegenständlichen Metaphysik [180]. Von der existentiellen, durch die Tradition der protestantischen Erbsündentheologie und des Pietismus motivierten Modifikation des cartesianischen Idealismus aus betrachtet Gabriel Kierkegaards Existenz-

---

[177] Søren Holm, Kierkegaard. Wiesbaden: Steiner 1956 (Institut für europäische Geschichte Mainz. Vorträge Nr. 11). 27 S.

[178] Fritz Buri, Kierkegaard und die heutige Existenzphilosophie. Theologische Zeitschrift VII, 1 (Jan.-Febr. 1951), S. 55–65 [in diesem Band S. 110–119].

[179] Kurt F. Reinhardt, The Existentialist Revolt. The main themes and phases of Existentialism. Kierkegaard-Nietzsche-Heidegger-Jaspers-Sartre-Marcel. Milwaukee: Bruce 1952. VII + 254 S.

[180] Leo Gabriel, Existenzphilosophie. Von Kierkegaard bis Sartre. Wien: Herold 1951. 416 S.

begriff vorzüglich in der Dimension des Paradoxes, das sich in der christlichen Sphäre erfüllt. Während solchermaßen Kierkegaard die Existenz religiös auslegt, gewinnt sie bei Heidegger einen spezifisch ontologischen, bei Jaspers einen autonom-ethischen und bei Sartre, der in Gabriels Augen die Tiefe des Urgrundes nicht erreicht, einen ästhetisch-psychologischen Sinn. Auf Kierkegaards Existenzbegriff führt auch J. *Wahl* die Philosophie eines Jaspers, Heidegger, Marcel, Sartre und Camus zurück [181]. Der Preis dieser Deduktion ist allerdings eine allzu lehrmäßige Kierkegaardauffassung. Immerhin ist dies das kleinere Übel im Vergleich mit dem journalistisch aufgeputzten Romantizismus, durch den A. *Ussher* dem „melodramatischen" Charakter des Existenzialismus gerecht werden will [182]. Kein Wunder da, daß Kierkegaard in der wahrhaft gespenstischen Gesellschaft Heideggers, der vor dem Tode zittert, und Sartres, der vor dem Anderen zittert, trotz religiösen Bebens mehr Gelegenheit zur Exhibition seiner histrionischen Talente als zur Demonstration seiner philosophischen Bedeutung bekommt.

Derjenige Denker, der am ehesten als „Existenzphilosoph" bezeichnet werden kann und zugleich am stärksten von Kierkegaard beeinflußt wurde, ist zweifellos Jaspers. Neben einem dem Verhältnis von Jaspers und Kierkegaard gewidmeten Aufsatz von C. *Fabro* [183] und der Arbeit, in der J. *Wahl* seine auch schon früher und andernorts mitgeteilten Gedanken über dieses Verhältnis ausführlicher vorträgt [184], verdient hier die oben besprochene Abhandlung von J. *Sperna Weiland* [185] besondere Beachtung, und zwar gerade wegen der eindringlichen Betonung der Differenz, die sich für den Verfasser

---

[181] Jean Wahl, Petite histoire de «L'Existentialisme». Suivie de Kafka et Kierkegaard Commentaires. Paris: Editions Club Maintenant 1947. 131 S.; ders., Esquisse pour une histoire de l'existentialisme. De Kierkegaard à Kafka, Heidegger et Sartre. Une introduction à la pensée contemporaine. Paris: l'Arche 1949. 160 S.

[182] Arland Ussher, Journay through Dread. A study of Kierkegaard, Heidegger and Sartre. New York: Devin-Adair 1955. 160 S.

[183] Cornelio Fabro, Jaspers et Kierkegaard. Revue des Sciences Philosophiques et Théologiques XXXVII (1953), S. 209–252.

[184] Jean Wahl, La pensée de l'existence. Paris: Flammarion 1951 (Bibliothèque de philosophie scientifique). 292 S.   [185] Siehe Anm. 81.

daraus ergibt, daß Kierkegaard in der Hinnahme des Offenbarungsfaktums die Humanität transzendiert, Jaspers aber selbst noch das
Absurde in die Immanenz einer allgemeinen Religiosität einfängt.
Die zwischen Verehrung und Verkehrung spielende Dialektik der
erheblich komplizierteren Kierkegaardrezeption Sartres, mit der sich
auch J. *Hohlenberg* [186], W. *Lowrie* [187] und C. *Larsen* [188] beschäftigen,
analysiert am schärfsten J. *Grooten* [189]. Über die Beziehung Heideggers zu Kierkegaard liegen zwei Bücher vor, die beide je in ihrer Art
spekulativ sind, aber die Mehrdimensionalität der Betrachtungsweisen zu wenig hervorkommen lassen. Es ist zwar ein wichtiges
Unternehmen, wie M. *Wyschogrod* [190] Kierkegaards Ansätze einer
existenzialen Ontologie Heideggers Explikation des Daseins gegen-
überzustellen. Doch scheint eine gewisse Dürftigkeit der Einsichten,
zu denen Wyschogrod im Ausgang von der Differenz zwischen Existenz und Sein kommt, darauf hinzudeuten, daß die Ontologie der
Existenzdialektik nicht so sehr ein lehrmäßig in ihr impliziertes
Element ist als vielmehr der von ihr kommentierte Text, der ihr vorausliegt. K. E. *Løgstrup* [191] versucht die Verschiedenheit der Ebenen
dadurch zu charakterisieren, daß er Kierkegaards Denken im Gegensatz zum „ontologischen" Heideggers als „ethisch-religiös" bezeichnet. Von diesem Unterschied sind nach seiner Ansicht die Überein-
stimmungen, die er besonders treffend am Phänomen der Uneigentlichkeit und am Schuldbegriff aufweist, umfangen; denn Heidegger
versammelt alle einzelnen Bestimmungen in der formalen Struktur
der Sorge, Kierkegaard aber im Begriff der unendlichen Forderung.

[186] Johannes Hohlenberg, Jean-Paul Sartre og hans forhold hie Kierkegaard. Samtiden LVI, 5 (Mai 1947), S. 310–322.

[187] Walter Lowrie, "Existence" as understood by Kierkegaard and for
Sartre. Sewanee Review LVIII, 3 (1950), S. 379–401.

[188] Curtis W. R. Larsen, Kierkegaard and Sartre. The Personalist XXXV
(1954), S. 128–136.

[189] Johan Grooten, Le soi chez Kierkegaard et Sartre. Revue philosophique de Louvain L (Febr. 1952), S. 64–89.

[190] Michael Wyschogrod, Kierkegaard and Heidegger. The Ontology of
Existence. London: Routledge and Kegan Paul 1954. XII + 156 S.

[191] K. E. Løgstrup, Kierkegaards und Heideggers Existenzanalyse und
ihr Verhältnis zur Verkündigung. Berlin: Blaschker 1950. 127 S.

Indessen nimmt auch Løgstrup die Andersartigkeit der Intentionen noch nicht ernst genug. Eine philosophische Anthropologie nämlich, auf die hin er die beiden Denker einigt, ist weder das Ziel Kierkegaards noch dasjenige Heideggers. Man kann deshalb nicht so schlicht wie Løgstrup sagen, „daß das Anliegen der beiden dasselbe ist. Für beide ist die Frage, wie der Einzelne in der Eigentlichkeit lebt, ohne sich an die Menge zu verlieren" (S. 43). Nein, die „Frage" Heideggers zielt einzig auf das Sein, die Kierkegaards ausschließlich auf das Christwerden. Nur weil Løgstrup davon absieht und Kierkegaards Denken als eine vom Christentum ablösbare Philosophie im Raum humaner Immanenz betrachtet (vgl. S. 35), kann er die Formalität der unendlichen Forderung kritisieren und ihr die Positivität der mir vom Anderen aufgeladenen, zugleich unendlichen und inhaltsbestimmten Verantwortung entgegensetzen. Leer und formal nämlich bleibt bei Kierkegaard – wie die Einleitung zum ›Begriff Angst‹ bekundet – nur die unendliche Forderung der immanenten Ethik, wohingegen die Forderung jener Ethik, die die Dogmatik zur Voraussetzung hat, in der Begegnung mit dem anderen schlechthin, mit Jesus Christus, ihre inhaltliche Erfüllung findet.

VIII. Das Kierkegaardbild in der neueren Forschung und Deutung

Blicken wir auf die verwirrende Fülle des ausgebreiteten Materials zurück, so scheint die Rede von einem Kierkegaard„bild" in der neueren Forschung und Deutung nicht eben angemessen zu sein. Wie sollten sich die zusammengetragenen Züge zu einem einheitlichen Bild ordnen? Wo ist der Faden, der die einzelnen Beiträge durchzieht, wo das Band, das die gesonderten Gruppen – die Gesamtdarstellungen, die zentralen Deutungen, die biographischen und die historischen Forschungen – verknüpft? Und gesetzt selbst, wir würden die „zentralen Deutungen" mit Recht in den Mittelpunkt stellen, sind nicht vor allem sie ganz und gar widersprüchlich? Worin liegt das Gemeinsame zwischen denjenigen Interpreten, die in Kierkegaards Denken die Aneignung der Faktizität seiner ihm geschichtlich vorliegenden Situation sehen, und jenen anderen, nach denen Kierkegaard alles Bestehende in die Freiheit der absoluten

Subjektivität auflöst, und das womöglich gerade in der Konsequenz der Situation, in der er als nachidealistischer Denker stand? Wollen wir die im Titel ausgesprochene Behauptung, es gebe ein einheitliches Bild des heute gedeuteten Kierkegaard, aufrechterhalten, so könnten wir uns von einer Antwort auf die zuletzt gestellte Frage nur dann entbinden, wenn sich auf Grund objektiver Kriterien feststellen ließe, daß eine der Auslegungen falsch ist. Das aber ist im ganzen nicht möglich. Worin also liegt das Gemeinsame? Darin, daß Kierkegaard nach beiden Interpretationen sich als beständig Bestehendes, als Selbständiges aufhebt. Dort, indem er sich aneignend-korrigierend auf das Bestehende verweist und als Aneignender nichts Eignes, Fürsichseiendes, als Korrektiv kein Normativ sein will. Hier, indem das Aufheben des unmittelbar Vorliegenden selbst als der Grundzug seines Denkens hervortritt. Die Unbeständigkeit begegnete uns ebenso bei der Beschäftigung mit den Gesamtdarstellungen, denen zufolge es das Prinzip der Kierkegaardschen Schriftstellerei ist, die Einzelschriften derart aufeinander anzuweisen, daß keine für sich selbst bestehen bleibt. Der „teleologische Sinn" dieser Methode ist die Aneignung. Mag man auch bezweifeln, ob das vom Leser Anzueignende das von Kierkegaard angeeignete Christentum ist, die Aneignung durch den Leser ist in jedem Falle das Worumwillen der Selbstbeseitigung Kierkegaards. Kierkegaard beseitigt das Fixe und Fertige seines Werkes, um den Leser in sich selbst zurückzurufen, nach der einen Deutung in der Absicht, durch den Entzug alles Vorgegebenen zum reinen Akt der Subjektivität zu bewegen, nach der andern mit der Intention, zur existentiellen Verwirklichung des dogmatisch bewahrten Christentums aufzufordern, das er als unselbständiges Medium vermittelt.

Die Unbeständigkeit eines Kierkegaardschen Textes ist also dreifacher Natur: einmal besteht er nicht für sich, sondern nur in Beziehung auf die Tradition, sei es des Christentums, sei es der neuzeitlichen Philosophie der Subjektivität; zum andern besteht er nur in Beziehung auf das selbst nicht mehr vorliegende Ganze der „Verfasserschaft"; und zum dritten soll er auch in dieser Bezogenheit nicht bestehen bleiben, sondern vom Leser in den Vollzug seiner Existenz aufgehoben werden. Erst das ist Kierkegaard: das Ganze aus dem besonderen Text und allen anderen Texten, der existenzdialektisch in ihm verwandelten Tradition und dem ihn sich aneignenden Leser. Der intellektuale Modus der existentiellen Aneignung ist aber die Deutung. Deren Gegensatz ist die Forschung, die gerade desto vollkommener ist, was sie ist, je mehr sie ihren Gegenstand von sich weghält und in dieser Selbständigkeit bestehen läßt. Wenn Kierkegaard nichts beständig Bestehendes ist, so erweist sich die Deutung als der angemessene Zugang zu ihm, und so verliert die Forschung ihren Eigenwert. Doch verharrt diese gegenüber jener in unabdingbarer Dienststellung. Denn wohl hat der Deutende Kierkegaards Text aufzuheben, aber das, was er aufhebt, muß auch Kierkegaards Text sein. Den Text stellt die Forschung der Deutung bereit. Daraus ergibt sich im Forschungsbereich das Primat der Werkforschung vor der Personforschung. Während nämlich Kierkegaards Werk das Aufzuhebende ist, geht seine Person gar nicht erst in den Aufhebungsprozeß ein. Kierkegaard hält sie von vornherein draußen als das, was unaufhebbar das Eigene ist und darum vom Leser nicht angeeignet werden kann. Zur Werkforschung, die sich in Edition, Gesamtdarstellung und Einzelanalyse verzweigt, gehört aber ebenso die Untersuchung der historischen Beziehungen, die auf Grund der transformativen Funktion der Existenzdialektik diese selbst konstituieren [192].

[192] (Anmerkung bei der Korrektur.) Es sei noch auf die folgenden zwei Bücher hingewiesen, die dem Referenten erst nach Abschluß seines Berichts zugänglich wurden: J. H. Thomas, Subjectivity and Paradox. Oxford: Blackwell 1957. VIII + 174 S.; David E. Roberts, Existentialism and Religious Belief. Edited by Roger Hazelton. New York: Oxford University Press 1957. VIII + 344 S. An wichtigeren Aufsätzen ist nachzutragen: H. Getzeny, Kierkegaards Eindeutschung. Ein Beitrag zur deutschen Geistesgeschichte der letzten hundert Jahre. Historisches Jahrbuch, 76. Jg. (1957), S. 181–192; Berndt Gustafsson, Kierkegaard und das Abendmahl. Kerygma und Dogma III (1957), S. 316–329; Kurt Paul Janz, Kierkegaard und das Musikalische, dargestellt an seiner Auffassung von Mozarts ›Don Juan‹. Musikforschung X, 3 (1957), S. 364–381. Was E. Tielsch über ›Kierkegaard und die Phänomenologie der Ehe‹, Zeitschrift für philosophische Forschung XI, 2 (1957), S. 161–187, zu sagen hat, betrifft vielleicht die Ehe, aber wohl kaum Kierkegaard (und noch weniger die Phänomenologie). Besondere Beachtung verdient dagegen: Niels Thulstrup, Kierkegaards Verhältnis zu Hegel. Theolog. Zeitschrift XIII, 3 (1957), S. 200–226.

Evangelische Theologie. 25 (= N.F. 20), (1965), S. 72–83. (Wiederabgedruckt in: Das Menschliche und das Christliche, München 1966, S. 94–108 = Kontroverse um Kierkegaard und Grundtvig, Bd. I.)

KIERKEGAARD UND GRUNDTVIG

Von Götz Harbsmeier

I

Der Einfluß von Sören Kierkegaard auf die Theologie- und die Geistesgeschichte ist bis heute in Deutschland, im übrigen Europa und in den USA intensiver und nachhaltiger als in seinem eigenen Vaterlande. Dies läßt sich nur damit erklären, daß der Prophet im eigenen Vaterlande nichts gilt. Weil er in Dänemark sehr wohl verstanden wurde, darum gilt er dort eher als das Korrektiv, das „gesessen" *hat*. Aber dieses Korrektiv will jedenfalls nicht so recht auf den Mann passen, in dessen Wirkungsschatten Kierkegaard im eigenen Lande nach wie vor steht: Nicolai Frederik Severin Grundtvig. Er ist 30 Jahre älter als Kierkegaard, den er um 17 Jahre überlebt hat. Er starb im Alter von 89 Jahren (geb. am 8. Sept. 1783, gest. am 2. Sept. 1872).

An die Adresse der deutschsprachigen Leserschaft urteilt der dänische Kirchenhistoriker Hal Koch [1] (im Artikel „Grundtvig" RGG[3]): „Als geistige Persönlichkeit ist Grundtvig Kierkegaard vollkommen ebenbürtig, aber umfassender und weit fruchtbarer." Grundtvig ist Pfarrer, Dichter, Historiker, Erzieher und Politiker. Unmittelbar und zunehmend wirksam ist er durch seine Kirchenlieder. Enthielt das bis 1953 geltende alte dänische Gesangbuch 196 Grundtvig-Lieder, so bietet das neue 271. Es gibt heute in Dänemark kaum einen Gemeindegottesdienst, bei dem nicht mindestens ein Grundtvig-Lied

[1] Hal Koch ist der 1962 verstorbene Ehemann der gegenwärtigen dänischen Kirchenministerin Bodil Koch. Seine Grundtvig-Vorlesungen während der deutschen Besatzungszeit in Kopenhagen sind, Fichtes Reden vergleichbar, geradezu ein nationales Ereignis für ganz Dänemark gewesen. Auf dänisch unter dem Titel ›Grundtvig‹ 1943 erschienen, deutsch: Grundtvig, Leben und Werk, Köln und Berlin, Kiepenheuer, 1951.

gesungen wird. Meistens sind es mehr. Sie sind unvergleichlich schön, lassen sich singen, wie etwa unser „Die güldne Sonne . . ." oder „Geh aus mein Herz und suche Freud . . ." oder „Der Mond ist aufgegangen . . .". Sie sind sprachlich sozusagen „vom Blatt" eingängig, inhaltlich voll der viva vox evangelii, vom Schwung unseres reformatorischen Liedgutes, wuchtig trotz tiefer Verwurzelung im romantisch bestimmten Ausdruck.

Die ganze übrige umfassende Produktion ist selbst seinen dänischen Nachfahren sehr schwer zugängig. Ihr Umfang übersteigt bei weitem den der gesamten literarischen Hinterlassenschaft Kierkegaards. Doch so schwer lesbar Grundtvig auch ist, so unbekannt daher auch der weitaus überwiegende Teil seiner Prosaschriften bei seinen Landsleuten ist, seine Gedanken, seine Impulse sind darum doch selbst da lebendig, wo man sich dessen nicht bewußt ist. Ganz augenfällig ist das in dem über das ganze Land hin heute wieder beträchtlich im Wachsen begriffenen Volkshochschulwesen mit seiner eigenartigen Prägung. Aber auch das gesamte politische und kulturelle Leben Dänemarks ist allenthalben in vieler Hinsicht wesentlich von Grundtvig mitbestimmt. Es erfährt auch heute noch von ihm immer wieder neue Impulse.

Zähe hat sich in Dänemark die Ansicht durchgehalten, Grundtvig sei weder in andere Sprachen übertragbar noch seien seine Intentionen irgendwo anders als in Dänemark zu begreifen und fruchtbar zu machen. Wo immer dergleichen versucht werde, da komme am Ende doch ganz etwas anderes heraus, als Grundtvig eigentlich gewollt hat. Das gelte sowohl von seinen Kirchenliedern als auch von der Volkshochschule als auch insbesondere von Grundtvigs Äußerungen über die Muttersprache, das Volksleben und die Realitäten der Volks- und Völkergeschichten.

Den Beweis für die Richtigkeit dieser Ansicht hat z. B. Johannes Tiedje geführt, der 1927 zwei Bände ›N. F. S. Grundtvig, Schriften zur Volkserziehung und Volkheit‹ bei Eugen Diederichs auf deutsch herausgegeben und kommentiert hat. In seinem Vorwort heißt es am Schluß: Grundtvig „ist der von uns leider zu spät gerufene, aber von Gott berufene praeceptor Germaniae Christianae". Hier wird offenkundig Grundtvig für die deutsche Volkstumsbewegung vereinnahmt, wie denn eine solche Behandlung zuvor und hernach allen

„großen Deutschen" von Luther bis Nietzsche widerfahren ist. Jedoch war die Berechtigung zu solchem Verfahren im Falle des Dänen Grundtvig mangels Vertrautheit mit seinem Werk schon aus sprachlichen Gründen äußerst schwer nachzuprüfen. So nimmt es nicht wunder, daß dort, wo man überhaupt etwas von Grundtvig in Deutschland weiß, er für einen nordischen Großvater einer nationalen Theologie der „Schöpfungsordnungen" und des „Deutschen Christentums" gehalten wird und unter solchem Vorverständnis nach 1945 nicht eben in einem guten Ruf steht. Hierin teilt Grundtvig das Schicksal Luthers, dessen Äußerungen zu den meisten aktuellen Lebensfragen seiner Zeit in der ihm eigenen unbefangenen Spontaneität und Gelegenheitsgebundenheit ihn ja auch mit und ohne Gewalt zum Kronzeugen für all und jede Bewegung hat werden lassen. Die „Wahlverwandtschaft" zwischen Luther und Grundtvig drängt sich einem in dieser und vieler anderer Hinsicht auch sonst immer wieder auf, obwohl Grundtvig Luther nur wenig gelesen haben dürfte.

Das dänische „Dogma" von der Nicht-Übersetzbarkeit Grundtvigs (im fragwürdigen Gegensatz zu Kierkegaard) galt bisher besonders für seine Kirchenlieder. Doch wird man in dieser Frage weniger resigniert sein nach der Lektüre der Übertragungen von Werner Görnandt [2]. Aber auch schon Erich Weniger [3] hat in seinen gesammelten Aufsätzen auf die pädagogische Bedeutung Grundtvigs sachgerecht hingewiesen und damit unter Beweis gestellt, daß es auch auf diesem Gebiet Zugang und Interesse für Grundtvig gibt. Jenes Dogma von der dänischen „Apartheit" Grundtvigs ist vollends ins Wanken gebracht durch das dreibändige Lebenswerk des dänischen Pfarrers und Grundtvigforschers Kaj Thaning [4]. Dieses vorerst noch

[2] Grundtvig als Kirchenliederdichter in lutherischer und ökumenischer Sicht. Kopenhagen 1963, mit einem ersten Teil: Einführung in das Verständnis Grundtvigs und seiner Kirchenlieder-Dichtung.

[3] E. Weniger, Grundtvig und der Begriff der historischen Aufklärung, in: Die Eigenständigkeit der Erziehung in Theorie und Praxis, Probleme der akademischen Lehrerbildung, Weinheim 1952, S. 172–215.

[4] Kaj Thaning, Menneske först – Grundtvigs opgör med sig selv. Kopenhagen 1963; deutsch: Mensch zuerst – Grundtvigs Auseinandersetzung mit sich selbst.

nicht ins Deutsche übersetzte Werk bietet am Schluß ein deutsches
Resümee. Darin heißt es: „Niemand hat größere Bedeutung für
Dänemarks Kirchen- und Volksleben gehabt als N. F. S. Grundtvig.
Außerhalb Dänemarks war es Kierkegaard, den man las ... Das be-
deutet freilich nicht, daß der Grundgedanke in seinem (Gs) Werk
nicht von genauso zentraler Bedeutung wäre, wie Kierkegaards
Auseinandersetzung mit der Philosophie. Grundtvigs Hauptthema,
seine Abrechnung mit der religiösen Pilgerschaftsauffassung, hat sogar die Möglichkeit, auch außerhalb des europäischen Kulturkreises
Aufmerksamkeit zu erwecken." „Sein Werk würde 120 bis 130 große
Bände umfassen, wenn man alles drucken würde." Thaning bietet
nun die auch in Dänemark lange sehnlich erwartete umfassende Zusammenstellung und Aufarbeitung des für das Grundtvigverständ-
nis erforderlichen Materials (auch des bisher ungedruckten). Und er
gibt zugleich auch eine historisch-kritische Exegese und eine theologische Interpretation. Über diese breite und verläßliche Brücke wird
der Zugang zu Grundtvig wesentlich erleichtert. Thanings Dänisch
ist durchaus übersetzbar, nicht zuletzt auch deshalb, weil seine
Grundtviginterpretation durch Jahrzehnte hindurch unter engem,
auch persönlichem Kontakt mit deutschen Theologen gewachsen ist.
Thaning ist auch theologisch eng mit K. E. Løgstrup befreundet und
wie dieser seit der Zeit nach dem ersten Weltkriege in den Fragestellungen und auch Intentionen der deutschen Theologie durchaus
zu Hause. Auf diese Weise ist er auch durchaus vertraut mit dem
„deutschen" Kierkegaard, der eben hierzulande ohne den Schatten
ist, in dem er in Dänemark nun einmal steht, im Schatten Grundtvigs.

II

Eine Informationstagung über Grundtvig, die ich im vergangenen
Jahre in Dänemark mit deutschen und amerikanischen Professoren
und Studenten zusammen mit unseren dänischen Gastgebern und
Referenten veranstaltet habe, zeigte dies ganz deutlich: Für uns
Deutsche steht Grundtvig völlig im Schatten Kierkegaards. Ja, er
steht dem letzteren im Wege. Sobald wir von Grundtvig Näheres
erfahren, sind wir aber darüber hinaus auch keineswegs nur Kierke-

gaards wegen, sondern auch auf Grund unseres eigenen theologischen Herkommens abseits von Kierkegaard zunächst einmal recht befremdet. Ist Kierkegaard auch nicht eigentlich mehr „unser Mann", so sind wir doch an seine theologische Sprache gewöhnt. Er gehört doch zu uns, wenn auch nur als Läuterungsfeuer der kritischen Selbstreflexion und Kirchenkritik, als ätzendes Korrektiv und Ansporn zur unbestechlichen theologischen Leidenschaft, zur theologischen Existenz im Geist und in der Wahrheit, als ein Durchgang, der uns für immer zeichnet. Ganz anders Grundtvig, der schließlich doch als höchst erfolgreicher Kirchenmann, ja als Volksheld, ruhmgekrönter Dichter, als Erzfeind des deutschen Wesens, erfolgreicher Volkserzieher, Mythologe und Welthistoriker, anerkannter Parlamentarier und durch Jahrzehnte ein berühmter Kanzelredner des 19. Jahrhunderts dem Verdacht ausgesetzt ist, das bestehende Christentum zu repräsentieren, dem Kierkegaards Angriff gilt. Und Kierkegaard *hat* in der Tat noch kurz vor seinem Tode in ›Der Augenblick‹ Nr. 6 unter dem 23. August 1855 den damals schon 72jährigen dänischen Kirchen- und Volkspatriarchen „Pastor Grundtvig" hart genug angegriffen, der zu der Zeit „als eine Art Apostel" angesehen war, „der Begeisterung, Glaubensmut als Kämpfer für eine Überzeugung repräsentiere." Wie der Bischof Mynster, so ist auch Grundtvig für Kierkegaard doch nur einer „dessen Ernst nicht weiter reicht, als zu dem Gedanken: glücklich und wohlbehalten durch dieses Leben zu kommen, und das auf eine menschlich zulässige und redliche oder auch wohl auf eine menschlich ehrenhafte Weise" (Der Augenblick Nr. 6). Anlaß für diesen Angriff war Grundtvigs damaliger Kampf für die Umwandlung der konfessionellen lutherischen Staatskirche in eine rein bürgerliche Rahmeninstitution für alle vorhandenen Bekenntnisrichtungen. Denkbar ist aber auch, daß Kierkegaard mit seinem Angriff auf den Versuch Grundtvigs vom Jahre 1831 zurückblickt, mit seinen Gesinnungsfreunden aus der Staatskirche auszutreten, um so in Freiheit seines Glaubens zu leben. Kaj Thaning hat nun in seinem Aufsatz: ›Grundtvig og Kierkegaard‹ in der Zeitschrift ›Dansk Udsyn‹ 1957, die auch für das Ganze dieses Beitrages meine wichtigste Informationsquelle ist, sehr überzeugend nachgewiesen, „daß Kierkegaard Grundtvig hier und auch sonst laufend mißverstanden hat. Beide kannten wohl einander persönlich! Sie haben öfters miteinander gesprochen", z. B. über Mynster, über Kindererziehung (das weiß man) und ohne Zweifel auch über die staatskirchlichen Verhältnisse. Und dabei waren sie sich vermutlich auch häufig ganz einig. Nichts aber deutet darauf hin, daß Grundtvig eine Ahnung von dem Kern in Kierkegaards Schriftstellerei gehabt hätte. Es sieht nicht so aus, als hätte er seine Hauptwerke gelesen oder besessen. Nach seinem Tode fanden sich in seiner Bibliothek nur ›Über den Begriff der Ironie‹, einzelne erbauliche Reden, der ›Augenblick‹ und der erste Teil der nachgelassenen Papiere. Desgleichen muß man sagen, daß Kierkegaards Kenntnis von Grundtvigs Gedanken sehr mangelhaft war (a. a. O.).

Wenn dies alles richtig ist, woran ich nicht zweifle, dann kann die Kenntnis der Polemik zwischen dem „Haarspalter" Kierkegaard (so Gr.) und seinem Widerpart als solche in keiner Richtung wirklich aufschlußreich sein. Sie wäre dann also auch kein hinreichender Grund dazu, daß die Deutschen, die sich einmal so weit auf Kierkegaard eingelassen haben, nun auch Grundtvig zu studieren anfingen. Aus keinem der beiden lernt man Wesentliches über den anderen hinzu. Dazu sind beide, je auf ihre so grundverschiedene Weise viel zu sehr sich selbst und ihren eigenen Problemen genug. Man muß den einen nicht um des anderen willen kennen. Denn keiner ist in seiner Polemik abhängig vom anderen. Im letzten Grunde sind sie Antipoden, die voneinander nicht viel mehr wissen, als daß sie es sind.

Freilich ist gerade dies in der gegenwärtigen dänischen Diskussion umstritten. Der Kirchenhistoriker P. G. Lindhardt an der Universität Aarhus, ein leidenschaftlicher Anhänger, Anwalt und Parteigänger Kierkegaards in existentialtheologisch modernisiertem Sprachgewand, ist ein eifriger Verfechter der These, Grundtvig sei in seinem theologischen Hauptwerk: ›Die christliche Kindeslehre‹ völlig in der Verteidigungsstellung gegen Kierkegaards Angriff auf das „offizielle Christentum", und er versuche hier nichts anderes, als zu beruhigen und einen Weg herauszufinden, auf dem man sowohl in dem „Bestehenden" verbleibt als auch zugleich dennoch als Wahrheitszeuge gelten könne. K. Thaning charakterisiert diese These als Blitzableiterfunktion, die hier Grundtvig zugedacht ist. So, als ob Grundtvig sich selbst als den Mann verstanden habe, der es sich

zur Aufgabe gesetzt hatte, den Angriff Kierkegaards nicht zum zün-
denden Blitz werden zu lassen durch die Schaffung eines von ihm
nicht betroffenen Kirchenwesens. Und Lindhardt wollte nichts lieber, als daß es nun doch noch zum Brennen käme durch einen mit
seiner Hilfe verschärften Kierkegaard-Blitz. Mit Ingrimm hat er
zu diesem Zwecke Thanings Grundtviginterpretation unter Brand-
beschuß genommen.

III

Doch kann selbst auch diese neuerliche innerdänische Kierkegaard-
Grundtvig-Debatte die deutsche Situation nach so vielen Jahren
der Kierkegaardbeflissenheit kaum berühren. Es sei denn, daß wir
mit dem Namen Grundtvig wesentlich mehr zu verbinden vermögen, als uns bisher möglich war. Der dreimal glücklich verheiratete
Grundtvig und der zutiefst unglücklich nur *ein* für allemal ver-
und entlobte Kierkegaard der existential geplanten existentiellen
Askese: sie stehen einander zutiefst verständnislos gegenüber. Um
eine ganze Generation jünger als Grundtvig, konnte Kierkegaard in
jenem nur gar zu leicht bloß eine Variante des „Bestehenden" sehen,
zusammen mit Mynster und Martensen, einen Repräsentanten selbst-
betrügerischer Christlichkeit. Als der Kirchensturm mit Kierkegaards Angriff auf Martensens Rede zu Bischof Mynsters Tod am
18. 12. 1854 losbrach, da war Grundtvig längst (und zwar spätestens
seit 1832!) völlig unabhängig von Kierkegaard zu seiner letzten endgültigen „Entdeckung" gekommen, die von da die Mitte seines Glaubens, Denkens und Handelns geblieben ist. Diese Entdeckung ist
Kierkegaard nie aufgegangen. Der Blitzstrahl des Kirchensturmes
hat daher auch Grundtvig nicht wirklich getroffen. Was Kierkegaard
treffen wollte, das vertrat oder repräsentierte Grundtvig gerade
nicht! Es ist eine Frage für sich, ob und inwieweit Mynster oder
Martensen Opfer oder Vollstrecker des Truges waren, dessen Kierkegaard sie beschuldigte. Grundtvig war es jedenfalls nicht. Deshalb
verhält er sich auch nicht wie einer, der betroffen ist und sich nun
verteidigt, sondern ganz unangefochten nimmt er den Angriff zum
Anlaß, nach dem Bild eines Christen zu fragen, das dem Angreifer
als das Maß vorschwebt, an dem er die Wirklichkeit mißt. Dieses

Bild findet Grundtvig „asketisch, unmenschlich und unmöglich".
In einem Brief, den Grundtvig nach Kierkegaards Tod an einen
Bekannten geschrieben hat und der erst 1877 gedruckt erschien,
heißt es: Das dezidiert Antichristliche bei Kierkegaard „liegt darin,
das, was man selber für das einzig wahre Christentum hält, als das
Unmenschlichste und als das allen Menschen unter der Sonne Un-
möglichste darzustellen und damit einerseits die glaubenslose Welt
zu rechtfertigen, wenn sie nur dem leeren Christennamen abschwört,
den sie geführt hat, und auf der anderen Seite einen jeden Glaubenden zu brandmarken, der nicht als ein offenkundiger Lügner und
Heuchler seinen Herrn und seinen Christennamen verneinen kann
oder will" [5].

IV

Will man diese vernichtende Äußerung Grundtvigs gegen Kierkegaard verstehen, die nur ein Beispiel für viele andere ist, so muß
man sich an die entscheidende „Entdeckung" halten, die längst vor
dem Kirchensturm sein ganzes Werk beherrscht. Nach Thaning gehört sie, wie gesagt, in das Jahr 1832. Andere nehmen sogar schon
das Jahr 1824 an. Zu der Zeit war Kierkegaard 11 bzw. 19 Jahre alt.
Im Gegensatz zu dem aus der Innerlichkeit seiner reflektierenden
Selbstkommunikation heraus verwundert und ironisch, entsetzt und
dann unter Leiden protestierend den Trug dieser Welt wahrnehmen-
den Kierkegaard, lebt Grundtvig „extravertiert". Er ist ganz Ohr
und ganz Auge, auch am Schreibtisch, auch beim Lesen, auch während
er grübelt. Er braucht das Licht von außen und die Stimme des – ganz
profan verstandenen – „verbum externum". Er lebt aus der Begegnung. Von daher nährt er seine Gedanken. Das Licht der Aufklärung
leiht ihm den Blick in die Weite, die Romantik den in die Tiefe des
begegnenden Menschenlebens. So gelangt er „von Klarheit zu Klarheit", von Entdeckung zu Entdeckung. Er vertieft sich unersättlich
in die Geschichte. Der Glanz und das Rätsel, die Größe und das
Elend des Menschenlebens nehmen ihn leidenschaftlich gefangen. Er
entdeckt das Wunder des lebendigen Wortes auf den Lippen des

---

[5] K. Thaning, Grundtvig og Kierkegaard.

Menschen in seiner edelsten und seiner erbärmlichsten Gestalt. Inspiriert durch Herder, vor allem aber durch Shakespeare labt er sich nimmersatt an allem, was der Volksmund hervorbringt, an der Volksweisheit, an den Sagen und Märchen, an der Sprache, in der der Mensch mit dem Menschen sein Leben hat, an dem Glauben, den er faktisch lebt, den Liedern, die er singt, der Arbeit, die er verrichtet, und den Festen, die er feiert. Dieses Menschenleben, wie es wirklich ist, wie es vom gewöhnlichen Volk gelebt wird, ist der Gegenstand seines Interesses, seiner ganzen Liebe, seiner dichterischen Impression, seines unaufhörlichen Forschens. Zu ihm verhält er sich jedoch niemals akademisch-wissenschaftlich. Das hält er gerade für tödlich. Er verherrlicht es auch nicht, noch vergötzt er es. Aber er verteufelt es auch nicht. Er reflektiert es auch nicht. Er ist auch frei von der Spekulation auf missionarische „Anknüpfung" der Verkündigung an das, was aus dem Volke dem Evangelium entgegenkommt. Nicht das ist sein Problem. Von Jugend auf, in einem orthodoxlutherischen Pfarrhause geboren und unentwegt mit lutherischem Erbe genährt, ist er durch dessen noch so verzeichnende Darstellungen und Bücher hindurch niemals davon abgekommen, daß das wiedergeborene Menschenleben *allein* das Werk des lebendig machenden Wortes ist ohne alle Mitwirkung von seiten des uns angeborenen Menschenlebens. Kein Christenleben ohne einen absolut neuen Anfang, den Gott allein schafft. Kein Christentum ohne den dadurch hervorgerufenen *Bruch*. Hier gibt es *keine* Kontinuität. Das ist immer Grundtvigs unbezweifelte Glaubensgewißheit gewesen. Hier liegt nicht sein Problem, auch nicht seine „Entdeckung." Das „Ist jemand in Christo, so ist er eine neue Kreatur; das Alte ist vergangen, siehe, es ist alles neu geworden" (2. Kor. 5, 17) hat er immer ganz lutherisch verstanden. *Sein* Problem aber ist dieser „Jemand", der da eine neue Kreatur wird. Was ist das „Alte", das da vergangen ist? Was ist das „alles", das da neu geworden ist, sich also selbst nicht neu machen kann? Es steht für Grundtvig durchaus nicht zur Debatte, ob nicht vielleicht doch dieser „Jemand" aus eigener Vernunft oder Kraft an Jesus Christus glauben, zu ihm kommen kann. Er kann es nicht. Das steht ihm fest. Zur Debatte aber steht für ihn, wie sich denn die alte und die neue Kreatur zueinander verhalten. Heißt dies, daß das uns angeborene Menschenleben durch das neue christ-

liche Leben „auf alle Fälle zerstört werden müsse und mit Stumpf
und Stiel ausgerottet, damit das neue Menschenleben, das das alte
nichts mehr angeht, es ablösen könnte" [6]? *Das* ist Grundtvigs Frage.
Sie richtet sich nicht erst an Kierkegaard, sondern längst vor ihm an
„alle Pietisten und Orthodoxen" der Zeit um die Wende vom 18.
zum 19. Jahrhundert. Seine Widersacher stehen in dem Lager des
lutherischen „Bußchristentums" seiner Zeit. Ihre Christentumsauffassung will er treffen mit seiner Frage. Und ihr Grundkonzept vom
christlichen Leben sieht er als ein Grundübel an: „Und aus diesem
Grundübel sind nicht nur alle Klosterregeln gekommen, sondern
auch alle unsere sogenannten orthodoxen Dogmatiken, nach denen
die Grundverderbtheit der Menschennatur und ihre geistliche Un-
tauglichkeit zu allem Guten zum Grundgesetz für das ganze Er-
lösungswerk gemacht wurden, obwohl doch klar ist, daß alles Menschliche, das nach Befreiung und Erlösung, Wiedergeburt und Erneuerung drängt – nach dem Bilde dessen, der uns erschaffen hat – damit
auch zugrunde gehen mußte. Die natürliche Folge davon war, daß
das alte Menschenleben, das damit ganz preisgegeben wurde, täglich
mehr dem Teufel in die Hand gegeben wurde. Und was sich nun das
neue Leben nannte, hatte schlechterdings keine Kraft und vollbrachte
gar nichts. Es schrieb höchstens Dogmatiken und lernte sie auswen-
dig. Oder das sogenannte neue und geistliche Leben wurde unmenschlich, ein rechtes Teufelsleben, das gegen alles Menschliche Krieg
führte und unter lauter falschen Namen den Hochmut und die Nase-
weisheit in den Himmel hob, wie das schon immer dem Teufel und
Menschenmörder gerade recht war" (a. a. O.). „Es ist geistlos und
verkehrt, das alte, ursprüngliche Menschenleben zu verbannen und
so weit als möglich ausrotten zu wollen, um dadurch Platz und Spielraum für das neue christliche Leben zu schaffen ... Denn wenn man
zu dem ‚ursprünglich Menschlichen' sagt: Fahre aus, du unreiner
Geist und gib Raum dem heiligen Geist, so kann man wohl das ursprünglich Menschliche loswerden. Aber dann ist man weit davon
entfernt, den heiligen Geist an seiner Stelle zu bekommen. Denn
damit verschließt man sich *allen* Geistern, allem geistigen Einfluß

---

[6] Grundtvig, Das christliche, geistliche und ewige Leben, 1857, in:
Börnelaerdom ³1883.

und aller Eingebung, allem Verstand des Geistes und des Herzens und aller Erleuchtung" (a. a. O.).

„Der Menschensohn ist nach seinen eigenen Worten nicht dazu in die Welt gekommen, daß er das Menschenleben zerstöre": das zielt nicht erst auf Kierkegaards asketisches Christentum, sondern es trifft ihn nur als den extremen Fall des Bußchristentums, das Grundtvig seit 1832 in voller Klarheit glaubt durchschaut zu haben und seitdem immer schon bekämpft hat. „Der Menschensohn ist gekommen, daß er das Menschenleben erlöste. Er zerschlägt nicht das Leben seiner Jünger, auch nicht seiner dänischen Jünger, sondern er vergibt ihnen ihre Sünde. Er öffnet so in ihnen eine Quelle, die auf das ewige Leben zuspringt. Und sie alle danken ihm dafür aus Herzensgrund im Namen des *alten* Menschen. Dieser alte Adam empfing auch in ihnen die Sündenvergebung. Er stand auf von den Toten zu einem neuen Leben, nach dem Bilde Gottes, *demselben* Ebenbild, das bei ihm derartig verdorben war, daß es ohne kräftige und liebevolle Erneuerung auf ewig verloren gegangen wäre" (a. a. O.).

Die Entdeckung Grundtvigs, die hinter diesen seinen Worten steht, ist „der alte Adam, das Geschöpf Gottes, das ER liebt und wieder aufrichtet". Die Verderbtheit dieses alten Menschen wird nicht verharmlost, nicht beschönigt oder gar weggeredet. Es wird kein „Rest" dem alten Adam zugesprochen, der ihn zur Selbsterlösung auch nur mit gnädiger Nachhilfe befähigt. Es wird aber gesehen, wer der ist, über den Gott sich in dem Menschensohn erbarmt hat. Seinen großen Bundesgenossen in dieser Sache hat Grundtvig selbst in Irenäus erkannt. Dessen „Recapitulatio" in der Abwehr einer gnostischen Rezeption des Christlichen als eines dualistischen Erlösungskampfes des Christen gegen sich selbst hat Grundtvig genuin wiederholt, längst vor Kierkegaard, dann aber kräftig auch gegen ihn gewandt. Von hier aus ist der Vorwurf der Unmenschlichkeit gegen Kierkegaards Christentum zu verstehen. Von hier aus erfährt auch Kierkegaards Existenzdialektik implizit ihre Auflösung, sofern sie letztlich doch dualistisch begründet ist. Denn für Grundtvig schließt das Christliche das Menschliche des Menschenlebens nicht aus. Es ist nicht wider die Natur, so, wie es das bei Kierkegaard letztlich doch zu sein droht. Es macht vielmehr das Menschenleben gerade menschlich und „natürlich". Es macht nicht das Leiden zum *notwendigen* paradoxalen Ausdruck der christlichen Existenz, wohl aber zu ihrer unverhofft widerfahrenden und schon deshalb ernsteren Folge. Es verdächtigt nicht von vornherein ein geruhiges und ehrbares Leben in Frieden und Glück des christlichen Selbstbetruges. Es entwertet nicht das angeborene Leben allein schon darum, weil es da ist. Es haßt dieses angeborene Leben nicht allein schon deshalb, weil es die Lust kennt und genießt, weil es sich des Daseins erfreut, weil es sich seiner selbst bewußt ist, denkt, spricht, spielt und singt, liebt, zeugt und gebiert, glaubt, zweifelt, wähnt und lehrt, sieht und hört. Es macht im Gegenteil dies alles neu, indem es Grund und Maß dafür gibt, Freude, Licht und Glanz.

In seinem Grundtvig-Werk weist Kaj Thaning nach, zu der Entdeckung sei es in voller Klarheit 1832 durch nichts als ein abendliches Gespräch mit einer Engländerin in London über das Natürliche in der griechischen Kunst gekommen. Von dieser Dame weiß man vorerst nicht mehr, als daß sie Mrs. Bolton hieß. Das ist alles. Es war Grundtvigs „Turmerlebnis".

V

Für Grundtvig, für die dänische Kirche und Theologie, aber auch für die relative Wirkungslosigkeit des kierkegaardschen Angriffs und für das dänische Volk, für dessen Schul- und Erziehungswesen und das gesamte Kulturleben, einschließlich des Kirchenwesens im Verhältnis zum Staate und zum Volk sollte diese Entdeckung unabsehbare Folgen haben. Durch sie ist auch durch die deutsche Besatzungszeit während des zweiten Weltkrieges hindurch der politische Widerstand wesentlich getragen, wie jene Grundtvig-Vorlesung von Hal Koch deutlich anzeigt. Durch sie haben die Dänen auch die Krisis ihrer schweren Niederlage von 1864 gegen die Deutschen noch zu Lebzeiten Grundtvigs durchgehalten. Und auch durch den ersten Weltkrieg hindurch hat sich in Dänemark ein eigentümliches nationales Bewußtsein gegen den bedrohlichen südlichen Nachbarn bewährt, das sich freilich schon bei Grundtvig selbst, vor allem aber im Grundtvigianismus nicht immer ganz frei gehalten hat von der Gleichsetzung des Dänentums mit dem Christentum. Aber Nationalismus im deutschen Sinne ist das dennoch nicht. Der Deutschenhaß

Grundtvigs hat tiefere als nur nationale Gründe. Es ist die Verachtung des Menschlichen, Natürlichen und die Sucht, den Menschen „umschaffen" zu wollen, die Grundtvig als „deutsch" haßt.

Doch zurück zu Kierkegaard. Die „Thesis", die dieser im ›Augenblick‹ vertritt, ist die, daß es das Christentum des Neuen Testamentes nicht gebe und auch in einer Staatskirche nicht geben *könne*. Dem gegenüber verteidigt Grundtvig nicht die Staatskirche. Es ist Grundtvig und nicht Kierkegaard, der sie tatsächlich von Grund auf gewendet hat! Was aber Grundtvig verteidigt, ist das Neue Testament. Er klagt Kierkegaard des Mißbrauches dieses Buches an, weil er seine eigene dualistisch-asketische Auffassung vom Christentum mit der des Neuen Testamentes identifiziert und absolut setzt. In der Berufung Kierkegaards auf das Christentum des Neuen Testamentes und der Selbstidentifizierung mit ihm steckt für Grundtvig der Teufel der Schriftvergötzung. In seinem Aufsatz ›Das Christentum des Neuen Testamentes‹ (Börnelaerdom Nr. 5 von 1856) wirft er Kierkegaard vor, daß er fälschlich davon ausgehe, das Christentum habe mit dem *Buch* angefangen. Und dieses Buch setze er absolut. Er stelle es so hoch, daß niemand dran könne. Und dann nehme er es als Norm und Gesetz, an dem gemessen es außer in ihm selbst kein Christentum je gegeben habe. Das gebe es – mit Einschränkung – erst wieder eben mit Kierkegaard. Dagegen behauptet Grundtvig: Das Christentum hat nicht mit dem Buch, sondern mit dem „Wort aus des Herren eigenem Mund" angefangen. Am Anfang steht nicht das Buch, sondern ein Wort aus Menschenmund. Nicht das Buch gebiert die Gemeinde. Die Gemeinde, durch das mündliche Wort zum Dasein und Leben erweckt, hat die Schrift als ihr authentisches Selbstzeugnis hervorgebracht. *Vor* dem Neuen Testament als dem Buch ist der Pakt, der Bund unter lebendigen Menschen mündlich geschlossen. Die Schrift ist eine Gemeindebildung als Ganzes. Aber Gemeinde wird nicht durch die Schrift, sondern durch das lebendige Wort der Verkündigung, das die Schrift wohl bezeugt, nicht aber selber *ist*. Die hier implizit gegen Kierkegaard geltend gemachte Lehre von der Schrift basiert auf Grundtvigs Entdeckung der Rede auf den Lippen des Menschen als dem Augenblick, in dem sich Leben oder Tod entscheiden. So viel Kraft, so viel Liebe und so viel Wahrheit in eines Menschen Wort zu einem anderen ist, so viel Leben oder Tod geht von ihm aus. Mit dem „Wort aus unseres Herren eigenem Mund" und der durch es ins Leben gerufenen Gemeinde hat es angefangen. Die „Lebenszeichen" des wiedergeborenen Lebens in der Gemeinde sind das Bekenntnis, die Verkündigung und der Lobgesang. D. h.: so viel Liebe, so viel Wahrheit und so viel Kraft in dem allen liegt, wenn es erklingt, so viel Leben hat und entdeckt darin der Glaube. Das ist und bleibt Wunder und Geheimnis. Es ist nicht objektivierbar. Man kann dessen nicht habhaft werden außer in dem Wort aus unseres Herren und unserem Mund.

Die Schrift *ist* nicht dieses Wort, wie Johannes nicht das Licht war, sondern von ihm zeugte. Sie zeugt von diesem Wort mit toten Buchstaben. Das „Antichristliche" in Kierkegaards „Thesis" liegt darin, daß ihm das Neue Testament, einseitig, wie er es nimmt, *allein* das Leben und alles, was danach kommt, Schein und Trug ist, sofern es nicht unmenschliche Ausrottung aller Natur in falsch verstandenem Leiden der Selbstquälerei ist. Grundtvig nennt Kierkegaard den „Pastorenquäler". Der sieht nicht, daß die Schrift als ganze eine „Gemeindebildung" ist, das einzige verläßliche Zeugnis, das uns über ein *Leben* „aufklärt", das ihr vorausliegt und wunderbar nachfolgt, nicht durch unsere exemplarischen Leiden, sondern durch das liebevolle, wahre und vollmächtige Wort im Menschen *und* durch das Bekenntnis, die Verkündigung und den Lobgesang. Und das alles geschieht mit dem*selben* Mund, der*selben* Sprache aus dem*selben* Menschen heraus, dem*selben* Menschenleben, das da gefallen war und nun wieder aufgerichtet ist. Himmelweit und unüberbrückbar ist der Unterschied zwischen Fall und Wiederaufrichtung. Aber der Gefallene und der Aufgerichtete ist der*selbe* Mensch, das*selbe* Menschenleben mit denselben „Gesetzen und ursprünglichen Eigenschaften". Der neue Mensch ist nicht ein *anderer*, funkelnagelneuer Mensch, der mit dem alten nichts zu tun hat, es sei denn, ihn zu vernichten. So meint es aber in den Augen Grundtvigs Kierkegaard. Und das hält Grundtvig für unmenschlich, unmöglich und antichristlich.

Hier kollidieren in der Tat zwei Auffassungen vom „Christlichen", die alternativ sind. Und wenn die eine über die Grenzen Dänemarks hinaus weltweit ruchbar geworden ist, weil sie alle betrifft, so ist nicht einzusehen, warum die andere nur eine „volkseigene" dänische Sache bleiben sollte. Grundtvig verdient mindestens die gleiche Aufmerksamkeit, wo immer Kierkegaard als Korrektiv vernommen und beherzigt worden ist.

VI

Lebendige Menschen von der Genialität Kierkegaards und Grundtvigs lassen sich nicht ohne Gewalt auf ein absolutes Entweder – Oder reduzieren. Kierkegaard ist nicht einfach *der* dualistische Gnostiker und Asket in christlicher Gestalt. Und Grundtvig läßt sich nicht hinaufstilisieren zu der Inkarnation des Gegenteils. Das, was in letzter Konsequenz Kierkegaard als Schreckbild entgegengehalten werden kann, ist nicht ohne Weiteres dasselbe, wofür er gelebt und gelitten hat. Ebenso wenig ist es Grundtvig gelungen, die „Entdeckung" der Größe und des Elends des alten Adams wirksam vor dem Mißverständnis zu schützen, als werde hier „das Natürliche", die Muttersprache, das Volk und das „Menschliche" auf Kosten der Gnade gerühmt oder durch sie nur gerechtfertigt, bestätigt und überhöht. Ist es Kierkegaard, der dazu verleiten kann, davon zu leben und dafür zu leiden, gegen alles Bestehende zu sein und als der Einzelne absolut die Infragestellung *jeder* Gestalt des Christlichen zu repräsentieren, so ist es Grundtvig, der dazu verführt, das Menschliche und das Christliche gleichzusetzen. Somit kann es sich nicht darum handeln, zwischen Kierkegaard und Grundtvig zu optieren, sondern nur darum, Recht und Grenze, Wahrheit und Gefahr beider zu erkennen. Sonst werden wir entweder die, die davon leben, daß sie gegen alles Bestehende sind, oder die, die davon leben, daß sie allem Bestehenden den bestätigenden Segen geben. Um diese und nicht um die Existenzdialektik der Innerlichkeit geht es [7].

[7] Weitere Grundtvigliteratur in deutscher Sprache: Regin Prenter, Die Frage nach einer theologischen Grundtvig-Interpretation in: Theol. Aufsätze, K. Barth zum 50. Geburtstag, München 1936, S. 505–513; ders., Grundtvigs Ansicht vom Menschen, in: Ev. Theol. 1949/50, S. 395–405; S. Holm, Grundtvig und Kierkegaard, Parallelen und Kontraste (ZSTH 23, 1954, S. 158–176); Kaj Thaning, Die dänische Volkshochschule, in: Junge Kirche, 21, 1961, S. 65–74; ders., Die dänische Volkskirche, ebd. S. 137–147; Knud Hansen, Der andere Kierkegaard, zu S. K.s Christentumsverständnis, in: Ev. Theol. 11, 1951/52, S. 209 ff.

Neue Zeitschrift für systematische Theologie und Religionsphilosophie. 8 (1966). S. 289–310.
(Jetzt auch in erweiterter Fassung in: Günter Rohrmoser, Emanzipation und Freiheit.
München: W. Goldmann 1970, S. 159–196.)

KIERKEGAARD
UND DAS PROBLEM DER SUBJEKTIVITÄT

Von Günter Rohrmoser

In der gegenwärtigen evangelischen Theologie zeichnet sich immer stärker die Tendenz ab, in der Aufnahme der gesellschaftlichen Thematik des Marxismus Kierkegaard durch Marx zu ersetzen. Dieser Schritt von Kierkegaard zu Marx wird häufig als ein Fortschritt im Prozeß der Entwicklung und Anpassung der Theologie an die Fragestellungen der Gegenwart interpretiert. Diese Überzeugung ist um so erstaunlicher, als eine wirklich kritische Auseinandersetzung mit Kierkegaard und seiner Wirkung auf die Theologie der letzten Generation entweder gar nicht stattgefunden hat oder in den Anfängen steckengeblieben ist. Die theologische Kierkegaard-Diskussion war und ist vielmehr durchgehend durch apologetische oder polemische Interessen bestimmt. Vorliegende Untersuchungen sollen der Aufgabe dienen, die Prinzipien und Gesichtspunkte einer möglichen Kritik an Kierkegaard immanent aus dem Ansatz und der Entwicklung des Kierkegaardschen Denkens zu entwickeln. Jede solche Auseinandersetzung in kritischer Absicht muß von den für das Selbstverständnis Kierkegaards grundlegenden Bestimmungen ausgehen.

Kierkegaard selbst hat sich im Verhältnis zu seiner eigenen Zeit in der für sie maßgebenden Wahrheit als ein Korrektiv verstanden. Er wollte nicht als Lehrer gelten, sondern aufmerksam machen, zur Besinnung rufen. „Im Verhältnis zu einem ‚Bestehenden‘ habe ich – folgerichtig, da ja mein Besteck gewesen ist ‚der einzelne‘ mit polemischer Sicht wider das Numerische, die Menge u. dgl. – jederzeit das Gegenteil von angreifen getan, ich habe niemals eine ‚Opposition‘ gemacht oder mitgemacht, welche die ‚Regierung‘ fort haben will, sondern das abgegeben, was man ein ‚Korrektiv‘ nennt, welches will, daß da um Gottes im Himmel willen von denen regiert werden möge, die dazu bestellt und berufen sind, daß diese, in der Furcht

Gottes, fest stehen möchten, nur eines wollend, das Gute; und ich habe damit erreicht, daß ich mich mit Opposition und Publikum entzweite, ja zuweilen obendrein mich finden müssen in die Miß-billigung des einen oder andern doch vielleicht minder gut unterrich-teten Mannes im Amte." (Die Schriften über sich selbst, S. 14/15 [1]).

In seinem Selbstverständnis als religiöser Schriftsteller geht es Kierkegaard nicht darum, das Christentum in eine heidnische Welt einzuführen, sondern in die Christenheit. Die Wahrheit als solche ist bekannt und ist auch für Kierkegaard vorausgesetzt. Das Problem besteht darin, daß die Zeit sich zu dieser auch ihr bekannten Wahr-heit unwahr verhält. Es geht nicht um die Objektivität der Wahrheit, sondern um das Verhältnis zu ihr. Der Skandal, den Kierkegaard entdeckt, ist der, daß in der Christenheit die Wahrheit des Christen-tums abgeschafft ist, sozusagen ohne daß es einer bemerkt hat. Man lebt in ästhetischen, historischen und spekulativen Kategorien und verhält sich so nach der Meinung Kierkegaards auf heidnische Weise zum Christentum. Welche Methode wählt nun Kierkegaard in dieser durchaus zweideutigen Situation: Alle sagen, sie seien Christen. Kierkegaard sagt, ich bin kein Christ, und von dieser Hypothese ausgehend frage ich die anderen nach ihrem Christentum. Sie leben ästhetisch, also muß ich mich selbst nach der Logik des Ästhetischen zu ihnen verhalten, um den Schein zu zerstören, durch den man sich der bekannten Wahrheit in der illusionären Form der Angleichung faktisch entzieht. Man lebt zwar im Schein des Christseins, aber in Wirklichkeit ist man etwas anderes, und dieses Anderssein wird ver-hüllt. Die Aufgabe Kierkegaards besteht darin, die in der illusionären Form der Identität verborgene faktische Nichtidentität an den Tag zu bringen. Er entwickelt mit diesem Ansatz die Grundbewegung des existenziellen Denkens bis in unsere Zeit: in der Scheinidentität die wirkliche Nichtidentität aufzudecken. In der Anknüpfung der Selbstauslegung des Menschen an ein Allgemeines, das er nicht ist, sondern nur prätendiert, wird die wirkliche Nichtidentität aufge-wiesen. Das Problem, vor das Kierkegaard sich hiermit gestellt sieht, ist die Struktur einer falschen Versöhnung, deren Aktualität gerade das Denken der Gegenwart zentral betrifft.

---

[1] Übersetzt von Emanuel Hirsch, Düsseldorf/Köln 1951.

„Weit zurück, in meiner Erinnerung, geht der Gedanke, daß da in jeder Generation zwei oder drei sind, die für die andern geopfert werden, dazu gebraucht, in entsetzlichen Leiden zu entdecken, was den andern zugute kommt; auf diese Art verstand ich schwermütig mich selbst, daß ich dazu ersehen sei." (Schriften über sich selbst, S. 77). Das Leiden Kierkegaards steht also in unmittelbarem Zusammenhang mit der Sache seines Denkens, es kommt ihm eine hermeneutische Funktion zu. Durch das Leiden ist der Leidende getrennt von den andern. Das Leiden bekommt in einer Welt, die krank ist, sich aber für gesund hält, die Bedeutung der Aufdeckung. Krankheit ist ein Mittel, im Leiden aufmerksam zu werden auf das, was in der scheinbar gesunden Welt krank ist. „Ohne Vollmacht" aufmerksam zu machen auf das Religiöse, das Christliche, das ist die Kategorie für meine gesamte Wirksamkeit als Schriftsteller als ein Ganzes betrachtet (Schriften über sich selbst S. 10). Indem Kierkegaard sich selbst die Vollmacht abspricht, versteht er sich als Spion im höheren Dienst, im Auftrag der Idee. Er muß sich selbst unkenntlich machen, um in die Wahrheit hineinbetrügen zu können. Die Methode des „Betruges" hat die Funktion, von sich selbst abzulenken und den Leser zu sich selbst zu bringen. „Der einzelne ist die Kategorie, durch welche, in religiöser Hinsicht die Zeit, die Geschichte, das Geschlecht hindurch muß" (Schriften über sich selbst, S. 112). Der Einzelne ist also für Kierkegaard die zentrale Kategorie, durch die man hindurch muß. Schon hier liegt ein wesentlicher Unterschied zur Existenzphilosophie im 20. Jahrhundert. Die Existenzphilosophie ontologisiert das Einzelner-Sein des Menschen und erhebt es zu einer Bestimmung der Struktur des Menschen an sich und überhaupt. Bei Kierkegaard dagegen ist sie nur aus dem Zusammenhang der Auseinandersetzung mit seiner Zeit verständlich.

Die Wahrheit, die Kierkegaard als bekannt und offenbar voraussetzt, ist die Wahrheit der Tradition. Welche Tradition ist gemeint? An ihrem Anfang steht Sokrates. Mit ihm beginnt eine Bewegung des Denkens, die sich für Kierkegaard in Hegel vollendet. Die Spekulation ist für Sokrates zwar schon eine Möglichkeit, die er aber nicht verwirklicht. Vor der Spekulation weicht Sokrates zurück und reflektiert nicht auf die Wahrheit selbst, sondern auf das Verhältnis zu ihr. Für Sokrates ist Wahrheit immer nur die erstrebte und besteht damit im Streben. Indem nun die Metaphysik über den Vorbehalt des Sokrates sich hinwegsetzt und über ihn hinausgeht, verfällt sie für Kierkegaard dem Verdikt ihrer eigenen Unwahrheit. Sie wird für Kierkegaard zur Gestalt und Verdeckung einer Selbstverfehlung des Menschen. Sie gründet in einer Vergessenheit, und zwar in der Selbstvergessenheit der Denkenden. Der entscheidende Fehler beruht in der Annahme, die denkend gewonnene Identität von Denken und Sein sei die Wahrheit der Existenz. In der Metaphysik lebt der Mensch über seine Verhältnisse, genauer, über die Verhältnisse eines durch Endlichkeit bestimmten Wesens. „Was heißt das: Sein ist höher als Denken? Ist diese Aussage etwas, das gedacht werden soll, dann ist ja eo ipso Denken wieder höher als Sein. Läßt es sich denken, so ist das Denken höher: läßt es sich nicht denken, so ist kein System des Daseins möglich." (Unwissenschaftliche Nachschrift Bd. 2 S. 36/37[2]). Wenn es aber kein System des Daseins geben kann, dann ist der Mensch in der Metaphysik über seine eigenen Möglichkeiten hinausgestiegen. Aus dieser Verstiegenheit gilt es – nach Kierkegaard – ihn wieder zurückzurufen. Kierkegaard will ihn zurückrufen aus der Verstiegenheit der Metaphysik zu der ihm als Menschen eigenen Möglichkeit. Diese Möglichkeit, als die sich der Mensch selbst gegeben ist, sein eigenes, ihm als Vollzug aufgegebenes Seinkönnen, nennt Kierkegaard *Existenz*.

„Der Mensch ist Geist. Was aber ist Geist? Geist ist das Selbst. Was aber ist das Selbst? Das Selbst ist ein Verhältnis, das sich zu sich selbst verhält, oder ist das an dem Verhältnisse, daß das Verhältnis sich zu sich selbst verhält; das Selbst ist nicht das Verhältnis, sondern daß das Verhältnis sich zu sich selbst verhält. Der Mensch ist eine Synthesis von Unendlichkeit und Endlichkeit, von dem Zeitlichen und dem Ewigen, von Freiheit und Notwendigkeit, kurz eine Synthesis. Eine Synthesis ist ein Verhältnis zwischen zweien." (Kierkegaard, Krankheit zum Tode, S. 8)[3]. Das Moment der Faktizität in einem sich zu sich selbst verhaltenden Verhältnis macht also das *Selbst* aus.

Existieren ist die unendliche Bewegung der Bekümmerung des Menschen um sich selbst: um die Möglichkeit des Menschen, ein

---

[2] Übersetzt von Hans Martin Junghans, Düsseldorf/Köln 1958.
[3] Übersetzt von Emanuel Hirsch, Düsseldorf/Köln 1957.

Selbst zu werden. Der Mensch kann sich nie zur Identität mit sich selbst bringen. Der Vollzug der Existenz besteht in dem Austrag eines durch Nichtidentität bestimmten Seins. Von hier aus muß die Polemik Kierkegaards gegen die Metaphysik ebenso verstanden werden wie die Tatsache, daß er eben durch die Metaphysik bestimmt bleibt, gegen die er sich wendet. Denn dringlich kann doch die Bemühung – wenn auch scheiternde Bemühung – um Herstellung der Identität erst unter der Voraussetzung werden, daß die Identität die Wahrheit ist. Nun ging und geht es aber in der Metaphysik eben um diese Verwirklichung der Einheit von Denken und Sein. Wenn der Bezug zu dieser Grundthematik der Metaphysik völlig verlorengeht oder preisgegeben wird, dann wird das Unternehmen der die Nichtidentität in einer Wendung gegen die Einheit artikulierenden Existenzphilosophie in sich selbst hinfällig und sinnlos. Das Denken der Existenzphilosophie ist bestimmt durch die Artikulation einer Negativität, die als solche nur bestimmbar ist, wenn die Einheit als Positivität vorausgesetzt ist. In der Existenzphilosophie gelangt der Mensch erst in der Überwindung einer zu seinem Sein gehörenden Verfallenheit an die Dinge zu sich selbst. In interiore veritas habitat: das gilt ebenso für Kierkegaard wie für Jaspers. Nur in der Innerlichkeit der Subjektivität ist Wahrheit. Nun wird aber für die Existenzphilosophie, und das gilt schon für Kierkegaard, der Bereich der Welt in einer der Gnosis analogen Weise zur schlechthin fremden Welt, aus der der Mensch herausgerettet werden muß. Eine Theologie der Schöpfung ist nicht mehr möglich. Diese Konsequenz ist um so bedeutsamer, als Kierkegaard in seiner Polemik auf Kant zurückgeht.

Schon für Kant mußte sich die Philosophie in sich selbst verdoppeln, um das Problem der Selbstverwirklichung des Menschen angemessen stellen zu können. Die Destruktion der rationalen Ding-Ontologie hatte schon bei Kant den Nachweis zu führen, daß das Sein des Menschen in der rationellen Dingwelt nicht vorkommen kann. Aus der Restriktion des Verstandes zieht die praktische Vernunft nun im Gegenzug zur reinen theoretischen Vernunft die Kraft ihrer Begründung.

Sosehr die Selbstverdoppelung der Vernunft bei Kant in eine theoretische und praktische eine wesentliche Voraussetzung des

Kierkegaardschen Denkens darstellt, so bedeutsam ist aber auch die Auseinandersetzung mit Descartes. Wie für die deutsche idealistische Philosophie, so fungiert auch bei Kierkegaard Descartes als Begründung des Prinzips der Philosophie der Neuzeit. Der methodische Sinn des Zweifels bei Descartes wird von Kierkegaard als mangelnde Konsequenz verstanden. Entscheidend ist der Ausgang beim Zweifel selbst. Der Zweifel bekommt bei Descartes paradoxerweise seine ausgezeichnete Stellung, weil es Descartes um Gewißheit geht. Der Grund zum Zweifel ist der Wille, der Gewißheit will, und zwar eine Gewißheit besonderer Art. Descartes will eine unbedingte, das heißt durch keinen möglichen Zweifel zu erschütternde Gewißheit. Die Tradition verfällt ihrer Aufhebung, weil die durch sie vermittelte Wahrheit dem von Descartes erhobenen Gewißheitspostulat nicht standzuhalten vermag und daher kein Vertrauen verdient. Sie muß sich vielmehr an den von Descartes selbst gesetzten Kriterien überprüfen lassen. Ziel der Bewegung des Zweifels ist also die vorläufige, für den Vollzug der Grundlegung notwendige Ausschaltung aller Wahrheiten, die überhaupt bezweifelbar sind. Aus dem Umsturz der Tradition gewinnt sich die Gewißheit des Denkenden, insofern er denkt. Schlechthin unbezweifelbar ist sich das denkende Selbst im Vollzug des Denkens.

Das Resultat der cartesischen Grundlegung bleibt bei Kant vorausgesetzt, insofern die Verwirklichung des Menschseins des Menschen für ihn zu einer Sache der praktischen Vernunft wird. Die unbedingte Freiheit der praktischen Vernunft steht in einem unlösbaren Zusammenhang mit der Einschränkung der reinen theoretischen Vernunft, der reinen Vernunft auf die Erkenntnis des Bedingten. Exakte, d. h. wiederholbare Erkenntnis ist immer Erkenntnis des Bedingten. Die praktische Vernunft erhält die Kompetenz für das Unbedingte, indem sie die Grenze der theoretischen Vernunft zu einer notwendigen Bedingung ihrer eigenen Möglichkeit hat. Das der praktischen Vernunft zuerkannte Vermögen des Unbedingten wird seit Kant zum einzigen Ort des Unbedingten und damit zum Ort der Verwirklichung des Seins des Menschen. Das Sein des Menschen ist damit der einzige und ausgezeichnete Ort geworden, an welchen die Auslegung der Zusammenhänge gebunden wird, die den Umkreis und Gegenstandsbereich der Metaphysik definiert. Gott,

Freiheit und Unsterblichkeit werden der Kompetenz der sich an das Methodenideal der modernen Wissenschaften angleichenden theoretischen Vernunft entzogen.

Wie sehr die durch Kant geschaffene Lage die Existenzphilosophie in all ihren Gestalten bestimmt, soll ein kurzer Hinweis auf Jaspers wenigstens anzeigen. Auch für Jaspers gründet Existenz in einer Erfahrung der Transzendenz, d. h. in der Erfahrung eines unbedingten Seins. Auch für Jaspers ist die Wirklichkeit und ihre Erkenntnis mit der durch die Wissenschaft objektiv bestimmbaren Erkenntnis identisch. Aber im Modus objektiver Erkenntnis geht das Sein des Menschen nicht auf. Der Mensch selbst ist nicht objektivierbar. Alles Vergegenständlichte ist unfrei. Unfreies Sein ist objektives Sein. Nur ein Sein ist der Herrschaft der Objektivierungstendenz entronnen: das Sein des Menschen als Existenz. Die Freiheit wird also eingeschränkt auf die Subjektivität. Die Subjektivität wird abstrakt antithetisch dem Bereich objektiver Dinge entgegengesetzt, der durch Freiheit nicht angeeignet werden kann. Die auf die Subjektivität beschränkte Freiheit lebt damit von der Anerkennung der von ihr als unabhängig bestehend gesetzten Objektivität. Existenzphilosophie will Verdinglichung überwinden, sie erkennt aber gerade durch die Beschränkung der Freiheit auf die Subjektivität die Verdinglichung an und setzt sie voraus.

Wie sehr Kierkegaard sich diesem Zusammenhang einfügt, geht aus dem Anhang zu den ›Philosophischen Brocken‹ deutlich hervor. (Philosophische Brocken S. 150 ff.) Hier reflektiert Kierkegaard auf sein Verhältnis zu Descartes. Wenn man das Prinzip, an allem zu zweifeln, ernst nimmt und radikal verwirklicht, dann führt es mit Notwendigkeit zur Verzweiflung. Kierkegaard stellte die Frage, wie man die Subjektivität denken muß, wenn man verstehen will, wie es zum Zweifel überhaupt kommen kann. Er fragt nach den existenziellen Bedingungen des Zweifelns. Das Faktum des Bewußtseins hat für die Möglichkeit des Zweifelns aufzukommen. Kierkegaard fragt nach der transzendentalen Struktur eines Wesens, die die Möglichkeit des Zweifels durchsichtig werden läßt. Bewußtsein ist bestimmt durch ein Verhältnis. Bewußtsein heißt also durch ein-Verhältnis-bestimmt-sein. Die beiden Momente des Verhältnisses sind Realität und Idealität, oder Unmittelbarkeit und Vermittlung. Das Bewußtsein verhält sich zu diesem seinem Verhältnis, das es ist. Es ist das Dritte, das es möglich macht, sich zu sich selbst zu verhalten. Zweifel ist also möglich für ein Wesen, das durch eine Zwiefältigkeit bestimmt ist. Der Versuch nun, diese Zwiefältigkeit durch eine Synthese zu lösen, scheitert: dann ist Verzweiflung. In der Wendung des Bewußtseins zu sich selbst konstituiert sich die Reflexion. Reflexion ist die Möglichkeit des Verhältnisses. Während Bewußtsein Interesse ist, ist die Reflexion interesselos. Das uninteressierte Wissen ist das mathematische, ästhetische und metaphysische. Als das uninteressierte Wissen stellt es aber nur eine Voraussetzung für den Zweifel dar. Der Zweifel selbst ist eine höhere Form als alles objektive Denken.

Kierkegaard knüpft also positiv am Zweifelsprinzip des Descartes an und kritisiert von ihm aus die Bewegung der nachcartesischen Philosophie der Neuzeit. Die aus der Zweifelsbewegung hervorgegangene Philosophie hat nach Kierkegaard aber das Wesen des Zweifels nicht gründlich genug bedacht. Sie will eine Überwindung des Zweifels erreichen, und sie will den Zweifel überwinden, indem sie das Prinzip des objektiven Denkens etabliert. Aber der Zweifel kann denkend nicht überwunden werden, es sei denn, man vergißt dabei das denkende Selbst. Warum? Weil die Struktur des menschlichen Daseins durch Interesse, durch Zwiespältigkeit bestimmt ist. Wie aber kann der Zweifel überwunden werden? Nur im Glauben und als Glaube. Die Philosophie von Descartes bis Hegel ist für Kierkegaard ein Irrweg, ein Abfall von der Existenz, ein Rückfall in Selbstvergessenheit. Für Descartes hatte der Zweifel eine methodische Bedeutung. Kierkegaard eliminiert diesen methodischen Charakter; der Zweifel wird ins Existenzielle gewandt, als Verzweiflung interpretiert. Nach Kierkegaard beruht das Sein des neuzeitlichen Menschen darin, verzweifelt zu sein.

Es ist nicht zufällig, daß die Radikalisierung des methodischen Zweifels zur existenziellen Verzweiflung von Kierkegaard in einem Anhang mitgeteilt wird, der den ›Philosophischen Brocken‹ hinzugefügt wurde. Das Projekt, um das es Kierkegaard in den ›Philosophischen Brocken‹ geht, ist das Problem einer Aneignung der christlichen Wahrheit unter Bedingungen, wie sie durch die neuzeitliche Philosophie von Descartes bis Hegel entwickelt worden sind. Denn nach der Meinung Kierkegaards hat sich unter den Bedingungen der rationalen Subjektivität die Verstellung der christlichen Wahrheit durch die Metaphysik fixiert. Das Denkprojekt Kierkegaards versucht daher das Aneignungsproblem des Glaubens im Gegenzug zur Herrschaft der Metaphysik neu zu stellen. Um das Spezifikum christlicher Wahrheitsaneignung zu bestimmen, geht Kierkegaard von Sokrates aus. Denn Sokrates wurde aufmerksam auf das Problem der Aneignung der Wahrheit. Sokrates steht wie Moses vor dem Land der Metaphysik, aber ohne es zu betreten. Zur Aneignung der Wahrheit durch den Einzelnen kann es nur kommen, wenn es den Lehrer gibt. Der Lehrer ist für Sokrates nur ein Anlaß. Die Aneignung der Wahrheit vollzieht das Subjekt durch und für sich selbst. Aneignung der Wahrheit ist für Sokrates Anamnesis. Der Lehrer löst die Wiedererinnerung nur aus und bringt sie in Gang. Er hat eine mäeutische Funktion. Bei Sokrates wird das Immanenzverhältnis der Menschheit zur Wahrheit vorausgesetzt. Der Mensch ist Träger eines Ewigkeitsbewußtseins. Welche Wahrheit ist hier gemeint? Wahrheit meint hier ein ewiges und notwendiges Sein. Zwischen ewigem Sein und menschlichem Bewußtsein besteht ein Verhältnis der Immanenz: das ist die Voraussetzung der Metaphysik. Der Mensch ist in seinem Sein offen und steht in der Offenheit zu allem Sein, zum Sein im Ganzen, Identität von Denken und Sein. Wie muß nun das Christentum gedacht werden, damit es nicht auf die Position des Sokrates zurückfällt? Das ist die Frage Kierkegaards. Die Immanenzthese muß negiert werden. In der Metaphysik überschreitet sich der Mensch als ein zeitliches auf sein ewiges Wesen. Er bricht aus dem Widerspruch, aus der Zwiefältigkeit, die er ist, aus und verwirklicht sich gemäß seiner ewigen Bestimmung. Dabei aber verfehlt er sich selbst.

Die Immanenz von zeitlichem und ewigem Sein muß in Frage gestellt werden. Der Mensch muß als durch Unwahrheit bestimmt interpretiert werden, so daß keine Möglichkeit des Transzendierens mehr besteht. Der Lehrer ist dann nicht nur Veranlassung, sondern vielmehr selbst die Wahrheit, und die Bedingung ihrer Aneignung. Diesem Begriff von Wahrheit genügt aber nur die christliche als eine paradoxe Wahrheit. Paradox ist der Eintritt Gottes in die Zeit. Ewiges Sein ist notwendiges Sein. Es verhält sich immer in derselben

Weise zu sich selbst. Es kann sich nicht ändern. Gottes Sein ist aber ebenso notwendig wie ewig. Auf dem Standpunkt des christlichen Glaubens wird er aber geglaubt als Einheit von Ewigkeit und Zeitlichkeit, von Möglichkeit und Notwendigkeit. Ist der Mensch aber durch Unwahrheit definiert, durch den Verlust der Bedingung für die Wahrheit, dann ist die Wahrheit ihm verschlossen.

Es soll nun die Stadienlehre Kierkegaards entwickelt werden, insofern sich aus ihr die notwendige Einsicht in die Wahrheit und Selbstverschlossenheit des Menschen ergibt. Ausgangspunkt ist das ästhetische Stadium. Im Ästhetischen ist der Mensch unmittelbar das, was er ist. Es wird von Kierkegaard als ein Stadium äußerster Selbstvergessenheit und Selbstverlorenheit charakterisiert. Der Mensch ist noch nicht ein Selbst. Er lebt in der Preisgegebenheit an das jeweilig Begegnende. Das ästhetische Dasein ist definiert durch den Verlust der Kontinuität, es läßt sich bestimmen vom jeweiligen Augenblick. Es hat sein Sein im Genuß. Das Begegnende wird erfahren auf seine genußhaften Möglichkeiten hin. Das ästhetische Sein ist ein Sein bloßer Möglichkeit. Grundlegend ist der Verlust der Wirklichkeit. Die Aneignung des Selbst ist noch nicht im Vollzug. Das Prinzip des Ästhetischen wird von Kierkegaard so weit gefaßt, daß Strukturen gegenwärtiger gesellschaftlicher Existenz beschrieben werden können. Kontinuität der Diskontinuität führt zur Langeweile. Langeweile ist die Kehrseite des Interessanten. Im vieldiskutierten Freizeitproblem kehrt die Frage wieder. Freizeit ist zunächst rein privativ bestimmt: aus dem Vollzug gesellschaftlicher Selbstproduktion wird der Mensch entlassen. Als bloß gesellschaftlich definiertes Wesen kommt er auf das zurück, was er in der gesellschaftlichen Arbeitswelt ist. Die Wiederkehr desselben macht aber das Wesen der Langeweile aus.

Das ethische Stadium ist die Bewegung, in der sich der Mensch als ein Selbst setzt. Er wählt sich selbst und übernimmt sich selbst. Kierkegaard spricht von Wahl und nicht vom Setzen. Das heißt, der Mensch wählt das, was er schon ist, aber er muß es wählen, also in einer gewissen Weise auch setzen. Der Mensch soll sich wählen als Subjekt seiner eigenen Wahl. Er muß sich in seinem konkreten faktischen Gewordensein ausdrücklich übernehmen. Er muß sich entscheiden zu dem, was er ist. Er bringt sich als ein Selbst hervor, das sich zu Gut und Böse verhalten kann. Es ist nicht eine bestimmte Wahl gemeint, sondern die Möglichkeit des Wählens als solche. Das Ethische ist nicht dem Ästhetischen entgegengesetzt, sondern im ethischen Stadium geht es um das Gleichgewicht zwischen dem Ethischen und Ästhetischen. Im Ethischen wählt sich der Mensch als Träger ewiger Möglichkeit. Im Ethischen bringt er sich erst als Entscheidung hervor. Nun besteht aber die Gefahr, daß das Prinzip des Ethischen leer und formal bleibt, wie zum Beispiel bei Kant. Die formale Allgemeinheit muß sich daher am Besonderen, also am Ästhetischen konkretisieren. Es geht um die Ausgewogenheit von Unmittelbarkeit und Vermittlung.

In der Bestimmung des Ethischen steht Kierkegaard Hegel am nächsten. In der ethisch gelingenden Selbstvermittlung müßte doch der Mensch sich selbst verwirklichen! Was treibt nun Kierkegaard über das ethische Stadium hinaus zum Religiösen? In ›Furcht und Zittern‹ [4] entwickelt Kierkegaard die Notwendigkeit, über das Ethische hinauszugehen, an einem Modell. Er spricht bei Abraham von einer notwendigen teleologischen Suspension des Ethischen. Abraham lebt zunächst im Gleichgewicht des Ethischen und des Ästhetischen. In diese Einheit bricht Gott mit seiner Forderung ein, den Sohn der Verheißung zu opfern. Ethisch geurteilt handelt es sich um ein Verbrechen, um einen Mord. Um eine vom Telos, von Gott her ernötigte Aufhebung des Ethischen. Was ethisch gesehen ein Verbrechen ist, ist aber in der Logik des Religiösen geschuldet. Abraham muß die Bewegung der unendlichen Resignation vollziehen. Er muß unbedingt unendlich resignieren. Das ist der Schritt ins Religiöse. Aus der Bewegung der unendlichen Resignation geht das Religiöse hervor. Der Bewegung der Resignation entspricht die Bewegung des Glaubens. Abraham glaubt an die Absurdität, daß ihm von Gott her Isaak wieder zu eigen wird, er glaubt, daß bei Gott alles möglich ist.

Die Bewegung des Glaubens ist also die Bewegung der Endlichkeit. Es geht im Glauben um die Endlichkeit und sonst nichts. Der Glaube ist eine umgekehrte Bewegung der Transzendenz. Sie wird in sich gebrochen rückläufig. Glauben ist ein Akt des descendere.

---

[4] Übersetzt von Emanuel Hirsch, 2. Aufl., Düsseldorf/Köln o. J.

Wo aber liegt eine Notwendigkeit der teleologischen Suspension der Ethik? Zur Stadienlehre Kierkegaards gehört die Lehre vom Konfinium, von der Verbindung der Stadien miteinander: So wird das ethische und das ästhetische Stadium durch die Ironie und das ethische und religiöse durch den Humor ebenso abgegrenzt wie verbunden. Wie löst Kierkegaard das Problem des Überganges von einem Stadium zum anderen? Primär hat das Ästhetische bei Kierkegaard nichts mit der Kunst zu tun, sondern gemeint ist eine Verfassung des menschlichen Daseins, eine Verfassung, in welcher das Selbst nicht es selbst ist, sondern sich an das andere entäußert und verloren hat. Was ist nun das andere seiner Selbst? Es ist das, was von der Welt her im Medium der Sinne begegnet und was als das sinnlich Begegnende sinnlich genossen werden kann. Der Mensch bleibt auf den Augenblick angewiesen, auf das, was ihm jeweilig begegnet. Preisgegeben an das jeweilig Begegnende ist der Mensch dem Augenblick ausgeliefert. Die Bestimmtheit durch den Augenblick löst aber das Dasein in seiner Kontinuität auf und macht es diskontinuierlich. Der Mensch bestimmt sich nicht selbst, sondern wird bestimmt. Die Zeit hängt in der Jeweiligkeit des Augenblicks fest. Wenn das Begegnende abwest, dann tritt Leere ein. Aus dem Zustand der Affektion vom anderen fällt das ästhetische Dasein auf sich selbst zurück. Da aber das ästhetische Selbst sein Sein im anderen hat, ist es an sich leer. Das Leben löst sich in die diskontinuierliche Folge augenblickshafter Bestimmtheit auf. Das Dasein ist durch Geschichtslosigkeit bestimmt. Hierin liegt die aktuelle Bedeutung von Kierkegaards Kritik am Ästhetischen als einer Verfassung, die durch Geschichtsverlust gekennzeichnet ist. Das auf die gesellschaftliche Befriedigung seiner natürlichen Bedürfnisse reduzierte Dasein ist als solches geschichtslos. Es ist bemerkenswert, daß Kierkegaard das der modernen Gesellschaft innewohnende Prinzip der Aufhebung der Geschichte in seiner hermeneutischen Theorie der Romantik erkannt und entwickelt hat und sie somit als Komplement der Gesellschaft identifiziert hat, gegen die sie ohnmächtig rebellierte.

Kierkegaards Auseinandersetzung mit dem Ästhetischen faßt sich in der Aussage zusammen, daß das ästhetische Dasein verzweifelt ist. Es ist verzweifelt, indem es gleichzeitig das eigene Verzweifeltsein verbirgt. Es handelt sich also um eine Struktur, die Marx als das

Wesen der Ideologie begriffen hat: Ausdruck und Verhüllung der
Wirklichkeit zugleich. Das Ethische begegnet auch für Kierkegaard
– und hier schließt er sich unmittelbar an Kant an – als Forderung.
Das Sittliche ist das Geforderte. Der Fordernde ist der Mensch selbst.
Kierkegaard bestimmt das Ethische wie Kant, denn die ethische Forderung geht darauf aus, den Menschen als ein Selbst zu verwirklichen. Dem Dasein wird abgefordert, daß es sich aus der Zerstreuung an die Sinnlichkeit auf sich selbst zurückholt. Dem selbstlosen
Dasein wird das Selbstsein abgefordert. Nun stellt sich aber Kierkegaard ein bei Kant ungelöstes Problem. Nach Kant folgt aus dem
Sollen das Können. Die Bedingung zur Erfüllung des kategorischen
Imperativs liegt im Imperativ selbst. Er enthält die Bedingung seiner
eigenen Erfüllbarkeit. Diese für Kant „selbstverständliche" Annahme wird bei Kierkegaard zum Problem.

Für Kierkegaard wird das ästhetische Dasein über sich hinaus-
getrieben, nicht weil ihm das Ethische als eine fremde Instanz gegenübertritt, sondern weil es aus seiner eigenen Struktur heraus gezwungen wird, über sich selbst hinauszugehen. Zum Genuß gehört
unabdingbar die Langeweile. Langeweile als Erfahrung der eigenen
Leere gehört konstitutiv zur Verfassung des ästhetischen Daseins.
Das ästhetische Dasein ist an sich selbst undurchführbar und unmöglich. Es ist nicht vollziehbar, nicht weil eine Instanz von außen
begegnete, sondern die Unmöglichkeit des ästhetischen Daseins gründet darin, daß es zum Opfer einer selbst produzierten Dialektik
wird, der Dialektik vom Glück und Unglück. Die Dialektik gründet
nicht im genießenden Dasein als solchem, sondern in seiner radikalen
Angewiesenheit auf das, was es nicht selbst ist. Genießen kann man
nur, wenn sich die Gelegenheit von sich her ergibt. Der ästhetisch
Lebende vollzieht die Dialektik des Andersseins. Es ist angewiesen
auf Möglichkeiten, die nicht die eigenen sind, und wenn diese ab-
weisen, ist es in sich unmöglich. Das Ästhetische geht mit Notwendigkeit in den Zustand der Verzweiflung über.

Kierkegaards Theorie des Ästhetischen ist also so angelegt, daß
aus dem Zerfall des Ästhetischen das ethische Stadium als Möglichkeit hervorgeht. Erst aus dem Akt des ethischen Wählens geht
das Dasein als ein Selbst hervor. Das Ethische wird vorausgesetzt und unterstellt. Der Mensch muß sich als Subjekt möglicher

Entscheidung selbst setzen. Im Ethischen wählt das Dasein sich als Träger eines Ewigkeitsbewußtseins, es wählt sich als das Selbst nach seiner allgemeinen Bedeutung. Kierkegaard exemplifiziert die Bedeutung der ethischen Selbstwahl an der Ehe. In der Ehe kommen die Bedingungen wieder zum Zuge, die auch das Ästhetische bestimmen, jedoch in qualitativ anderer Weise. In der ethischen Selbstwahl überwindet das Dasein seine eigene Diskontinuität. Es geht im Ethischen um die Verwirklichung dessen, was im Ästhetischen als durch das Selbst nicht verwirklicht, auseinanderfällt. Es geht um den Vorgang, in welchem sich das Dasein zusammenfaßt und sich dazu bringt, eine Geschichte erst haben zu können. In der Ehe zum Beispiel wird das Erotische aus seiner bloßen Aktualität und Augenblicksgebundenheit herausgeführt zur Beständigkeit, als welche sich das Erotische auf eine menschliche Weise erst verwirklicht. Das Ethische hat nichts anderes zum Gegenstand als das, worum es auch dem Ästhetischen geht: die Überführung der Diskontinuität in Kontinuität. Es geht um die Möglichkeit, eine Geschichte haben zu können. Das Ästhetische wird in den Selbstvollzug des Ethischen hineingenommen. Das Endliche und Unendliche, das Zeitliche und Ewige, das Mögliche und das Notwendige, die die Zwiefältigkeit des Menschen bildenden Momente, werden im Ethischen zu einer Einheit, zu einer Harmonie zusammengeschlossen.

Das ethische und ästhetische Stadium sind abgegrenzt und vermittelt zugleich durch die Ironie. Die erste weltgeschichtlich bedeutsame Gestalt der Ironie ist Sokrates. Ironie bedeutet bei Sokrates die Akzentuierung einer Negativität. Ironie ist die Weise, in der in und an einer Identität die Nichtidentität zur Geltung gebracht wird, die durch sie verborgen wird. Ein bloß ironisches Verhalten ist ein rein negatives Verhalten. Man läßt sich auf einen Schein ein und nimmt ihn als Wirklichkeit. Nach Kierkegaard ist die Sokratische Ironie die Ironie einer unendlichen Negativität. Sokrates hat nach Kierkegaard alles überhaupt bestehende und geltende Sein negiert. Sokrates richtet sich gegen das Endliche überhaupt. In einer indirekten Weise meldet sich das Selbstsein des Menschen, das qualitativ von allem dinglichen Sein unterschieden ist. In der Ironie soll es indirekt hervortreten. Die Struktur Sokratischer Ironie kehrt in der Romantik wieder. Akzentuiert wird aber hier nicht das unendliche, von allem anderen unterschiedene Sein, sondern es wird akzentuiert als das Nichts. Die romantische Ironie ist eine Weise der Annihilation. Die Romantik negiert das Endliche, um das Unendliche sichtbar zu machen. Aber sie negiert nicht nur das Endliche allein, sondern auch das Unendliche als ein dem Endlichen Entgegengesetztes. Das Unendliche wird negiert, weil und insofern es nur ist auf Grund des Endlichen, dem es sich entgegensetzt. Die romantische Subjektivität löst sich mit Hilfe des Endlichen vom Unendlichen und mit Hilfe des Unendlichen vom Endlichen. Die Subjektivität usurpiert den Standpunkt des Absoluten, an dem alles andere zunichte wird. Indem nun Kierkegaard den der Romantik innewohnenden Nihilismus erkennt und sie als Verzweiflung identifiziert, hält er gleichwohl an der Positivität der Ironie fest. Sie ist der Beginn eines jeden persönlichen Lebens. Ein Mensch, der über keine Ironie verfügt, ist für Kierkegaard kein Mensch. Im Zusammenhang seiner Stadienlehre wird die Ironie von Kierkegaard als die Weise erkannt, in welcher das Ethische im Ästhetischen anwesend ist und sich bemerkbar macht. Als Ironie weist das Ästhetische über sich hinaus, weil in der Ironie das Subjekt Distanz schafft zu sich selbst. Ironie ist die Form der Distanz zu sich selbst, zu seiner eignen Unmittelbarkeit. Sie muß nach Kierkegaard im Umgang mit sich selbst verwirklicht werden.

Der Übergang vom einen zum anderen Stadium vollzieht sich aber als Sprung. Das Ethische geht nicht unmittelbar aus der Verzweiflung an der Unmittelbarkeit hervor, sondern es bedarf eines Sprunges, durch den sich das Ethische dem Ästhetischen entgegensetzt. Durch den qualitativen Sprung sucht Kierkegaard sein eigenes Verständnis von der quantitativen Dialektik Hegels abzugrenzen.

Wie kommt man aber nun aus dem Ethischen in das religiöse Stadium? Genügt das Ethische, dann braucht man keine Religion. Wo aber liegt die Nötigung für das Religiöse? Wenn der Mensch sich ethisch selbst verwirklichen kann, dann besteht keine Notwendigkeit für das Christsein. Was stimmt im Ethischen nicht? Wir müssen nochmals auf ›Furcht und Zittern‹ zurückgreifen und den ›Begriff Angst‹[5] zur Vervollständigung hinzuziehen. Wie wir sahen, spricht

---

[5] Übersetzt von Emanuel Hirsch, Düsseldorf/Köln 1958.

Kierkegaard in ›Furcht und Zittern‹ von einer teleologischen Suspension des Ethischen als einer um willen des Zieles des Ethischen notwendigen Aufhebung seiner Selbst. Kann es aber eine Freistellung des Einzelnen von der ethischen Verwirklichung geben? Welche Bedingung könnte eine Nichtverwirklichung des Ethischen für den Menschen rechtfertigen? Abraham dient als Beispiel: Das schlechthin Andere tritt plötzlich in den ethisch verknüpften Daseinszusammenhang des Menschen ein. Abraham lebt zunächst als pater familias im Ethischen. Zunächst vollzieht Abraham die Bewegung der unendlichen Resignation. Er leistet den Verzicht auf alles Endliche. Dann erst beginnt die zweite Bewegung, die Bewegung des Glaubens als die Bewegung der Verendlichung. Es geht um Endlichkeit. Abraham glaubt, daß er die in der Bewegung der unendlichen Resignation verlorene Endlichkeit wiedererhält. Diese Bewegung aber kann kein Mensch aus sich selbst vollziehn. Abraham kann das nur kraft des Glaubens an das Absurde. Die Bewegung des Glaubens vollzieht Abraham kraft des Glaubens an das Absurde. Der ›Begriff Angst‹ will zeigen, daß diese Bewegung des Glaubens dem Menschen als Mensch unmöglich ist. Er hat die Möglichkeit als Freiheit durch die Freiheit als Schuld verwirkt. Die Angst lockt die Freiheit hervor, läßt sie aber zugleich auch wieder untergehn[6]. Die in der ethischen Forderung unterstellte Bedingung für die Verwirklichung seiner selbst als Freiheit steht dem Menschen nicht mehr zur Verfügung. Er hat sie verloren kraft eigener Schuld.

Eine ethische Suspension vom Subjekt her gibt es nur als Verbrechen. Eine Ausnahme ist nur möglich von einem Telos her, das über das Ethische hinausgeht. Das im Verhältnis zum Ethischen Höhere ist das Stadium des Religiösen. Bedeutet das nun aber, daß der Gläubige von der Verwirklichung des Ethischen suspendiert ist? In ›Entweder – Oder‹ war das Ethische noch ein Ziel für sich selbst und das Christliche nur eine Sache für Ausnahmenaturen. Die Stellung

---

[6] ›Begriff Angst‹: „... Solchermaßen ist die Angst der Schwindel der Freiheit, der aufsteigt, wenn der Geist die Synthesis setzen will, und die Freiheit nun niederschaut in ihre eigne Möglichkeit, und sodann die Endlichkeit packt sich daranzuhalten. In diesem Schwindel sinkt die Freiheit zusammen ..." (S. 60/61).

eines höchsten Zieles verliert zwar das Ethische bei Kierkegaard, aber es bleibt ein Stadium, das unerläßlich ist. In der ›Unwissenschaftlichen Nachschrift‹ hat Kierkegaard darauf hingewiesen, daß er in ›Entweder – Oder‹ noch unterstellt habe, daß der Mensch über die Bedingung verfüge, das Ethische zu realisieren. In Wahrheit aber gäbe es für den Menschen keine Möglichkeit, sich aus der Verzweiflung selbst zu befreien. Den Nachweis hierfür führt Kierkegaard in der Schrift ›Der Begriff Angst‹. Es ist wichtig zu bemerken, daß die Angst bei Kierkegaard nicht theologisch ist, sie wird nicht begriffen als eine Folge der Sünde, sondern soll vielmehr auf die Frage nach der Bedingung der Möglichkeit von Peccatum antworten. Für Kierkegaard ist die Angst eine psychologische Kategorie. Angst ist eine Weise, in der sich die Möglichkeit des Menschen meldet, sündigen zu können. Die Möglichkeit zur Sünde ist bestimmt durch die Freiheit. Der Mensch kann sich ängstigen, weil er frei ist. Angst ist die Wirklichkeit der Freiheit als die Möglichkeit für die Möglichkeit. Angst ist der Schwindel der Freiheit, der aufsteigt, wenn der Geist sich als Synthese setzt und das Selbst sich als mögliche Freiheit erblickt. Angst erwächst aus dem Sein des Menschen, insofern er bestimmt ist durch Freiheit, durch Seinkönnen. In der Angst verhält sich die Freiheit so zu sich selbst, daß sie in dem durch Angst bestimmten Verhältnis gleichzeitig verlorengeht. Die Freiheit fesselt sich selbst. Indem der Mensch sich als seine eigene Möglichkeit setzt, ist die Setzung zugleich der Verlust. In der Angst verhält sich der Mensch zu sich selbst. Er ist sich selbst der Abgrund, weil er bestimmt ist als grenzenloses Seinkönnen, als reine, unbestimmte Möglichkeit. Indem er sich als diese Möglichkeit begegnet, begegnet er sich als Abgrund. Im Schwindel der Angst wird das Nichts erfahren. Der Mensch muß sich ängstigen, wenn er seiner selbst als Endlichkeit ansichtig wird. In der Angst wird aber auch deutlich, daß der Mensch mit dieser seiner eigenen Endlichkeit nicht identisch ist; sonst könnte er sich nicht ängstigen. In der Angst überschreitet er also gleichzeitig sich selbst. Bei Kierkegaard rettet sich die von dem Schwindel erfaßte Freiheit so, daß sie sich an der entgleitenden Endlichkeit festhält. Damit aber sinkt die Freiheit in sich zusammen.

Der Schritt in die Existenz ist also ebenso die Ermöglichung des

Ethischen wie ihr Verlust. Die Konzeption der Existenz selber beinhaltet also bei Kierkegaard immer schon den Verlust der Freiheit, das Ethische zu verwirklichen. Der selbstverschuldete Verlust der Freiheit aber macht das Wesen der Sünde aus. Im Ethischen ist dem Menschen, wie wir sahen, abverlangt, daß er sein Sein in ein richtiges Verhältnis bringt von Endlichkeit und Unendlichkeit, in ein Gleichgewicht, in eine Harmonie. Es geht um die Herstellung der Identität. Wenn aber der Schritt des Menschen in die Existenz identisch ist mit dem Verlust der Möglichkeit ihrer Verwirklichung, dann kommt der Mensch faktisch immer schon her von einem Mißverhältnis, von der Bestimmtheit durch einen Widerspruch. Der Gesamtentwurf Kierkegaards ist also zentral durch den Nachweis bestimmt, daß der Mensch sich durch sich selbst nicht mehr in die Wahrheit hineinbringen, sein Sein nicht verwirklichen kann. Er müßte den archimedischen Punkt außerhalb seiner selbst einnehmen können. Der Einspruch gegen den Idealismus beruht darin, daß Kierkegaard der Subjektivität die Möglichkeit ihrer eigenen Selbstvermittlung abspricht. Der Mensch ist in Leib und Geist auseinandergetreten. Indem der Geist sich selbst setzt, setzt er sich dem Leib gegenüber und setzt damit den Leib als Sexualität. Von hier aus fällt ein ironisches Licht auf die ästhetische Vermittlung der Ehe.

Der Geist ist also bestimmt als Verzweiflung. Er bezeichnet das Mißverhältnis, das an die Stelle des richtigen Verhältnisses getreten ist. Menschliches Sein ist für Kierkegaard als solches Sein in Verzweiflung. Der Mensch ist der existierende Widerspruch seiner selbst mit sich selbst. In der ›Krankheit zum Tode‹ hebt Kierkegaard die Stadien voneinander ab nach dem Grad, mit der die Verzweiflung bewußt ist. Je mehr bewußtes Wollen des Selbst, um so mehr Verzweiflung. Wer am meisten sich selbst will, der ist am meisten verzweifelt. In der Existenzphilosophie des 19. Jahrhunderts wird aus der Kategorie des Scheiterns bei Kierkegaard eine Kategorie der Rettung.

Die Subjektivität ist also für Kierkegaard nicht die Wahrheit, sondern die Unwahrheit. Die metaphysische Überlieferung hat den Standpunkt des Sokrates vergessen und ist vom Subjektiven zum objektiven Weg übergegangen. Kierkegaard will zunächst die Wahrheit der Subjektivität wieder sichtbar machen. Was aber heißt für

die Subjektivität Wahrheit? Die einzig mögliche Weise ihrer Selbstverwirklichung ist identisch mit dem Streben. Die Subjektivität
hat nicht Wahrheit, sondern verhält sich zur Wahrheit als einer
zu erstrebenden. Die Wahrheit der Innerlichkeit ist insofern Wahrheit, als ich unendlich bekümmert zu mir selbst hinstrebe, ist die
Sorge des Selbst um sich selbst. In diesem Sinn und nur in diesem
Sinn ist die Subjektivität die Wahrheit. Daß die Subjektivität die
Unwahrheit ist, kann sie sich selbst nicht sagen. Die Erkenntnis
ihrer eigenen Unwahrheit ist ihr nicht möglich. Daher kann man
das Problem der ›Philosophischen Brocken‹ auch als die Frage
formulieren, wie die Subjektivität ihrer eigenen Unwahrheit ansichtig werden kann. Kierkegaard beantwortet die Frage mit dem
Hinweis auf die Wahrheit als paradox. Die Wahrheit ist paradox,
daß Gott Mensch geworden ist, daß das ewige unveränderliche
Sein sich verändert hat. Das kann der Verstand nicht begreifen.
Aber es genügt nur nicht zu sagen, daß Gott Mensch geworden ist,
denn Gott ist nicht an sich Mensch geworden, sondern der ewige
Gott ist ein einzelner Mensch geworden und als dieser Einzelne eingetreten in die Knechtschaft der Niedrigkeit. Wenn das die Wahrheit
ist, dann kann das keine Wahrheit sein, die der Mensch selber gemacht hat. Sie kann nur Wahrheit für den Menschen werden, wenn
für ihre Aneignung der Zeit eine entscheidende Bedeutung zukommt.
Im Unterschied zu Sokrates muß für den Prozeß der Aneignung der
Augenblick eine entscheidende Rolle spielen, denn für Sokrates hat
der Augenblick nur die Bedeutung einer Veranlassung.

Neben dem Augenblick ist ebenso entscheidend die Bedeutung des
Lehrers für die Aneignung einer paradoxen Wahrheit. Indem sich
der Schüler bei Sokrates die Wahrheit aneignet, befreit er sich gleichzeitig vom Lehrer. Nun aber muß der Lehrer dem Schüler die Bedingung zur Wahrheit und ihrer Aneignung geben. Er wird zur notwendigen Bedingung.

Der Augenblick bei Kierkegaard ist nicht ein beliebiger Zeitpunkt,
sondern die Fülle der Zeit, der mit Ewigkeit dynamisch aufgeladene
Augenblick. Die paradoxe Wahrheit, die identisch ist mit der paradoxen Struktur des Augenblicks, liegt nicht hinter uns und kann
nicht durch einen Akt des Transzendierens angeeignet werden, sondern sie ist identisch mit der in aller zukommenden Zukunft liegenden

reinen Zukünftigkeit. Das Transzendieren der Metaphysik ist damit abgeschnitten. Im Transzendieren der Metaphysik überschreitet nach Kierkegaard der Mensch sein endliches Sein auf Unendlichkeit hin und verliert dabei seine Endlichkeit. Oder er ist gezwungen, zugunsten seiner Endlichkeit die Unendlichkeit preiszugeben. Die Verwirklichung des einen ist immer nur auf Kosten des anderen möglich. Der Mensch kann nicht außerhalb seiner selbst kommen. Er kann sich daher nicht in ein rechtes Verhältnis zu sich selbst bringen. Nur wenn es die Wahrheit des Paradoxen gibt, wenn es wahr ist, daß der ewige Gott zeitlich wird, dann kann die menschliche Existenz sich angesichts dieses Gottes selbst übernehmen, ohne der Verzweiflung zu verfallen.

Kierkegaard wollte seine Zeit in die Wahrheit hineinbetrügen. Was bedeutet hier Betrug? Das Ästhetische, das Ethische und das Religiöse sind Weisen, in denen die Subjektivität sich selbst annimmt und ihrer selbst bewußt wird. Sie müssen nun bestimmt werden als Weisen des Bewußtwerdens der Subjektivität als Unwahrheit. Erst die paradoxe Wahrheit ist Wahrheit. Der Daseinsentwurf von Kierkegaard ist darauf angelegt, die Annahme der paradoxen Wahrheit zu erzwingen. Nur die Wahrheit als Paradox kann Wahrheit für ein verzweifeltes Dasein sein. Es ist evident, daß der Entwurf Kierkegaards sich im Horizont der Logik der natürlichen Theologie hält, wenn man ihre Aufgabe so bestimmen kann, einen über die Kapazität der Vernunft hinausgehenden Glauben für die Vernunft annehmbar zu machen. Die Ersetzung der Vernunft durch den Verstand bei Kierkegaard führt aber dazu, daß die Absurdität die Rolle des vernünftigen Vernehmens übernehmen muß. In der Bestimmung des Seins des Menschen als faktische Existenz wird die Bedingung für die Annahme des absurden Glaubens gewonnen. Bei Kierkegaard nimmt die natürliche Theologie die negative Gestalt ihrer selbst an und erfüllt dann als diese die Funktion, die die natürliche Theologie auch in der Metaphysik für die Glaubensbegründung erfüllt hat. Zwar zerstört der paradoxe Glaube bei Kierkegaard die Metaphysik, aber noch als die in sich zerfallende muß sie den paradoxen Glauben ermöglichen. Die im Namen Kierkegaards in der Theologie des 20. Jahrhunderts vollzogene Ausschaltung der Metaphysik beruht daher auf einem fundamentalen Mißverständnis des Anliegens Kierkegaards. Ebenso grundlegend wie das theologische ist das existenzphilosophische Mißverstehen Kierkegaards. Für Kierkegaard ist zwar die nichtchristliche Subjektivität die unwahre, aber sie kann gerade nicht selbst hinter den Grund ihrer eigenen Unwahrheit kommen. Überspitzt formuliert kann man sagen, daß sich die für Kierkegaard unwahre Subjektivität in der Form der modernen Existenzphilosophie als die rettende Wahrheit zeitgeschichtlich durchgesetzt hat. Dieser Zusammenhang wird bei Sartre deutlich, wenn der Subjektivität zugemutet wird, sich in ihrer eigenen Absurdität anzunehmen und zu übernehmen.

Für Kierkegaard ist die Existenz identisch mit Verzweiflung[7]. Existenz ist der durch sich selbst gesetzte Widerspruch. Der Grund der Notwendigkeit dieses Widerspruches, die Unentrinnbarkeit, mit der das Dasein ihm ausgesetzt ist, geht zurück auf den kontingenten Grund, sprich Abgrund, der Selbstkonstitution der menschlichen Subjektivität. Sie geht hervor aus der Angst. Der Grund der Angst ist nicht ein anderer als das Dasein, er ist auch nicht der Tod, sondern das, wovor die Angst sich ängstigt, ist die Freiheit gerade als Abgrund, als die Abwesenheit von Grund. Es gibt keinen Grund, durch den das Dasein ist, sondern das Dasein, das ganz auf sich selbst geht, ist rein auf sich selbst bezogen. Das Dasein ist ein Seinkönnen, das es zu sein hat. Schaut das Dasein auf sich selbst als Sein, dann erfaßt es ein Schwindel, der Schwindel der Freiheit. Wenn der Mensch jeden Halt verliert, wenn ihm der Boden unter den Füßen versinkt, wie Jaspers die Grunderfahrung der Existenzphilosophie formuliert hat, dann ergreift ihn der Schwindel der Freiheit als Angst. Im Schwindel ergreift der Mensch einen Halt, er greift nach der Endlichkeit. Er hält sich an der Endlichkeit fest. Wenn der Schwindel weicht und der Mensch aus der Freiheit heraustritt, dann hat er sich selbst als ein endliches Wesen gesetzt. Dann ist die Unendlichkeit des Geistseins des Menschen in eine Trennung gegenüber seiner Endlichkeit getreten. Er hat sich selbst hineingebracht in diesen Widerspruch von Endlichkeit und Unendlichkeit. Entscheidend ist es nun zu sehen, daß es sich nicht um die ontologische Konstitution

---

[7] Siehe ›Die Krankheit zum Tode‹, S. 39–76.

des menschlichen Daseins handelt, sondern um das Resultat eines kontingenten Aktes seiner Freiheit. Nur so ist Verantwortlichkeit und Schuld des menschlichen Daseins erkennbar. Der Mensch ist an seiner eigenen Widersprüchlichkeit schuld. Schuld ganz im Sinne des kritischen Begriffes von Grund, also das, was schuld daran ist, daß etwas so und nicht anders ist. Grund des Widerspruchs der Existenz ist die Angst. Hat sich das Selbst als diesen Widerspruch gesetzt, dann kann es ihn selbst nicht mehr aufheben. Der Versuch, den Widerspruch selbst zu beheben, wäre ähnlich dem Versuch Münchhausens, sich am eigenen Schopfe aus dem Sumpf herauszuziehen. Denn verzweifelt sein heißt doch, daß man vor der Unmöglichkeit steht, anders sein zu können. Das Dasein kann sich nicht auf das reine Seinkönnen zurückbringen. Dann folgt aber mit Notwendigkeit der Satz, daß die menschliche Subjektivität für sich selbst die Unwahrheit ist. Subjektivität als Wahrheit oder als Unwahrheit besagt dasselbe unter einer verschiedenen Hinsicht. Die Wahrheit, der die Subjektivität selbst mächtig werden kann, ist die Wahrheit ihrer eigenen Unmöglichkeit. Der Existenz als Wahrheit der Identität ist aber nach Kierkegaard die Subjektivität gerade nicht mächtig, sondern ist nur die ständige Bemühung darum. In dieser Bekümmerung um sich selbst wird sie aber nun gezwungen, die Erfahrung zu machen, daß die eigene Wahrheit ihr verschlossen ist. Existenz ist der Mensch also nur im Werden. Das heißt als der Prozeß, durch welchen die Subjektivität versucht, ihren Selbstwiderspruch aufzuheben. Die Verwirklichung des Telos ist daher prinzipiell unmöglich. Die Stadien sind Stadien des Selbstbewußtwerdens der Existenz. Es sind Stadien intensivierten Willens, es sind Stadien des Bewußtwerdens der Subjektivität als Unwahrheit.

Melancholie ist aber nun die Krankheit des Wollens. Das heißt, man kann nicht mehr unendlich wollen. Was man will, kann man nicht. Die Selbstverborgenheit des Daseins im Willen zu sich selbst wird damit offenbar. Im Willen zum Offenbarwerden zeigt sich die Unmöglichkeit, sich selbst offenbar werden zu können. Die Wahrheit wird zum Paradox, zur Paradoxie der Verborgenheit im Willen zur Entbergung – um eine Wendung des späten Heidegger hier aufzugreifen.

Ist Kierkegaard nun Theologe oder Philosoph? Beides ist sicher

nicht zu trennen, denn die Schwierigkeit liegt in dem Verschlungen-
sein der philosophischen Analyse des menschlichen Daseins und der
theologisch hermeneutischen Position der christlichen Wahrheit als
Paradox. Wenn der Mensch radikal er selbst sein will, dann muß er
verzweifeln. Unter dieser Voraussetzung wird die christliche Wahrheit zur einzigen Wahrheit für die verzweifelte Existenz. Theologie
und Philosophie konvergieren bei Kierkegaard auf den Punkt, an
dem sie sich beide zugunsten der Wahrheit als Paradox aufheben –
die christliche Wahrheit ist als paradoxe dann die einzige Wahrheit,
wenn erwiesen ist, daß sie dem Menschen die Ermöglichung der Freiheit auf seine Faktizität hin erschließt. In der Weise der Inversion
setzt sich die Logik der natürlichen Theologie bei Kierkegaard noch
in der Gestalt ihrer Selbstaufhebung durch, nämlich dann, wenn die
Aufgabe der natürlichen Theologie darin gesehen wird, einen Boden
zwischen der natürlichen Vernunft des Menschen auf der einen und
dem Glauben auf der anderen Seite zu finden, der der vernünftigen
Erhellung prinzipiell entzogen ist. Noch in der Zerstörung leistet
die Metaphysik das, was sie immer in der Tradition für den Glauben
geleistet hat. Bei Kierkegaard scheitert die Metaphysik am Problem
der Wiederholung, an welchem die Metaphysik, wie Kierkegaard
deutlich gesehen hat, ein zentrales Interesse nimmt. Wiederholung
ist der Versuch der menschlichen Existenz, sich aus ihrer Verzweiflung auf sich selbst zurückzuholen.

Sinn der Metaphysik war es nach Kierkegaard, den Menschen aus
der Verzweiflung herauszuholen und ihn sich in seiner Wahrheit
wiederholen zu lassen [8]. In jeder Metaphysik steckt nach Kierkegaard
die Anforderung des Transzendierens. In der Metaphysik steigt der
Mensch über seine faktische Endlichkeit hinaus. Woraufhin überschreitet er sich? Auf das unendliche Sein. Wenn ein solcher Über-
stieg möglich wäre, dann würde der Mensch sich in seiner Wahrheit
wiederholen können. Kierkegaard legt also seinem Wahrheitsver-
ständnis den Begriff metaphysischer Wahrheit zugrunde. Wahrheit
ist ewiges Sein. Menschliches Sein würde in der Wahrheit sein können, wenn es mit der Ewigkeit identisch sein könnte. Dieses aber
kann der Mensch nach Kierkegaard nicht. Durch seinen Eintritt in

---

[8] Siehe ›Die Wiederholung‹, Düsseldorf/Köln 1955, übers. v. E. Hirsch.

die Existenz ist er zugleich in die Endlichkeit hineingetreten und
hat sich damit als endlich gesetzt, der Mensch hat sich an die Zeit
entäußert. Metaphysik ist der ständig scheiternde Versuch, Zeit auf
Ewigkeit hin aufzuheben. Existieren ist Werden. Wahrheit aber ist
identisch mit Sein. In der Metaphysik verhüllt sich die Unmöglichkeit, daß Werden je Sein wird. Metaphysik ist existenzvergessen und
zeitvergessen. In der Metaphysik lebt der Mensch über seine Verhältnisse; über die Verhältnisse eines durch Zeit und Endlichkeit
bestimmten Wesens.

Kierkegaards Verhältnis zur Metaphysik ist ambivalent. Er setzt
den metaphysischen Wahrheitsbegriff als Identität voraus und setzt
ihm die Nichtidentität des Existierens entgegen. Zwischen beiden
klafft ein Abgrund, der durch den Menschen nicht zugeschüttet werden kann. Indem aber nun Kierkegaard die christliche Wahrheit als
paradox bestimmt, zerstört er die Grundvoraussetzung christlicher
Theologie. Die Einheit von Zeit und Ewigkeit ist für den Verstand
undenkbar, was aber jenseits des Verstandes ist, macht die Wirklichkeit des christlichen Glaubens aus. Der ewige Gott ist eingetreten
in die Zeit. Nur über die Selbstkreuzigung des Verstandes hinweg
kann der Mensch sich in ein Verhältnis zu dieser Wahrheit bringen.
Warum aber muß christliche Wahrheit als paradox bestimmt werden? Die Notwendigkeit beruht für Kierkegaard darin, daß er den
Wahrheitsbegriff der Metaphysik voraussetzt, er wird gerade nicht
verabschiedet, sondern bleibt für die Auslegung des christlichen
Glaubens durch Kierkegaard gerade konstitutiv. Wäre er nicht vorausgesetzt, wäre auch die christliche Wahrheit nicht mehr paradox.
Der christliche Glaube wird also bei Kierkegaard an einem Begriff
von Wahrheit gemessen, der ihm fremd ist. Die Paradoxie gewinnt
Kierkegaard nicht in einer Auslegung des christlichen Glaubens
selber, sondern durch seine Auslegung im Horizont metaphysischen
Wahrheitsverständnisses.

Die von Kierkegaard ermittelte Wahrheit des Christentums ist
nicht die des christlichen Glaubens [9]. In der Tat, Kierkegaard ist kein
Theologe. Und dennoch gilt er als Kirchenvater des 20. Jahrhunderts. Das Scheitern Kierkegaards kann schon an den ›Brocken‹

[9] Siehe C. H. Ratschow, Der angefochtene Glaube, Gütersloh 1957.

aufgezeigt werden. Wir müssen noch einmal auf die Fragestellung
der ›Brocken‹ zurückkommen. Wie wir sahen, geht es bei Sokrates
um die Aneignung der Wahrheit. Sokrates setzt voraus, daß der die
Wahrheit Aneignende über die Bedingung dazu verfügt. Letztlich
sind der Lehrer und der Zeitpunkt gleichgültig. Augenblick und
Lehrer haben nur die Bedeutung eines Anlasses. Davon will Kierkegaard die christliche Wahrheit abgrenzen. Der Lehrer ist nicht gleichgültig, denn er ist selber die Wahrheit. Die christliche Wahrheit ist
eine geschichtliche, weil alles auf den Augenblick ankommt. Sie kann
nur durch die augenblickshafte Entscheidung der Subjektivität angeeignet werden unter der Bedingung, daß die Wahrheit, Gott selbst
die Möglichkeit gibt.

Zugleich aber beseitigt Kierkegaard, und das ist eine Folge seines
Verständnisses des Augenblicks, den qualitativen Unterschied zwischen Gleichzeitigem und Ungleichzeitigem. Für die Aneignung ist es
gleichgültig, wann ich vor die christliche Offenbarung gestellt werde.
Alle Menschen aller Zeiten sind gleichzeitig hinsichtlich ihres Ange-
wiesenseins auf die Bedingung, die ihnen Gott geben muß. Die geschichtliche Wahrheit fällt aus dem historischen Kontext heraus,
indem sie auf eine Bedingung reduziert wird, auf eine ewige Bedingung. Das war aber die Bedingung der Aneignung der Wahrheit bei
Sokrates auch. Die geschichtliche Gestalt der christlichen Offenbarung
wird also auf eine ewige Bedingung reduziert. Schon bei Kierkegaard verbirgt sich hinter der Rede von Geschichtlichkeit der Vollzug der Entgeschichtlichung christlichen Glaubens.

Wenn das Faktum, daß Christus nur einmal da war, festgehalten
wird, dann bleibt christliche Theologie im Zusammenhang der Geschichte des Glaubens. Kierkegaard aber eliminiert diesen geschichtlichen Zusammenhang in seiner Kontingenz und Einmaligkeit und
reduziert ihn auf den Augenblick als ewige Bedingung [10]. Jeder beliebige Zeitpunkt kann sich zum Augenblick qualifizieren. Wodurch
geschieht das? Es geschieht dann, wenn Gott selbst sich in den Augenblick hineinbringt. Der Augenblick verhält sich gleichgültig gegenüber dem Geschehen der Welt als Geschichte, das heißt als Weltgeschichte. Mit der Weltgeschichte aber fällt auch die Heilsgeschichte

---

[10] Hierzu C. H. Ratschow, Der angefochtene Glaube, S. 121–131.

aus der Theologie heraus. Die konkrete Geschichte wird heilsunerheblich, sie wird destruiert und eliminiert.

Gott tritt ein in die Zeit. Dieser Eintritt ist der Augenblick. Der Augenblick wird zur Bedingung. Doch was bedingt der Augenblick? Er bedingt, daß sich der Mensch auf sich selbst hin transzendiert und versucht, sich als Selbst zu ergreifen. Die Geschichte schrumpft zu einem punktuellen Vollzug zusammen, sie ist nichts anderes als die diskontinuierliche Folge solcher Augenblicke. Dieser Geschichtsbegriff Kierkegaards wurde von entscheidender Bedeutung für das gesamte nachidealistische Denken, insofern es nicht durch Marx bestimmt ist[11].

Auch Marx denkt Geschichte als das qualitativ andere im Verhältnis zur Natur, die aber in ihr vermittelt wird. Geschichte ist Wiederholung der Natur, und zwar der gesellschaftlichen Natur des Menschen in der Form ihrer Überführung in einen Zustand vollkommener Bedürfnisbefriedigung. Vollendung der Geschichte fällt nach Marx mit der gesellschaftlich vermittelten Natur zusammen, der naturgewordenen Gesellschaft in der zur Gesellschaft gewordenen Natur. Zu diesem Vollendungsentwurf verhält sich Kierkegaards Begriff von Geschichtlichkeit, der für Theologie und Existenzphilosophie maßgebend wurde, antithetisch. Kierkegaard denkt Geschichte punktuell. Marx dagegen versucht noch einmal prinzipiell unter Preisgabe der Voraussetzungen der Vernunftphilosophie, durch die er mit Kierkegaard übereinstimmt, Geschichte als Kontinuität zu denken. Die Gleichsetzung von Geschichte und augenblicksbestimmtem Vollzug durch Kierkegaard führt zu einem qualitativ neuen, von der Bibel sich grundsätzlich unterscheidenden Begriff von Eschatologie. Der Mensch ist nur Mensch im Empfang der Zukünftigkeit. Das Ende, das der Mensch an sich selbst ist, kommt in der Gestalt der Zukunft so auf ihn zu, daß alle innermenschliche und innerweltliche Geschichte am Zukommen dieser Zukünftigkeit nichtig wird. Gogarten spricht von der Zukünftigkeit der Kunft, die dadurch definiert ist, daß sie reine Zukunft bleibt und so vom Anspruch der Verwirklichung entlastet wird. Das entspricht antithetisch dem geschichtlichen Entwurf von Marx.

Die Zielvorstellung der Geschichte polarisiert sich also in ihrer

---

[11] Siehe G. Rohrmoser, Emanzipation und Freiheit, München 1970.

Eschatologisierung und Utopisierung. Zukunft ist entweder identisch mit totaler Verwirklichung oder totaler Katastrophe. Zwischen beiden Extremen fällt das konkrete Geschick der Menschheit in unserer Zeit mitten hindurch. Mit Kierkegaard beginnt die Wendung der Philosophie zur Destruktion ihrer eigenen Geschichte, durch welche die Philosophie der Existenz die Verfallsthese von Marx anerkennt. Die auf sich selbst zurückgeführte Subjektivität ist eine Subjektivität ohne Wirklichkeit. Als solche ist sie unwahr. Ihr stellt Kierkegaard die einzige paradoxe Wahrheit des christlichen Glaubens gegenüber. Damit aber ist Kierkegaard gerade Hermeneut der geschichtlichen Gegenwart am Ende ihrer Hoffnung auf eine revolutionäre Vollendung. Diese hermeneutische Bedeutung Kierkegaards wird aber durch eine Verfälschung Kierkegaards in der Existenzphilosophie verdeckt. Die unwahre Subjektivität wird sich selbst zur einzigen Wahrheit. Nach Sartre ist Humanismus nur durch Atheismus möglich. Existenz muß nun definiert werden als der ständig sich erneuernde Entwurf des Menschen auf sich selbst. In jeder Verwirklichung aber geht der Entwurf verloren, und der Mensch muß sich von neuem entwerfen. Kierkegaards These der Existenz als Verzweiflung wird als positive Bestimmung des Menschen angenommen. Sartres Existenz ist die bejahte und gewollte Verwirklichung menschlicher Unmöglichkeit, und als solche Unmöglichkeit ist das Menschsein eine nutzlose Leidenschaft.

Im Unterschied zu Sartre will Jaspers die Transzendenz bejahen. Existenz wird sich immer erst durch Transzendenz geschenkt. Aber dieser Vorgang ist nur wirklich als Scheitern. An der Unmöglichkeit der Verwirklichung ändert auch das Gerede von der Transzendenz bei Jaspers gar nichts. Heidegger denkt Kierkegaards Entwurf zu Ende und stellt ihn auf einen neuen Grund. In ›Sein und Zeit‹ geht es um das Ganz-sein-Können des menschlichen Daseins. Es geht um die Verwirklichung der Möglichkeit, die nach Kierkegaard nicht verwirklicht werden kann. Wer macht sich ganz? Das Dasein selbst, indem es sich vor seine letzte Möglichkeit bringt, vor den Tod. Dabei übernimmt es sich in seiner Endlichkeit und in seiner Schuldigkeit. Das Dasein kommt für seinen Stand auf, indem es sich in seiner Nichtigkeit annimmt und bejaht. Die pseudotheologische Grundlage wird beseitigt. An die Stelle tritt eine freie Selbstübernahme des

Daseins in der Endlichkeit vor seinem Tode. Es stellt sich aber nun die Frage nach der Bedingung der Möglichkeit eines solchen sich selbst Übernehmens. Schon in ›Kant und das Problem der Metaphysik‹ hieß es, daß man das Endliche ohne das Unendliche nicht denken kann. Aber an die Stelle Kierkegaards in der Phase von „Sein und Zeit" tritt für den späten Heidegger Nietzsche[12]. Das Sein ist das Ereignis enthüllender Verbergung und offenbar werdender Verborgenheit. Die von Kierkegaard in der Auslegung des Daseins entwickelte These vom kontingenten und abgründigen Wesen der Freiheit wird von Heidegger auf das Sein selbst in der Auslegung als Seinsgeschick übertragen. Nicht mehr der Mensch ist der Träger der Zwiefältigkeit, sondern der Austrag der Zwiefältigkeit wird als das Geschick von Sein verstanden.

Diese wenigen summarischen Bemerkungen zur modernen Kierkegaard-Rezeption und ihres Verhältnisses zum Marxismus sollten nur die Dringlichkeit unterstreichen, von neuem in eine kritische Auseinandersetzung mit Kierkegaard einzutreten. Durch eine bloße Abwendung ist eine solche Auseinandersetzung nicht zu ersetzen. Und angesichts der wachsenden Bedeutung Kierkegaards für eine Hermeneutik der modernen Gesellschaft des Westens in ihrer nachrevolutionären Epoche kann und darf sie auch nicht übersprungen werden.

[12] Siehe Martin Heidegger, Nietzsche, 2. Band, Pfullingen 1961, S. 399 ff.

Tübinger Theologische Quartalsschrift. 147 (1967), S. 453–474.

HERMENEUTISCHE ONTOLOGIE
BEI SÖREN KIERKEGAARD?

Von KLAUS SCHÄFER

„Abstrakt nach Wirklichkeit fragen . . . und abstrakt darauf antworten ist nicht annähernd so schwer, wie danach fragen und darauf
antworten, was es heißt, daß dieses bestimmte Etwas eine Wirklichkeit ist" (Hirsch 16/2,2) [1]. Mit diesem Satz führt Johannes Climacus,
der pseudonyme Autor der Mitte 1844 in Kopenhagen erschienenen
›Philosophischen Brocken‹, den Leser seiner Anfang 1846 folgenden,
um ein Mehrfaches umfangreicheren ›Abschließenden unwissenschaftlichen Nachschrift zu den Philosophischen Brocken‹ in einige Gedanken ein, die er sich unter den Stichworten „Das Existieren; Wirklichkeit" über die „ethische Subjektivität" als die „wirkliche Subjektivität" gemacht hat. Diese Gedanken sollen dem Leser klarmachen,
„wie die Subjektivität sein muß", damit das mit dem Christentum
gegebene „subjektive Problem", das Problem des „Christwerdens",
„sichtbar werden kann" (vgl. die Inhaltsverzeichnisse H 16/1 und
16/2).

Hat Kierkegaard die von Climacus formulierte Frage in den
pseudonymen Schriften der Jahre 1843 bis 1846 selber gestellt? Wenn

---

[1] Zitate aus Kierkegaards Werken und Hinweise auf Belegstellen aus
Werken werden nach der von E. Hirsch betreuten Übersetzung (Diederichs-
Verlag, Düsseldorf-Köln 1952 ff.) wie folgt gegeben: H Bandzahl/Teil-
band, Seitenzahl. Die von mir übersetzten Zitate aus den Tagebüchern und
Verweise auf Tagebuchnotizen beziehen sich auf die dänische Ausgabe der
Tagebücher (Papirer I – XI/2, København 1909–1948) in der üblichen
Weise: nach Bandzahl, Abteilung, Nummer der Aufzeichnung. Wo Hayo
Gerdes in seiner Übersetzung der Tagebücher (2 Bde., Düsseldorf-Köln
1962 f.) eine im Folgenden herangezogene Stelle bringt, wird auf ihn ver-
wiesen: T Bandzahl, Seitenzahl.

ja, in welcher Weise[2]? Diesen beiden Fragen gelten die folgenden Bemerkungen zu einigen Notizen und nicht in den gedruckten Text gelangten Passagen der Werkentwürfe. Ich möchte mit diesen Hinweisen lediglich auf einige Überlegungen Kierkegaards[3] und auf die Eigenart der sie bestimmenden „hermeneutisch-ontologischen" Frage aufmerksam machen[4]. Die Antwort, die Kierkegaard sich und seinen Lesern auf diese seine Frage gibt, soll im Folgenden weder referiert noch interpretiert werden[5]. Die folgenden Anmerkungen zu einigen weniger beachteten Texten aus den Tagebüchern wollen lediglich darauf hinweisen, daß Kierkegaard die eingangs zitierte Frage gestellt hat, und die „klaren Gedanken" (V B 55/10) andeuten, die die Art seiner Fragestellung bestimmen.

[2] Ich spreche nur von Gedanken, die aus den Notizen und Werken 1843–1846 zu entnehmen sind. Ob und wie Kierkegaard diese Überlegungen in seiner 2. Schaffensperiode und nach 1850 weitergeführt hat, steht hier nicht zur Frage. Auch geht es hier nur um Kierkegaards Frage, nicht um seine Antwort.

[3] Das Thema und der Zweck dieses Aufsatzes erfordern weder die Unterscheidung zwischen Kierkegaard und dem jeweiligen Pseudonym, das als Autor einer Schrift auftritt, noch die Erörterung der unter dem Stichwort „Pseudonymität" von den Kierkegaard-Interpreten verhandelten Probleme.

[4] Eine skandinavische oder deutsche Monographie zur ontologischen Problematik bei Kierkegaard ist meines Wissens noch nicht erschienen. Hinweise finden sich u. a. bei J. Slök, Die Anthropologie Sören Kierkegaards, Kopenhagen 1954, M. Theunissen, Der Begriff Ernst bei Sören Kierkegaard, Freiburg-München 1958, M. Wyschogrod, Kierkegaard and Heidegger The Ontology of Existence, London 1954. Bedeutsam ist vor allem G. Malantschuk, Sören Kierkegaards Teori om Springet og hans Virkelighedsbegreb, Kierkegaardiana I (1955), 7–16. Dagegen verfehlt S. Holm, Sören Kierkegaards Geschichtsphilosophie, Stuttgart 1956, die Problematik, wie H. Fahrenbach in Die gegenwärtige Kierkegaard-Auslegung in der deutschsprachigen Literatur von 1948 bis 1962, Philosophische Rundschau Beiheft 3, Dezember 1962, 11–17, zeigt.

[5] Eine mehr ins einzelne gehende historische und systematische Untersuchung der Gedankengänge Kierkegaards, die mit seiner hier angedeuteten Frage zusammenhängen, ist unter dem Titel ›Hermeneutische Ontologie in den Climacus-Schriften Kierkegaards‹ im Verlag Kösel in München erschienen.

I

Ende 1842 beginnt Kierkegaard, Texte ihm bisher wenig bekann-
ter Denker – Aristoteles, Descartes, Spinoza, Leibniz – zu studieren.
Aus gängigen Werken [6] informiert er sich über die Vorsokratiker,
Aristoteles, Stoa und antike Skepsis. Ab Dezember 1842 trägt er
„Philosophica" in ein besonderes Heft ein (IV C 4 ff.). Unter dem
Titel „Problemata" (IV C 62) legt Kierkegaard darin eine Liste von
Sachfragen und ihnen zugeordneten Notizen an. Die zweite dieser
Fragen lautet: „Was ist eine Kategorie?" (IV C 63 = T I,351).
„Sein" ist jedenfalls keine Kategorie (IV C 66 = T I,351). Oder
umgekehrt: was auch immer über ein Seiendes in Sätzen, die mit
Kategorien arbeiten, ausgesagt werden kann – das „Sein" dieses
Seienden kann man in solchen Sätzen nicht wiedergeben. Kierke-
gaard zeigt das für die Kategorien, die Hegel in der Logik des Seins
behandelt, für Qualität (Bestimmtheit) und Quantität (Größe,
Menge, Grad, Maßverhältnisse). Ein Seiendes kann so und so beschaffen sein; die Frage „wie beschaffen, was für ein . . ., von welcher
Art . . .?" ist nicht von vornherein sinn-, d. h. gegenstandslos. Mehr
noch: Diese Frage könnte auch dann gestellt und vielleicht auch beantwortet werden, wenn eine andere Frage nicht gestellt oder beantwortet würde: die, ob das betreffende Seiende ist oder ob es nicht
ist. „Sein" ist also durch die Qualität „weder vorausgesetzt noch
ausgesagt" (IV C 66 = T I,351) [7]: es ist keine Beschaffenheit, keine

---

[6] G. W. Tennemann, Geschichte der Philosophie, Bd. I ff., Leipzig 1798 ff.
Kierkegaard studierte vor allem Bd. I bis VI (1807). Neben den Kantianer
Tennemann tritt als Konkurrent G. O. Marbach, Lehrbuch der Geschichte
der Philosophie, 1. Abteilung Geschichte der griechischen Philosophie, Leipzig 1838, 2. Abteilung Geschichte der Philosophie des Mittelalters, Leipzig
1841. Nicht zu vergessen Hegel selbst (Jubiläumsausgabe XVIII), den
Kierkegaard aufmerksam liest (vgl. z. B. H 16/2, 37. Anm.).
[7] Diese These erstaunt im Blick auf Sätze wie „Dies Seiende ist so beschaffen". Ist in dieser Aussage nicht vorausgesetzt und ausgesagt, daß dies
Seiende „ist"? Zunächst denkt Kierkegaard eher an Sätze wie „Wenn dies
Seiende ist – ob das der Fall ist, sei dahingestellt – dann ist es so beschaffen". Für diese Art von Sätzen hat er recht. Kierkegaards Überlegung trifft
aber auch im Blick auf jenen ersten Satz zu. Denn dieser Satz setzt voraus,

Eigenschaft, kein Zustand eines Seienden[8]. Ebensowenig kann ein Seiendes mehr oder weniger „Sein" haben (IV C 67 = T I,351). Zwar sind auf Grund der Beschaffenheit mancher Seiender deren Zustände und Zustandsänderungen zahlenmäßig faßbar: man kann sie z. B. messen und durch quantitativ formulierte Aussagen beschreiben[9]. Dies aber, daß diese Seienden sind, läßt sich durch Zählen oder Messen oder andere auf diesen beruhende Operationen weder erfassen noch auch durch ein Mehr oder Weniger, z. B. durch Gradation vom Sein anderer Seiender unterscheiden. Sowenig Seiende einander in ihrem „Sein" ähnlich oder unähnlich sein können, so wenig kann das „Sein" des einen vergleichsweise „dichter", „stärker" oder „mächtiger" sein als das Sein des andern. Das „Sein" eines Seienden ist die Tatsache, daß es dies Seiende gibt[10]. Sie kann nur entweder bejaht oder verneint werden (IV C 67 = T I,351).

Ist „Sein" keine kategoriale Bestimmung, dann gehören Aussagen über die Tatsache, daß es Seiende gibt, nicht in die Kategorienlehre, was immer unter dieser zu verstehen sein mag. Und dann gehört eine Ontologie sicher auch nicht in eine Logik, die als Kategorienlehre zugleich transzendentale Ontologie und so absolute Metaphy-

daß das Seiende bereits als solches, d. h. in seinem „Sein" erfaßt ist. Die Erfassung eines Seienden als Seienden ist von der Zuschreibung von Qualitäten unabhängig und umgekehrt. – Ist die Tatsache, daß es ein bestimmtes Seiendes gibt, keine Bestimmtheit an diesem Seienden, dann kann sie auch nicht aus dem Wesen dieses Seienden als in ihm impliziert erkannt werden. Kierkegaard lehnt daher das ontologische Argument für das Dasein Gottes ab (vgl. gegen Spinoza H 10, 39 f. Anm.).

[8] Falls die Ausdrücke „Ähnlichkeit" bzw. „Unähnlichkeit" eine Beziehung zwischen Wesensbestimmungen oder Eigenschaften mehrerer Seiender bezeichnen, kann es im Sein dieser Seienden keine Ähnlichkeit geben. Nur wenn in ihr „Sein" etwas anderes als die Tatsächlichkeit von Seiendem bezeichnet, ist eine Lehre von der Seinsanalogie sinnvoll.

[9] Kierkegaard greift Hegels Beispiel vom Acker auf (vgl. Wissenschaft der Logik I, Meiners Phil. Bibl. 56, ²1934, 178). Zur Sachproblematik vgl. z. B. R. Carnap, Physikalische Begriffsbildung, Darmstadt ²1966.

[10] Aussagen wie die eben erwähnten wären nach Kierkegaard also bestenfalls dann sinnvoll, wenn in ihnen nicht von der Tatsache, daß diese Seienden „sind", die Rede wäre.

sik, Wissenschaft auch des Seins sein will: innerhalb der Logik im Sinne Hegels kann vom „Sein" nicht die Rede sein [11]. „Jede Bestimmung, für die Sein eine wesentliche Bestimmung ist, liegt außerhalb des immanenten Denkens, also außerhalb der Logik" (IV C 88 = T I,353). Selbst wenn ein in der Reflexion auf die Möglichkeit des Wissens streng bei sich bleibendes Denken möglich wäre, selbst wenn es sich zu Kategorienlehre und Metaphysik ausbilden könnte – Auskunft darüber, was es bedeutet, daß Seiende da sind, böte dies Denken nicht [12]. Wo und wie aber ist diese Auskunft zu bekommen?

II

Diese Frage steht hinter zwei undatierten Entwürfen [13], die „Das interessierte Erkennen und dessen Formen" gegen das an „Schönheit, Wahrheit usw." interessierte und eben deshalb desinteressierte Erkennen stellen (IV C 99) und von da aus die Unterscheidung der Begriffe „Esse" und „Inter-esse" in die Methodologie der Wissen-

[11] Kierkegaard hat 1843 die von Rosenkranz edierte Propädeutik Hegels gelesen. Dort (Jub III, 116 und ebda. 306 in einem Brief an Niethammer) fand er in der absoluten Logik Hegels Kategorienlehre, Ontologie, transzendentale Logik und Metaphysik miteinander identifiziert. Wenn aber „Sein ... schlechterdings nicht mit zur Logik" gehört, wenn diese „mit Dichotomie", also mit Reflexionsbegriffen wie Identität-Differenz, Grund-Folge „beginnen" muß (wie IV C 79 vermuten läßt), dann fällt Hegels Unternehmen einer absoluten Logik selbst dahin. Denn dann sagt die im reinen Denken sich vollziehende dialektische Selbstanalyse der „objektiven Denkformen" (Jub III, 306) über die Tatsache, daß Seiende existieren, nichts aus. Die Selbstbewegung des Denkens zum Sichwissen als der absoluten Idee impliziert kein Seinsverständnis – damit ist ihr Anspruch falsifiziert.

[12] IV C 79, III ff 28–30 (Ende 1841 Berlin) und eine Analyse der Parmenides-Deutung H 11, 83–85 Anm. könnten wahrscheinlich machen, daß Kierkegaard vor allem C. Werder im Auge hat. Kierkegaards Mitschrift von Werders Vorlesung über ›Logik und Metaphysik‹ (1841/42 Berlin) ist noch unveröffentlicht, vgl. aber C. Werder, Logik als Commentar und Ergänzung zu Hegels Wissenschaft der Logik, Erste Abteilung, Berlin 1841.

[13] Nach IV C 97 f. zu schließen wohl zu geplanten Vorlesungen.

schaften einzuführen suchen (IV C 100). Von „Logik" ist nicht mehr die Rede: Hegel ist zwar noch Gegner, aber nicht mehr Gesprächspartner. Wenn Kierkegaard jetzt Verhaltensweisen, in denen man auszumachen sucht und entscheidet, wie es um einen selbst steht – die Frage nach „Autorität", „historischer Kontinuität", „Zweifel", „Glaube" – dem Interesse an „einem Dritten" vorzieht, „welches nicht ich selbst bin" (IV C 99), wenn er fordert, „die verschiedenen Wissenschaften sollten gemäß der verschiedenen Weise, in der sie Sein akzentuieren, in eine Ordnung gebracht werden; und gemäß der Weise, wie das Verhältnis zu Sein reziproken Vorteil verschafft" (IV C 100), wenn er „Ontologie" und „Mathematik" als Wissenschaften, in denen „Denken und Sein eins", deren Ergebnisse daher ebenso gewiß wie hypothetisch sind, von der „Existenz-Wissenschaft" unterscheidet, dann steht im Hintergrund P. M. Möllers gegen Hegel gerichtete Konzeption von Ontologie[14]. Diese Konzeption ist vom Protest bestimmt, den Möller im Namen seiner Metaphysik sittlich-religiöser Personalität gegen Kants Vernichtung der überlieferten Metaphysik durch kritische Selbstanalyse der Vernunft und gegen Hegels Entwertung der Person durch dialektisch-totale Metaphysik erhebt. Möller fordert gegen Hegel eine Metaphysik, die die kon-

---

[14] Kierkegaard hat den früh verstorbenen P. M. Möller als einzigen Lehrer seiner Studienjahre verehrt: er widmet ihm den ›Begriff Angst‹ und rühmt in der ›Nachschrift‹ die Souveränität, mit der sich Möller von Hegel abwandte (H 16/1. 30 Anm.). Es ließe sich zeigen, daß IV C 99/100 im Blick auf Möllers Hauptwerk, die ›Gedanken über die Möglichkeit von Beweisen für die Unsterblichkeit des Menschen, mit Hinblick auf die neueste Literatur hierzu‹ (1837, vgl. dazu II A 17, 287, 454) formulieren. Wichtig ist in diesem Zusammenhang auch das Fragment ›Die Ontologie oder System der Kategorien‹. Auf die Bedeutung der Gedankengänge Möllers für Kierkegaard hat hingewiesen G. Malantschuk (Kierkegaardiana III [1959], 7–21). Möller versteht sachgemäß betriebene Mathematik als Kapitel der Ontologie, d. h. der Kategorienlehre. Dieser als ganzer und ihrem Kapitel über die Quantität ist die absolute, aber nur formelle Stringenz der Beweise, die Apriorität der Axiome und die Unfähigkeit eigen, mit eigenen Mitteln zu zeigen, daß den Resultaten ihrer Beweisgänge etwas real Existierendes in der Empirie entspricht. Diese Sicht steht als Grundlage für Kierkegaards eigene Gedankengänge hinter IV C 99/100.

kreten personalen Erfahrungen aufnimmt, die Würde des Einzel-
menschen erhellt und so die weltanschauungsbildende, christlich-
religiöse Überzeugung von der Unsterblichkeit des Einzelnen als
allein menschenwürdiges Daseinsverständnis aufzeigt. Und er fordert gegen Kant eine transzendentale Reflexion auf das apriorische
kategoriale Vorverständnis möglicher Realität, die dieser Metaphysik durch systematische Deduktion der Kategorie der Personalität den Boden bereitet. Eine solche Ontologie wäre Anfang und
Basis der Metaphysik, denn in ihr wäre verantwortet, was der Metaphysiker voraussetzt: daß der Vorentwurf der Vernunft da, wo er
durch Erfahrung erfüllt wird, wahre Wirklichkeitserkenntnis begründet [15]. Im Gegensatz zur Metaphysik, die wirkliches Wissen und
damit überzeugendes, praktisch tragfähiges Selbstverständnis begründet, aber durch Erfahrung vermittelt und darum nicht systematisch abschließbar ist, ergibt die grundlegende Ontologie als de-
duktivsystematische, durch die Implikationen ihrer abstrakten Begriffe vorangetriebene Reflexion auf stringente Weise denknotwen-
dige Bestimmungen, erkennt jedoch nichts Wirkliches als solches und
erzeugt daher keine Wahrheitsgewißheit. Von dieser Ontologie, von
ihrem die Kategorie der Quantität in ihren Einzelbestimmungen ent-
faltenden mathematischen Kapitel, von der im Gang dieser Ontologie entfalteten Seinsauslegung setzt Kierkegaard seine Sein eben
nicht als „Esse", sondern als „Inter-esse" aufweisende Existenzwissenschaft ab.

Denn für Möller ist „Sein" der schlechthin einfache (unanalysier-
bare), inhaltlose (unbestimmbare), allgemeine (in jeder Bestimmung
enthaltene) und transzendentale (jede Einteilung übergreifende)
Grundbegriff der Vernunft. Er ist die apriorische unreflektierte Behauptung des Menschen, Erkenntnis aus apriorischen Begriffen sei

---

[15] Anstelle des hier nicht möglichen ausführlichen Nachweises für diese
Darstellung sei wenigstens auf einige Stellen aus Möllers Ontologie-Frag-
ment hingewiesen: Efterladte Skrifter (København ²1848) III, 190 ff., 206 f.
Auf das im Einzelnen sehr differenzierte Verhältnis Möllers zu Hegel kann
hier ebenfalls nicht eingegangen werden. Aufmerksam gemacht sei noch auf
die teilweise Ähnlichkeit des Verhältnisses von Ontologie und Metaphysik
bei Möller mit dem Bezug von negativer und positiver Philosophie beim
späten Schelling.

möglich und habe die Form von Urteilen. Ohne den Seinsbegriff
kann nicht geurteilt, d. h. nichts über etwas als wahr behauptet werden; zugleich aber ist durch ihn als solchen gar nichts erkannt – weder,
daß irgend etwas sei, noch, was dies Seiende sei. Um dieser Doppel-
heit willen muß die Ontologie beim Sein anfangen. „Sein" ist der
Ausdruck der Identität als der notwendigen, aber als solcher noch
kein Urteil konstituierenden Form aller möglichen Urteile, d. h. der
Wahrheit selbst. Seine primäre Funktion erfüllt es als Kopula in dem
unbestimmten Ausdruck „x ist x". Es dient zunächst nicht dazu, zu
behaupten „x existiert", oder von x etwas auszusagen („x ist y"). Es
zeigt vielmehr in tautologischen Sätzen die Identität als Bedingung
und Form aller Urteilswahrheit an. Folglich bedeutet das Wort
„Sein" in sich nichts, und dies formuliert die Ontologie in dem Satz,
„Sein" sei „Nichts". Mit dieser Aussage aber überschreitet sie den
Seinsbegriff, indem sie Sein als Satzsubjekt und damit als ein Etwas
setzt, von dem man etwas aussagen kann – dies nämlich, daß sich von
ihm nichts aussagen lasse. In diesem Satz „Sein ist Etwas" erreicht die
Ontologie also ihren ersten, sich durch seine Urteilsstruktur als Erkenntnis einer apriorischen kategorialen Bestimmung ausweisenden
und so seinerseits urteilsstiftenden Grundsatz: „Alles, was ist, ist bestimmt, ist etwas"; „zu sein heißt auf die eine oder andere Weise bestimmt zu sein" [16]. Die so gewonnene Operation des Urteilens und
ihre das Prädizieren ermöglichende Kategorie der Bestimmtheit erlauben uns erst, Existenzurteile zu bilden und in ihrer transzendentalen Herkunft zu durchschauen. Im eben formulierten Grundsatz
ist gezeigt, daß Sein zwar Verstehen überhaupt ermöglicht, selbst
aber verständlich ist als das, worüber sich überhaupt etwas sagen
läßt, d. h. eben nicht als Sein, sondern als Etwas. So wird der Satz
möglich: „Etwas ist entweder oder es ist nicht". Er erläutert, was im
Etwas-Sein liegt: Sein ist zu fassen als das einfachste, allgemeinste
immer zuschreibbare Prädikat jedes möglichen Etwas. Weil das Sein
etwas ist, ist es das, was man auf jeden Fall einem Etwas zuschrei-

---

[16] Efterladte Skrifter ²III, 207, 210 f., 212. Das komplizierte Verhältnis
von Abhängigkeit und Ablehnung, das zwischen dem Anfang der Hegelschen Logik und dem skizzierten Gedankengang Möllers besteht, kann hier
nicht weiter untersucht werden.

ben oder absprechen kann. Man kann bei allem fragen, ob es sei oder nicht. Jedes Etwas kann mit dem Begriff „Sein" oder dem Gegenbegriff „Nicht-Sein" verbunden werden [17]. Das Sein erweist sich in dieser Reflexion somit erneut als Horizont des Vorverständnisses möglicher Realität überhaupt, als die Grundbestimmung alles dessen, „was immer und notwendig bei der Wirklichkeit gedacht werden muß" (Efterladte Skrifter [2]III, 201). Und der Begriff des „endlichen Vernunftwesen", den eine durchgeführte Ontologie als die von uns immer schon erwartete Pointe möglicher Realität vorentwirft, spräche nur das vollends aus, was schon mit unserem anfänglichen Begriff „Sein" unerkannt gemeint war.

Worauf läuft nach IV C 99 f. Kierkegaards Reflexion auf dies Seinsverständnis hinaus? Kierkegaard lehnt Möllers Vorschlag nicht einfach ab. Dieser hat mit seiner – IV C 99 zum Gegensatz von Wissen und Glauben verschärften – Unterscheidung von ontologischer Reflexion und metaphysisch artikulierter persönlicher Überzeugung etwas Richtiges gesehen. Eine konsistente, schlüssige Theorie der apriorischen Vernunftleistung wäre, weil Hypothese, von unter-

---

[17] Wer „ist" sagt, behauptet also nach Möller primär die Identität als begründende Form jeglicher Wahrheit, dann in zweiter Linie die Subjekt-Prädikat-Beziehung als einzige Form wirklicher Wahrheit, und erst in dritter Linie die Existenz von Seienden, von denen die wahren Sätze handeln. Und diese drittrangige Verwendung des Verbums „sein" wird von Möller zwangsläufig am Modell des Urteils als eine Prädikataussage interpretiert. Die Sätze, durch die die Tatsache angezeigt wird, daß ein bestimmtes Seiendes existiert, werden hier als Urteil verstanden. Man meint, der Satz „x existiert" komme zustande, wenn man den alle Exemplare der Gattung „x" bezeichnenden Allgemeinbegriff mit dem allgemeinsten Begriff „Sein" als einem Prädikat verbindet.

Hinter dieser Deutung der Existenzsätze stehen nach Kierkegaards Meinung Gedankengänge Platons und Aristoteles'. Diese Vermutung verdankt Kierkegaard Möller selbst, der zwar nicht in seinem systematischen Fragment (vgl. a. a. O. 211), wohl aber in seinem „Entwurf zu Vorlesungen über die Geschichte der älteren Philosophie" auf Aristoteles verweist (vgl. Efterl. Skr. [2]IV, 211 mit H 10, 79 und 187, mit V B 40/14 und 15/11). Spätestens ab Mitte 1844 führt die auf dem Hintergrund der Seinsauslegung Möllers versuchte Existenzwissenschaft zur bewußten Diskussion auch der Ontologien Platons und Aristoteles'.

geordneter Bedeutung für das mögliche Wissensganze; unnütz wäre sie nicht. Kierkegaard läßt dahingestellt, ob diese Ontologie durchgeführt werden kann. Ein ausdrückliches Fragezeichen setzt er nur hinter Möllers Versuch, die Kategorien rein aus dem Denken abzuleiten [18]. Doch ist für Kierkegaard weder Leistung noch Grenze einer solchen etwaigen Seinslehre entscheidend. Er interessiert sich für den einzelnen Menschen, der sich philosophierend im Sinne dieser Ontologie um den grundlegenden Aufweis bemüht, Wahrheit sei für uns Menschen von vornherein wenigstens möglich. Diesen Menschen treibt die Frage um, ob seine Aussagen über Sachverhalte wahr sein können. Er ist zunächst einmal unmittelbar gewiß, die Dinge in seinen Urteilen so wiedergeben zu können, wie sie sind. Käme an den Tag, daß diese Gewißheit Illusion ist, so wäre für diesen Menschen sein Leben sinnlos. Deshalb fragt dieser Mensch als Denker, ob sein Denken realitätserschließende Funktion habe. Um dies zu sichern untersucht er es darauf, wie es die Übereinkunft zwischen Denken und Sein, die Wahrheit des Urteils leistet. Wer so fragt, akzentuiert (1) nicht die Tatsache, daß er selbst da ist, sondern den Wissensanspruch seiner Vernunft. Denn er reflektiert nicht auf diese Tatsache und im Blick auf sie dann auf sein Denken, sondern zunächst auf dessen Struktur. Und er anerkennt Wahrheit nur da, wo sie als Urteil, also in eben diesem Denken auftritt. Ferner deutet er Wahrheit als Übereinkunft von Denken und Sein, legt also an sie jenen Maßstab an, den ihm sein Denken an die Hand gibt: die Sichselbstgleichheit als den Modus der Gegebenheit von Inhalten im Denken. Und schließlich identifiziert er „Sein" mit dem, was nicht nicht gedacht werden oder nicht anders gedacht werden kann als so, wie es gedacht wird. Um der im Denken möglichen absoluten Gewißheit des Gedachten willen orientiert er sein Verhalten nicht an der Tatsache,

[18] Kurz vor der Niederschrift von IV C 99 notiert Kierkegaard in einer zweiten, kürzeren Frageliste (IV C 87–96) zum Stichwort „Kategorie": „Soll die Kategorie aus dem Denken oder aus dem Sein abgeleitet werden?" (IV C 91). Das hier vorausgesetzte Dilemma zeigt, daß Kierkegaard bereits hier „Sein" anders versteht als Möller. Denn in dessen Ontologie sind Sein und Denken ja eins (IV C 100): Möller deduziert die Bestimmungen, zu denen das Sein sich im Fortgang der ontologischen Reflexion spezifiziert, de facto aus dem Erkenntnisanspruch der Vernunft, also aus dem Denken.

daß er da ist und deshalb dies sein Dasein zu gestalten hat. Das heißt (2): er läßt sich nicht auf jenes Verhältnis zum Sein ein, in das ihn die Tatsache, daß er ist, immer schon ohne sein Zutun verwickelt hat. Nicht die Situation, in die er damit geraten ist (inter-est), bestimmt, wie er sich in ihr zu dieser Tatsache verhält. Das hängt vielmehr für ihn von einem „Dritten" ab (IV C 99): von einer Wahrheit, die als Übereinkunft von Denken und Sein auch dann wünschenswert und möglich wäre, wenn es ihn, diesen bestimmten einzelnen Menschen, gar nicht gäbe. Diesem Menschen liegt also an etwas, für das die Tatsache, daß es ihn gibt, und seine persönliche Einstellung zu dieser Tatsache keine Rolle spielen: ihm geht es um etwas, was nicht er selbst ist. Ließe sich dieser Mensch in seinem Denken und Verhalten von seinem Sein, das ihn in seine Lage verwickelt (inter-essiert) hat, bestimmen, dann erwüchse ihm aus diesem Verzicht auf die absolute Wissensgewißheit der „reziproke Vorteil" (IV C 100), überhaupt danach fragen zu können, was mit ihm, mit dieser Tatsache seines Daseins gemeint sein könne. Dieser Mann bekäme die Chance, sich denkend von dieser Tatsache her in der von ihr geschaffenen Lage verstehen zu lernen, indem er versucht, etwas aus der Situation zu machen. So und nur so könnte er auch durchreflektieren, was er in diesem Lernvorgang mitmacht, könnte somit formulieren, was ihm mit dieser seiner Situation zu verstehen gegeben ist, könnte anderen Menschen zu verstehen geben, was es für ihn und für sie bedeutet, zu „sein".

Vom Sein der Seienden – von der Tatsache, daß Seiende je als diese bestimmten einzelnen Etwas Wirklichkeit sind – kann nur reden, wer sich an die Tatsache hält, daß er existiert, und andere auf ihre je eigene Existenz aufmerksam zu machen gewillt ist. Soviel läßt sich aus IV C 99 f. schließen. Nicht gesagt wird, wie man das Recht erwirbt, Mitmenschen auf ihre Situation aufmerksam zu machen, wie das näherhin auszusehen hätte, wie in solchen Mitteilungen vom Sein der Seienden die Rede wäre, wie gewiß solche Aussagen wären, wie Sätze dieser Art verifiziert werden könnten, was es nun mit dem „Inter-esse" als „Zwischen-Sein" genau auf sich hat, was im Rahmen der Existenzwissenschaft über das Sein als Wirklichsein bestimmter Seiender zu sagen wäre. All das bleibt offen. Zweifellos aber will Kierkegaard nach IV C 99 f. eine „hermeneutische" Ontologie: seiner Meinung nach kann die eingangs zitierte Frage nur stellen, wer sich kraft jenes Verhältnisses zu seinem Sein, in das er durch dies Sein verwickelt ist, in diesem Sein dadurch zu verstehen versucht, daß er sich eigens entschieden zu ihm verhält.

III

1845 notiert Kierkegaard im Anschluß an eine Bemerkung von R. Nielsen in dessen ›Propädeutischer Logik‹ [19]: „Der Unterschied zwischen to einai – und to on. Die Verwechslung in der hegelschen Philosophie...“ (VI C 1). Was er sagen will, wird deutlich, wenn man Hegels Begriff des reinen Seins beachtet. Das reine Sein ist reiner Gedanke. In ihm als reiner Abstraktion ist das Denken bei keinem vermeintlichen Gegenüber mehr; es hat den Anschein aufgelöst, als beziehe es sich auf Tatsachen und Sachverhalte als auf etwas ihm Anderes. Das Denken ist bei sich als seiner Sache, und als diese einfache Selbstbeziehung ist es reines Sein: weder ein Etwas noch dessen Faktizität. Damit ist der Unterschied zwischen Seiendem (res, ens) und dem „sein“ (esse, verbal) dieses Seienden in das reine Sein verschwunden [20].

Eben deshalb aber hält Kierkegaard diesen Begriff und alle Aussagen über ihn für sinnlos [21]. Wo der genannte Unterschied nicht ge-

---

[19] Die Hrsg. der dän. Papirer weisen darauf hin, daß der Hinweis auf Nielsen auf einem Gedächtnisfehler Kierkegaards beruhen könnte. Vielleicht hat Kierkegaard eine Äußerung P. M. Möllers über den eleatischen Seinsbegriff vor Augen (vgl. Efterl. Skr. [1][1843] III, 350). Möller setzt den eigenen Seinsbegriff von dem des seienden Einen (Parmenides) und von dem eines Inbegriffs aller Seienden ab (vgl. Efterl. Skr. [2]III, 212). – Kierkegaard schreibt im Zitat griechisch, ohne Akzente.

[20] Ich verzichte hier auf Einzelnachweise, wie sie vor allem aus der Seinslehre der Großen Logik zu erbringen wären.

[21] So schon IV C 66 (1842–Anfang 1843): „Die ganze Lehre über Sein ist ein nichtssagendes Vorspiel in der Lehre über die Qualität.“ Dies Urteil fällt im Blick vor allem auf Hegels Propädeutik. Es muß hier dahingestellt bleiben, ob und inwiefern hinter ihm die Kritik steht, die Schelling in der von Kierkegaard gehörten Berliner Vorlesung an Hegels Seinslehre übt

halten wird, ist von gar nichts mehr die Rede, und die Möglichkeit entfällt, auch nur zu fragen, was es mit der Tatsächlichkeit der Seienden auf sich habe. Man kann das bestimmten Seienden gemeinsame Wesen in Allgemeinbegriffen zu bezeichnen versuchen und so dieses und jenes Seiende übergreifen. Es im Denken auf eben dies Denken als das wahre Allgemeine hin überschreiten zu wollen, ist unsinnig. Wer hinter die Tatsächlichkeit dieser und jener Seiender kommen will, der wandert aus der durch die Tatsache seines eigenen inter-esse geschaffenen Situation und damit aus der Welt der Tatsachen aus in eine von ihm gedachte Hinter-Welt.

Und der wird in dieser Gedanken-Welt dann zwangsläufig Begriffe miteinander verwechseln, die innerhalb der Existenzwissenschaft ganz bestimmte „klare Gedanken" (V B 55/10) und ihre Unterschiede präzise ausdrücken. Er wird Sein und Bestimmtheit in einem Begriff „Dasein" aufheben, d. h., den Beschaffenheiten von Seienden ein Dasein zuschreiben und umgekehrt das Dasein von Seienden als eine ihrer Qualitäten auffassen. Das ist zwar nicht sinnlos, aber falsch [22]. An Hegel zeigt sich: wer sich nicht auf das esse der entia (res) einläßt, verhindert Ontologie, bildet sinnlose Sätze

(vgl. dazu Kierkegaards Nachschrift dieser Vorlesung, übersetzt von E. Nordentoft-Schlechta in: A. M. Koktanek, Schellings Seinslehre und Kierkegaard, München 1962, vor allem 110 f.: Hegel gibt „der Identitätsphilosophie die Richtung auf ein Existentialsystem", indem er die „unendliche Potenz" des Seins mit dem „wirklichen Denken" identisch setzt).

[22] Zu dieser These Hegels vgl. z. B. Wissenschaft der Logik I (Meiner, Phil. Bibl. 56 Hamburg ²1934), 97, 101, 104, 106, 116; Enzyklopädie (Jub VIII), 217, 219 f.; Propädeutik (Jub III), 117. Für Kierkegaard vgl. bereits die Exzerpte aus J. L. Heibergs Fragment ›Det logiske System‹ in II C 37 (1837) sowie III C 30. Endgültig präzisiert wurde der Vorwurf wohl unter dem Eindruck der Vorlesung Werders (vgl. Anm. 12). – Ab 1844 übernimmt Kierkegaard den von Trendelenburg erhobenen und begründeten Vorwurf, die angeblich reine Bewegung des logischen Denkens lebe von einem verheimlichten Vorrat an Erfahrungen und Überlegungen, den der Autor Hegel sich angelegt habe. Kierkegaard wendet diese Kritik vor allem auf den Begriff der Existenz an, für dessen Deduktion bei Hegel er sich schon IV C 101 f. interessiert (vgl. H 16/2, 1 Anm., mit den zugehörigen Anm. ebda. 345).

über Scheinbegriffe und kommt selbst mit brauchbaren Begriffen zu falschen Thesen. Kurz: er macht die Frage „nach Sein und Nicht-Sein" (VI A 1) unmöglich. Wie und wo aber stellt der die Frage, der sich im Ernst auf sich selber und damit auf inter-esse einläßt?

Ein Hinweis kommt aus Aristoteles' Rhetorik [23]. VI A 1 notiert als das Erstaunliche an dieser Schrift: „Aristoteles schiebt die gesamte Frage nach Sein und Nicht-Sein . . . zur Rhetorik ab, als dem, was vor allem Überzeugung hervorzubringen hat" – Überzeugung bezüglich dessen, „worüber geredet wird und worauf durch die Rede eingewirkt wird". Daß dies das öffentliche Leben Beherrschende bei den Griechen die Politik war, während es im Christentum die Religion ist, ist hier zweitrangig. Hier interessiert Kierkegaards These, Aristoteles stelle weder in der Metaphysik noch in der Kategorienschrift „die Frage nach Sein und Nicht-Sein". Der Stagirite untersucht, unter welchen Gesichtspunkten man die Seienden beschreiben könne, ohne dabei hermeneutisch-ontologisch zu fragen: „seine erste (Ousia prote) und zweite (deutera) Substanz vgl. die Kategorien sind etwas ganz Anderes" [24]. Kierkegaards Frage taucht bei ihm nur da auf, wo er die rednerischen Mittel auf den Begriff des Enthymema

---

[23] Mit ihr befaßt sich Kierkegaard 1844/45 vor allem im Zusammenhang mit Überlegungen über eine „neue Wissenschaft: die christliche Redekunst". Vgl. neben dem hier nun zu besprechenden VI A 1 etwa VI A 17–19, 33; VI C 2; die Pläne VI A 146 und die zugehörigen Texte VI A 147–156, VI B 128–137.

[24] Kierkegaard benutzt im zitierten Text nur die griech. Ausdrücke. – Die These beruht auf Textstudien und auf den Metaphysik-Deutungen Tennemanns, Marbachs (vgl. Anm. 6), Hegels (Jub XVIII, 298 ff.–394) sowie auf Trendelenburg (Logische Untersuchungen Bd. I/II, Berlin 1840; Erläuterungen zu den Elementen der aristotelischen Logik, Berlin 1842). Für Kierkegaard liegt die Pointe aristotelischen Denkens in Ethik und Rhetorik. Von diesen her deutet er die Kinesislehre der Physik. Erst an dritter Stelle folgen Metaphysik und Kategorienschrift. Denn Aristoteles denkt seine Metaphysik nicht vom Menschen her und hat für ihn keinen Platz in ihr (vgl. IV C 45). Die Akt-Potenz-Lehre kann zwar verwandelt und dann dazu benutzt werden, hermeneutisch-ontologische Überlegungen mitzuteilen (das tut Climacus im Zwischenspiel der ›Philosophischen Brokken‹, vgl. vor allem H 10, 69–72). Aber auch in ihr wird nicht im Sinne von

(der Gedankenkette) bringt. Das Enthymem soll und kann die Hörer
des Volksredners davon überzeugen, eine Sache existiere, habe existiert oder werde existieren, von deren Existenz die Beteiligten sich
weder durch eigene Sinneswahrnehmung noch durch stringente Folgerungen aus Erfahrungsdaten überzeugen können [25]. Daraus schließt
Kierkegaard: (1) man kann die hermeneutisch-ontologische Frage
nicht sachgemäß exponieren, solange man sich an der raumzeitlichen
Gegebenheit einzelner Gegenstände in sinnlicher Gewißheit oder
an anderen Weisen vergewissernder Objektbeziehung orientiert.
Relevant sind vielmehr Situationen, die durch Mitteilungsvorgänge
zwischen Menschen entstehen. Ontologie erwächst aus der Analyse
des Phänomens, daß jemand einen anderen durch Worte davon zu
überzeugen sucht, ein bestimmter Sachverhalt existiere (oder habe
früher existiert oder werde demnächst existieren), dessen Existenz
weder durch Augenschein noch durch Beweis noch durch sonst eine
etwaige wissenschaftlich anerkannte Verifikationsmethode gewiß
gemacht werden kann. Ontologie hängt also mit einer existenz-
wissenschaftlich orientierten Erforschung der Sprache und der Inter-
personalität zusammen; sie ist nur im Rahmen einer Theorie möglicher Evidenzerzeugung durch Information möglich. (2) In dieser
Situation ist und bleibt der Empfänger in Ungewißheit darüber, ob
es den betreffenden Sachverhalt wirklich gibt (gab, geben wird).
Nimmt er es auf das Wort des Informanten hin an, dann geht er da-

---

IV C 100 esse als inter-esse thematisiert, und VI A 1 gilt auch von ihr.
Wenn ontologisch wichtige Aussagen also in der Rhetorik gesucht und gefunden werden, dann liegt das völlig auf der Linie von IV C 99 f.

[25] Vgl. dazu z. B. Rhetorik 1354a 11 ff., 1358b 1 ff., 1377b 16 ff. Zur
Rolle des rhetorischen Schlusses (Gedankenkette, Enthymema) 1844/1845
vgl. V A 72: „Ein Anfang ist immer ein Entschluß...“; VI A 19: „Aristoteles bezieht die Redekunst und die Mittel, Glaube (pistis) zu wecken, auf
Wahrscheinlichkeit, da sie es (im Unterschied zum Wissen) mit dem zu tun
hat, was sich auch anders verhalten kann...“; VI A 33: „...Schließlich und
endlich ist das, was ich einen pathetischen Übergang nenne, das, was Aristoteles ein Enthymema nannte...“; VI A 112: „Bewegung; Wiederholung;
Entscheidung eine Trilogie“; Abschließend in der Liste der „Logischen
Probleme“ VI B 13 als Nr. 7: „Schluß – Enthymema – Beschluß eine Trilogie.“

mit das bleibende Risiko ein, im Irrtum zu sein und von einer falschen Voraussetzung aus zu handeln. Seine Überzeugung beruht somit auf einer Entscheidung, die die objektive Ungewißheit ihrer Richtigkeit voraussetzt und aushält: sie ist Sache des Glaubens. Nur wer die eigenartige Gewißheit einer solchen Entschiedenheit für menschlich wichtiger und gedanklich aufregender hält als die Gewißheit des Objektwissens, nur wer diese Glaubensüberzeugung darum präzis zu kennzeichnen versucht, kann „die Frage nach Sein und Nicht-Sein" stellen. Daß die Übertragung von Glauben den Vorrang vor der Mitteilung von Wissen hat, dies nachzuweisen ist eine der Aufgaben der Existenzwissenschaft (IV C 99: „Steht Wissen über Glauben? Keineswegs."). (3) Im Blick auf IV C 99 f. können wir die Situation, deren existenzwissenschaftliche Analyse die hermeneutisch-ontologische Reflexion ermöglicht und erfordert, so beschreiben: a) ein Mensch erhält von einem andern die Nachricht, ein bestimmter Sachverhalt existiere (habe oder werde existieren). b) Diese Information ist nicht nachprüfbar, ihr Inhalt also objektiv unverifizierbar. c) Den Sachverhalt glauben heißt sich auf das eigene Dasein einlassen und so der Forderung folgen, die von ihm als inter-esse ausgeht: man wird der Existenz dieser Sache nur gewiß, indem man selbst da ist [26]. d) Wen die Nachricht erreicht, der ist dadurch gezwungen zu entscheiden, ob er sich im Ernst von seinem eigenen Existieren oder doch lieber von einem Dritten her verstehen will, welches Dritte von der Existenz des betreffenden Menschen unabhängig ist und seinerseits sie nicht begründet. Denn nur den erreicht eine situationsändernde Nachricht überhaupt, der eben schon faktisch da ist.

Damit hat Kierkegaard die Situation beschrieben, deren Untersuchung die ontologische Reflexion in Gang bringt und in Gang hält [27]. Damit ist aber auch deutlich, in welchem Sinne diese Refle-

[26] Man kann sich zwar nicht an der eigenen Situation vorbei auf das Gehörte einlassen. Man kann sich aber durchaus nach wie vor um ein Selbstverständnis bemühen auch dann, wenn man sich entschloß, die Nachricht für falsch zu halten.

[27] In diese soeben formal beschriebene Situation bringt laut Climacus das Christentum den Menschen (vgl. dazu seine Formel „daß der Gott in menschlicher Gestalt dagewesen ist": H 16/1, 19 f. Anm. 1; H 16/1, 35;

xion als eine „hermeneutische" zu bezeichnen ist [28]. Und es ist wenigstens angedeutet, daß und wie für Kierkegaard „inter-esse" als Verwickeltsein ins eigene esse, „inter-esse" als Dasein zwischen immer gleich gültiger und eben deshalb irgendwo gleichgültiger Wissensgewißheit und von mir allein zu verantwortender Glaubensüberzeugung, „inter-esse" als Anerkennen der Verwicklungen, in die man durch sein Dasein geraten ist, d. h. als Interessiertheit an diesem Dasein (als leidenschaftliche Entschlossenheit, sich in diesem Dasein verstehen zu lernen) und „inter-esse" als Sich-Einlassen auf das unverifizierbare esse anderer Seiender – daß und wie dies miteinander verschränkt ist in der einen Frage: „Was ist Existenz" (VI B 13) [29].

H 16/2, 29, 291). Schafft nach Climacus nur das Christentum diese Situation? Wie bestimmt Kierkegaard Struktur und Anspruch des Christlichen? Zu welchen Untersuchungen, z. B. der Seinsweise des geschichtlich Seienden, ist er durch diese Problematik gezwungen? Diesen und anderen damit zusammenhängenden Fragen kann im Rahmen dieses Aufsatzes nicht nachgegangen werden.

[28] Kierkegaards ontologische Überlegungen sind hermeneutisch: sie leben von dem Willen des jeweiligen Denkers, sich in seiner menschlichen Existenz zu verstehen. Sie sind sinnvoll nur als eine Form jener Reflexion, in der der Denker von seiner Existenz her sich in ihr denkend zu verstehen sucht. Und sie dienen der begrifflichen Artikulation der Aussagen, mit denen ein so Denkender seine Mitmenschen auf die von ihrem „esse" ausgehende Forderung aufmerksam macht, sich selbst zu verstehen.

[29] VI B 13 ist eine undatierte Liste von Fragen und Thesen, die vermutlich als Stichwortverzeichnis der seit 1843 durchdachten Fragen den Vorarbeiten für die künftige ›Nachschrift‹ dienen sollte. Jedenfalls faßt diese Liste in der Tat die Hauptprobleme der Tagebuchnotizen dieser Jahre zusammen, soweit es um theoretisch-philosophische Fragen geht. Für den Zusammenhang mit der ›Nachschrift‹ spricht, daß diese laut VI B 89 noch nach der Niederschrift des Entwurfs den Titel ›Logische Probleme‹ tragen sollte, und daß sich an VI B 13 die ersten Skizzen zu Aufbau und Pointe der ›Nachschrift‹ unmittelbar anschließen (VI B 14–19). VI B 13 handelt vom Bezug zwischen Sein und Kategorie (1), von der historischen Bedeutung der Kategorie (2), vom Zustandekommen einer Qualität durch quantitativen Prozeß (3), vom Sprung (4), vom Unterschied zwischen dialektischem und pathetischem Übergang (5), von der Dreiergruppe Schluß–Enthymem–Beschluß (6), vom Annäherungscharakter aller historischen Gewißheit (7), um in der Frage „Was ist Existenz" zu enden. Eine detaillierte

IV

Warum nennt Kierkegaard das Wesen der Existenz ein „logisches Problem"? Und in welche Richtung sucht er den Ansatz einer Lösung dieses Problems? Wir werfen abschließend einen Blick auf zwei nicht in die Reinschrift der ›Nachschrift‹ aufgenommene Passagen des Entwurfs, die dazu einen Hinweis geben können.

Anläßlich seiner Auseinandersetzung mit Grundtvigs Schlagwort vom „lebendigen Wort" [30] fragt Kierkegaard-Climacus, ob Grundtvig unter diesem Stichwort etwa eine „das Verhältnis zwischen Wesen und Form" betreffende „metaphysische Entdeckung" verkünden wolle. Will Grundtvig behaupten, „daß das Wort wesentliche Form des Gedanken" sei, daß also Form und Wesen einander schlechthin entsprechen? Dann hätte er Hegels These erneuert, „daß das Äußere das Innere, das Innere das Äußere ist". Und er hätte damit zur Erhellung eines Teilbereichs „der Grenzstreitigkeiten zwischen dem Logischen und dem Ontologischen" beigetragen. Woran denkt Kierkegaard, wenn er das Wesen (den Gedanken) der Form (dem Wort) gegenüberstellt, die hegelschen Reflexionsbestimmungen kommemoriert [31], wenn er den Bezug zwischen Gedanke und Wort als Teil des

Deutung dieser Probleme, ihrer Ordnung – Kierkegaard hat nachträglich (7) vor (6) gestellt – und ihres systematischen Zusammenhangs ist hier nicht möglich.

[30] Vgl. H. 16/1, 32–43 und die Anm. 85–110 ebda. S. 306–309. Die hier besprochene Partie des Entwurfs VI B 29 steht Papirer VI S. 109 Zeile 10–19.

[31] Nach IV C 101 f. kennt Kierkegaard außer der Skizze der Propädeutik (Jub III, 112–119, 170–180) vor allem die Logik der Enzyklopädie. Mit dem Hinweis auf Hegels These von der dialektischen Einheit des Inneren und Äußeren eröffnet Kierkegaard 1842 in der Einleitung zu ›Entweder–Oder‹ seine pseudonyme Schriftstellerei. Für Climacus kulminiert Hegels Philosophie in diesem „ästhetisch-metaphysischen" Prinzip, das er auch hinter Grundtvigs Schlagwort wittert (vgl. H 16/1, 293 Anm.). Allein schon die Formulierung VI B 29 zeigt, daß Kierkegaard das Wort nicht für die einfache Hörbarkeit des Gedankens, das „Logische" nicht für das Korrelat des „Ontologischen" hält. Was Kierkegaard als „das Metaphysische" bezeichnet, läßt sich geradezu dadurch charakterisieren, daß in ihm von der

zwischen dem Logischen und dem Ontologischen [32] strittigen Grenz-
bereichs [33] beider bezeichnet? Daß diese Ausdrücke nicht in erster
Linie bestimmte fest umrissene, von anderen unabhängige Wissenschaften bezeichnen, sondern hermeneutisch auf das hinter deren
Fragestellungen und Betrachtungsweisen stehende „Verhältnis zu
Sein" (IV C 100) hinweisen, ließe sich z. B. an Kierkegaards Begriff
des „Metaphysischen zeigen [34]. Kierkegaard spricht ja auch betont

Voraussetzung einer solchen Entsprechung her gedacht und gelebt wird –
weshalb man eben gerade nicht metaphysisch leben kann.

[32] Zu H 16/2, 47 gehört eine ebda. Anm. 175 S. 358 zitierte Passage
(VI B 54/21). Sie fordert, daß man durch eine Untersuchung der Begriffe
Möglichkeit, Wirklichkeit und Notwendigkeit das Verhältnis des Logischen
zum Ontologischen beleuchte. Vgl. dazu den ebda. genannten Aufsatz von
G. Malantschuk. Zum Modalproblem bei Hegel vgl. z. B. Jub VIII, 319–331,
337–348. VI B 54/21 nennt bei der Forderung einer solchen Untersuchung
Trendelenburg und zeigt dadurch dessen Einfluß auf die Modalitätenlehre
des Climacus.

[33] Die Begriffe „Konfinium" (Grenzgebiet) und „Grenzstreit" gehören
in die Existenzwissenschaft, nicht in „das Metaphysische", in Logik oder in
eine Ontologie im Sinne P. M. Möllers. Kierkegaard gebraucht die Worte in
zweifacher Weise: 1) methodologisch in bezug auf die gegenseitige Abgrenzung benachbarter Wissenschaften (vgl. IV C 104 und H 11, 6 ff.);
2) existenzdialektisch für Verhaltensweisen, die bei der Analyse als an der
Grenze zu einem qualitativ andersgearteten Selbstverständnis stehend erkannt und dementsprechend in die existenzwissenschaftliche Theorie der
›Stadien‹ eingeordnet werden (vgl. H 16/2, 213: „Existenzbestimmung";
H 16/1, 267, 16/2, 209 und 211). VI B 29 verwendet das Wort in diesem
zweiten Sinne.

[34] VI B 29 spricht von einer „metaphysischen" Entdeckung. Hier können
weder Herkunft noch Inhalt des Sprachgebrauchs von „Metaphysik" („das
Metaphysische") bei Kierkegaard 1843–1846 eingehend erörtert werden.
Dabei würde sich zeigen, daß die in der Einleitung zum ›Begriff Angst‹, in
den ›Stadien auf des Lebens Weg‹ und in der ›Nachschrift‹ geübte Kritik
stark von Schellings Interpretation der „negativen Philosophie" geprägt
ist. „Das Metaphysische" – der gegenüber „Metaphysik" bevorzugte Begriff – ist Hinweis auf ein bestimmtes Verhalten (nämlich das der versuch-
ten Gleichgültigkeit gegenüber mir selbst als einem Gewordenen, Zufälli-
gen, dem Raum und der Zeit Unterworfenen und allem Derartigen in meiner Welt), Inbegriff einer bestimmten Betrachtungsweise (nämlich jener